D0271987

Kristin Hannah

Was wir aus Liebe tun

Roman

Aus dem Amerikanischen
von Hedda Pänke

Gelöscht und gegen Schutzgebühr
zur Verwertung freigegeben

Marion von Schröder

Die Originalausgabe erschien 2004 unter dem Titel
The Things We Do For Love bei Ballantine Books, New York

Marion von Schröder ist ein Verlag der
Ullstein Buchverlage GmbH

ISBN 978-3-547-71073-1
ISBN 3–547-71073–1

Copyright der deutschen Ausgabe
© 2005 by Ullstein Buchverlage GmbH, Berlin
Alle Rechte vorbehalten
© 2004 by Kristin Hannah
Satz: LVD GmbH, Berlin
Druck und Bindearbeiten: Clausen & Bosse, Leck
Printed in Germany

Ein weiteres Mal für Benjamin und Tucker.

Und für meine guten Freunde Holly und Gerald, Mark und Monica, Tom und Lori, Megan und Kany, Steve und Jill.

Mein besonderer Dank gilt Linda Marrow für eine Leistung, die alle Erwartungen übertraf.

Dinge ändern sich nicht, wir *ändern uns.*

Henry David Thoreau

Eins

An diesem überraschend sonnigen Tag war einiges los auf den Straßen von West End. Überall standen Mütter in weitgeöffneten Türen, hielten die Hände schützend vor die Augen und sahen ihren Kindern beim Spielen zu. Jeder wußte, daß bald, spätestens morgen, klebriger Dunst den blauen Himmel überziehen und die Frühlingssonne verdunkeln mußte. Und dann würde es wieder zu regnen anfangen.

Schließlich war es Mai im amerikanischen Nordwesten. Regen gehörte nun einmal zu diesem Monat wie Gespenster zu Halloween und die Rückkehr zu den Laichgründen zu Lachsen.

»Es ist echt warm«, stellte Conlan am Steuer des schwarzen BMW-Cabrios fest. Es waren die ersten Worte, die er seit fast einer Stunde äußerte.

Offenbar wollte er ein harmloses Gespräch beginnen. Angie hätte den Ball aufnehmen und vielleicht eine Bemerkung über den in prachtvoller Blüte stehenden Weißdorn machen sollen. Der Gedanke schoß ihr durch den Kopf, aber sie schwieg. In nur wenigen Monaten würden die Blätter welken, in kalten Nächten ihre Farbe verlieren und schließlich unbemerkt zu Boden fallen.

Was sollte es da schon für einen Sinn haben, einem so flüchtigen Moment überhaupt Beachtung zu schenken?

Angie blickte aus dem Fenster auf ihre Heimatstadt. Seit Monaten war sie nicht mehr hier gewesen. Obwohl West End nur knapp zweihundert Kilometer von Seattle trennten, hatte sie in letzter Zeit das Gefühl, daß die Entfernung immer größer wurde. Sie hing zwar an ihrer Familie, konnte sich aber nicht dazu aufraffen, das Haus zu verlassen. Draußen sah sie ja doch überall nur Babys.

Sie erreichten den ältesten Teil von West End, in dem viktorianische Häuser eng nebeneinander auf schmalen Grundstücken standen. Gewaltige Ahornbäume warfen Schatten auf die Straße, verschlungene Muster aus Dunkel und Licht auf den Asphalt. In den siebziger Jahren war hier der pulsierende Mittelpunkt, das Herz von West End gewesen. Damals hatte es hier von Kindern nur so gewimmelt, die auf ihren Big Wheels oder Swinn-Fahrrädern von einem Haus zum anderen flitzten. Jeden Sonntag wurden nach dem Gottesdienst ausgelassene Parties veranstaltet und in jedem Garten Red Rover gespielt.

Seither hatte sich in diesem Teil des Staates Oregon viel verändert, und das Leben schien aus den alten Wohnvierteln gewichen. Die Laichwanderungen der Lachse ließen nach, und die Holzindustrie lag am Boden. Alteingesessene Bürger, die früher ihren Lebensunterhalt mit Gemüseanbau, Holzeinschlag und Fischfang verdient hatten, sahen sich nun ins Abseits gedrängt, fühlten sich vergessen. Neue Bewohner errichteten sich Häuser am Rand von West End, in Siedlungen, die sie nach Bäumen benannten, die für die Neubauten gefällt worden waren.

Aber hier am Maple Drive schien die Zeit stehengeblieben zu sein. Das letzte Haus an der Straße sah aus wie immer. Sein weißer Farbanstrich war makellos, die Zierleisten schimmerten smaragdgrün. Kein Unkraut hatte jemals den Rasen des Vorgartens verunzieren dürfen. Vier Jahrzehnte lang hatte sich Angies Vater um dieses Haus gekümmert, es war sein ganzer Stolz und steter Quell der Freude gewesen. Nach den anstrengenden Wochenenden im familieneigenen Restaurant hatte er jeden Montag notwendigen Reparaturen im Haus und der Gartenarbeit gewidmet. Nach seinem Tod bemühte sich Angies Mutter, seinem Beispiel zu folgen. Es war für sie eine Art Trost, eine Möglichkeit, dem Mann nahezusein, den sie fast fünfzig Jahre lang geliebt hatte. Und wenn sie die schwere Arbeit ermüdete, war immer jemand bereit, ihr zu helfen. Das sei eben der Vorteil, drei Töchter zu haben, erklärte sie häufig. Der Lohn dafür, daß sie ihre Teenagerjahre so geduldig ertragen hatte.

Conlan fuhr an den Straßenrand und hielt. Während sich das Verdeck automatisch schloß, wandte er sich Angie zu. »Bist du auch sicher, daß es nicht zuviel für dich wird?«

»Ich bin schließlich freiwillig hier, oder?« Endlich sah sie ihn an. Er war erschöpft, mutlos. Das sah sie in seinen blauen Augen, wußte aber, daß er nichts weiter sagen würde. Nichts, das sie an das Baby erinnern könnte, das sie vor wenigen Monaten verloren hatten.

Stumm saßen sie nebeneinander. Die Klimaanlage surrte leise.

Früher hätte Conlan sie an sich gezogen, sie geküßt, ihr gesagt, daß er sie liebte, und diese wenigen, zärtlichen Worte hätten ihr unendlich gutgetan. Aber das gehörte mittlerweile der Vergangenheit an. Die Liebe zwischen ihnen schien nicht mehr zu existieren, war so verblichen und verloren wie ihre Kindheit.

»Wir könnten einfach wieder verschwinden. Vielleicht sagen, daß das Auto seinen Geist aufgegeben hat«, schlug er vor und versuchte der Mann zu sein, der er einmal gewesen war, der Mann, der seine Frau mit einer kleinen Bemerkung zum Lächeln bringen konnte.

Sie senkte den Blick. »Machst du Witze? Sie glauben doch alle, daß wir für den Wagen zuviel gezahlt haben. Abgesehen davon weiß Mama längst, daß wir da sind. Sie mag ja hin und wieder mit Toten sprechen, aber sie hat Ohren wie ein Luchs.«

»Sie ist bestimmt in der Küche, um zehntausend Cannelloni für zwanzig Leute zuzubereiten. Und deine Schwestern reden ohne Punkt und Komma, seit sie das Haus betreten haben. Wir könnten uns ganz unbemerkt wieder aus dem Staub machen.« Er lächelte. Einen Moment lang kam es ihr vor, als wäre zwischen ihnen wieder alles in Ordnung, als säßen keine Gespenster mit ihnen im Auto. Angie wünschte, die – Sorglosigkeit wäre von Dauer.

»Wie ich Livvy kenne, hat sie drei Töpfe Gulasch gekocht«, murmelte sie. »Und Mira vermutlich eine neue Tischdecke gehäkelt und uns allen passende Schürzen genäht.«

»In der letzten Woche hattest du zwei wichtige Konferenzen über Anzeigenkampagnen und Aufnahmen für einen Werbespot. Da blieb dir kaum Zeit zum Kochen.«

Der arme Conlan. Auch nach vierzehnjähriger Ehe fehlte ihm jede Vorstellung von den Wertmaßstäben der DeSarias. Für ihre Familie war Kochen mehr als ein Job oder ein Hobby. Es war eine Art Zahlungsmittel, das Angie jedoch fehlte. Ihrem Vater hatte es gefallen, daß sie nicht kochen konnte. Für ihn war das ein Kennzeichen für Erfolg. Als Immigrant, der mit vier Dollar in der Tasche in die Staaten gekommen war und dann sein Geld mit dem Kochen für andere Einwandererfamilien verdiente, machte es ihn stolz, daß seine jüngste Tochter ihr Geld mit dem Kopf verdiente und nicht mit den Händen.

»Laß uns endlich reingehen.« Sie wollte sich nicht an ihren Vater erinnern.

Angie stieg aus und lief zum Kofferraum. Sie öffnete ihn und holte einen Karton heraus. In ihm befanden sich eine opulente Schokoladentorte und eine köstliche Limonentarte.

Sie hörte bereits die Kommentare, die mit Sicherheit folgen würden, weil sie bei der Pacific Dessert Company eingekauft hatte, anstatt selbst zu backen. Als jüngste Schwester – »die Prinzessin« – hatte sie stets malen, mit Freundinnen telephonieren oder fernsehen dürfen, wenn ihre Schwestern in der Küche helfen mußten. Ihre Schwestern ließen sie nie vergessen, daß Papa sie maßlos verwöhnt hatte. Als Erwachsene waren Livvy und Mira noch immer im Restaurant der Familie beschäftigt. Und das war *richtige* Arbeit, wie sie stets betonten, etwas anderes als Angies Tätigkeit in der Werbebranche.

»Komm«, sagte Conlan und hakte sich bei ihr ein.

Sie gingen zum Haus, vorbei an dem Brunnen mit der Jungfrau Maria, und stiegen die Stufen hinauf. Neben der Tür stand ein Christus mit zum Gruß ausgebreiteten Armen. Jemand hatte einen Schirm an sein Handgelenk gehängt.

Nach einem kurzen Klopfen stieß Conlan die Tür auf.

Das Haus bebte förmlich vor Lärm. Lachen, laute Stimmen, Kinder rannten die Treppe hinauf und hinab, Eisbehälter wurden gefüllt. Die Möbel in der Diele verschwanden unter einem Wust von Mänteln, Jacken, Schuhen und leeren Kartons.

Im Wohnzimmer spielten Scharen von Kindern, die kleinen Candy Land, die größeren Crazy Eight. Angies ältester Neffe Jason und ihre Nichte Sarah saßen vor einem Computerspiel. Bei ihrem Eintreten sprangen alle begeistert auf und stürmten lachend auf sie zu. Für sie war Angie die Tante, die sich immer ohne langes Bitten und Betteln zu ihnen auf den Fußboden setzte, um mit ihnen das zu spielen, was gerade *in* war. Nie forderte sie ihre Nichten und Neffen auf, die Musik leiser zu stellen, oder befand einen Film für ungeeignet. Alle Nichten und Neffen waren sich einig: Tante Angie war ausgesprochen *cool*.

Sie hörte, wie sich Conlan hinter ihr mit Miras Mann Vince

unterhielt. Ein Glas wurde gefüllt. Behutsam löste sie sich aus den Umarmungen der Kinder und lief über den Korridor zur Küche.

Auf der Schwelle hielt sie inne. Ihre Mutter stand am Tisch in der Mitte des Raums und rollte Teig aus. Mehl bedeckte die Hälfte ihres Gesichts und ihre Haare. Ihre Brille – ein Relikt aus den siebziger Jahren – hatte dicke Gläser, die ihre braunen Augen vergrößerten. Kleine Schweißperlen sammelten sich auf ihrer Stirn, liefen über die bemehlten Wangen und landeten schließlich auf ihrem Busen. In den fünf Monaten seit Papas Tod hatte sie erschreckend abgenommen. Sie hatte auch aufgehört, sich die Haare zu färben, die nun schneeweiß waren.

Mira stand vor dem Herd und ließ Gnocchi in einen Topf mit kochendem Wasser gleiten. Von hinten sah sie aus wie ein junges Mädchen. Obwohl sie vier Kinder zur Welt gebracht hatte, war sie noch immer gertenschlank, fast grazil. Und da sie oft Sachen ihrer halbwüchsigen Tochter trug, wirkte sie nicht wie einundvierzig, sondern gut zehn Jahre jünger. Heute hatte sie ihre langen schwarzen Haare zu einem Zopf geflochten, der ihr fast bis zur Taille reichte. Sie steckte in schwarzen Jeans mit ausgestelltem Bein und einem roten Pullover. Sie sagte irgend etwas, doch das war nicht überraschend: Sie schwatzte pausenlos. Seine älteste Tochter höre sich an wie ein Mixer auf Hochtouren, hatte Papa immer gescherzt.

Angies andere Schwester Livvy stand links an der Arbeitsfläche und schnitt Mozzarella auf. In ihrem schwarzen, schmalgeschnittenen Seidenkleid erinnerte sie Angie flüchtig an einen übergroßen Kugelschreiber. Das einzige an ihr, das noch höher wirkte als ihre Absätze, waren ihre hochfrisierten Haare. Vor vielen Jahren hatte Livvy West End Hals über Kopf verlassen, weil sie sicher war, ein Model werden zu können. Sie blieb in Los Angeles, bis jedes Vorstellungsgespräch in der Forderung gipfelte, sich doch jetzt bitte auszuziehen. Vor fünf Jahren und kurz nach ihrem vierunddreißigsten Geburtstag war sie wieder nach Hause gekommen, enttäuscht über das Scheitern ihrer Träume, verbittert über die verschwendeten Jahre, und im Schlepptau ihre beiden kleinen Söhne, deren Väter niemand von der Familie je gesehen, geschweige denn kennengelernt hatte. Jetzt arbeitete sie im Restaurant, aber nur widerwillig. Sie fühlte sich in dem Provinzkaff gefangen, während sie doch eigentlich für die Großstadt geschaffen war. Inzwischen hatte sie wieder geheiratet, gerade letzte Woche in der Chapel of Love in Las Vegas. Und alle hofften, daß Salvatore Traina – ihr dritter Mann – sie endlich glücklich machen konnte.

Angie lächelte. Wie viele Stunden hatte sie nicht schon in dieser Küche in Gesellschaft dieser drei Frauen verbracht. Ganz gleich, wie alt sie auch wurde, welche Richtung ihr Leben auch nahm, hier würde sie immer zu Hause sein. In Mamas Küche fühlte sie sich sicher, gut aufgehoben und geliebt. Obwohl ihre Schwestern und sie unterschiedliche Lebenswege eingeschlagen hatten und dazu neigten, sich ungefragt in die Dinge der anderen einzumischen, waren sie doch wie Stränge eines Seils. Zusammen waren sie stark, unüberwindlich. Sie sehnte sich danach, dieses Gefühl, diese Sicherheit wieder zu empfinden; sie hatte schon zu lange allein getrauert.

Angie betrat die Küche und stellte ihren Karton ab. »Hallo, ihr drei.«

Livvy und Mira stürmten auf sie zu und umfingen sie mit einer Umarmung, die nach italienischen Gewürzen und Parfum roch. Angie spürte Tränen in ihrem Nacken, konnte aber nichts hören als: »Schön, daß du wieder zu Hause bist.«

»Danke.« Angie drückte ihre Schwestern ein letztes Mal an sich und überließ sich dann den geöffneten Armen ihrer Mutter. Wie immer roch Mama nach Thymian, Tabu-Parfum und Aqua-Net-Haarspray. Nach Angies Jugend.

Ihre Mutter zog sie an sich und hielt sie so fest, daß ihr fast die Luft wegblieb. Lachend wollte Angie sich befreien, doch Mama ließ das nicht zu.

Unwillkürlich verspannte sich Angie. Als ihre Mutter sie das letzte Mal so fest an sich gezogen hatte, hörte sie gleich darauf ein beschwörendes Flüstern: *Gib nicht auf. Gott wird deinen Wunsch nach einem Baby schon erfüllen ...*

Angie löste sich aus der Umarmung. »Bitte nicht«, sagte sie und versuchte zu lächeln.

Die leise Bitte war genug. Ihre Mutter streckte die Hand nach der Parmesanreibe aus und sagte: »Hol die Kinder, Mira. Das Essen ist fertig.«

Im Eßzimmer fanden vierzehn Leute bequem Platz, heute waren es fünfzehn. Ein mächtiger Mahagonitisch aus der alten Heimat dominierte den in Rosa und Weinrot tapezierten Raum. An einer Wand hing ein Bild von Jesus neben einem hölzernen Kruzifix. Dichtgedrängt saßen Erwachsene und Kinder am Tisch. Im Nebenzimmer sang Dean Martin.

»Wir wollen beten«, sagte Mama, sobald alle ihre Plätze eingenommen hatten. Als nicht sofort Stille einkehrte, streckte sie die Hand aus und verpaßte Onkel Francis eine Kopfnuß.

Francis senkte folgsam den Kopf und schloß die Augen. Alle folgten hastig seinem Beispiel und huben zum Gebet an. »Segne uns, Herr, unser Gott, und diese Gaben, die wir durch Deinen Sohn Jesus Christus empfangen. Amen.«

Nach dem Tischgebet stand Mama auf und griff nach ihrem Weinglas. »Laßt uns auf Sal und Olivia trinken.« Ihre Stimme geriet verdächtig ins Schwanken, ihre Lippen zitterten. »Oh, ich weiß nicht, was ich sagen soll. Einen Toast auszubringen ist Männersache.« Abrupt setzte sie sich wieder.

Mira legte eine Hand auf die Schulter ihrer Mutter und erhob sich. »Wir heißen Sal in unserer Familie herzlich willkommen. Möget ihr beide die Liebe finden, die Mama und Papa verbunden hat. Wir wünschen euch stets eine volle Speisekammer, warme Betten und ...« Sie hielt kurz inne und fuhr dann mit leiserer Stimme fort: »... viele gesunde Kinder.«

Anstelle von Lachen und Prosten breitete sich Stille aus.

Angie holte tief Luft und sah ihre Schwestern an.

»Ich bin nicht schwanger«, sagte Livvy hastig. »Aber ... wir bemühen uns.«

Angie versuchte ein Lächeln, konnte damit aber niemanden täuschen. Alle blickten sie an und schienen sich zu fragen, wie und ob sie ein weiteres Baby in der Familie ertragen würde.

Sie hob ihr Glas. »Auf Sal und Livvy.« Sie sprach sehr schnell und hoffte, daß ihre Tränen für Freudentränen gehalten wurden. »Mögt ihr beide viele gesunde Kinder bekommen.«

Allmählich kam die Unterhaltung in Gang. Gesprächsfetzen wehten über den Tisch, Besteck klapperte auf Porzellan, Gelächter erklang. Obwohl die Familie sich an jedem Feiertag und an zwei Montagen im Monat traf, ging ihnen doch nie der Gesprächsstoff aus.

Angie blickte in die Runde. Mira erzählte Mama gerade aufgeregt von einer Schulveranstaltung, für die ein Buffet geplant werden mußte, damit genügend Spenden zusammenkamen. Vince und Onkel Francis diskutierten über das letzte Spiel der Huskies gegen die Ducks. Sal und Livvy tauschten verstohlen Küsse aus. Die kleineren Kinder bespuckten sich mit Erbsen, die älteren stritten darüber, ob Xbox oder PlayStation besser war. Conlan erkundigte sich bei Tante Giulia nach ihrer bevorstehenden Hüftoperation.

Angie konnte sich auf keines der Gespräche konzentrieren. Sie hatte keine Lust auf lockere, unverbindliche Konversation. Ihre Schwester wünschte sich ein Kind, also würde sie es auch bekommen. Vermutlich würde sie mal eben zwischen der Late-Night-Show und den Nachrichten schwanger werden. *O Gott, ich habe glatt mein Diaphragma vergessen ...* So leicht war es für ihre Schwestern.

Als Angie nach dem Essen das Geschirr spülte, sprach sie niemand an, aber alle, die in der Küche auftauchten, drückten ihre Schulter oder küßten sie auf die Wange. Jeder wußte, daß es nicht viel zu sagen gab. Im Laufe der Jahre waren so viele gute Wünsche geäußert worden, daß jede Hoffnung verblichen war. Mama hatte ein Jahrzehnt lang täglich eine Kerze in St. Celilia's, der katholischen Kirche, entzündet, und doch würden Angie und Conlan später wieder allein mit dem Auto nach Hause fahren, ein Ehepaar, aus dem vermutlich nie eine Familie würde.

Schließlich konnte sie es nicht mehr ertragen. Sie warf das Spültuch auf den Tisch und lief die Treppe in ihr altes Zimmer hinauf. In dem kleinen, hübschen Raum mit der Rosentapete standen zwei Betten mit pinkfarbenen Steppdecken. Sie setzte sich auf das Fußende ihres Bettes.

Ironischerweise hatte sie einmal genau hier auf dem Boden gekniet und Gott angefleht, nicht schwanger zu sein. Damals war sie siebzehn gewesen und zum ersten Mal verliebt. In Tommy Matucci.

Die Tür öffnete sich, und Conlan kam herein. Ihr großer, schwarzhaariger Ehemann wirkte eigentümlich fehl am Platz in ihrem Mädchenzimmer.

»Mit mir ist alles in Ordnung«, sagte Angie.

»Wenn du meinst.«

Sie hörte die Bitterkeit in seiner Stimme, fühlte sich davon getroffen. Doch was sollte sie tun? Er konnte sie nicht trösten. Das hatte sich weiß Gott oft genug erwiesen.

»Du brauchst Hilfe«, sagte er. Er klang müde, aber das wunderte sie nicht. Er hatte diese Worte schon so viele Male gesagt.

»Mir fehlt nichts.«

Er sah sie lange an. In den blauen Augen, die früher bewundernd auf ihr geruht hatten, stand nun fast so etwas wie hilflose Verzweiflung. Seufzend drehte er sich um, verließ das Zimmer und zog die Tür hinter sich zu.

Ein paar Sekunden später öffnete sie sich wieder. Ihre Mutter stand auf der Schwelle und stemmte die Fäuste in die schmalen Hüften. Die Schulterpolster ihres Sonntagskleides wirkten absurd, fast wie bei einem Football-Spieler, und schienen fast den Türrahmen zu sprengen. »Du bist schon immer in dein Zimmer geflüchtet, wenn du traurig warst. Oder wütend.«

Angie rutschte ein bißchen zur Seite, damit sie sich neben sie setzen konnte. »Und du bist mir dann immer prompt hinterhergekommen.«

»Auf ausdrücklichen Wunsch deines Vaters. Das hast du nicht gewußt, oder?« Ihre Mutter setzte sich aufs Bett. Unter ihrem gemeinsamen Gewicht gab die alte Matratze spürbar nach. »Er konnte es einfach nicht ertragen, dich weinen zu sehen. Die arme Livvy konnte sich die Lunge aus dem Leib schluchzen, ohne daß es ihm etwas ausmachte. Aber du ... Du warst sein Prinzeßchen. Eine einzige Träne von dir und es brach ihm das Herz.« Sie seufzte. Es klang ebenso enttäuscht wie mitfühlend. »Du bist achtunddreißig, Angela. Es ist höchste Zeit, daß du endlich erwachsen wirst. Und darin würde dein Papa – er ruhe in Frieden – mir sogar recht geben.«

»Ich habe keine Ahnung, was das heißen soll.«

Ihre Mutter schlang einen Arm um sie und zog sie an sich. »Gott hat deine Gebete beantwortet, Angela. Es war nicht die Antwort, die du erwartet hast, deshalb wolltest du sie nicht hören. Es ist aber an der Zeit, sie zur Kenntnis zu nehmen.«

Unvermittelt schreckte Angie aus dem Schlaf hoch. Das kalte Gefühl auf ihren Wangen kam von Tränen.

Wieder hatte sie von dem Baby geträumt. Den Traum, in dem Conlan und sie an gegenüberliegenden Ufern standen. Und zwischen ihnen, auf der ausgedehnten, schimmernden Wasseroberfläche, trieb ein kleines, in eine rosa Decke gehülltes Bündel immer weiter von ihnen fort, bis es schließlich nicht mehr zu sehen war. Conlan und sie blieben zurück – jeder auf seiner Seite und zu weit von dem anderen entfernt.

Dieser Traum kam immer wieder seit den Jahren, in denen sie und ihr Mann von einem Arzt zum nächsten gelaufen waren und alle erdenklichen Therapien ausprobiert hatten. In acht Jahren Ehe war sie dreimal schwanger geworden. Die ersten beiden Male hatten mit Fehlgeburten geendet, und das dritte Kind – ihre Tochter Sophia – hatte nur wenige Tage gelebt. Das war das Ende. Danach fehlte Conlan und ihr der Mut, es noch einmal zu versuchen.

Angie stand auf, hob ihren pinkfarbenen Chenille-Morgenrock vom Fußboden auf und verließ das Schlafzimmer.

Rechts von ihr bedeckten Dutzende von Familienbildern in schweren Mahagonirahmen die Wand des Korridors. Sie zeigten fünf Generationen der Familien DeSaria und Malone.

Sie blickte den Flur hinunter zur letzten, geschlossenen Tür. Mondlicht fiel durch ein nahes Fenster und ließ den Messingknauf schimmern.

Wann hatte sie es das letzte Mal gewagt, diesen Raum zu betreten?

»Gott hat dir geantwortet … Es ist Zeit, seine Antwort zur Kenntnis zu nehmen …«

Langsam ging Angie an der Treppe ins Erdgeschoß und dem leeren Gästezimmer vorbei zur letzten Tür.

Davor holte sie tief Luft und atmete langsam wieder aus. Mit zitternden Händen öffnete sie die Tür und trat ein. Der Raum roch abgestanden, stickig und muffig.

Sie knipste das Licht an und zog die Tür hinter sich ins Schloß.

Das Zimmer war einfach perfekt.

Angie schloß die Augen, als könnte Dunkelheit helfen. Die Melodie von *Die Schöne und das Biest* kam ihr in den Sinn und erinnerte sie an das erste Mal, als sie die Tür zu diesem

Zimmer geschlossen hatte. Das war vor vielen Jahren gewesen, nachdem sie sich zu einer Adoption entschlossen hatten.

»Wir haben ein Kind für Sie, Mrs. Malone. Die noch minderjährige Mutter hat sich für Sie und Ihren Mann entschieden. Kommen Sie doch bitte in mein Büro, damit Sie sich kennenlernen …«

Geschlagene vier Stunden hatte Angie überlegt, was sie zu der Begegnung mit der jungen Frau anziehen sollte. Als sie und Conlan schließlich in der Anwaltspraxis Sarah Dekker gegenüberstanden, waren die drei einander auf Anhieb sympathisch. »Wir werden Ihr Kind lieben«, hatte Angie dem Mädchen versprochen. »Sie können uns vertrauen.«

Sechs wunderbare Monate lang verzichteten Angie und Conlan auf alle Bemühungen um eine Schwangerschaft. Sex machte endlich wieder Spaß. Das Leben war herrlich. Voller Hoffnung und Vorfreude. Sie feierten mit ihren Familien. Sie luden Sarah zu sich ein und unterhielten sich ebenso offen wie vertrauensvoll mit ihr. Sie begleiteten das Mädchen zu jeder Vorsorgeuntersuchung. Zwei Wochen vor dem errechneten Geburtstermin war Sarah mit Farben und ein paar Schablonen erschienen, um mit Angie das Kinderzimmer auszumalen. Eine himmelblaue Decke, über die Wattewölkchen segelten. An den Wänden rankten Blumen durch einen weißen Lattenzaun und lockten mit ihren bunten Blüten Bienen und Schmetterlinge an.

Zur Katastrophe kam es an dem Tag, an dem bei Sarah die Wehen einsetzten. Als Angie und Conlan von der Arbeit zurückkehrten, fanden sie das Haus leer vor. Auf dem Anrufbeantworter keine Nachricht, kein Zettel auf dem Küchentisch. Eine knappe Stunde später klingelte das Telephon.

Aneinandergeschmiegt hatten sie am Telephon gesessen, sich bei den Händen gehalten und vor Freude geschluchzt, als sie von der erfolgreichen Entbindung hörten. Es dauerte ein Weilchen, bis auch die nächsten Worte zu ihnen durchgedrungen waren. Selbst jetzt noch konnte sich Angie nur an Bruchstücke erinnern.

»*Tut mir sehr leid … ihre Meinung geändert … mit ihrem Freund ausgesöhnt … behält das Baby …*«

Sie schlossen die Tür des Kinderzimmers ab und öffneten sie nie wieder. Einmal in der Woche ging die Putzfrau hinein, aber für Angie und Conlan blieb der Raum tabu. Mehr als ein Jahr stand das Zimmer leer, wie ein Schrein ihrer unerfüllten Träume. Sie hatten die Hoffnung aufgegeben, suchten keine Ärzte mehr auf, verzichteten auf alle Therapien. Dann wurde Angie wie durch ein Wunder erneut schwanger. Erst als sie im fünften Monat war, wagten sie es, die Tür wieder zu öffnen und den Raum mit ihren Träumen zu füllen. Sie hätten es besser wissen müssen.

Angie ging zum Schrank und zog einen großen Karton heraus. Sorgsam begann sie, ein Stück nach dem anderen hineinzupacken, unablässig bemüht, sich dabei nicht von Erinnerungen überwältigen zu lassen.

»Was machst du denn hier?«

Conlan stand neben ihr; es war ihr völlig entgangen, daß sich die Tür geöffnet hatte.

Ihr war bewußt, wie absurd es ihm vorkommen mußte, seine Frau mitten in der Nacht neben einer großen Pappkiste vorzufinden. In ihr befanden sich all die Dinge, die sie voller Vorfreude gekauft hatten: die Winnie-Puuh-Nachttischlampe, das gerahmte Aladin-Poster, Stofftiere, Bilderbücher. Nur das Gitterbettchen stand noch an seinem Platz. Daneben lagen Laken und Kissenbezüge, ein kleiner, ordentlicher Stapel rosa Flanell.

Angie drehte sich zu ihm um und sah ihn an. Sein Gesicht verschwamm vor ihren Augen, und sie merkte erst jetzt, daß sie weinte. Sie wollte ihm sagen, wie leid es ihr tat, daß zwischen ihnen alles schiefgegangen war. Sie streckte die Hand nach dem Flanellstapel aus und strich gedankenverloren über den Stoff. »Ich konnte es nicht mehr ertragen.« Mehr brachte sie nicht heraus.

Er setzte sich neben sie auf den Boden.

Angie wartete darauf, daß er etwas sagte, aber er saß nur da und beobachtete sie. Sie wußte, warum. Die Erfahrungen der Vergangenheit hatten ihn vorsichtig gemacht. Er war wie ein Tier, das gelernt hatte, daß es in einer gefährlichen Situation am besten ist, sich erst einmal nicht zu rühren. Durch die ständigen Enttäuschungen war Angie emotional unberechenbar geworden. »Ich habe einen Fehler gemacht«, sagte sie schließlich. »Ich habe *uns* vergessen.«

»Uns gibt es nicht mehr, Angie.« Die ruhige Art, in der er das sagte, brach ihr das Herz.

Endlich hatte einer von ihnen es auszusprechen gewagt. »Ich weiß.«

»Auch ich wollte ein Baby.«

Angie schluckte trocken und bemühte sich krampfhaft, die Tränen zurückzuhalten. In den letzten Jahren hatte sie ganz verdrängt, daß sich auch Conlan ein Kind gewünscht hatte. Genauso sehnsüchtig wie sie. Aber von irgendeinem Punkt an war es nur noch um sie gegangen. Sie hatte sich derart auf ihre Enttäuschung, ihren Schmerz konzentriert, daß seine Empfindungen nebensächlich wurden. Diese zu späte Erkenntnis würde sie wohl ihr Leben lang verfolgen. Erfolg hatte für sie schon immer absolute Priorität gehabt – ihre Familie nannte sie obsessiv –, und ein Kind zu bekommen, war ein weiteres Ziel gewesen, das es unbedingt zu erreichen galt. Sie hätte nicht vergessen dürfen, daß dazu zwei gehörten.

»Es tut mir unendlich leid«, flüsterte sie.

Er nahm sie in die Arme, und sie küßten sich, wie sie sich seit Jahren nicht mehr geküßt hatten.

Lange Zeit saßen sie engumschlungen nebeneinander.

Angie wünschte, sie hätte sich mit seiner Liebe zufriedengeben können. Doch irgendwann war ihr Wunsch zu einer Art

Sturmflut geworden, die sie beide verschlungen hatte. Vor einem Jahr hätte sie sich vielleicht noch an die Oberfläche kämpfen können. Jetzt nicht mehr. »Ich habe dich geliebt ...«

»Ich weiß.«

»Wir hätten behutsamer mit unserer Liebe umgehen müssen.«

Als sie später allein in dem Bett lag, das sie jahrelang geteilt hatten, versuchte sich Angie daran zu erinnern, was sie am Ende ihrer Liebe zueinander gesagt hatten, aber es wollte ihr nicht einfallen. Alles, woran sie sich erinnerte, war der Duft von Babypuder und der Klang seiner Stimme, als er sich von ihr verabschiedete.

Zwei

Es war verblüffend, wieviel Zeit es kostet, ein Leben aufzulösen. Sobald Angie und Conlan beschlossen hatten, ihre Ehe zu beenden, wurden Details immens wichtig. Wie teilt man alles gerecht auf, vor allem die unteilbaren Dinge wie Häuser, Autos und Herzen? Sie verbrachten Monate mit den Vorbereitungen der Scheidung, und Ende September war es dann endlich geschafft.

Ihr Haus – nein, jetzt gehörte es den Pedersons – war leer. Anstelle von Schlafzimmern, einem Designer-Wohnraum und einer Küche mit Granitboden hatte sie nun einen nennenswerten Betrag auf der Bank, die Hälfte ihrer Möbel eingelagert und einen Kofferraum voller Koffer.

Angie setzte sich neben den Backsteinkamin und betrachtete die honiggelb schimmernden Dielen.

Am Tag ihres Einzugs hatte hellblauer Spannteppich den Boden bedeckt.

»Eichendielen«, hatten Conlan und sie wie aus einem Mund gesagt und über ihre spontane Übereinstimmung lächeln müssen. »Hellblauer Teppich ist nichts für Kinder.«

Wie lange war das her …

Zehn Jahre. Es kam ihr vor wie ein ganzes Leben.

Es klingelte an der Tür.

Unwillkürlich verspannte sie sich.

Aber Conlan konnte es nicht sein. Er besaß einen Schlüssel. Abgesehen davon war nicht geplant, daß er heute vorbeikam. Es war *ihr* Tag, an dem sie ihre letzten Sachen zusammenpacken wollte. Nach vierzehnjähriger Ehe vereinbarten sie nun unterschiedliche Termine für Besuche in dem Haus, das sie so lange miteinander geteilt hatten.

Angie stand auf, durchquerte das Wohnzimmer und öffnete die Tür. Vor ihr drängten sich Mama, Mira und Livvy unter dem Vordach zusammen, um vom Regen nicht durchnäßt zu werden, und bemühten sich tapfer um ein Lächeln – beides ohne großen Erfolg.

»An einem solchen Tag braucht man seine Familie«, erklärte Mama und marschierte ihren Töchtern voran ins Haus. Dem Picknickkorb an Miras Arm entströmten leichte Knoblauchdüfte.

»Focaccia«, entgegnete Mira auf Angies fragenden Blick. »Essen hilft, wie du weißt. Bei fast allem.«

Wider Willen mußte Angie lächeln. Sie erinnerte sich, wie oft sie aus der Schule bedrückt oder wütend nach Hause gekommen war, nur um ihre Mutter sagen zu hören: *›Iß erst einmal etwas. Dann geht es dir gleich besser.‹*

Livvy trat neben Angie. In dem schwarzen Sweater und den hautengen Jeans sah sie irgendwie aus wie Lara Flynn Boyle. »Nach zwei Scheidungen kann ich nur sagen, daß Essen nicht die ultimative Lösung ist. Ich wollte sie dazu überreden, eine Flasche Tequila mitzunehmen. Aber du kennst ja Mama.« Sie rückte noch näher und flüsterte: »Ich habe Zoloft in meiner Handtasche, falls du was brauchst.«

»Kommt, kommt.« Ihren Töchtern voran segelte Mama in das leere Wohnzimmer.

Plötzlich fühlte sich Angie wie eine Versagerin. Hier war ihre Familie und suchte nach Sitzmöglichkeiten in einem leeren Haus, das noch gestern ein Heim gewesen war.

Angie setzte sich auf den harten, kalten Fußboden. Schweigen. Alle warteten darauf, daß sie etwas sagte, die Richtung der Unterhaltung vorgab. Um dann darauf einzugehen. So gehörte es sich für eine Familie. Das Problem war nur, daß Angie nichts zu sagen hatte. Vor kurzem noch hätten ihre Schwestern ob ihrer fehlenden Worte laut gelacht. Jetzt war es nicht mehr komisch.

Mira setzte sich neben Angie und rutschte nahe an sie heran. Die Nieten ihrer ausgeblichenen Jeans kratzten über die Holzdielen. Mama hockte sich vor den Kamin, Livvy suchte sich einen Platz neben ihrer Mutter.

Angie blickte in ihre traurigen, wissenden Gesichter. »Wenn Sophia noch leben würde ...«

»Hör auf«, unterbrach Livvy sie scharf. »Das bringt nichts.«

In Angies Augen brannten Tränen. Fast hätte sie sich ihrer Verzweiflung hingegeben, dann riß sie sich jedoch zusammen. Weinen half nichts. Himmel, sie hatte fast das gesamte letzte Jahr damit zugebracht, und was hatte es ihr genützt? »Du hast recht«, sagte sie.

Mira nahm sie in die Arme.

Genau das hatte Angie jetzt dringend gebraucht. Als sie sich wieder von ihrer Schwester löste, blickten alle drei Frauen sie an.

»Darf ich mal ganz offen sein?« fragte Livvy, griff in den Korb und zog eine Flasche Rotwein heraus.

»Auf keinen Fall«, entgegnete Angie.

Aber Livvy ignorierte sie. »Zwischen dir und Con hat es doch schon lange nicht mehr gestimmt. Glaub mir, ich weiß, wie es ist, wenn die Liebe irgendwann vergeht. Es war höchste Zeit, einen Schlußstrich zu ziehen.« Sie goß den Wein in vier Gläser. »Jetzt solltest du irgendwohin fahren. Ein bißchen ausspannen.«

»Weglaufen hilft nicht«, erklärte Mira.

»Blödsinn«, behauptete Livvy und streckte Angie ein Glas

entgegen. »Du hast doch Geld. Flieg nach Rio de Janeiro. Nach allem, was man so hört, sollen die Strände einfach toll sein. Und praktisch textilfrei.«

Angie lächelte. Die schmerzhafte Anspannung in ihrer Brust schien ein wenig nachzulassen. »Soll ich mir etwa einen Stringtanga kaufen und mein immer schlaffer werdendes Hinterteil zur Schau stellen?«

»Den Versuch ist es wert, Schätzchen«, lachte Livvy.

Sie saßen im leeren Wohnzimmer, tranken Wein, aßen Focaccia und sprachen über alles Mögliche. Das Wetter. Das Leben in West End. Tante Giulias erfolgreich verlaufene Operation.

Angie versuchte, der Unterhaltung zu folgen, aber ihre Gedanken schweiften ab. Immer wieder fragte sie sich, wie es kommen konnte, daß sie jetzt allein war, geschieden und kinderlos. Die ersten Jahre ihrer Ehe waren schließlich wundervoll gewesen ...

»Das Geschäft geht so schlecht, daß uns keine andere Wahl bleibt«, sagte Livvy und schenkte sich Wein nach. »Was sollen wir denn sonst tun?«

Überrascht stellte Angie fest, daß sie offenbar minutenlang abwesend gewesen war. »Worüber redet ihr eigentlich?«

»Mama will das Restaurant verkaufen«, sagte Mira.

Abrupt richtete Angie sich auf. »Was?« Das Restaurant war das Rückgrat der Familie, das Zentrum ihrer Existenz.

»Heute ist nicht der rechte Zeitpunkt, über dieses Thema zu sprechen«, erklärte ihre Mutter und warf Mira einen verärgerten Blick zu.

Angie schaute von einer zur anderen. »Was zum Teufel ist denn passiert?«

»Du sollst nicht fluchen, Angela«, ermahnte sie ihre Mutter. Sie hörte sich müde an. »Das Restaurant geht wirklich schlecht. Ich weiß nicht, wie wir es halten sollen.«

»Aber ... Papa hat ... es geliebt«, stotterte Angie.

Tränen traten in die dunklen Augen ihrer Mutter. »Das brauchst du *mir* nicht zu sagen.«

Angie sah Livvy an. »Und warum hat das Restaurant Probleme?«

Ihre Schwester zuckte mit den Schultern. »Die allgemeine Wirtschaftslage ...«

»Aber das *DeSaria's* hat dreißig Jahre lang gute Geschäfte gemacht. Es kann doch nicht sein, daß ...«

»Willst du uns etwa erklären, wie ein Restaurant geführt werden muß?« fauchte Livvy und steckte sich eine Zigarette an. »Ausgerechnet du? Als Werbetexterin?«

»Creative director, bitte. Und hier geht es um die Führung eines Restaurants, nicht um Hirnchirurgie. Man bietet den Gästen gutes Essen zu einem fairen Preis. Das kann doch nicht so schwer ...«

»Hört auf zu streiten«, rief Mira. »Das hat Mama gerade noch gefehlt.«

Angie sah ihre Mutter an, wußte aber nicht, was sie sagen sollte. Ihre Familie, die sie eben noch für das stabile Fundament ihres Lebens gehalten hatte, bekam plötzlich Risse.

Schweigen breitete sich aus. Angie dachte an das Restaurant, an ihren Vater, der sie stets zum Lachen bringen konnte, selbst dann, wenn sie todunglücklich war, und an die heile, sichere Welt, in der sie und ihre Schwestern aufgewachsen waren.

Das *DeSaria's* war der Anker ihrer Familie, ohne das Restaurant könnten sie sich voneinander entfernen, in eigenen Strömungen davontreiben. Und das wäre ein sehr einsames Leben.

»Angie könnte uns helfen«, sagte ihre Mutter.

Livvy schnaubte ungläubig. »Sie hat doch keine Ahnung vom Geschäft. Papas Prinzeßchen brauchte nie einen Finger ...«

»Still, Livvy.« Mama sah Angie unverwandt an.

Und die verstand. Ihre Mutter bot ihr eine Zuflucht vor den schmerzlichen Erinnerungen hier in der Stadt. Für Mama war ihre Heimkehr eine Lösung für alle Probleme. »Livvy hat recht«, sagte Angie etwas lahm. »Ich verstehe wirklich nichts von Restaurants.«

»Deine Werbekampagne für dieses Restaurant in Olympia war doch ein großer Erfolg«, meinte Mira und ließ sie nicht aus den Augen. »Das stand sogar in der Presse. Papa hat uns alle Zeitungsausschnitte zum Lesen gegeben.«

»Die Angie ihm natürlich geschickt hatte«, betonte Livvy spitz und blies Zigarettenrauch in die Gegend.

Es stimmte. Angie hatte das Restaurant in Olympia wieder in Schwung gebracht. Mit einer zugkräftigen Werbekampagne und einer verbesserten Marketingstrategie.

»Vielleicht könntest du uns ja wirklich helfen«, sagte Mira schließlich.

»Ich bin mir nicht sicher«, entgegnete Angie. Sie hatte West End vor langer Zeit verlassen, überzeugt, daß die ganze Welt auf sie wartete. Wie es wohl wäre, jetzt wieder dorthin zurückzukehren?

»Du könntest im Strandhaus wohnen«, sagte ihre Mutter.

Das Strandhaus.

Angie dachte an das kleine Cottage an der rauhen, zerklüfteten Küste, und tausend kostbare Erinnerungen stürmten auf sie ein.

Dort hatte sie sich immer wohl und sicher gefühlt. Geborgen.

Vielleicht könnte sie dort ihr Lachen wiederfinden, an dem Ort, an dem sie als Mädchen so oft und gern gelacht hatte.

Sie sah sich um in dem leergeräumten Wohnzimmer des Hauses, das so viele traurige Erinnerungen barg. Genau wie die Stadt, in der es stand. Vielleicht war es tatsächlich eine gute Idee, nach Hause zu fahren, zumindest für eine Zeitlang, bis sie herausgefunden hatte, wohin sie künftig gehörte.

Im Strandhaus würde sie sich nicht einsam fühlen, nicht so wie in Seattle.

»Ja«, meinte sie schließlich. »Ich könnte für eine Weile aushelfen.« Sie wußte nicht, ob das Gefühl der Erleichterung stärker war als das der Enttäuschung. Sie wußte nur, daß sie nicht allein sein würde.

Ein Lächeln breitete sich auf dem Gesicht ihrer Mutter aus. »Papa hat mir gesagt, daß du eines Tages zu uns zurückkommen würdest.«

Livvy verdrehte die Augen. »Na großartig. Die Prinzessin ist so gnädig, uns erbärmlichen Landeiern bei der Führung des Restaurants zu helfen.«

Eine Woche später befand sich Angie auf dem Weg nach West End. Sie war ihre Heimkehr angegangen wie alle ihre Vorhaben: ohne jedes Zaudern und sehr direkt. Als erstes hatte sie ihren Chef in der Werbeagentur aufgesucht und um unbefristeten Urlaub gebeten.

Ihr Vorgesetzter war mehr als überrascht gewesen. Schließlich hatte nichts darauf hingewiesen, daß sie mit ihrem Job unzufrieden gewesen wäre. *»Falls es Ihnen um eine Gehaltserhöhung gehen sollte ...«*

»Nein, nein«, hatte sie gelacht. Sie sei nur ein wenig erschöpft.

»Erschöpft?«

Sie brauche einfach eine Auszeit. Wie lange, wisse sie im Moment noch nicht. Als er sich damit nicht zufriedengeben wollte, hatte Angie einfach gekündigt. Und warum auch nicht? Sie mußte sich ein neues Leben aufbauen, und das war kaum möglich, wenn sie sich am alten festklammerte. Sie hatte genügend Geld auf ihrem Konto und eine Menge gefragter Fähigkeiten. Wenn sie soweit war, in die Realität zurückzukehren, konnte sie jederzeit einen neuen Arbeitsplatz finden.

Angie mußte daran denken, wie oft Conlan sie angefleht hatte, ihren Job zu kündigen. »*Dieser Streß bringt dich noch um. Wie sollen wir denn zur Ruhe kommen, wenn du stets auf Hochtouren läufst? Die Ärzte haben gesagt …*«

Sie drehte das Autoradio lauter – es spielte einen schmalzigen Oldie – und trat aufs Gaspedal.

Die Kilometer rasten nur so vorbei, und jeder entfernte sie weiter von Seattle und brachte sie dem Ort ihrer Jugend näher.

Schließlich bog sie von der Interstate ab und folgte den grünen »Washington Beaches«-Hinweisschildern nach West End.

Die kleine Stadt schien sie willkommen zu heißen. Es hatte zu regnen aufgehört. Die Straßen und das Laub der Bäume glitzerten in der Sonne. Im Lauf der Zeit war das einst strahlende Blau, Grün und Pink der Geschäftsfassaden zu weichen Pastelltönen verblaßt. Als sie über die Front Street fuhr, erinnerte sie sich an die Paraden zum 4. Juli. Jedes Jahr hatte ihre Familie herausgeputzt und bewaffnet mit einem *DeSaria's*-Transparent daran teilgenommen und Süßigkeiten in die Zuschauermenge geworfen. Damals hatte Angie jeden Moment gehaßt, aber jetzt? Jetzt ließ sie die Erinnerung lächeln und an das dröhnende Lachen ihres Vaters denken. »*Du gehörst zur Familie, Angie. Natürlich marschierst du mit.*«

Sie öffnete das Fenster und atmete tief ein: salzige Meerluft gemischt mit dem Geruch von Tannen. Irgendwo mußte die Tür einer Bäckerei offenstehen, denn ein schwacher Zimtduft mischte sich in die Brise.

An diesem Septembernachmittag war die Straße belebt, aber es herrschte keine Hast, kein Gedränge. Überall unterhielten sich Menschen angeregt miteinander. Vor dem Drugstore stand Mr. Peterson, der Apotheker. Er hob grüßend die Hand, und Angie winkte zurück. In den nächsten zwei Minuten würde er den Haushaltswarenladen nebenan betreten, um

Mr. Tannen mit gedämpfter Stimme zu erzählen, daß Angie DeSaria wieder da war, und mit bekümmerter Miene hinzufügen: *»Das arme Ding. Sie wissen, daß sie geschieden ist?«*

Angie näherte sich einer Ampel – insgesamt gab es vier in West End – und fuhr langsamer. Sie wollte schon links einbiegen, um zum Haus ihrer Eltern zu fahren, aber das Meer lockte, und sie konnte nicht widerstehen. Darüber hinaus fühlte sie sich noch nicht bereit für ihre Familie.

Sie bog rechts ab und folgte der langen, gewundenen Straße, die aus West End hinausführte. Links von ihr erstreckte sich der graue Pazifische Ozean in die Unendlichkeit. Auf den Dünen wehte Seegras im Wind.

Schon bald befand sie sich in einer ganz anderen Welt. Hier draußen gab es nur wenige Häuser. Hin und wieder wiesen Schilder auf eine Urlaubsanlage oder eine Ansammlung von Ferienhäusern hin, aber selbst davon war von der Straße aus nichts zu sehen. Diesen hinter gewaltigen Bäumen versteckten Küstenstrich irgendwo zwischen Seattle und Portland hatten die Yuppies noch nicht entdeckt, und die meisten Einheimischen konnten es sich nicht leisten, Grundstücke am Strand zu kaufen. Und so blieb es hier, wie es immer gewesen war. Ursprünglich. Das Donnern der Wogen erinnerte Vorbeifahrende daran, daß die Menschen vor nicht allzulanger Zeit glaubten, in den Meerestiefen würden Drachen leben. Mitunter konnte der Ozean auch lammfromm sein und wiegte Touristen damit in trügerischer Sicherheit. Leichtsinnig paddelten sie mit gemieteten Kajaks weit hinaus. Jedes Jahr kehrten einige dieser Touristen nicht mehr zurück, nur die bunten Kajaks wurden irgendwann an den Strand gespült.

Schließlich kam sie zu einem verwitterten, rostigen Briefkasten mit der Aufschrift: *DeSaria*.

Angie bog auf die Zufahrt ein. Zu beiden Seiten verwehrten Baumriesen jeden Blick zum Himmel und schlossen die

Sonne aus. Das Grundstück war von einem dichten Teppich aus Tannennadeln bedeckt, aus dem Farne aufragten. Nebliger Dunst lag über dem Boden, stieg in Schwaden auf und gab der Welt eine unwirkliche Sanftheit. Sie hatte ganz vergessen, daß im Herbst allmorgendlich Nebel aufstieg. Manchmal, bei Spaziergängen in aller Frühe, konnte man seine eigenen Füße nicht sehen. Als Kinder hatten sie sich einen Spaß daraus gemacht, die Nebelschwaden zu jagen.

Angie hielt vor dem Cottage und schaltete den Motor aus.

Die Rückkehr stimmte Angie so wehmütig, daß sie unwillkürlich schlucken mußte. Das Haus, das ihr Vater mit eigenen Händen erbaut hatte, stand auf einer kleinen Lichtung zwischen Bäumen, die schon alt gewesen sein mußten, als Lewis und Clark diese Gegend erforscht hatten.

Das ursprüngliche Rotbraun der Holzschindeln war zum Silbergrau von Treibholz verblaßt, von dem sich das Weiß der Zierleisten kaum noch abhob.

Als sie aus dem Auto kletterte, vernahm Angie die Symphonie ihrer Kindheitssommer. Das dumpfe Donnern der Brandung, das Rauschen des Windes in den Bäumen. Irgendwo in der Nähe ließ jemand einen Drachen steigen. Das leise Knattern der Schnüre führte sie in die Vergangenheit zurück.

»Komm her, Prinzessin. Hilf deinem Papa diese Sträucher zurückzuschneiden ...«

»Hey, Livvy, warte auf mich! Ich kann nicht so schnell rennen ...«

»Mama, sag Mira, sie soll mir meine Marshmallows wiedergeben ...«

Plötzlich waren sie wieder präsent, all die komischen, empörenden und bittersüßen Momente, die ihre Kindheit und Jugend ausmachten. Angie stand in der blassen Nachmittagssonne und ließ sich von Erinnerungen überwältigen, die sie schon ganz vergessen geglaubt hatte.

Da drüben, neben dem Reedwoodstumpf, in dessen Umkreis viele Schößlinge wuchsen, hatte Tommy sie das erste Mal geküßt – und mit neugierigen Händen versucht, sie näher zu erforschen. Und wenn sie sich dort hinter dem Brunnen versteckte, konnte niemand sie finden.

Und da hinten, verborgen von zwei gigantischen Zedern, war die Farngrotte. Im vorletzten Sommer hatten Conlan und sie mit ihren Nichten und Neffen eine ganze Nacht dort verbracht. Sie bauten zwischen den hohen Farnen ein Fort und spielten Piraten. Sie saßen rund um ein Lagerfeuer, erzählten Gespenstergeschichten und rösteten Marshmallows.

Damals hatte sie noch geglaubt, das Abenteuer eines Tages mit ihren eigenen Kindern wiederholen zu können.

Angie seufzte und trug ihr Gepäck ins Haus. Links lag die Küche mit buttergelben Schränken, gekachelten Arbeitsflächen und einem winzigen Eßtisch in der Ecke, an dem sie alle fünf überraschenderweise Platz gehabt hatten. Den Rest des Erdgeschosses nahm der Wohnraum ein. Die Nordwand dominierte ein großer Kamin aus Felsstein. Um ihn gruppierten sich zwei blaue Sofas, ein Couchtisch und der Ledersessel ihres Vaters. Einen Fernseher gab es im Cottage nicht. Hatte es auch noch nie gegeben.

»*Wir können uns unterhalten*«, erklärte ihr Vater immer, wenn sich seine Töchter beschwerten.

»Hey, Papa«, wisperte Angie.

Die einzige Antwort war das Geräusch des Windes, der an den Fenstern rüttelte.

Es klang wie das Knarren eines Schaukelstuhls auf Holzdielen in einem unbenutzten Raum …

Angie versuchte, den Erinnerungen zu entkommen, aber sie holten sie immer wieder ein. Sie spürte, wie ihre Selbstbeherrschung ins Wanken geriet. Mit jedem ihrer Atemzüge schien die Zeit weiterzueilen. Ihre Jugend schwand. Und sie konnte sie nicht festhalten, ebensowenig wie die Luft, die sie in ihren einsamen Nächten atmete.

Angie seufzte tief. Es war eine törichte Annahme, hier könnte es anders sein. Warum auch? Erinnerungen ließ man nicht auf der Straße zurück oder in Städten. Sie pulsierten einem im Blut, begleiteten jeden Herzschlag. Sie hatte alle Probleme und Enttäuschungen hierher mitgebracht. Sie lasteten schwer auf ihren Schultern, laugten sie aus.

Angie stieg die Treppe hinauf und betrat das Schlafzimmer ihrer Eltern. Das Bettzeug war abgezogen, lag vermutlich sorgsam zusammengefaltet im Schrank, und die Matratze machte einen verstaubten Eindruck. Es störte Angie nicht weiter. Sie legte sich auf das Bett und rollte sich zusammen.

Es war doch keine so gute Idee gewesen, hierher zurückzukommen. Angie schloß die Augen, lauschte dem Bienensummen vor dem Fenster und versuchte einzuschlafen.

Am nächsten Morgen erwachte Angie mit der Sonne. Sie starrte an die Zimmerdecke und beobachtete, wie eine dicke, schwarze Kreuzspinne ihr Netz wob.

Ihre Augen brannten und fühlten sich geschwollen an.

Offensichtlich hatte sie wieder einmal im Schlaf geweint.

Damit mußte jetzt endlich Schluß sein.

Diese Entscheidung hatte sie im letzten Jahr unzählige Male getroffen. Doch diesmal war sie fest entschlossen, sich auch daran zu halten.

Angie öffnete ihren Koffer, holte frische Kleider heraus und ging ins Bad. Nach einer heißen Dusche fühlte sie sich schon erheblich besser. Sie band ihre Haare zu einem Pferdeschwanz zusammen, schlüpfte in ein Paar ausgeblichene Jeans und einen roten Pullover. Als sie ihre Tasche aus der Küche holte, um das Cottage zu verlassen, warf sie zufällig einen Blick durchs Fenster.

Auf einem umgestürzten Baumstamm hockte ihre Mutter und redete heftig gestikulierend auf jemanden ein.

Zweifellos saß die gesamte Familie da draußen und stritt

darüber, ob Angie im Restaurant überhaupt irgendeine Hilfe sein konnte. Mittlerweile fragte sie sich das selbst.

Wenn sie jetzt auf die Veranda trat, würden alle lautstark und stundenlang das Für und Wider von Angies Rückkehr debattieren.

Ihre Meinung wäre dabei absolut belanglos.

Angie ging zur Hintertür und blieb kurz stehen, um Mut zu schöpfen. Dann zwang sie sich zu einem Lächeln, stieß die Tür auf und ...

... konnte außer ihrer Mutter niemanden entdecken.

Angie lief auf sie zu und setzte sich neben sie.

»Wir wußten, daß du irgendwann herauskommen würdest.«

»*Wir?*«

»Dein Vater und ich.«

Angie seufzte. Also sprach sie noch immer mit ihrem Vater. Mit Trauer kannte Angie sich aus. Sie konnte ihrer Mutter kaum einen Vorwurf machen, wenn diese sich weigerte loszulassen. Dennoch fragte sie sich insgeheim, ob es vielleicht doch ein Anlaß zur Besorgnis war. Behutsam berührte sie die Hand ihrer Mutter. Die Haut fühlte sich weich und schlaff an. »Und was sagt er zu meiner Rückkehr?«

Erleichtert holte ihre Mutter Luft. »Deine Schwestern wollen unbedingt, daß ich einen Arzt aufsuche, während du fragst, was Papa zu sagen hat. O Angela, ich bin sehr froh, daß du nach Hause gekommen bist.« Sie zog Angie fest an sich.

Ganz gegen ihre Gewohnheit trug ihre Mutter heute nur einen Sweater und ein Paar alte Jordache-Jeans. Angie konnte spüren, wie dünn sie geworden war, und das beunruhigte sie. »Du hast ja inzwischen noch mehr abgenommen.«

»Ist das ein Wunder? Siebenundvierzig Jahre lang habe ich die Mahlzeiten zusammen mit meinem Mann eingenommen. Allein zu essen ist da nicht leicht.«

»Dann werden wir eben künftig gemeinsam essen. Schließlich bin ich jetzt auch allein.«

»Wirst du hierbleiben?«

»Wie meinst du das?«

»Mira meint, du brauchst nur jemanden, der für dich sorgt, und einen Ort, an dem du dich ein paar Tage verstecken kannst. Die Leitung eines schlechtgehenden Restaurants ist keine leichte Sache. Sie glaubt, in ein, zwei Tagen wirst du wieder verschwinden.«

Angie war sich sicher, daß Mira mit dieser Meinung nicht alleinstand, und es überraschte sie nicht. Ihrer Schwester fehlte jedes Verständnis für die Träume, die ein Mädchen auf die Suche nach einem anderen Leben schicken konnten – oder für die Enttäuschungen, die es schließlich wieder nach Hause zurückführten. Ihre Familie hatte schon immer befürchtet, daß Angies Ehrgeiz verhängnisvoll sein könnte, daß er sie möglicherweise zerbrach. »Und was glaubst du?«

Ihre Mutter biß sich auf die Unterlippe. Diese nervöse Angewohnheit war ihrer Tochter so vertraut wie das Rauschen des Meeres. »Papa sagt, er hätte zwanzig Jahre lang darauf gewartet, daß du sein Restaurant übernimmst. Und er will nicht, daß sich dir irgend jemand in den Weg stellt.«

Angie mußte lächeln. Das hörte sich exakt nach ihrem Vater an. Eine Sekunde lang glaubte sie fast, er wäre hier bei ihnen und stünde irgendwo im Schatten seiner geliebten Bäume.

Sie sehnte sich danach, seine Stimme zu hören, aber da war nur das Geräusch der Brandung. Sie mußte an die vergangene Nacht denken und die Tränen, die sie vergossen hatte. »Ich weiß nicht recht, ob ich euch wirklich helfen kann. Ob ich dafür stabil genug bin.«

»Er hat gern hier gesessen und auf das Meer hinausgeschaut.« Ihre Mutter lehnte sich an sie. »Weißt du, was er jeden Sommer als erstes zu mir gesagt hat? ›*Wir müssen unbedingt die Treppe reparieren, Maria.*‹«

»Hast du gehört, was ich gesagt habe? Die letzte Nacht war ... ziemlich hart für mich.«

»In jedem Sommer haben wir etwas renoviert oder verändert. Hier sah es kein Jahr so aus wie im Vorjahr.«

»Ich weiß, aber ...«

»Und angefangen haben wir immer mit der Reparatur der Treppe.«

»Einfach nur mit den fünf Stufen, hm?« lächelte Angie. »Die längste Reise beginnt mit dem ersten, kleinen Schritt?«

»Manche Redensarten sind einfach wahr.«

»Aber was ist, wenn ich nicht weiß, wo ich anfangen soll?«

»Das weißt du schon.«

Ihre Mutter legte einen Arm um Angie. Lange Zeit saßen sie schweigend nebeneinander und blickten auf den Ozean hinaus. »Woher wußtest du eigentlich, daß ich hier bin?« erkundigte sich Angie endlich.

»Mister Peterson sah dich gestern durch die Front Street fahren.«

»Soso, die gute alte Flüsterpost.« Schmunzelnd dachte Angie an das dichtgeknüpfte Netz, das die Bewohner von West End verband. Auf einem Schulball hatte sie einmal zugelassen, daß Tommy Matucci seine Hände auf ihren Po legte. Noch bevor der Abend vorüber war, wußte ihre Mutter Bescheid. Als Teenager hatte Angie diese Kleinstadt-Atmosphäre zutiefst verabscheut. Jetzt vermittelte ihr das Wissen, daß Menschen auf sie achteten, ein Gefühl von Sicherheit.

Motorgeräusche kündigten die Ankunft eines Autos an. Angie wandte den Kopf. Wenig später hielt ein tannengrüner Minivan vor dem Cottage.

Die Tür öffnete sich, und Mira stieg aus. Sie trug einen verwaschenen Jeans-Overall über einem alten T-Shirt. Ihre Arme umklammerten einen Stapel Kassenbücher. »Was du heute kannst besorgen und so weiter«, verkündete sie. »Lies sie besser sofort ... bevor Livvy merkt, daß sie weg sind.«

»Siehst du«, strahlte Maria DeSaria. »Die Familie läßt dich nie im Stich. Einer sagt dir immer, wo du beginnen mußt.«

Drei

Der feine Nieselregen ließ den mit Ziegelsteinen gepflasterten Hof der Fircrest Academy blitzsauber und blankgeputzt erscheinen.

Lauren Ribido stand neben dem Fahnenmast und sah zum zwanzigsten Mal in den letzten zehn Minuten auf ihre Armbanduhr.

Inzwischen war es Viertel nach sechs.

Ihre Mutter hatte ihr fest zugesagt, pünktlich um halb sechs hier zu sein.

Lauren konnte nicht fassen, daß sie wieder einmal auf leere Versprechen hereingefallen war. Dabei hätte sie es wissen müssen. Die Happy Hour in der *Tides Tavern* war schließlich erst um halb sieben zu Ende.

Aber warum tat die Enttäuschung noch immer so weh? Man sollte doch annehmen, daß einem irgendwann ein dickes Fell wuchs.

Resigniert zuckte sie mit den Schultern und lief auf die Sporthalle zu. Als sie die Tür fast erreicht hatte, rief jemand ihren Namen.

David.

Lächelnd drehte sie sich um und sah, wie er aus einem neuen schwarzen Cadillac Escalade sprang und die Tür mit der Hüfte zustieß. David trug blaue Dockers und einen gelben Kaschmir-Pullover. Selbst mit seinen feucht am Kopf klebenden blonden Haaren war er der bestaussehende Junge am College. »Ich dachte, du wärst längst drinnen«, rief er und rannte auf sie zu.

»Meine Mom ist nicht gekommen.«

»Öfter mal was Neues.«

Schnell drängte Lauren ihre Tränen zurück. »Egal. Es macht mir nichts aus.«

Er zog sie in seine Arme, und für einen kurzen Moment war ihre Welt wieder in Ordnung.

»Und was ist mit deinem Dad?« fragte sie leise und hoffte, daß Mr. Haynes wenigstens dieses eine Mal Zeit für David fand.

»Keine Chance. Irgend jemand muß den Regenwald schließlich abholzen.«

Die Bitterkeit in seiner Stimme war nicht zu überhören. Lauren wollte ihm gerade sagen, daß sie ihn liebte, doch das Klappern hoher Absätze ließ sie verstummen.

»Hallo, Lauren.«

Sie löste sich aus Davids Umarmung und sah seine Mutter an, der es offenbar schwerfiel, nicht die Stirn zu runzeln. »Tag, Mrs. Haynes.«

»Wo ist denn deine Mutter?« Mrs. Haynes fingerte am Schulterriemen ihrer teuren braunen Handtasche und blickte sich suchend um.

Vor Laurens innerem Auge tauchte ein Bild auf: ihre Mutter auf einem Barhocker im *Tides,* im Mundwinkel eine geschnorrte Zigarette. »Sie muß länger arbeiten.«

»Am Abend der College-Informationsveranstaltung?«

Lauren haßte die Art, wie Mrs. Haynes sie ansah, mit diesem *Du-armes-armes-Kind*-Ausdruck im Gesicht. Aber den Blick kannte sie seit ihrer Kindheit. Schon immer wollten Erwachsene, und ganz besonders Frauen, sie bemuttern. Anfangs zumindest. Aber früher oder später wandten sie sich wieder ihren eigenen Familien zu und ließen Lauren irgendwie noch einsamer zurück als zuvor. »Sie konnte sich nicht freinehmen.«

»Im Gegensatz zu Dad«, stellte David fest.

»Wie kannst du so etwas sagen, David?« empörte sich Mrs. Haynes. »Du weißt, wie gern dein Vater gekommen wäre.«

»Ja, sicher.« Er legte einen Arm um Laurens Schultern und zog sie mit sich über den regennassen Hof zum Portal der Sporthalle. Mit jedem Schritt zwang sie sich zu positiven Gedanken. Auf keinen Fall würde sie sich durch die Abwesenheit ihrer Mutter entmutigen lassen. Heute mußte sie den Blick fest auf ihr Ziel gerichtet halten, und das war ein Stipendium für das College, das auch David besuchen würde.

Sie war wild entschlossen, dieses Ziel zu erreichen, und wenn sie sich etwas vorgenommen hatte, konnte sie Berge versetzen. Hatte sie es nicht auch an die Fircrest Academy geschafft, eine der besten Privatschulen im Staat Washington? Ihre Entscheidung war in der vierten Klasse gefallen, als sie von Los Angeles nach West End kam. Damals war sie ein schüchternes Mädchen gewesen, das aus Scham über seine Hornbrille und die schäbige Kleidung kaum wagte, den Mund aufzumachen. Irgendwann hatte sie den Fehler begangen, ihre Mutter zu bitten, ihr neue Schuhe zu kaufen. *»Die alten kann ich echt nicht mehr tragen, die haben Löcher in den Sohlen, Mommy. Jedes Mal, wenn es regnet, kriege ich klatschnasse Füße.«*

»Wenn du nach mir kommst, gewöhnst du dich daran«, hatte ihre Mutter entgegnet. Diese fünf Worte – *»wenn du nach mir kommst …«* – waren für Lauren Ansporn genug gewesen, den Verlauf ihres Lebens fortan selbst in die Hand zu nehmen.

Und damit begann sie gleich am nächsten Tag und bot den

Nachbarn in dem heruntergekommenen Wohnblock, in dem sie mit ihrer Mutter lebte, ihre Dienste an. Sie fütterte die Katzen der alten Mrs. Teabody im Apartment 4A, putzte Mrs. Mauks Küche, schleppte Mrs. Parameter Pakete in ihr Apartment 6C hinauf. Dollar um Dollar sparte sie für Kontaktlinsen und neue Kleidung. *»Alle Achtung«*, sagte der Optiker an dem denkwürdigen Tag, an dem sie ihre Kontaktlinsen kaufte, *»du hast ja die wundervollsten braunen Augen, die ich je gesehen habe.«* Sobald Lauren aussah wie alle anderen, legte sie auch ihre Scheu ab und begann zu lächeln, zu winken und schließlich zu grüßen. Sie beteiligte sich an allen Schulprojekten und übernahm freiwillig alle Aufgaben, für die keine elterliche Erlaubnis nötig war. Beim Übergang zur Oberschule begannen sich ihre Bemühungen schließlich auszuzahlen. Sie bekam ein Stipendium für die Fircrest Academy, einer katholischen High School, an der Schuluniformen obligatorisch waren. Jetzt strengte sie sich noch mehr an. Im neunten Jahrgang wurde sie zur Klassensprecherin gewählt und blieb seither nie wieder ohne Amt. Lauren organisierte alle Schulparties, nahm die Photos für die Jahrbücher auf, vertrat die Schülerschaft als Oberstufensprecherin und erhielt im Turnen und im Volleyball viele Auszeichnungen. Vor vier Jahren, gleich bei ihrem ersten Date, hatte sie sich in David verliebt. Seither waren die beiden unzertrennlich.

Lauren warf einen Blick in die zum Bersten volle Sporthalle. Sie schien die einzige zu sein, die nicht wenigstens von einem Elternteil begleitet wurde. Obwohl sie an dieses Gefühl des Alleinseins gewöhnt war, kniff sie flüchtig die Augen zusammen. Sie drehte sich zum Fahnenmast um. Ihre Mutter war noch immer nicht da.

David drückte ihre Hand. »Na, Trixie, wollen wir nicht reingehen?«

Sein Kosename für sie ließ Lauren lächeln. David wußte genau, wie nervös sie war. »Okay, Speed Racer.«

Davids Mutter berührte sie kurz am Arm. »Hast du Stift und Papier dabei, Lauren?«

»Ja, Mrs. Haynes.« Mit einem leichten Unbehagen stellte Lauren fest, wieviel ihr die simple Frage bedeutete.

»Ich nicht«, grinste David.

Mrs. Haynes reichte ihrem Sohn Block und Kugelschreiber, dann betrat sie die überfüllte Halle. Lauren und David folgten. Ihre Mitschüler machten ihnen den Weg frei, um sie durchzulassen. Sie waren ebenso beliebt wie bekannt: das Paar, von dem alle annahmen, daß ihre High-School-Liebe halten würde. Dutzende Freunde begrüßten sie oder winkten.

David und Lauren liefen die Reihe der Informationsstände entlang und unterhielten sich mit den College-Repräsentanten. Wie immer tat David alles, um Lauren zu unterstützen. Er erzählte jedem, den er traf, von ihren sagenhaften Zensuren und brillanten Leistungen – fest überzeugt, daß ihr mit Sicherheit zahllose Stipendien angeboten werden würden. David lebte in einer Welt, in der ihm alles zufiel, und da war es leicht für ihn, an Wunder zu glauben.

Jetzt blieb er vor den Ständen der Ivy-League-Colleges stehen.

Beim Betrachten der Photos der ehrwürdigen Universitäten wurde Lauren leicht schwindlig. Sie wünschte, er würde sich nicht für Harvard oder Princeton entscheiden. Selbst wenn sie es tatsächlich schaffen sollte, angenommen zu werden, würde sie dort niemals hinpassen, nicht in diese heiligen Hallen, in denen Mädchen studierten, die wie Lebensmittel hießen und Eltern hatten, für die Ausbildung wichtig war. Trotzdem setzte sie ihr bezauberndstes Lächeln auf und griff nach den Broschüren. Ein Mädchen wie sie mußte immer und überall einen guten Eindruck machen. Schnitzer durfte sie sich nicht leisten.

Schließlich standen sie vor dem Allerheiligsten.

Dem Infostand der Stanford University.

Wahrscheinlich würde David in Stanford studieren. An der Universität, die schon seine Eltern und sein Großvater besucht hatten. Die einzige Hochschule an der Westküste, die es in puncto Exklusivität mit den Hochschulen der Ivy League aufnehmen konnte. Da reichten brillante Zensuren nicht. Auch glänzend bestandene Eignungstests garantierten keine Zulassung.

Nie im Leben würde sie ein Stipendium für Stanford bekommen.

David drückte ihre Hand fester. *Glaub einfach dran,* sagte sein Lächeln.

Sie wünschte, sie könnte es.

»Ich möchte Ihnen meinen Sohn vorstellen«, sagte Mrs. Haynes gerade. »David Ryerson Haynes.«

Das Familienunternehmen, die Ryerson-Haynes Paper Company, erwähnte Mrs. Haynes natürlich nicht. Es hätte angeberisch geklungen und war zudem absolut überflüssig.

»Und das hier ist Lauren Ribido«, fügte David hinzu und drückte wieder ihre Hand. »Sie wäre eine echte Bereicherung der Studentenschaft von Stanford.«

Der Collegevertreter lächelte David an. »Sie haben also die Absicht, in die Fußstapfen Ihrer Familie zu treten, David. Wie schön. Wir in Stanford halten uns zugute ...«

Lauren klammerte sich so krampfhaft an Davids Hand, daß ihre Finger zu schmerzen begannen. Geduldig wartete sie darauf, daß der Mann ihr seine Aufmerksamkeit zuwandte.

Doch das geschah nicht.

Der Bus hielt an der Straßenecke. Schnell hob Lauren ihren Rucksack vom Boden auf und eilte zur Tür.

»Schönen Abend«, rief Luella, die Busfahrerin.

Lauren winkte ihr kurz zu und lief die Main Street hinunter. Hier im Zentrum zeigte sich West End von seiner attraktivsten Seite. Als es vor Jahren mit der Holzindustrie ebenso dramatisch bergab ging wie mit dem Fischfang, hatten die Stadtväter beschlossen, auf die malerische, viktorianische Architektur des Ortes zu setzen. Die Hälfte der Häuser im Zentrum entsprach dieser Vorstellung bereits, der Rest wurde unter Hochdruck restauriert. Eine aufwendige Werbekampagne (in die auf Kosten des Straßenbaus und der Schulen ein Jahr lang jeder Cent der Stadtverwaltung floß) pries West End, das »viktorianische Kleinod an der Küste«, an.

Der Plan ging auf. Angezogen von gemütlichen Bed-and-Breakfast-Pensionen, Strandparties, den Verheißungen von Sandburgen- und Angelwettbewerben kamen die Touristen. West End war kein verschlafenes Nest mehr auf dem Weg von Seattle nach Portland, sondern mittlerweile ein beliebtes Reiseziel.

Doch wie wohl alle Orte hatte auch West End seine vergessenen Viertel, düstere Ecken, die den Touristen verborgen blieben und von den Einheimischen gemieden wurden. Heruntergekommene Quartiere, in denen Menschen ohne die Annehmlichkeiten schmucker Grünanlagen oder privater Sicherheitsdienste auskommen mußten. Laurens Wohngegend.

Sie verließ die Main Street und lief zügig weiter.

Mit jedem ihrer Schritte wurde die Umgebung schäbiger und trostloser. Hier zierten keine viktorianisch inspirierten Schnörkel die Hausfassaden, noch luden pittoreske Pensionen zu Übernachtungen ein oder warben Plakate für Spritztouren mit dem Wasserflugzeug. Es war die Gegend, in der früher Menschen wohnten, die ihren Lebensunterhalt in Holzfabriken oder beim Fischfang verdienten. Menschen, die der Zug der Zeit überrollt und vernichtet zurückgelassen hatte. Die einzige Beleuchtung kam hier von den Neonreklamen, die für Alkohol warben.

Lauren nahm ihre Umgebung genau wahr, achtete auf jeden unvertrauten Schatten, jedes unbekannte Geräusch, verspürte aber keine Angst. Seit sechs Jahren war sie in dieser

Straße zu Hause. Auch wenn die meisten ihrer Nachbarn auf der Schattenseite des Lebens ihr Dasein fristeten, achteten sie doch aufeinander, und die kleine Lauren Ribido gehörte zu ihnen.

Ihr Zuhause war ein schmales, sechsgeschossiges Apartmenthaus am Rand eines von Brombeergestrüpp und Salal überwucherten Brachlandes. Putz bröckelte von der schmuddeligen Fassade. Nur wenige, erleuchtete Fenster zeugten von Leben hinter den Mauern.

Lauren stieß die Haustür auf (das Schloß war im letzten Jahr fünfmal aufgebrochen worden, und die Hausmeisterin Mrs. Mauk weigerte sich beharrlich, es erneut reparieren zu lassen) und rannte die Treppe zum vierten Stockwerk hinauf.

Mit angehaltenem Atem schlich sie an der Wohnung von Mrs. Mauk vorbei und hatte fast die Treppe wieder erreicht, als sie hörte, wie die Tür aufging.

»Lauren? Bist du das?«

Mist.

Sie drehte sich um und bemühte sich um ein Lächeln. »Hallo, Mrs. Mauk.«

Die Hausmeisterin trat in den düsteren Flur. Das Licht aus ihrer Wohnung ließ sie bleich aussehen, fast unheimlich, aber ihr Lächeln war warm und herzlich. Sie trug ihr unvermeidliches geblümtes Kittelkleid, hatte ein marineblaues Tuch um ihre grauen Haare geschlungen und machte einen irgendwie zerknitterten Eindruck. Ihre Schultern beugten sich unter der Last lebenslanger Enttäuschung. »Ich war heute im Salon.«

»Ja?«

»Deine Mom ist nicht zur Arbeit erschienen.«

»Sie ist krank.«

Mrs. Mauk schnalzte mit der Zunge. »Ein neuer Freund, was?«

Lauren schwieg.

»Na, vielleicht ist es ja diesmal die große Liebe. Wie auch immer. Ihr seid mit der Miete im Rückstand. Freitag ist der allerletzte Termin.«

»Okay.« Lauren konnte beim besten Willen nicht mehr lächeln.

Mrs. Mauk musterte sie von Kopf bis Fuß und runzelte die Stirn. »Der Mantel, den du da trägst, kann doch unmöglich warm genug sein. Sag deiner Mom ...«

»Mach ich. Bye.« Sie drehte sich um und rannte die Treppe hinauf in den vierten Stock.

Die Tür war nur angelehnt. Licht fiel durch den Spalt, ergoß sich wie Butter auf das Linoleum des Treppenabsatzes.

Für Lauren kein Grund zur Beunruhigung. Ihre Mutter vergaß häufig, die Wohnungstür zuzumachen, und wenn sie sich daran erinnerte, dann schloß sie nicht ab. Weil sie wieder einmal den Schlüssel verloren hatte, war ihre Standardausrede.

Lauren trat über die Schwelle.

Die Wohnung war ein einziges Chaos. Auf dem Couchtisch stand eine offene Pizza-Schachtel mit angetrockneten Essensresten, daneben eine ganze Batterie von Bierflaschen. Überall lagen zusammengeknüllte Kartoffelchipstüten. Es stank nach kaltem Zigarettenrauch und Schweiß.

Mit weit von sich gestreckten Armen und Beinen lag ihre Mutter auf dem Sofa. Lautes Schnarchen drang unter der Decke hervor, die ihr Gesicht verhüllte.

Seufzend brachte Lauren den Abfall in die Küche und kniete sich dann neben die Couch. »Komm, Mom, ich bringe dich ins Bett.«

»Was? Wie?« Erschreckt fuhr ihre Mutter hoch und starrte sie mit getrübtem Blick an. Wirres kurzes, platinblondes Haar rahmte ihr blasses Gesicht ein. Mit unsicherer Hand griff sie nach einer Bierflasche, nahm einen tiefen Schluck, wollte sie wieder abstellen, verfehlte aber den Tisch. Die Flasche landete auf dem Fußboden, und der Inhalt ergoß sich auf den billigen Teppich.

Mit ihrem zur Seite gekippten Kopf sah ihre Mutter aus wie eine kaputte Puppe. Sie war kreidebleich. Schwarze Mascara verschmierte die Haut um ihre Augen. Reste ihrer einstigen Schönheit waren nur noch zu erahnen, wie der Goldrand auf einem abgenutzten, schmutzigen Porzellanteller. »Er hat mich verlassen.«

»Wer, Mom?«

»Cal. Dabei hat er geschworen, daß er mich liebt.«

»Das tun sie doch immer.« Lauren bückte sich nach der Bierflasche und fragte sich, ob noch genügend Papiertücher da waren, um die Lache aufzuwischen. Wahrscheinlich nicht. Ihre Mutter brachte in der letzten Zeit immer weniger Geld nach Hause. Angeblich wegen der schlechten Wirtschaftslage. Immer weniger Frauen kämen zu ihr in den Salon, beklagte sie sich. Lauren vermutete, daß das nur die halbe Wahrheit war. Schließlich lag der Hair Apparent Beauty Salon nur vier Türen von der *Tides Tavern* entfernt.

Ihre Mutter steckte sich eine Zigarette an. »Sieh mich nicht schon wieder so an. Mit diesem *Scheiße-meine-Mom-ist-eine-Versagerin*-Blick.«

Lauren hockte sich auf den Couchtisch. Sosehr sie sich auch bemühte, das Gefühl, von ihrer Mutter im Stich gelassen zu werden, ließ sich nicht verdrängen. Immer schien sie zuviel von ihr zu erwarten. Wann würde sie es endlich lernen? Die ständigen Enttäuschungen schienen sie innerlich auszuhöhlen, emotional angreifbar zu machen. »Heute war die College-Informationsveranstaltung.«

Ihre Mutter zog an ihrer Zigarette und runzelte die Stirn. »Die findet doch am Dienstag statt.«

»Heute ist Dienstag.«

»O verflucht.« Ihre Mutter lehnte sich auf dem lindgrünen Sofa zurück. »Tut mir leid, Schätzchen. Das habe ich total verschwitzt.« Sie rutschte ein bißchen zur Seite. »Komm, setz dich zu mir.«

Lauren folgte der Aufforderung schnell, bevor ihre Mutter es sich anders überlegte.

»Und wie war es?«

Sie schmiegte sich an ihre Mutter. »Ich habe einen netten Mann von der USC kennengelernt. Er meinte, ich sollte versuchen, von ehemaligen Studenten eine Empfehlung zu bekommen.« Sie holte tief Luft. »Ich schätze, es hilft, da jemanden zu kennen.«

»Nur, wenn derjenige auch die Rechnung bezahlt.«

Lauren zuckte zusammen. Der scharfe Ton in der Stimme ihrer Mutter war ihr nicht entgangen. »Ich erhalte bestimmt ein Stipendium, Mom. Du wirst schon sehen.«

Ihre Mutter zog intensiv an ihrer Zigarette, atmete wieder aus und musterte Lauren durch die dünne Rauchwolke.

Lauren wappnete sich. Sie wußte, was jetzt kam. *Nein, nicht heute. Bitte …*

»Ich war auch sicher, ein Stipendium zu kriegen, weißt du.«

»Bitte nicht. Laß uns lieber über etwas anderes reden. Ich habe übrigens für mein Referat in Geschichte eine Einsplus bekommen.« Lauren wollte aufstehen, aber ihre Mutter hielt sie am Handgelenk zurück.

»Meine Noten waren auch sehr gut.« Die grünen Augen ihrer Mutter wurden noch dunkler, sie lächelte nicht. »Ich bekam Auszeichnungen in Leichtathletik und Basketball. Meine Testergebnisse konnten sich auch sehen lassen. Und ich war schön. Alle sagten, ich sähe aus wie Heather Locklear.«

Lauren seufzte. »Ich weiß.«

»Dann ging ich mit Thad Marlow tanzen.«

»Ich weiß. Ein großer Fehler.«

»Ein paar Küsse, einige Gläser Tequila, und schwups! ging er mir an die Wäsche. Damals hatte ich noch keine Ahnung, daß ich in mehr als einer Hinsicht verarscht worden war. Vier

Monate später, im letzten Jahr an der High School, mußte ich mir Umstandskleidung kaufen. Für mich gab es kein Stipendium. Kein College, keinen anständigen Job. Wenn nicht einer deiner Stiefväter für die Kosmetikschule bezahlt hätte, würde ich heute vermutlich auf der Straße leben und mich von dem Abfall anderer Leute ernähren. Also, Missy, halt deine …«

»Knie geschlossen. Glaub mir, Mom, ich weiß sehr wohl, daß ich dein Leben ruiniert habe.«

»*Ruiniert* ist zu kraß«, seufzte ihre Mutter resigniert. »Das Wort habe ich nie gesagt.«

»Ich frage mich, ob er noch andere Kinder bekommen hat«, sagte Lauren, wie jedesmal, wenn ihr Vater erwähnt wurde. Das Thema schien ihr einfach keine Ruhe zu lassen, obwohl sie die Antwort ihrer Mutter bereits auswendig kannte.

»Woher soll ich das wissen? Er hat so schnell das Weite gesucht, als hätte ich die Pest.«

»Manchmal wünsche ich mir, ich hätte eine größere Familie.«

Ihre Mutter machte eine abfällige Geste. »Das Thema Familie wird überschätzt, glaub mir. Oh, Verwandte sind nicht schlecht – bis du Mist baust. Dann rums! brechen sie dir das Herz. Verlaß dich bloß nicht auf andere, Lauren.«

Das alles kannte Lauren zur Genüge. »Ich wünschte bloß …«

»Unsinn. Du würdest nur unglücklich werden.«

Lauren sah ihre Mutter an. »Ja, ich weiß.«

VIER

Nach ihrer Rückkehr nach West End tat Angie das, was sie am besten konnte: Sie stürzte sich mit Feuereifer auf ein Projekt. Bei Sonnenaufgang verließ sie das Bett und verbrachte den ganzen Tag mit Recherchen. Sie rief Freunde und ehemalige Klienten an – einfach jeden, der irgendwann einmal mit der Gastronomiebranche zu tun gehabt hatte – und notierte jeden ihrer Ratschläge Wort für Wort. Danach knöpfte sie sich die Kassenbücher vor, bis ihr Einnahmen und Ausgaben bis auf Dollar und Cent genau vertraut waren. Dann suchte sie die Stadtteilbibliothek auf, wo sie Stunde um Stunde vor Stapeln von Büchern und Zeitungsartikeln verbrachte, und schließlich setzte sie sich auch noch vor das Mikrofiche-Gerät und vertiefte sich in das Archivmaterial.

Um sechs Uhr schaltete Mrs. Martin, die Bibliothekarin, die schon alt gewesen war, als sich Angie ihr erstes Buch ausgeliehen hatte, das Licht aus.

Angie verstand den Wink mit dem Zaunpfahl. Sie lief mit Armen voller Bücher zu ihrem Auto, fuhr zum Cottage zurück und las weiter. Irgendwann schlief sie auf dem Sofa ein, was eindeutig besser war, als allein im Bett zu liegen.

Während sie ihre Nachforschungen anstellte, rief ihre Familie in regelmäßigen Abständen an. Sie hob jedesmal ab, unterhielt sich höflich ein paar Minuten lang und legte dann wieder auf. Sie würde sich unverzüglich melden, sobald sie bereit war, das Restaurant in Augenschein zu nehmen, versicherte sie immer wieder. »Probieren geht über Studieren, Angela«, erklärte ihre Mutter bei einem ihrer Anrufe spitz.

»Bei mir nicht, Mama«, entgegnete Angela.

»Du warst von klein auf so fanatisch«, beklagte sich ihre Mutter. »Wir begreifen dich einfach nicht.«

In der Aussage ihrer Mutter steckte mehr als ein Körnchen Wahrheit, mußte sich Angie eingestehen. Sie war schon immer ein äußerst zielstrebiger Mensch mit einem eisernen Willen gewesen. Wenn sie etwas anfing, gab es keine halben Sachen und erst recht kein Zurück. Und diese Veranlagung wurde ihr schließlich zum Verhängnis. Als sie sich für ein Kind entschieden hatte, war die Katastrophe bereits vorprogrammiert. Ihr Kinderwunsch blieb unerfüllt, dennoch konnte sie nicht aufhören, ihn weiterhin geradezu obsessiv zu verfolgen, was ihr letztlich das Genick brach.

Das alles wußte sie nur zu genau, konnte aber nicht aus ihrer Haut. Wenn sie eine Sache in Angriff nahm, dann wollte sie auch den Erfolg. Unbedingt.

Also war es besser, sich mit Lösungen für das Familienunternehmen zu befassen, als über begangene Fehler und Enttäuschungen nachzugrübeln.

Natürlich konnte sie die schmerzlichen Erinnerungen nicht ganz verdrängen. Manchmal, wenn sie gerade Managementmethoden studierte oder sich über Werbestrategien informierte, kehrten ihre Gedanken in die Vergangenheit zurück.

Inzwischen würde Sophie bestimmt schon sitzen können …

Oder: *Diesen Song hat Conlan besonders gern gehört.*

Es war, als würde man barfuß auf eine Glasscherbe treten. Man zog die Scherbe heraus und lief weiter, aber der Schmerz blieb. In solchen Momenten schenkte sie sich ein Glas Wein ein und stürzte sich mit doppeltem Eifer auf ihre Arbeit.

Am Mittwochnachmittag beschloß Angie, ihre Schreibtischtätigkeit zu beenden. In der Theorie konnte sie nichts mehr lernen. Es war Zeit, im Restaurant zur Praxis überzugehen.

Angie legte die Bücher beiseite und nahm eine lange, heiße Dusche. Dann zog sie sich schlichte schwarze Hosen und einen schwarzen Sweater an und verließ das Cottage.

Eine Viertelstunde später parkte sie vor dem Restaurant. Mit ihrem Notizblock in der Hand, stieg sie aus.

Und bemerkte als erstes die Bank.

»Oh«, flüsterte Angie und berührte die schmiedeeiserne Rücklehne. Das Metall fühlte sich kalt an – genau wie an dem Tag, an dem die Bank gekauft worden war.

Sie schloß die Augen, und sofort kamen die Erinnerungen.

Tagelang hatten sich Maria DeSaria und ihre Töchter in den Haaren gelegen. Auf nichts konnten sie sich einigen. Weder darauf, welche Lieder auf der Trauerfeier für ihren Vater gesungen werden sollten und von wem, noch auf die Farbe der Rosen auf dem Sarg oder die Form des Grabsteins. Bis sie auf der Suche nach Kerzen diese Bank entdeckten.

Ihre Mutter blieb damals als erste davor stehen. *Papa hat sich immer eine Bank vor dem Restaurant gewünscht.*

Damit Vorbeikommende sich ausruhen oder ihre Taschen abstellen können, hatte Mira hinzugefügt.

Am nächsten Morgen fand die Bank ihren Platz auf dem Bürgersteig. Nie wurde auch nur erwogen, eine Gedenkplakette anzubringen. Das tat man vielleicht in den großen Städten. In West End wußte jeder, daß die Bank an Tony DeSaria erinnerte. In den ersten Tagen und Wochen wurden Blumen darauf abgelegt, von Menschen, die ihn nicht vergessen hatten.

Angie betrachtete das Restaurant, das sein ganzer Stolz und seine Freude gewesen war.

»Ich werde es für dich retten, Papa«, sagte sie leise und bemerkte wenig später, daß sie auf eine Antwort wartete. Aber bis auf den Verkehrslärm und das ferne Meeresrauschen war nichts zu hören.

Angie zückte Stift und Block.

Die Backsteinfassade mußte dringend ausgebessert und gereinigt werden. Moos wucherte unter der Regenrinne. Eine Reihe von Dachziegeln fehlte. Auf dem roten Neonschild mit der Aufschrift *DeSaria's* waren das Apostroph und das i verschwunden.

Sie begann zu notieren: *Dachziegel, Fassade überholen, Bürgersteig reinigen, Moos, Schild.*

Angie stieg die beiden Stufen zum Eingang hinauf und blieb stehen. In einem Glaskasten an der Wand hing die Speisekarte. Spaghetti mit Fleischklößchen kosteten $ 7,95, Lasagne mit Salat $ 6,95.

Kein Wunder, daß sie nicht zurechtkamen.

Preise. Speisekarte.

Angie öffnete die Tür. Über ihrem Kopf erklang eine Glocke. Der Duft von Knoblauch, Thymian, geschmorten Tomaten und frischgebackenem Brot erfüllte die Luft.

Seit zwanzig Jahren hatte sich nichts verändert. Alles war wie früher: die gedämpfte Beleuchtung, die rotweißkarierten Tischdecken, die Bilder von italienischen Landschaften an den Wänden. Fast rechnete sie damit, ihren Vater um die Ecke kommen zu sehen, der sich lächelnd die Hände an seiner Schürze abwischte. *Bella Angelina, du bist wieder da …*

»Na endlich. Ich hatte schon befürchtet, daß du im Cottage gestürzt bist und nicht wieder aufstehen könntest.«

Hastig wischte sich Angie über die Augen und blinzelte.

Ihre Schwester Livvy stand neben dem Tisch mit den Speisekarten. Sie trug enge schwarze Jeans, eine schwarze, schulterfreie Bluse und Barbie-Pantöffelchen. Von ihr ging eine Art angespannter Feindseligkeit aus. Es kam Angie so vor, als wären sie wieder Teenager, die sich darüber zankten, wer das Baby-Soft-Spray als erste benutzen durfte.

»Ich bin hier, um euch zu helfen«, sagte Angie.

»Bedauerlicherweise kannst du nicht kochen. Außerdem hast du nicht mehr im *DeSaria's* gearbeitet, seit du deine Zahnspange losgeworden bist. Nein. Warte. Du hast noch *nie* hier gearbeitet.«

»Ich möchte nicht mit dir herumstreiten, Livvy.«

Livvy seufzte. »Entschuldige. Ich wollte dich wirklich nicht angiften. Aber die Situation hier macht mich fix und fertig. Wir haben kaum noch Einnahmen, was Mama allerdings nicht davon abhält, immer noch mehr Lasagneteig zu kneten. Mira macht mir ständig Vorwürfe, doch wenn ich sie um Unterstützung bitte, sagt sie nur, daß sie nichts von der Geschäftsführung verstehen würde, sie könne nur kochen. Und wer bietet mir endlich seine Hilfe an? Du. Papas Prinzessin. Ich weiß wirklich nicht, ob ich jetzt lachen oder heulen soll.« Sie zog ein Feuerzeug aus der Tasche und steckte sich eine Zigarette an.

»Du willst hier drinnen doch nicht etwa rauchen, oder?«

Stirnrunzelnd sah Livvy sie an. »Du hörst dich schon an wie Papa.« Sie ließ die Zigarette in ein halbgefülltes Wasserglas fallen. »Ich geh draußen eine rauchen. Sag mir Bescheid, wenn du eine Lösung für unsere Probleme gefunden hast.«

Angie sah ihrer Schwester nach, wie sie das Restaurant verließ, und lief in die Küche, in der ihre Mutter sorgsam Teigblätter in Lasagneformen schichtete. Neben ihr stand Mira und häufte Fleischbällchen auf ein riesiges Tablett. Bei Angies Eintritt blickte sie auf und lächelte. »Oh, hallo.«

»Angie!« Maria DeSaria wischte sich über die Wange und hinterließ dort eine tomatenrote Spur. Schweißperlen standen auf ihrer Stirn. »Möchtest du kochen lernen?«

»Damit werde ich das Restaurant kaum retten können, Mama. Ich mache mir lieber Notizen.«

»Notizen?« Nervös sah ihre Mutter Mira an, die aber nur mit den Schultern zuckte.

»Über Dinge, die möglicherweise verbesserungswürdig sind.«

»Und damit fängst du ausgerechnet in *meiner* Küche an? Dein Papa – er ruhe in Frieden – hat nie auch nur …«

»Entspann dich, Mama. Ich sehe mich nur ein wenig um.«

»Mrs. Martin hat uns erzählt, daß du jedes Buch zum Thema Restaurants gelesen hast«, mischte sich Mira ein.

»Das ist mir eine Warnung, in West End nie ein Sex-Video auszuleihen«, grinste Angie.

Ihre Mutter verzog das Gesicht. »Hier achten die Menschen eben noch aufeinander, Angela. Und das ist auch gut so.«

»Reg dich nicht gleich auf, Mama. Es war nur ein Scherz.«

»Das will ich auch hoffen.« Ihre Mutter schob ihre Brille höher auf die Nase und sah Angie ernst an. »Wenn du helfen willst, dann lern kochen.«

»Papa konnte es auch nicht.«

Ihre Mutter zwinkerte, wandte sich ab und begann die Nudelschicht mit einer Ricotta-Petersilie-Mischung zu bedecken.

Mira und Angie tauschten Blicke aus.

Es würde schwieriger werden, als Angie gedacht hatte. Sie mußte äußerst behutsam vorgehen. Eine mürrische Livvy war eine Sache, eine gekränkte Maria DeSaria eine ganz andere. Wenn ihre Mutter wollte, konnte sie kälter sein als der Winter in Alaska.

Angie vertiefte sich in ihre Notizen und spürte, wie Schwester und Mutter sie musterten. Sie brauchte einige Zeit, um sich zu einer Frage aufzuraffen. »Wann wurde eigentlich das letzte Mal die Speisekarte geändert?«

»In dem Sommer, in dem ich im Ferienlager war.« Mira schmunzelte.

»Sehr komisch«, fauchte Maria DeSaria. »Was ist daran auszusetzen? Unsere Stammkunden lieben unsere Gerichte und wollen nichts anderes.«

»Das bezweifle ich nicht. Ich würde nur gern wissen, seit wann die Karte gleichgeblieben ist.«

»Neunzehnhundertfünfundsiebzig.«

Angie unterstrich das Wort »Speisekarte« auf ihrer Liste. Sie hatte vielleicht nicht viel Ahnung von der Führung eines Restaurants, aber durchaus Erfahrungen als Gast. Eine wechselnde Karte war ein Anreiz für die Kundschaft wiederzukommen. »Und bietet ihr abends etwas Besonderes an?«

»Nicht nötig. Alle unsere Gerichte sind etwas Besonderes. Du bist nicht in Seattle, Angela. Hier haben wir unsere eigenen Gewohnheiten. Dein Papa – er ruhe in Frieden – hatte nie etwas einzuwenden.« Kämpferisch reckte ihre Mutter das Kinn in die Luft. Die Temperatur in der Küche sackte um etliche Grade ab. »Jetzt sollten wir besser weiterarbeiten.« Sie stieß Mira kurz mit dem Ellbogen in die Seite.

Angie wußte, wann sie nicht mehr erwünscht war. Sie drehte sich um und kehrte in den Gastraum zurück. Livvy stand wieder am Tisch neben der Tür und unterhielt sich mit Rosa, die seit den siebziger Jahren im *DeSaria's* bediente. Angie winkte ihnen zu und ging die Treppe zum Büro ihres Vaters hinauf.

Sie öffnete die Tür, blieb auf der Schwelle des stillen, leeren Raums stehen und überließ sich ihren Erinnerungen. Für sie saß er noch immer da an dem wuchtigen Eichenschreibtisch, den er auf einer Versteigerung des Rotary Club erstanden hatte, und brütete über den Kassenbüchern.

»Angelina! Komm her. Du kannst mir ein bißchen mit dem Papierkram helfen …«

»Aber ich möchte lieber ins Kino gehen, Papa …«

»Natürlich, Kind. Viel Spaß. Aber schick mir vorher Olivia herauf …«

Seufzend durchquerte Angie das Zimmer und setzte sich an den Schreibtisch. Die Federn des alten Sessels ächzten unter ihrem Gewicht.

Sie vertiefte sich in Einnahmen- und Ausgabenbücher, Steuererklärungen und die handschriftlichen Notizen ihres Vaters. Als sie das letzte Buch wieder zuschlug, wußte Angie, daß ihre Mutter recht hatte. Das *DeSaria's* steckte in ernstlichen Schwierigkeiten. Ihre Einkünfte gingen gen null. Müde rieb sie sich die Augen und ging die Treppe hinunter.

Es war sieben Uhr, Zeit für das Abendessen.

Aber im Restaurant saßen nur wenige Gäste: Dr. Petrocelli mit seiner Frau und die Familie Schmidt.

»Ist es immer so leer?« fragte sie Livvy, die ihre Fingernägel betrachtete. Der blutrote Lack war mit pinkfarbenen Sternchen gesprenkelt.

»Am letzten Dienstag hatten wir den ganzen Abend über nur drei Gäste. Und alle bestellten Lasagne, falls es dich interessiert.«

»Als hätten sie eine große Auswahl gehabt.«

»Fängst du schon wieder an zu kritisieren?«

»Ich stelle nur Tatsachen fest. Im übrigen bin ich hier, weil ich euch helfen möchte.«

»Du willst uns helfen? Na, dann sieh zu, ob du mehr Gäste durch diese Tür bekommst. Oder zahl Rosa Contadori ihren Lohn.« Sie blickte flüchtig zu der älteren Kellnerin hinüber, die gerade im Schneckentempo mit zwei Tellern aus der Küche auftauchte.

»Ein paar Veränderungen werden unvermeidlich sein«, begann Angie vorsichtig.

Livvy tippte sich mit einem Fingernagel gegen die Zähne. »Zum Beispiel?«

»Die Speisekarte. Werbung. Ausstattung. Preisgestaltung. Ihr kauft viel zuviel ein und müßt dann eine Menge wegwerfen.«

»In der Küche eines Restaurants muß nun einmal gekocht werden. Auch wenn die Gäste ausbleiben.«

»Ich sage doch nur ...«

»Daß wir alles, aber auch wirklich *alles* falsch machen«, rief sie so laut, daß Maria DeSaria aufmerksam wurde und aus der Küche geeilt kam.

»Was war das gerade?«

»Nach ein paar Stunden weiß Angie bereits genau, daß wir nicht die leiseste Ahnung haben.«

Ihre Mutter betrachtete sie schweigend eine Minute lang, drehte sich um und lief in eine Ecke, wo sie lautlos ihre Lippen bewegte.

Livvy verdrehte die Augen. »Na klasse. Sie fragt Papa um seinen Rat. Wenn ein Toter anderer Meinung als ich sein sollte, dann war's das hier für mich.«

Endlich kam Maria DeSaria zurück. Sie wirkte nicht gerade glücklich. »Papa sagte mir, daß du die Speisekarte für schlecht hältst.«

Angie runzelte die Stirn. Das fand sie auch, hatte aber ihre Meinung bislang für sich behalten. »Nicht unbedingt *schlecht*, Mama. Eine kleine Veränderung könnte allerdings nicht schaden.«

Ihre Mutter verschränkte die Arme und biß sich auf die Unterlippe. »Ich weiß«, murmelte sie und starrte in die Luft. Dann sah sie Livvy an. »Papa meint, wir sollten auf Angie hören. Zunächst einmal.«

»Aber sicher. Sie war doch schon immer seine Prinzessin.« Olivia funkelte Angie zornig an. »Ich brauche mir dieses Theater nicht bieten zu lassen. Ich habe einen Mann, der mich anfleht, abends zu Hause zu bleiben und für Nachwuchs zu sorgen.«

Das saß. Angie zuckte sichtbar zusammen.

»Und genau das werde ich auch tun.« Livvy tätschelte Angies Rücken. »Viel Glück mit dem Restaurant, kleine Schwester. Es gehört dir. Ab jetzt kannst *du* jeden Abend und an den Wochenenden arbeiten.« Sie drehte sich um und verschwand durch die Tür.

Verdutzt sah Angie ihr nach und fragte sich, warum alles so schnell und gründlich schiefgegangen war. »Ich habe doch nur ein paar Veränderungen vorgeschlagen.«

»Aber nicht an der Speisekarte.« Maria DeSaria verschränkte wieder die Arme. »Die Gäste *lieben* meine Lasagne.«

Angestrengt versuchte Lauren, sich auf die Frage vor ihr zu konzentrieren.

»Ein Mann läuft sechs Meilen mit einer durchschnittlichen Geschwindigkeit von vier Meilen pro Stunde. Wie schnell muß er in den nächsten zweieinhalb Stunden sein, um für die gesamte Strecke eine Durchschnittsgeschwindigkeit von sechs Meilen pro Stunde zu erreichen?«

Die Antwortmöglichkeiten verschwammen vor ihren müden Augen.

Erschöpft schob Lauren den Stuhl zurück. Ihr Kopf schmerzte, sie konnte einfach nicht mehr. In den letzten Wochen hatte sie sich täglich stundenlang auf die bevorstehende Eignungsprüfung vorbereitet. Es brachte überhaupt nichts, wenn sie den Test bestand, aber im Unterricht einschlief.

Aber die Prüfung findet schon in zwei Wochen statt ...

Seufzend beugte sie sich wieder über den Tisch und griff zu ihrem Stift. Sie hatte den Test schon im letzten Jahr abgelegt und ein gutes Ergebnis erzielt. Diesmal erhoffte sie sich die Höchstpunktzahl. Für ein Mädchen wie sie zählte jeder einzelne Punkt.

Als eine Stunde später der Wecker klingelte, hatte sie weitere fünf Seiten bewältigt. Zahlen, Vokabeln und geometrische Gleichungen schwirrten durch ihren Kopf und machten sie ganz benommen.

Lauren ging in die Küche, um sich vor der Arbeit etwas zu essen zu machen. Sie hatte die Wahl zwischen einer Schale mit Raisin Bran oder einem Apfel mit Erdnußbutter und entschied sich für den Apfel. Als sie aufgegessen hatte, zog sie schwarze Hosen und einen pinkfarbenen Pullover an. Unter ihrem Rite-Aid-Kittel wäre von dem Pullover kaum noch etwas zu sehen. Lauren griff nach ihrem Rucksack – für den Fall, daß sie während ihrer Pause Zeit fand, ihre Trigonometrie-Hausaufgaben zu beenden – und verließ die Wohnung.

Sie rannte die Treppen hinunter und wollte die Haustür aufziehen, als sie eine Stimme hinter sich hörte. »Lauren?«

Mist! Sie blieb stehen und drehte sich langsam um.

Mrs. Mauk stand in der geöffneten Tür ihrer Wohnung. Mißmut zog ihre Mundwinkel herab. Die Falten auf ihrer Stirn wirkten wie eingemeißelt. »Ich warte noch immer auf eure Miete.«

»Ich weiß.« Die beiden Silben kosteten Lauren ihre ganze Energie.

Langsam bewegte sich Mrs. Mauk auf sie zu. »Es tut mir wirklich leid, Lauren, das weißt du ganz genau, aber ich muß auf pünktlicher Zahlung bestehen. Anderenfalls verliere ich meinen Job.«

Lauren versuchte ganz ruhig zu bleiben. Jetzt würde sie ihren Chef um einen Vorschuß bitten müssen. Und das war ihr unendlich peinlich. »Ich werde es Mom sagen.«

»Ja, tu das.«

Lauren öffnete die Haustür. »Du bist ein gutes Kind«, rief Mrs. Mauk ihr noch zu. Das sagte ihr Chef auch immer, wenn sie ihn wieder einmal um Geld bitten mußte. Da keine Antwort von ihr erwartet wurde, lief Lauren schnell in den regnerischen Abend hinaus.

Sie mußte zweimal den Bus wechseln, um zur Rite-Aid-Apotheke am Highway zu gelangen, die Tag und Nacht geöffnet war.

»Da bist du ja, Lauren«, sagte Sally Ponochek, die Apothekerin, als sie das Geschäft betrat. »Mister Landers möchte dich sprechen.«

»Okay, vielen Dank.« Lauren brachte ihre Sachen in den Personalraum und stieg dann die Treppe hinauf zum Büro ihres Chefs. Und während der ganzen Zeit überlegte sie, wie sie ihre Bitte am überzeugendsten vorbrachte. Indem sie ihn daran erinnerte, daß sie nun schon fast ein Jahr für ihn arbeitete, auch an Thanksgiving und Weihnachten?

»Sie wollen mich sprechen, Mister Landers?« Sie zwang sich zu einem Lächeln.

Er blickte von seinen Unterlagen auf. »Oh, Lauren. Ja.« Mr. Landers fuhr sich mit den Fingern durch seine schütteren Haare und kämmte die spärlichen Reststrähnen auf eine Seite. »Es fällt mir nicht leicht, dir das zu sagen. Wir müssen uns von dir trennen. Du siehst ja selbst, wie schlecht die Geschäfte in letzter Zeit gehen. Die Zentrale überlegt, ob diese Filiale vielleicht ganz geschlossen werden sollte. Die Bewohner von West End haben offenbar eine Abneigung gegen Geschäftsketten. Es tut mir sehr leid.«

Es dauerte einen Moment, bis Lauren begriff. »Sie *feuern* mich?«

»Genaugenommen handelt es sich um eine vorübergehende Entlassung. Sobald sich die Lage bessert ...« Er verstummte. Sie wußten beide, daß das kaum zu erwarten war. Mr. Landers reichte ihr einen Umschlag. »Ich habe dir eine glänzende Empfehlung geschrieben. Ich bedauere zutiefst, dich zu verlieren, Lauren.«

Im Strandhaus war es fast unangenehm still.

Angie stand am Kamin und blickte auf das mondbeschienene Meer hinaus. Das Feuer erhitzte ihre Beine, konnte sie aber nicht bis ins Innerste erwärmen. Fröstelnd verschränkte sie die Arme.

Es war gerade erst halb neun. Zu früh, um zu Bett zu gehen.

Sie wandte sich vom Fenster ab und blickte zur Treppe. Wenn sie doch nur die Zeit ein paar Jahre zurückdrehen könnte, um wieder die Frau zu sein, die im Handumdrehen einschlief.

In Conlans Armen war das kein Problem gewesen. Angie hatte so lange nicht allein geschlafen, daß ihr völlig entfallen war, wie groß ein Bett sein konnte, wieviel Wärme vom Körper eines geliebten Menschen ausging.

Auf keinen Fall würde sie heute einschlafen können, jedenfalls nicht in ihrem augenblicklichen Gemütszustand.

Sie brauchte Geräusche, die Nähe von Leben.

Angie schnappte sich ihren Autoschlüssel und lief zur Tür.

Fünfzehn Minuten später parkte sie in Miras Einfahrt. Das kleine zweigeschossige Gebäude stand auf einem winzigen Grundstück, dicht an dicht mit anderen, ähnlich aussehenden Häusern. Der Vorgarten war mit Spielzeugen, Fahrrädern und Skateboards übersät.

Unschlüssig umklammerte Angie das Lenkrad mit beiden Händen. Sie konnte Miras Familie doch unmöglich abends um neun überfallen. Das gehörte sich einfach nicht.

Aber wohin sollte sie sonst? Zurück in die Stille ihres leeren Cottages, in das Schattenreich der Erinnerungen, die am besten nicht heraufbeschworen wurden?

Angie stieß die Tür auf und stieg aus.

Die Kühle des Abends hüllte sie ein, ließ sie frösteln. Sie konnte den Herbst riechen. Eine dicke graue Wolke trieb heran und schüttete ihren Regen auf die Erde.

Angie hastete zur Tür und klopfte.

Zwei Sekunden später öffnete Mira und lächelte sie an. Sie trug ein altes Football-Sweatshirt und Grinch-Slippers. Die langen Haare umrahmten wirr ihr Gesicht. »Ich habe mich schon gefragt, wie lange du da draußen noch sitzen bleiben willst.«

»Du wußtest, daß ich da bin?«

»Machst du Witze? Sobald du geparkt hattest, rief Kim Fisk an. Fünf Sekunden später Andrea Schmidt. Offenbar hast du vergessen, wie es ist, in einer Kleinstadt zu wohnen.«

Angie kam sich ausgesprochen töricht vor. »Oh.«

»Herein mit dir. Auch ohne Kims und Andreas Anruf habe ich irgendwie mit dir gerechnet.« Sie ging ihrer Schwester voran durch die Diele ins Wohnzimmer, in dem zwei breite braune Sofas auf einen Großbild-Fernseher ausgerichtet waren. Auf dem Couchtisch standen zwei Gläser Rotwein.

Angie mußte unwillkürlich lächeln. Sie setzte sich auf das Sofa und griff nach einem Weinglas. »Wo steckt die Familie?«

»Die Kleinen schlafen, die Großen machen ihre Hausaufgaben und heute ist Vinces Vereinsabend.« Mira streckte sich auf dem anderen Sofa aus und sah Angie erwartungsvoll an. »Und?«

»Und was?«

»Bist du einfach nur so ein bißchen durch die Dunkelheit gefahren?«

»In etwa.«

»Komm schon, Angie. Livvy hat uns die Brocken hingeworfen, Mama verteidigt ihre Lasagne mit Händen und Füßen, und das Restaurant steht kurz vor dem Ruin.«

Angie bemühte sich um ein Lächeln. »Und vergiß nicht, daß ich lernen muß, allein zu leben.«

»Und wie es aussieht, gelingt es dir nicht besonders gut.«

»Nein.« Sie trank einen Schluck Wein. Sie wollte nicht über ihr Leben reden. Das tat nur weh. »Ich muß Livvy unbedingt dazu bringen, wieder einzusteigen.«

Ihre Schwester wirkte fast enttäuscht über den Themenwechsel. »Wahrscheinlich hätten wir dir sagen sollen, daß sie schon seit Monaten aufhören wollte.«

»Na ja. Es wäre nicht schlecht gewesen, das zu wissen.«

»Sieh es von der positiven Seite. Eine weniger, die sich aufregen kann, wenn du mit deinen Veränderungen loslegst.«

Aus irgendeinem Grund fühlte sich Angie von dem Wort »Veränderungen« getroffen. Sie stellte das Glas ab, stand auf und ging zum Fenster.

»Angie?«

»Ich weiß auch nicht, was in letzter Zeit eigentlich mit mir los ist.«

Mira trat neben sie und legte sanft eine Hand auf ihre Schulter. »Du mußt dir mehr Zeit lassen.«

»Was meinst du damit?«

»Seit du ein Mädchen warst, bist du nur auf der Jagd nach der Erfüllung deiner Wünsche gewesen. Du konntest West End gar nicht schnell genug verlassen. Der arme Tommy Matucci hat, nachdem du weg warst, zwei Jahre lang immer wieder nach dir gefragt, aber du hast ihn offenbar nie angerufen. Dann bist du durchs College gehetzt und hast dich kopfüber in die Werbebranche gestürzt.« Ihre Stimme wurde leiser, weicher. »Und sobald Conlan und du beschlossen hattet, eine Familie zu gründen, kanntest du nur noch ein Ziel: ein Baby, und zwar sofort.«

»Du siehst ja, wohin mich das gebracht hat.«

»Das Problem ist, daß du noch immer auf Hochtouren läufst. Fort von Seattle und deiner zerbrochenen Ehe geradewegs nach West End und hinein in die Sorge um das Restaurant. Wie willst du denn herausfinden, was du wirklich willst, wenn du dich permanent wie im Geschwindigkeitsrausch befindest?«

Angie betrachtete ihr Spiegelbild in der Fensterscheibe. Ihr Gesicht war bleich, ihre Augen saßen in dunklen Höhlen und ihr Mund war nicht mehr als ein schmaler Strich. »Was weißt du von Wünschen und Sehnsüchten?« fragte sie und hörte selbst, wie verzweifelt ihre Stimme klang.

»Ich habe vier Kinder und einen Mann, der seinen Bowlingverein fast ebenso liebt wie mich, und ich hatte nie einen Boss, der nicht mit mir verwandt war. Während du mir Postkarten aus New York, London und Los Angeles geschickt hast, habe ich versucht, genügend Geld für einen Friseurbesuch auf die Seite zu legen. Glaub mir, mit Wünschen und Sehnsüchten kenne ich mich aus.«

Angie hätte ihrer Schwester gern in die Augen gesehen, doch das wagte sie nicht. »Ich hätte das alles – die Reisen, meinen Lebensstil, meine Karriere – liebend gern für eins deiner Kinder eingetauscht.«

Sanft berührte Mira ihre Schulter. »Ich weiß.«

Jetzt drehte sich Angie doch um und erkannte sofort, daß es ein Fehler war.

Tränen standen in Miras Augen.

»Ich muß gehen«, brachte Angie nur mit Mühe über die Lippen.

»Bitte nicht ...«

Aber Angie lief schon zur Haustür. Draußen peitschte ihr Regen ins Gesicht, nahm ihr die Sicht. Blindlings rannte sie zu ihrem Auto. »Komm zurück«, rief Mira ihr nach, aber sie reagierte nicht.

»Ich kann nicht«, flüsterte sie. So leise, daß Mira es nicht hören konnte. Angie sprang in ihren Wagen, zog die Tür zu und startete den Motor, bevor Mira ihr folgen konnte.

Sie fuhr eine Straße hinauf und die nächste hinab, ohne zu wissen, wo sie sich eigentlich befand. Das Autoradio lief in voller Lautstärke. *Believe,* sang Cher ihr zu.

Irgendwann fand sie sich auf dem Parkplatz von Safeway wieder, von der hellen Reklame angezogen wie eine Motte vom Licht.

»Ich hätte das alles liebend gern eingetauscht ...«

Sie kniff die Augen zu. Schon die Worte laut auszusprechen hatte weh getan.

Nein.

Auf keinen Fall würde sie hier sitzen bleiben und sich selbst bemitleiden. Genug war genug, schwor sie sich. Sie würde endgültig vergessen, was sie nun mal nicht ändern konnte.

Jetzt würde sie in den Supermarkt gehen, sich rezeptfreie Tabletten kaufen und genügend davon nehmen, um einschlafen zu können.

Angie ging durch die Regalreihen und fand schnell, was sie gesucht hatte.

Sie war bereits auf dem Weg zu den Kassen, als sie die kleine Gruppe bemerkte.

Eine ausgemergelte, schlechtgekleidete Frau mit drei Stangen Zigaretten und einem Zwölferpack Bier. Vier verwahrloste Kinder wuselten um sie herum. Das Kleinste bettelte um einen Doughnut, bekam aber nur einen derben Knuff.

Haare und Gesichter der Kinder waren verdreckt, ihre dünnen Stoffschuhe voller Löcher.

Unwillkürlich rang Angie nach Luft. So etwas wie Verbitterung kam in ihr hoch. *Warum,* schoß es ihr durch den Kopf. *Warum nur?*

Warum bekamen manche Frauen mehr Kinder, als sie wollten, während andere ...

Sie legte die Schlaftabletten ins Regal zurück und verließ den Supermarkt. Regen peitschte ihr Gesicht, mischte sich mit ihren Tränen.

In ihrem Auto starrte sie durch die regennasse Windschutzscheibe, ohne sich zu rühren. Nach einer Weile kam die Familie aus dem Supermarkt, bestieg ein altes, schäbiges Auto und fuhr davon. Keins der Kinder schnallte sich an.

Angie schloß die Augen. Wenn sie nur lange genug sitzen blieb, würde es schon vergehen. Trauer und Verzweiflung waren wie Regenwolken. Früher oder später würden sie weiterziehen. Sie mußte nur abwarten und ganz ruhig atmen ...

Irgend etwas klatschte gegen ihre Windschutzscheibe.

Erschrocken riß sie die Augen auf.

Ein pinkfarbener Zettel klebte vor ihr an der Scheibe. *»Suche Arbeit«,* stand darauf. *»Bin zuverlässig und ...«*

Bevor sie mehr lesen konnte, verwischte Regen die Schrift.

Angie beugte sich über den Beifahrersitz und kurbelte die Scheibe herunter.

Ein rothaariges Mädchen in ausgeblichenen Jeans und viel

zu dünner Jacke lief trotz des strömenden Regens über den Parkplatz von einem Auto zum nächsten und brachte unermüdlich die Zettel an.

Angie handelte ohne nachzudenken. Sie stieß die Tür auf, sprang aus dem Wagen und rief: »Hey, du da!«

Das Mädchen drehte sich um.

Angie lief auf es zu. »Kann ich irgend etwas für dich tun?«

»Nein.« Das Mädchen wollte schon weitergehen.

Angie griff in ihre Jackentasche und zog Geld heraus. »Hier, bitte.« Sie drückte ein paar Dollarnoten in die kalte, nasse Hand.

»Das kann ich nicht annehmen«, flüsterte das Mädchen und schüttelte den Kopf.

»Doch. Bitte. Du tust mir einen Gefallen«, sagte Angie.

Sie sahen einander lange an.

Schließlich nickte das Mädchen. Tränen stiegen in seine Augen. »Danke.« Es drehte sich um und rannte davon.

Lauren stieg die Stufen hinauf und öffnete die Haustür. Jeder Schritt bereitete ihr Mühe, und als sie Mrs. Mauks Wohnung erreicht hatte, war sie sich fast sicher, irgendwie geschrumpft zu sein.

Sie blieb stehen und betrachtete die Geldscheine in ihrer Hand. Einhundertfünfundzwanzig Dollar.

»Du tust mir einen Gefallen«, hatte die Frau auf dem Parkplatz gesagt. Als wäre sie die Bedürftige.

Die Geste war vielleicht gutgemeint, hatte Lauren aber auch ihre Situation schmerzhaft bewußt gemacht. *Entschuldigung, aber ich glaube, hier liegt ein Mißverständnis vor,* hatte sie eigentlich sagen wollen. Aber statt dessen war sie den ganzen Weg nach Hause gerannt.

Lauren wischte sich die Tränen aus den Augen und klopfte.

Mrs. Mauk öffnete sofort. Als sie Lauren sah, verschwand ihr Lächeln. »Du bist ja bis auf die Haut durchnäßt.«

»Nicht so schlimm. Hier …« Lauren gab ihr das Geld.

Die Hausmeisterin nahm es und zählte. »Ich nehme mir hundert«, erklärte sie nach einer kleinen Pause. »Mit dem Rest kaufst du dir etwas Ordentliches zu essen, okay?«

Fast wäre Lauren schon wieder in Tränen ausgebrochen. Hastig drehte sie sich um und lief die Treppen hinauf.

In ihrer Wohnung rief sie nach ihrer Mutter.

Niemand antwortete.

Seufzend warf sie ihren Rucksack auf die Couch und ging zum Kühlschrank. Er war praktisch leer. Sie wollte gerade nach dem kärglichen Rest eines Sandwichs greifen, als es klopfte.

Lauren durchquerte das winzige, unaufgeräumte Apartment und öffnete. Vor ihr stand David mit einer großen Pappschachtel. »Hey, Trix.«

»Was machst du denn …?«

»In der Apotheke sagte man mir, daß du nicht mehr da arbeitest.«

»Oh.« Lauren biß sich auf die Unterlippe. Seine leise Stimme und das Mitgefühl in seinen Augen waren mehr, als sie im Moment ertragen konnte.

»Also habe ich unseren Kühlschrank geplündert. Es war jede Menge von Moms Dinnerparty übrig.« Er griff in die Schachtel und zog ein Video heraus. »Und meine *Speed-Racer*-Bänder habe ich auch mitgebracht.«

Sie zwang sich zu einem Lächeln. »Auch das, auf dem Trixie seinen Hintern rettet?«

Er sah sie an. Und in seinem Blick stand alles: Liebe, Verständnis, Sorge. »Klar doch.«

»Danke.« Mehr brachte sie nicht heraus.

»Du hättest mich sofort anrufen müssen, als man dir gekündigt hat.«

Er konnte sich zwar nicht vorstellen, wie man sich fühlte, wenn man etwas verlor, das man so dringend nötig hatte. Aber Lauren mußte ihm recht geben. Sie hätte ihn anrufen sollen.

Selbst mit siebzehn, und so naiv und unreif er mitunter auch sein konnte, war er der verläßlichste Mensch in ihrem Leben. Zusammen mit ihm kam Lauren ihre Zukunft – ihre gemeinsame Zukunft – vor wie das reine Glück. »Ich weiß.«

»Na los. Laß uns was essen und uns ein Video ansehen. Um Mitternacht muß ich wieder zu Hause sein.«

Fünf

Mr. Lundberg redete und redete, hastete von einem gesellschaftspolitischen Thema zum nächsten wie ein Kind, das Seifenblasen nachjagt.

Lauren versuchte, ihm zu folgen. Sie bemühte sich wirklich um Aufmerksamkeit, aber sie war todmüde.

»Lauren. Lauren?«

Sie zuckte zusammen, blinzelte und erkannte eine Sekunde zu spät, daß sie tatsächlich eingeschlafen war.

Mr. Lundberg musterte sie. Er wirkte alles andere als zufrieden.

Lauren spürte die aufsteigende Hitze in ihren Wangen. Das war das Problem von Rothaarigen. Ihre blasse Haut errötete schnell. »Ja, Mister Lundberg?«

»Ich habe dich gefragt, was du von der Todesstrafe hältst.«

»Ein kleines Nickerchen?« rief jemand. Alle lachten.

Lauren unterdrückte ein Lächeln. »Ich bin dagegen. Zumindest solange nicht sichergestellt ist, daß Todesurteile nach absolut fairen Prozessen gefällt und in allen Staaten ausgeführt werden. Nein. Moment. Ich bin auf jeden Fall dagegen. Um den Grundsatz zu untermauern, daß Mord unmoralisch ist, sollte der Staat nicht selbst töten.«

Mr. Lundberg nickte und wandte sich wieder dem Fernsehgerät zu, das er mitten im Raum aufgestellt hatte. »In den letzten Wochen haben wir uns mit der Frage der Gerechtigkeit in den Vereinigten Staaten befaßt – und mit den Defiziten auf diesem Gebiet. Ich glaube, mitunter vergessen wir, wie glücklich wir uns schätzen können, daß derartige Diskussionen bei uns überhaupt *möglich* sind. In anderen Teilen der Welt sieht das nämlich ganz anders aus. In Sierra Leone zum Beispiel …«

Er schob ein Band in den Videorecorder und drückte die Play-Taste.

Noch bevor der Dokumentarfilm zu Ende war, ertönte der Pausengong. Lauren sammelte ihre Bücher und Hefte zusammen und verließ das Klassenzimmer. Der Lärm auf den Fluren war ohrenbetäubend: allerorten Gelächter und übermütiges Rufen am Ende eines langen Schultages.

Wie in Trance bewegte sich Lauren durch die Menge. Zu erschöpft, um mehr zu tun, als vorbeikommenden Freunden flüchtig zuzuwinken.

David umfaßte sie von hinten und zog sie in seine Arme. Sie drehte sich um, blickte ihm in die blauen Augen. Die Geräusche um Lauren verklangen zu einem gedämpften Summen. Sie erinnerte sich an den Abend zuvor und mußte lächeln. Er hatte mehr gerettet als nur ihre Stimmung …

»Meine Eltern müssen heute abend nach New York«, flüsterte er. »Vor Samstag kommen sie nicht zurück.«

»Tatsächlich?«

»Um halb sechs bin ich mit dem Football fertig. Soll ich dich danach abholen?«

»Nein. Ich muß mir unbedingt einen neuen Job suchen.«

»Oh, stimmt ja.« Sie hörte die Enttäuschung in seiner Stimme.

Lauren reckte sich auf die Zehen, küßte ihn und konnte noch Spuren seiner Vorliebe für Apfelschorle auf seinen Lippen schmecken. »Aber gegen sieben könnte ich bei dir sein.«

Er strahlte. »Super. Brauchst du vielleicht einen Chauffeur?«

»Nein, danke. Ich komm schon zurecht. Soll ich irgendwas mitbringen?«

»Mom hat mir zweihundert Dollar dagelassen«, grinste er. »Wir lassen uns Pizza kommen.«

Zweihundert Dollar. Genau der Betrag, den sie noch immer an Miete schuldig waren. Und David konnte sie für Pizza ausgeben.

Lauren packte die fünfzehn Kopien ihres Lebenslaufs und des Empfehlungsschreibens zusammen, die sie in der Schulbibliothek angefertigt hatte.

Sie wollte gerade das Apartment verlassen, als ihre Mutter hereinstürmte. Krachend schlug die Tür gegen die Wand.

Mom rannte zur Couch, schleuderte die Kissen zu Boden und suchte nach irgend etwas. Aber da war nichts. Mit wildem Blick sah sie sich um. »Hast du gesagt, ich wäre fett?«

»Du wiegst nicht mal fünfzig Kilo, Mom. Wie könnte ich da behaupten, du wärst fett. Im Gegenteil. Im Kühlschrank ist ...«

Ihre Mutter hob eine Hand. Von der Zigarette zwischen ihren Fingern rieselte Asche zu Boden. »Streite ja nicht mit mir rum. Du glaubst, daß ich zuviel trinke und zu wenig esse. Als müßte mir ausgerechnet meine *Tochter* sagen, was ich zu tun und zu lassen habe.« Sie runzelte die Stirn, sah sich im Zimmer um und verschwand in der Küche. Zwei Minuten später war sie wieder da. »Ich brauch Geld.«

Manchmal machte sich Lauren bewußt, daß Alkoholismus eine Krankheit war. In diesen Momenten tat ihre Mutter ihr leid.

Jetzt nicht. »Wir sind pleite, Mom. Es wäre hilfreich, wenn du arbeiten würdest.« Sie bückte sich und hob die Sofakissen auf.

»*Du* arbeitest doch schon. Ich brauch ja nicht mehr als ein paar Dollar. Bitte, Schätzchen.« Sie kam näher und legte Lauren eine Hand auf den Rücken. Die Berührung erinnerte Lauren daran, daß sie ein Team waren, sie und ihre Mom. Mit entscheidenden Defiziten, aber immer noch eine Familie.

Die Hand ihrer Mutter wanderte zu ihren Schultern. »Komm schon«, flehte sie heiser. »Ich brauch nur ... zehn Dollar. Mehr nicht.«

Lauren griff in ihre Tasche und zog eine zusammengefaltete Fünf-Dollar-Note hervor. Glücklicherweise hatte sie die restlichen zwanzig unter ihrem Kopfkissen versteckt. »Das ist eigentlich mein Essensgeld für morgen für die Schule.«

Die Finger ihrer Mutter schlossen sich um den Geldschein. »Nimm dir was mit. Im Kühlschrank sind Erdnußbutter, Marmelade und Cracker.«

»Na, toll.« Lauren dankte dem Himmel für Mrs. Haynes' Dinnerparty-Reste.

Ihre Mutter war schon auf dem Weg zur Tür. Als sie sie öffnete, hielt sie noch einmal inne und drehte sich um. Ihre grünen Augen wirkten traurig, die Falten auf ihrem Gesicht ließen sie gut zehn Jahre älter aussehen. Nervös fuhr sie sich mit einer Hand durch die ungekämmten weißblond gefärbten Haare. »Woher hast du diesen Hosenanzug?«

»Von Mrs. Mauk. Er gehört ihrer Tochter.«

»Suzie Mauk ist vor sechs Jahren gestorben.«

Lauren zuckte nur mit den Schultern. Was sollte sie darauf auch erwidern?

»Also hat sie die Sachen ihrer Tochter die ganzen Jahre aufgehoben? Meine Güte.«

»Manche Mütter bringen es eben nicht über sich, die Kleider ihrer Kinder fortzuwerfen.«

»Mag sein. Aber weshalb steckst du im Anzug eines toten Mädchens?«

»Ich ... muß mir einen Job suchen.«

»Du arbeitest doch in der Apotheke.«

»Man hat mir gekündigt. Schlechte Zeiten.«

»Das habe ich dir schon hundertmal gesagt. Bestimmt stellen sie dich vor den Feiertagen wieder ein.«

»Aber wir brauchen *jetzt* Geld. Die Miete ist überfällig.«

Ihre Mutter schien irgendwie in sich zusammenzufallen, und in ihren traurigen Augen entdeckte Lauren einen Rest ihrer früheren Schönheit. »Weiß ich.«

Bitte, dachte Lauren, *bitte sag, daß du morgen arbeiten gehst ...*

»Ich muß los«, erklärte ihre Mutter schließlich. Sie drehte sich abrupt um und verschwand durch die Tür.

Lauren verdrängte das bittere Gefühl von Enttäuschung und verließ ebenfalls die Wohnung. Als sie das Zentrum von West End erreicht hatte, hörte es auf zu regnen. Es war erst fünf, aber jetzt im Herbst dämmerte es früh. Der Himmel zeigte ein blasses, düsteres Purpur.

Als erstes versuchte sie es im *Sea Side,* einem gutgehenden Ausflugslokal, das vor allem Fischgerichte und Austern auf der Speisekarte hatte.

In einer Stunde hatte Lauren alle Gasthäuser abgeklappert. In drei Restaurants war ihre Bewerbung höflich entgegengenommen worden, und man hatte ihr versprochen, sich zu melden, falls Bedarf an einer Hilfskraft bestand. Zwei weitere wollten keine falschen Hoffnungen wecken. In allen vier Lebensmittelläden hatte man sie aufgefordert, doch nach Thanksgiving noch einmal vorbeizuschauen.

Nun stand sie vor dem letzten Restaurant an der Hauptstraße, dem *DeSaria's.*

Lauren sah auf ihre Armbanduhr. Es war zwölf Minuten nach sechs. Sie würde später als versprochen bei David sein.

Seufzend stieg sie die Stufen zum Eingang hinauf und bemerkte, wie reparaturbedürftig diese waren. Kein gutes Zeichen. Neben der Tür blieb sie stehen, um einen Blick auf die Speisekarte zu werfen. Das teuerste Gericht waren Manicotti zu $ 8,95. Auch das kein gutes Zeichen.

Dennoch öffnete sie die Tür und ging hinein.

Das Restaurant war eher klein. Ein bogenförmiger Durchgang verband zwei etwa gleich große Räume, in denen jeweils fünf oder sechs Tische mit rotweißkarierten Decken standen. Ein Kamin mit Eichenholzsims beherrschte einen der Gasträume. An den Backsteinwänden hingen gerahmte Bilder. Familienphotos, wie es aussah, aber auch italienische Landschaften. Gedämpfte Musik war zu hören. Eine Instrumentalversion von »I Left My Heart in San Francisco«. Die aromatischen Düfte ließen ihr das Wasser im Mund zusammenlaufen.

Eine Familie saß beim Abendessen. Nur eine.

Nicht gerade viel für einen Donnerstagabend.

Es hatte wenig Sinn, sich hier um einen Job zu bewerben. Sie sollte für heute besser Schluß machen. Wenn sie sich beeilte, könnte sie nach Hause fahren, sich umziehen und es doch noch bis sieben zu David schaffen. Lauren machte auf dem Absatz kehrt und verließ das Restaurant wieder.

Auf dem Weg zur Bushaltestelle setzte erneut Regen ein. Ein eisiger Wind fegte von der See her durch die Straßen. Ihr dünner Mantel bot keinen Schutz, und als sie nach Hause kam, zitterte sie am ganzen Körper.

Die Wohnungstür war nicht richtig geschlossen, wie so oft. Noch schlimmer: Ein Fenster stand offen, und es war eisig kalt.

»Verdammt«, murmelte Lauren, rieb sich die klammen Hände und stieß die Tür mit dem Fuß zu. Sie rannte zum Fenster. Als sie es schließen wollte, hörte sie ihre Mutter singen: »Leavin' on a jet plane ... don't know when I'll be back again.«

Unbändiger Zorn stieg in ihr hoch. Am liebsten hätte sie mit beiden Fäusten gegen die Wand gehämmert. Sie hatte keinen Job gefunden, kam zu spät zu ihrer Verabredung und jetzt auch noch das. Ihre Mutter war wieder einmal betrunken und hielt ein Schwätzchen mit den Sternen.

Sie kletterte aus dem Fenster und die Feuertreppe hinauf. Ihre Mutter saß auf dem Dach, bedenklich nahe am Abgrund. Sie trug nur ein leichtes Baumwollkleid, das ihr völlig durchnäßt am Körper klebte. Ihre Füße waren nackt.

Vorsichtig kroch Lauren auf sie zu. »Mom?«

Ihre Mutter drehte sich zu ihr um und lächelte sie an. »Hey.«

»Du bist zu dicht am Rand. Rutsch zurück.«

»Manchmal muß man sich daran erinnern, daß man lebt. Komm, setz dich zu mir.« Sie klopfte mit einer Hand leicht auf den Platz neben sich.

Situationen wie diese waren Lauren absolut verhaßt. Momente, in denen Angst ihr Sehnen überwog. Ihre Mutter lebte gern gefährlich. Jedenfalls behauptete sie das immer wieder. Ganz vorsichtig kroch sie weiter und setzte sich schließlich unwillig neben ihre Mutter.

Die Straße tief unter ihnen war fast leer. Ein einsames Auto fuhr vorbei. Im Regen wirkten die Scheinwerfer sonderbar geisterhaft, irreal.

Lauren spürte, daß ihre Mutter vor Kälte zitterte. »Wo ist denn dein Mantel, Mom?«

»Verloren. Nein. Ich hab ihn Phoebe gegeben. Hab ihn gegen Kippen eingetauscht. Durch den Regen sieht alles wunderschön aus, findest du nicht?«

»Du hast deinen Mantel für Zigaretten eingetauscht«, konstatierte Lauren, mit einemmal unendlich müde. Es war völlig sinnlos, sich aufzuregen. »Die Meteorologen sagen einen harten Winter voraus.«

Ihre Mutter zuckte mit den Schultern. »Was sollte ich denn machen, ich war pleite.«

Lauren legte einen Arm um ihre Mutter. »Komm. Du mußt dich aufwärmen. Ein heißes Bad wird dir guttun.«

»Franco wollte mich heute anrufen. Hast du das Telephon gehört?«

»Nein.«

»Sie lassen sich *nie* wieder blicken. Jedenfalls nicht bei mir.«

Obwohl Lauren das schon tausendmal gehört hatte, empfand sie fast so etwas wie Mitgefühl mit ihrer Mutter. »Ich weiß. Nun komm schon.« Lauren half ihr beim Aufstehen, führte sie zur Feuertreppe und folgte ihr die eisernen Stufen hinab. In der Wohnung angekommen, überredete sie ihre Mutter dazu, erst einmal ein Bad zu nehmen, und ging dann in ihr Zimmer, um sich umzuziehen. Als sie fertig war, lag ihre Mutter bereits im Bett.

Lauren setzte sich zu ihr. »Kommst du klar, solange ich fort bin?«

Die Lider ihrer Mutter wurden schwer. »Hat das Telephon geklingelt, während ich im Bad war?«

»Nein.«

Langsam öffnete ihre Mutter die Augen wieder und sah sie an. »Wie kommt es nur, daß mich niemand liebt, Lauren?«

Die geflüsterte Frage, in der so viel Verzweiflung mitschwang, tat weh. Aber *ich* liebe dich doch, hätte Lauren gern erwidert. Warum bedeutet dir das nichts?

Ihre Mutter drehte sich auf die Seite und schloß die Augen.

Langsam stand Lauren auf. Während sie die Wohnung verließ und sich auf den Weg durch die Stadt machte, konnte sie nur an David denken.

David.

Er würde die Leere in ihrem Herzen ausfüllen.

Die wohlhabende, ruhige Enklave Mountainaire umfaßte nur wenige Villen am östlichen Rand von West End, aber hinter den bewachten Toren und Eisenzäunen existierte eine komplett andere Welt. Die Oase des Reichtums beherrschte einen ganzen Berghang mit Blick auf den Ozean. Hier, in Davids Welt, bestanden die Einfahrten aus Felsplatten oder Backstein, die Autos hielten vor Säulen-Eingängen oder parkten in riesigen Garagen. Das Essen wurde auf Porzellan serviert, das so fein und durchscheinend war wie Babyhaut. An Abenden wie diesen beleuchteten Laternen jeden Winkel und verwandelten die Regentropfen in funkelnde Diamanten.

Lauren fühlte sich fehl am Platz, als sie auf die Pförtnerkabine zuging, wie ein Mädchen, das absolut nicht hierher gehörte. Mit leichtem Unbehagen stellte sie sich vor, daß auf irgendeiner Liste ein Vermerk notiert wurde, der dann Mr. und Mrs. Haynes präsentiert wurde: Donnerstag, 19 Uhr, Besuch einer durchaus zweifelhaften Person.

»Ich möchte zu David Haynes«, sagte sie und hatte Mühe, ihre Hände ruhig zu halten.

Der Pförtner bedachte sie mit einem wissenden Grinsen.

Ein Summen ertönte, dann schwang das Tor auf. Auf schwarzem Asphalt lief Lauren an Gebäuden vorüber, die aussahen wie Titelbilder von Architekturzeitschriften: Häuser im georgianischen Stil, französisch inspirierte Villen, Haciendas, die auch in Bel Air hätten stehen können.

Wie still es war. Kein Autohupen, keine zankenden Nachbarn, keine laut plärrenden Fernseher.

Vielleicht zum hundertsten Mal versuchte Lauren sich vorzustellen, wie es wohl wäre, hier zu leben. In Mountainaire zerbrach sich niemand den Kopf über überfällige Mieten oder Stromrechnungen. Wer hier aufwuchs, brauchte sich keine Sorgen um die Zukunft zu machen. Alles, was man sich nur wünschen konnte, lag buchstäblich in Reichweite.

Sie bog auf den Pfad zur Haustür ein. Zu beiden Seiten säumten duftende Rosen ihren Weg und gaben ihr das Gefühl, die Prinzessin in einem Märchen zu sein. Dutzende verborgene Lichter illuminierten den makellos gestalteten Garten.

Lauren klopfte an die große Mahagonitür.

Es dauerte nur ein paar Sekunden, bis David öffnete. Es ging so schnell, daß sie schon annahm, er hätte hinter irgendeinem Fenster nach ihr Ausschau gehalten.

»Du kommst spät.« Lächelnd zog er sie an sich – direkt hier, in aller Öffentlichkeit, wo die Nachbarn es sehen konnten. Lauren wollte ihm sagen, damit zu warten, bis sie die Tür hinter sich geschlossen hatten, aber sobald er sie küßte, vergaß sie alles andere. Das war immer so. Wenn sie abends allein im Bett lag, an ihn dachte, ihn vermißte, wunderte sie sich mitunter über diese sonderbare Amnesie. Die einzige Erklärung, die sie dafür fand, war Liebe. Was sonst könnte einem an sich absolut vernünftigen Mädchen das Gefühl geben, daß ohne die Umarmung seines Freundes die Sonne vom Himmel verschwand, um die Erde als kalten, dunklen und trostlosen Ort zurückzulassen?

Sie verschränkte die Hände in seinem Nacken und lächelte ihn an. Ihr Abend hatte noch nicht einmal richtig begonnen, und schon konnte sie vor Freude und Glück kaum atmen.

»Es ist so cool, daß du *hier* sein kannst. Wenn meine Eltern da wären, müßte ich mir ein Dutzend Ausreden für meine Mom einfallen lassen, um mit dir ungestört zu sein.«

Lauren versuchte sich vorzustellen, wie es wäre, wenn jemand – eine Mutter – auf einen wartete, sich Sorgen um einen machte.

Bei ihr zu Hause waren Ausreden nicht nötig. Als sie zwölf war, hatte ihre Mutter mit ihr über Sex gesprochen. *»Irgendein Junge wird dich schon dazu überreden«*, hatte sie gesagt und sich eine Zigarette angesteckt. *»Und möglicherweise hältst du es dann sogar für eine gute Idee.«* Unablässig paffend hatte sie eine Packung Kondome auf den Couchtisch geworfen.

Als wäre mit der Aushändigung von Kondomen ihre Aufgabe als Mutter erledigt, hatte sie ihrer Tochter dann alles Weitere überlassen. Seit ihrer Kindheit bestimmte Lauren selbst, wann sie nach Hause kam. Und wenn sie die ganze

Nacht weggeblieben wäre, hätte ihre Mutter auch nichts gesagt.

Lauren wußte, wie glühend sie ihre Freundinnen um diese *Freiheiten* beneiden würden, aber sie hätte sie liebend gern gegen einen einzigen Gutenachtkuß eingetauscht.

Lächelnd trat David einen Schritt zurück und griff nach ihrer Hand. »Ich habe eine Überraschung für dich.«

Lauren folgte ihm durch die weitläufige Halle. Laut klapperten ihre Absätze auf den elfenbeinfarbenen Marmorfliesen. In Anwesenheit seiner Eltern wäre sie auf Zehenspitzen geschlichen, jetzt brauchte sie keinerlei Rücksicht zu nehmen.

Ihr voran passierte er den bogenförmigen Durchgang, der ins Eßzimmer führte.

Der Raum sah aus wie eine Filmkulisse. Um einen großen Tisch aus schimmerndem Holz standen sechzehn elegant geschwungene Stühle. Die Mitte der Tafel zierte ein Arrangement aus weißen Rosen, weißen Lilien und grünen Zweigen.

An einem Ende des Tisches waren zwei Plätze gedeckt. Hauchdünnes Porzellangeschirr stand auf Deckchen aus cremefarbener Seide. Goldenes Besteck glänzte im Schein einer einzigen Kerze.

Lauren sah zu David auf, der sie anstrahlte wie ein kleiner Junge am letzten Schultag vor den Ferien. »Ich hab Stunden gebraucht, das ganze Zeug zu finden. Meine Mom hatte alles unter blauen Tüchern versteckt.«

»Es ist sehr schön. Wirklich wunderschön.«

David führte Lauren zu ihrem Platz und zog den Stuhl zurück. Als sie saß, goß er perlenden Cider in ihr Weinglas. »Ich wollte eigentlich den Weinkeller meines Alten plündern. Aber ich wußte, daß du mir dann die Hölle heiß machst aus Angst, erwischt zu werden.«

»Ich liebe dich«, flüsterte Lauren und stellte verlegen fest, daß Tränen in ihren Augen brannten.

»Ich liebe dich auch.« Wieder lächelte er. »Und darum möchte ich dich auch ganz hochoffiziell fragen, ob ich dich zum Homecoming Dance begleiten darf.«

Lauren lachte. »Es ist mir eine Ehre.« Sie waren bislang zu jeder Tanzveranstaltung der Schule gemeinsam gegangen. Diesmal wäre es ihr letzter Schulball. Der Gedanke ließ ihr Lächeln schwinden. Plötzlich dachte sie an das nächste Jahr und die Möglichkeit, daß sie getrennt wurden. Sie sah David an. Irgendwie mußte sie ihn davon überzeugen, daß sie am selben College studierten. Er glaubte fest daran, daß ihre Liebe auch eine Trennung überleben würde. Doch Lauren wollte kein Risiko eingehen. Er war der einzige Mensch, der ihr jemals gesagt hatte, daß er sie liebte. Sie wollte sich nicht von ihm trennen. Nicht einmal auf Zeit. »David, ich ...«

Es klingelte an der Tür.

»O Gott«, ächzte Lauren. »Sind das etwa deine Eltern?«

»Immer mit der Ruhe. Sie haben vor einer Stunde aus New York angerufen. Mein Dad war sauer, weil die Limo fünf Minuten zu spät kam.« Er verließ das Eßzimmer.

»Mach einfach nicht auf.« Lauren wollte nicht, daß ihnen irgendwer, irgendwas diesen Abend kaputtmachte. Und wenn nun Jared und die Jungs zufällig Wind davon bekommen hatten, daß David sturmfreie Bude hatte? Das würde ausreichen, um innerhalb von Sekunden den ruhigen Abend in eine wilde Party ausarten zu lassen.

David lachte. »Bleib einfach, wo du bist.«

Sie hörte ihn zur Tür gehen und öffnen. Dann Stimmen. Gelächter. Die Tür wurde wieder geschlossen.

Eine Minute später kam er mit einer Pizza-Schachtel ins Eßzimmer zurück. Mit seinen tiefsitzenden, geräumigen Jeans und dem *Nur-kein-Neid-nicht-jeder-kann-so-umwerfend-sein-wie-ich*-T-Shirt sah er so gut aus, daß ihr das Atmen zunehmend schwerfiel.

Er stellte die Schachtel auf dem Tisch ab. »Eigentlich wollte ich ja was für dich kochen ...« Sein Gesicht verzog sich mürrisch. »Aber irgendwie ist mir der ganze Kram total verbrannt.«

Lauren erhob sich und ging auf ihn zu. »Jetzt ärgere dich nicht. Das hier ist perfekt.«

»Wirklich?«

Der Ton seiner Stimme verriet ihr, wie sehr er ihr zuliebe alles absolut richtig machen wollte, und das berührte sie tief. Sie wußte nur zu gut, wie es sich anfühlte, wenn man jemandem gefallen wollte. »Wirklich!« versicherte sie, reckte sich auf die Zehenspitzen und küßte ihn.

Er zog sie so fest an sich, daß ihr glatt die Luft wegblieb.

Als sie endlich die Pizza aßen, war sie längst kalt.

Sechs

Livvys neues Heim war eine Maisonettewohnung aus den siebziger Jahren in einer der reizvolleren Siedlungen von West End. Manche der Häuser – die wirklich teuren – boten einen unverbauten Blick auf den Pazifik. Den anderen stand ein nierenförmiger Swimmingpool zur Verfügung sowie ein Gemeinschaftszentrum, das für seine Küche berühmt war. Als Angie noch zur Schule ging, war Havenwood in puncto Wohnen Luxus pur gewesen. Sie erinnerte sich, wie sie die Sommer mit Freundinnen am Pool verbracht und die Mütter beobachtet hatte. Die meisten von ihnen räkelten sich auf Liegestühlen und trugen knappe Badeanzüge und Hüte mit breiten Krempen. In den Händen hielten sie Zigaretten und Gin Tonics. Angie fand diese weißen Frauen aus der Vorstadt wahnsinnig cool und kultiviert. Ganz anders als ihre bodenständige italienische Mutter, die keinen Tag ihres Lebens auf einem Liegestuhl am Pool vertrödelt hätte.

Offenbar hatte Havenwood für ihre Schwester auch als Erwachsene nichts von seiner Faszination verloren.

Angie parkte auf Livvys Einfahrt hinter dem Subaru-Kombi und stieg aus. Vor der Tür blieb sie kurz stehen.

Sie mußte äußerst behutsam vorgehen. So behutsam wie ein Chirurg bei einer Operation am offenen Herzen. Angie hatte die halbe Nacht wach gelegen und darüber nachgedacht. Nun gut, neben anderen Dingen. Es war eine weitere üble Nacht in ihrem einsamen Bett, und während sie schlaflos in den Kissen lag und über die Vergangenheit und die Zukunft nachgrübelte, wurde doch eins ganz klar: Sie mußte Livvy dazu bringen, ihre Arbeit wieder aufzunehmen. Angie hatte keine Ahnung, wie sie das Restaurant allein führen sollte, und auch nicht das geringste Verlangen, das möglicherweise für längere Zeit zu tun.

Es tut mir leid, Livvy …

Diese Worte waren unweigerlich die Einleitung. Danach würde sie zu Kreuze kriechen und sich bemühen müssen, ihre Schwester mit Komplimenten zur Rückkehr zu bewegen. Denn das war unbedingt nötig. Angie wollte schließlich nicht auf Dauer im Restaurant arbeiten. Nur für einen Monat oder zwei, bis sie wieder allein schlafen konnte.

Sie klopfte.

Und wartete.

Klopfte noch einmal.

Endlich öffnete sich die Tür. Livvy trug einen knappen pinkfarbenen Velour-Jogginganzug mit den Buchstaben »J. Lo« quer über der Brust. »Ich hab damit gerechnet, daß du auftauchst. Komm rein.« Sie trat einen Schritt zurück. In der winzigen Diele war kaum Platz für sie beide. Livvy stieg die Treppe hinauf ins Wohnzimmer, in dem ein Kunststoffläufer den Weg über den Teppich vorgab.

Getrennt von einem auf Hochglanz polierten Holztisch standen sich zwei hellblaue Samtsofas gegenüber. Die Sessel an den Schmalseiten des Tisches thronten auf kunstvoll gedrechselten, vergoldeten Füßen. Ihr Bezug zeigte blaue Blüten auf rosa Grund. Der Noppenteppich war orangefarben.

»Wir sind noch nicht dazu gekommen, uns neuen Teppichboden legen zu lassen«, erklärte Livvy. »Aber die Einrichtung ist gelungen. Findest du nicht auch?«

Angie warf einen Blick auf den noch mit Plastik verhüllten, graubraunen Fernsehsessel. »Wundervoll. Hast du die Sachen selbst ausgesucht?«

Die flache Brust ihrer Schwester schien zu schwellen. »Habe ich. Eigentlich wollte ich einen Dekorateur engagieren, aber Sal meinte, ich könne das genausogut wie die Mädels in Rick's Sofa World.«

»Davon bin ich überzeugt.«

»Ich habe sogar schon daran gedacht, in dem Laden nach 'nem Job zu fragen. Setz dich doch. Wie wär's mit einer Tasse Kaffee?«

»Gern.« Angie nahm auf einem der Sofas Platz.

Ihre Schwester ging in die Küche und kam wenige Minuten später mit zwei Tassen zurück. Eine der beiden reichte sie Angie und setzte sich dann ihr gegenüber.

Angie starrte eine Weile in ihren Kaffee. »Du weißt, warum ich hier bin«, sagte sie schließlich.

»Sicher.«

»Es tut mir leid, Livvy. Ich wollte dich bestimmt nicht beleidigen oder kritisieren und schon gar nicht deine Gefühle verletzen.«

»Ist schon klar. Du tust es immer ganz unabsichtlich.«

»Ich bin nun mal anders als du und Mira, wie du selbst oft genug betont hast. Manchmal kann ich zu sehr auf etwas ... fixiert sein.«

»Nennt man das so bei euch in der Großstadt? Wir Kleinstadtmädels sagen einfach gemein dazu. Oder zwanghaft.« Livvy zwinkerte ihr zu. »Wir sehen auch *Oprah,* falls du es genau wissen willst.«

»Komm schon, Liv. Laß mich nicht so lange zappeln. Nimm meine Entschuldigung an und komm ins Restaurant zurück. Ich brauche deine Hilfe. Ich glaube nämlich, daß wir gemeinsam Mama wirklich unterstützen können.«

Olivia holte tief Luft. »Jetzt hör mir mal gut zu. Ich *habe*

Mama bereits unterstützt. Fünf Jahre lang habe ich in diesem verdammten Restaurant geschuftet und mir täglich ihre Ansichten über mich anhören müssen. Über meinen Haarschnitt bis hin zu den Schuhen. Kein Wunder, daß es so lange gedauert hat, bis ich einen anständigen Kerl gefunden habe.« Sie beugte sich vor, um ihren Worten Nachdruck zu verleihen. »Jetzt bin ich eine *Ehefrau*. Ich habe einen Mann, der mich liebt. Und ich möchte meine Ehe nicht aufs Spiel setzen. Es ist höchste Zeit für mich, nicht mehr zuerst und vor allem eine DeSaria zu sein. Das bin ich Sal schuldig.«

Angie fühlte Ärger in sich aufsteigen und war kurz davor, ihrer Schwester die Meinung zu sagen. Doch dann erinnerte sie sich kurz und schmerzlich an ihre eigene Ehe: Wahrscheinlich wäre es an irgendeinem Punkt besser gewesen, die Partnerschaft wichtiger zu nehmen als ihren Wunsch nach Kindern. Sie seufzte. Jetzt war es dafür zu spät. »Du willst einen Neuanfang«, sagte sie leise und fühlte sich ihrer Schwester unerwartet nahe und irgendwie verbunden.

»Genau.«

»Das machst du richtig. Ich hätte ...«

»Laß das, Angie. Mir ist klar, was du von meinen beiden ersten Ehen hältst, aber etwas habe ich aus ihnen gelernt: Das Leben geht weiter. Du glaubst vielleicht, daß die Welt stillsteht und darauf wartet, daß du mit dem Weinen aufhörst, aber das tut sie nicht, sie dreht sich immer weiter. Verschwende deine Zeit nicht damit zurückzuschauen, sondern schau nach vorn. Sonst verpaßt du nämlich deine Zukunft.«

»Ich schätze, genau das steht mir bevor.« Sie bemühte sich um ein Lächeln. »Siehst du denn gar keine Möglichkeit, mir zu helfen? Wenigstens mit einem kleinen Rat?«

»Du fragst *mich* um Rat?«

»Nur ausnahmsweise, und vielleicht richte ich mich auch gar nicht danach.« Angie griff nach ihrer Tasche, um ihren Notizblock herauszuholen.

Livvy lachte. »Also gut, lies mir deine Liste vor.«

»Woher weißt du ...«

»Na, ich bitte dich. Du hast schon in der dritten Klasse angefangen, Listen zu machen. Erinnerst du dich, daß sie meistens verschwunden sind?«

»Ja.«

»Ich habe sie durchs Klo gejagt. Sie haben mich echt wahnsinnig gemacht. All die Dinge, die du unbedingt erreichen wolltest.« Sie lächelte zaghaft. »Vermutlich hätte ich besser auch ein paar Punkte aufschreiben sollen.«

Sollte dieses Eingeständnis etwa so was wie ein Kompliment sein? Mit einem dankbaren Lächeln streckte Angie ihrer Schwester den Block hin. Die Liste war drei Seiten lang.

Livvys Lippen bewegten sich beim Lesen. Ein feines Grinsen breitete sich auf ihrem Gesicht aus. Als sie wieder den Kopf hob, schien sie kurz vor einem Lachanfall. »Das alles hast du tatsächlich vor?«

»Warum nicht?«

»Kennst du deine Mutter? Ich meine die Frau, die seit mehr als drei Jahrzehnten den Weihnachtsbaum mit den immer gleichen Kugeln schmückt. Und weshalb? Weil ihr der Baum eben so gefällt. So und nicht anders.«

Angie zuckte zusammen. Es stimmte. Ihre Mutter war eine großzügige, tolerante und liebevolle Frau – solange alles nach ihrem Willen ging. Mit den Veränderungen würde sie kaum einverstanden sein.

»Allerdings könnten deine Ideen das *DeSaria's* tatsächlich retten«, fuhr ihre Schwester fort. »Auch wenn ich auf keinen Fall in deiner Haut stecken möchte.«

»Womit würdest du denn anfangen?«

Livvy blätterte in der Liste. »Das steht gar nicht hier.«

»Was meinst du?«

»Als erstes mußt du eine neue Kellnerin einstellen. Rosa Contadori hat schon vor deiner Geburt bei uns im Restaurant serviert. In der Zeit, die sie mittlerweile für eine Bestellung braucht, könnte ich glatt Golfspielen lernen. Ich habe versucht, es locker zu nehmen, aber ...« Sie zuckte resigniert mit den Schultern. »Irgendwie sehe ich dich nicht als Bedienung.«

Angie widersprach nicht. »Irgendwelche Vorschläge?«

Olivia schmunzelte. »Na ja, sieh zu, daß die neue Kellnerin auf jeden Fall Italienerin ist.«

»Sehr komisch.« Angie zückte ihren Stift und sah ihre Schwester an. »Sonst noch was?«

»Jede Menge. Fangen wir mal mit den Basics an ...«

Angie stand auf dem Bürgersteig und betrachtete das Restaurant, das untrennbar mit ihrer Kindheit und Jugend verbunden war. Abend für Abend hatten ihre Eltern hier verbracht. Papa an der Tür, um die Gäste zu begrüßen, Mama in der Küche, um für sie zu kochen. Jeden Nachmittag um halb fünf hatte die Familie gemeinsam zu Abend gegessen. An dem großen Tisch in der Küche, damit sie nicht gesehen wurden, wenn Gäste zu früh eintrafen. Danach hatten Mira und Livvy ihre Arbeit aufgenommen und an den Tischen bedient.

Nur Angie nicht.

»Unsere Kleine ist ein Genie«, hatte Papa immer gesagt. *»Sie geht aufs College. Also muß sie lernen ...«*

Das gab den Ausschlag. Sobald Papa sich zu einem Thema geäußert hatte, war alles gesagt. Angie geht aufs College. Basta. Und so lernte sie tagein, tagaus in der Küche.

Kein Wunder, daß sie schließlich ein Stipendium erhielt.

Jetzt war sie wieder hier, am Schauplatz ihrer Jugend, und bereitete sich darauf vor, ein Unternehmen zu retten, von dem sie kaum etwas wußte, und heute würde ihr keine Livvy zur Seite stehen, um ihr zu helfen.

Sie blickte in ihre Notizen, die um vier weitere Seiten angewachsen waren. Zusammen mit Livvy hatte sie eine Idee nach der nächsten ausgebrütet.

Nun war es an Angie, die Veränderungen in der Realität umzusetzen.

Sie ging die Stufen hinauf und betrat das Restaurant. Es hatte natürlich schon geöffnet. Ihre Mutter war um Punkt halb vier erschienen, keine Minute früher, keine später, wie an jedem Freitag seit nunmehr über drei Jahrzehnten.

Angie vernahm ein lautes Klappern und Scheppern. Sie lief geradewegs in die Küche. Verärgert blickte ihre Mutter sie an. »Mira ist spät dran. Und Rosa hat sich heute krank gemeldet. Aber ich weiß genau, daß sie im *Elks* Bingo spielt.«

»Rosa ist krank?« Angie hörte den Anflug von Panik in ihrer eigenen Stimme. »Und wer soll servieren?«

»Das wirst dann wohl du übernehmen müssen«, beschied Maria DeSaria knapp. »So schwer ist das nicht, Angela. Du brauchst den Leuten nur zu bringen, was sie bestellt haben.« Sie wandte sich wieder ihren Fleischbällchen zu.

Angie verließ die Küche. In den Gasträumen ging sie von Tisch zu Tisch und überprüfte, ob die karierten Decken auch sauber, Salz- und Pfefferstreuer gefüllt waren.

Zehn Minuten später stürmte Mira herein. »Tut mir leid, daß ich mich verspätet habe«, rief sie Angie auf dem Weg in die Küche zu. »Daniella ist vom Rad gestürzt.«

Angie nickte und vertiefte sich wieder in die Speisekarte, als wäre es eine Bibel, von der ihr ganzes Seelenheil abhing.

Viertel vor sechs kamen die ersten Gäste: Dr. Feinstein und seine Frau, die das Krankenhaus von West End leiteten. Zwanzig Minuten später erschien die Familie Giuliani. Angie begrüßte alle an der Tür, wie ihr Vater es getan hätte, und führte sie zu ihren Tischen. Zunächst verlief alles ganz reibungslos, und Angie hatte zum ersten Mal das Gefühl, ihrem familiären Erbe gerecht zu werden. Sie fühlte sich gut. Ihre Mutter strahlte sie an und nickte ihr aufmunternd zu.

Viertel nach sechs wußte sie nicht mehr, wo ihr der Kopf stand.

Wie konnten gerade einmal sieben Gäste soviel Arbeit verursachen?

»Noch eine Flasche Wasser, bitte …«

»Ich hatte um Parmesan gebeten …«

»Wo bleibt unser Brot?«

»Und das Öl …«

»Du magst ja eine gute Werbetexterin sein, Angela«, sagte ihre Mutter irgendwann. »Aber Trinkgeld würdest du von mir nicht bekommen. Du bist entschieden zu langsam.«

Angie konnte ihr nicht widersprechen. Sie rannte zu den Feinsteins und stellte einen Teller mit Cannelloni auf den Tisch. »Ich bin gleich wieder mit ihren Scampi zurück, Mrs. Feinstein«, sagte sie und eilte in die Küche.

»Ich kann nur hoffen, daß Dr. Feinstein noch nicht fertig ist, wenn seine Frau endlich ihr Essen bekommt«, bemerkte ihre Mutter und schnalzte mißbilligend mit der Zunge. »Mira, mach die Fleischbällchen ein bißchen größer.«

Angie verließ die Küche und hastete zu den Feinsteins zurück.

Als sie gerade die Scampi auf den Tisch stellte, klingelte die Glocke über der Eingangstür.

O nein! Noch mehr Gäste …

Sie drehte sich um und entdeckte Livvy. Ihre Schwester warf nur einen kurzen Blick auf Angie und brach in schallendes Gelächter aus.

Gereizt funkelte Angie sie an. »Bist du gekommen, um dich über mich lustig zu machen?«

»Über die Prinzessin, die sich herabläßt, im *DeSaria's* zu bedienen? Natürlich bin ich deshalb hier.« Livvy legte ihr sanft eine Hand auf die Schulter. »Aber auch, um dir unter die Arme zu greifen.«

Am späten Abend war Angie am Ende ihrer Kräfte und hatte zudem bohrende Kopfschmerzen. »Okay. Ich gebe es zu. Ich bin die miserabelste Kellnerin unter der Sonne.« Bekümmert schaute sie an sich herab. Sie hatte sich Rotwein auf ihre Schürze gegossen, an ihrem Pulloverärmel klebten Reste von Panna cotta, ein Hosenbein wies Spuren auf, die sehr wahrscheinlich von der Lasagne stammten. Müde setzte sie sich neben Mira an den Tisch in der hinteren Ecke. »Eine Kellnerin in Kaschmir und mit High Heels. Kein Wunder, daß Livvy jedesmal lachen muß, wenn sie mich sieht.«

»Mit der Zeit wird es besser«, versprach Mira. »Hier. Hilf mir beim Serviettenfalten.«

»Nun, schlimmer kann es auch kaum werden.« Angie lachte, obwohl es ganz und gar nicht komisch war. Nie hätte sie sich die Arbeit im Restaurant so schwer vorgestellt. Bisher war ihr im Leben immer alles leicht gefallen. Was sie auch anpackte, gelang ihr mit links. Nach nur vier Jahren hatte sie ihren Abschluß an der UCLA geschafft, und das mit beachtlichen Zensuren, um sofort danach von der besten Werbeagentur in Seattle unter Vertrag genommen zu werden.

Daß sie als Aushilfskellnerin so kläglich versagt hatte, versetzte ihr regelrecht einen Schock. »Es ist echt beschämend.«

Mira blickte von den Servietten hoch. »Mach dir keine Sorgen. Rosa ist praktisch nie krank. Normalerweise wird sie mit dem *Ansturm* der Gäste ganz gut fertig. Und du wirst bestimmt von Tag zu Tag besser.«

»Mag sein, aber ...« Angie betrachtete die beiden Brandblasen an ihrer Hand. Glücklicherweise hatte sie sich die heiße Sauce über ihre eigenen Finger gegossen und nicht über Mrs. Giuliani. »Ich weiß nicht, ob ich das wirklich kann.«

Geschickt faltete Mira eine weiße Serviette zu einem Schwan und schob sie über den Tisch.

Sofort wanderten Angies Gedanken zu dem Abend, an dem ihr Vater ihr gezeigt hatte, wie man ein Stoffquadrat in diesen Vogel verwandelt. Sie hob den Kopf, sah ihre Schwester lächeln und wußte, daß Mira die Erinnerung bewußt ausgelöst hatte.

»Livvy und ich brauchten eine Ewigkeit, um das zu lernen. Wir hockten auf dem Fußboden und mühten uns ab, jeden von Papas Handgriffen genau nachzuahmen, damit er uns irgendwann lobt. Wir dachten, wir würden es gar nicht schlecht machen ... Aber dann hast du dich zu uns gesetzt und konntest es nach nur drei Versuchen aus dem Effeff. ›*Dieses Mädchen*‹, sagte Papa und küßte dich auf die Wange, ›*kann aber auch alles.*‹«

Die Erinnerung hätte Angie ein Lächeln entlocken müssen, aber diesmal erkannte sie die ganze Tragweite. »Das kann nicht leicht für dich und Livvy gewesen sein.«

Ihre Schwester schüttelte den Kopf. »Darauf wollte ich garnicht hinaus. Das Restaurant liegt dir ebenso im Blut wie uns allen. Daß du jahrelang fort gewesen bist, ändert nichts daran. Du bist eine von uns, und du schaffst alles, was von dir verlangt wird. Papa hat an dich geglaubt, und ich tue es auch.«

»Ich hab ganz schön Muffensausen.«

Mira lächelte. »Das paßt garnicht zu dir.«

Angie drehte den Kopf und blickte auf die leere Straße hinaus. Laub fiel von den Bäumen, wurde vom Wind über den Bürgersteig geweht. »Aber zu der Frau, die ich geworden bin.« Das Eingeständnis fiel ihr nicht leicht.

Ihre Schwester beugte sich vor. »Darf ich ganz offen sein?«

»Verschon mich.« Angie wollte lachen, aber als sie in das ernste Gesicht ihrer Schwester sah, konnte sie es nicht.

»Du bist in den letzten Jahren ... ichbezogen geworden. Damit meine ich auf keinen Fall egoistisch. Sich sehnlichst ein Kind zu wünschen und dann Sophie zu verlieren ... Du hast dich daraufhin in dein Schneckenhaus verkrochen. Und jetzt bist du irgendwie einsam.«

Irgendwie einsam ...

Wie wahr.

»Ich hab mich oft gefühlt, als würde ich an einem seidenen Faden über einem gewaltigen Abgrund schweben.«

»Und am Ende bist du doch abgestürzt.«

Angie dachte nach. Sie hatte in nur einem Jahr ihre Tochter, ihren Vater und schließlich auch ihren Mann verloren. Das war die ultimative Katastrophe, vor der sie sich gefürchtet hatte. »Manchmal glaube ich, daß ich immer noch stürze. Nachts ist es besonders schlimm.«

»Vielleicht ist es an der Zeit, sich anderen Dingen zuzuwenden.«

»Den Anfang habe ich schon gemacht. Mit dem Restaurant.«

»Und was tust du in der übrigen Zeit, wenn es geschlossen hat?«

Angie schluckte. »Dann ist es nicht leicht«, gab sie zu. »Ich versuche, mich zu informieren, Pläne für die Veränderungen zu schmieden.«

»Arbeit ist nicht alles im Leben.«

Angie wünschte, sie könnte ihrer Schwester widersprechen, aber sie hatte die Wahrheit dieser Feststellung bereits erkannt, als sie ihre Arbeit geliebt und sich nach einem Kind gesehnt hatte. »Nein.«

»Vielleicht wäre es ganz heilsam, wenn du dich für andere Menschen in Not engagieren würdest.«

Angie dachte nach. Ihr fiel das junge Mädchen ein, das sie auf dem Safeway-Parkplatz getroffen hatte. Ihre mitfühlende Geste gegenüber dem Mädchen hatte auch ihr geholfen. In dieser Nacht hatte sie tief und fest geschlafen.

Möglicherweise lag darin ja die Antwort. Anderen Menschen zu helfen.

Sie spürte, daß sich ihre Lippen zu einem Lächeln verzogen. »Montags habe ich frei.«

Auch Mira lächelte. »Und an den meisten Vormittagen ebenfalls.«

Zum ersten Mal in ihrem Leben fühlte sich Lauren beim Aufwachen absolut sicher und geborgen. David hielt sie fest an sich gedrückt, selbst im Schlaf.

Sie genoß dieses behagliche Gefühl und stellte sich lächelnd vor, daß es nach ihrer Heirat immer so sein würde.

Lange Zeit lag sie nur da und beobachtete ihn im Schlaf. Schließlich löste sie sich vorsichtig aus seinen Armen und stand auf. Sie würde ihm ein Frühstück zubereiten und ans Bett bringen. Lauren ging zu seiner Kommode, stand einen Moment lang unschlüssig davor, zog dann aber die oberste Schublade auf. Sie fand ein langes T-Shirt, streifte es über und lief ins Erdgeschoß hinunter.

Die Küche verschlug ihr fast den Atem. Überall Granit, schimmernder Stahl und Spiegelflächen. Töpfe und Pfannen glänzten im Morgenlicht. Lauren stöberte in Kühlschrank und Schränken, bis sie gefunden hatte, was sie benötigte. Dann bereitete sie Rühreier mit Speck und Pfannkuchen zu. Als alles fertig war, stellte sie das Frühstück auf ein Holztablett und trug es die Treppe hinauf.

David saß im Bett und gähnte. »Da bist du«, rief er ihr lachend entgegen. »Ich habe mir schon Sorgen …«

»Als könnte ich dich jemals verlassen.« Sie kroch neben ihn ins Bett und stellte das Tablett zwischen sie.

»Das sieht ja echt toll aus.« Er küßte sie auf die Wange.

Während sie frühstückten, sprachen sie über alle möglichen Dinge: die bevorstehenden Eignungstests, Football, den üblichen Schulklatsch. David erzählte Lauren von dem Porsche, den er mit seinem Vater restaurierte. Es war das einzige, was er mit seinem Dad gemeinsam unternahm, und David schwärmte geradezu von den Stunden, die sie in der Garage verbrachten. Tatsächlich erwähnte er sie so oft, daß Lauren kaum noch zuhörte. Jetzt verbreitete er sich gerade ausführlich über Getriebeübersetzungen und Beschleunigung aus dem Stand. Dinge, die sie weniger interessierten.

Lauren sah zum Fenster hinaus. Sonnenlicht flutete herein, und plötzlich dachte sie an Kalifornien und ihre gemeinsame Zukunft. Sie wußte nicht mehr, wie oft sie schon in den College-Broschüren geblättert hatte. Ihrer Einschätzung nach hatte sie an einer privaten Hochschule die besten Aussichten auf ein Stipendium. Unter ihnen war die University of Southern California ihre erste Wahl. Sie vereinte Spitzensport mit erstklassiger Wissenschaft.

Bedauerlicherweise lagen zwischen diesem College und Stanford acht Stunden Autofahrt.

Irgendwie mußte sie David dazu überreden, ein Studium an der USC in Erwägung zu ziehen. Laurens zweite Wahl wäre Santa Clara. Aber eigentlich hatte sie genug von katholischen Bildungseinrichtungen.

»... beeindruckend straff bezogen. Erstklassiges Leder. Lauren? Hörst du überhaupt zu?«

Sie sah ihn an. »Sicher. Du hast von Getriebeübersetzungen gesprochen.«

David lachte. »Ja, vor ungefähr einer Stunde. Ich wußte doch, daß du mit den Gedanken ganz woanders bist.«

Lauren fühlte, daß sie errötete. »Entschuldige. Ich habe über das College nachgedacht.«

Er griff nach dem Tablett und stellte es neben sich auf den Nachttisch. »Immer machst du dir Gedanken um die Zukunft.«

»Im Gegensatz zu dir.«

»Weil es ja doch nichts bringt.«

Bevor Lauren etwas sagen konnte, beugte er sich über sie, um sie zu küssen. Ihre Sorgen um das College und ihre ungewisse Zukunft verblaßten. Sie ließ sich von ihm in die Arme ziehen, gab sich seinen Küssen hin.

Stunden später, als sie schließlich die Decken zurückschlugen und aufstanden, hatte sie ihre Probleme fast vergessen.

»Laß uns nach Longview fahren und ein bißchen eislaufen«, schlug David vor und suchte bereits in seiner Kommode nach einem Hemd.

Sie blickte zu ihren Sachen hinüber. Die Schäbigkeit ihres Mantels machte sie verlegen, und sie wußte, daß ihre Strümpfe Löcher hatten. »Geht leider nicht. Ich muß mir einen Job suchen.«

»An einem Samstag?«

Lauren blickte ihn an. Plötzlich hatte sie das Gefühl, daß sie mehr trennte als drei oder vier Schritte. »Ich weiß, wie blöd das ist, aber was soll ich tun?«

David kam auf sie zu. »Wieviel?«

»Was wieviel?«

»Eure Miete. Wieviel ist deine Mom im Rückstand?«

Laurens Wangen wurden dunkelrot. »Ich habe nie erwähnt ...«

»Nein, natürlich nicht. Aber ich bin kein Idiot, Lo. Also wieviel seid ihr schuldig?«

Sie wünschte, der Boden würde sich unter ihr auftun und sie auf der Stelle verschlucken. »Zweihundert. Aber Montag ist der Erste.«

»Zweihundert. Das habe ich für mein Lenkrad und den Ganghebel geblecht.«

Lauren wußte nicht, was sie darauf erwidern sollte. Für ihn war diese Riesensumme – Klimpergeld. Sie wich seinem Blick aus und bückte sich nach ihren Sachen.

»Laß mich ...«

»Nein!« Lauren wagte es nicht, ihn anzusehen. Tränen brannten in ihren Augen. Das Gefühl der Scham drohte sie zu überwältigen. Warum eigentlich? David liebte sie. Das sagte er ihr schließlich immer wieder. Und trotzdem ...

»Warum denn nicht?«

Langsam richtete sie sich auf. Und blickte ihn am Ende doch an. »Von klein auf mußte ich mit ansehen, wie meine Mom Geld von Männern nimmt. Es fängt mit ein paar Dollar für

Bier oder Zigaretten an. Dann sind es fünfzig für ein neues Kleid oder hundert, um die Stromrechnung zu bezahlen. Es … verändert alles, dieses Geld.«

»Aber ich bin nicht wie diese Typen, das weißt du ganz genau.«

»Ich möchte unbedingt, daß es zwischen uns anders ist. Kannst du das denn nicht verstehen?«

Er berührte ihr Gesicht so zärtlich, daß sie am liebsten in Tränen ausgebrochen wäre. »Ich sehe nur, daß du dir nicht helfen lassen willst.«

Wie sollte sie ihm nur begreiflich machen, daß seine *Hilfe* zu einem reißenden Strom werden würde, in dem sie beide untergehen mußten? »Liebe mich. Mehr brauche ich nicht«, wisperte sie, verschränkte die Arme in seinem Nacken und schmiegte sich eng an ihn.

David hob sie hoch und küßte sie, bis sie weiche Knie bekam und wieder lächeln konnte.

»Wir gehen jetzt Schlittschuhlaufen, fertig aus.«

Sie wünschte es sich so sehr. Sehnte sich danach, in der Kälte endlose Kreise zu drehen, von nichts gehalten als von Davids warmer Hand. »Okay. Aber ich habe nicht genug warme Sachen dabei. Ich muß zuvor kurz nach Hause.« Sie lächelte. Es tat unendlich gut, nachzugeben und alle Probleme für einen Tag zu vergessen.

Er packte ihre Hand, zog sie aus dem Zimmer, über den Flur und in das Schlafzimmer seiner Eltern.

»David, was soll das? Was hast du vor?«

Er achtete gar nicht auf sie, öffnete erst die Zimmertür, dann die des Schrankes. Automatisch ging das Licht an.

Der Schrank war größer als Laurens Wohnzimmer.

»Moms Mäntel hängen da hinten. Du hast die Wahl.«

Hölzern bewegte sich Lauren vorwärts, bis sie vor Mrs. Haynes' Mänteln stand. Es waren mindestens ein Dutzend. Aus Leder, Kaschmir, Wolle. Und alle sahen aus wie neu.

»Such dir einen aus und dann laß uns verschwinden.«

Lauren schien sich nicht rühren zu können. Ihr Herz klopfte so heftig, daß sie kaum atmen konnte. Plötzlich fühlte sie sich sehr verletzlich, wie entblößt durch ihre Bedürftigkeit. Sie trat einen Schritt zurück und drehte sich zu David um. Auch wenn ihm aufgefallen sein sollte, wie ihre Augen glitzerten, ihre Lippen bebten, ließ er sich nichts anmerken. »Gerade ist mir eingefallen, daß ich meinen Mantel doch mitgebracht habe. Der reicht.«

»Wirklich?«

»Aber sicher. Wenn du so lieb wärst, mir einen deiner Pullover zu leihen, können wir sofort los.«

Sieben

Angie fuhr über die menschenleere Küstenstraße. Der Pazifik zu ihrer Linken schien sich auf einen Herbststurm vorzubereiten. Weiße Gischt trieb in lockeren Fetzen über den Strand. Der Himmel zeigte ein düsteres Stahlgrau, und Böen peitschten die Zweige der Bäume und rüttelten an der Windschutzscheibe des Autos. Es schüttete so heftig, daß die Scheibenwischer die Regenfluten kaum bewältigen konnten, obwohl sie auf Hochtouren liefen.

An der Azalea Lane bog Angie links ab und folgte einer schmalen Straße, die inzwischen mehr Schlaglöcher aufwies als Asphalt. Wie betrunken schaukelte ihr Wagen über die unebene Piste.

Das Haus der Nachbarschaftshilfe lag am Ende der Straße, ein hellblaues, viktorianisches Gebäude, das sich von den verwitterten Wohncontainern seiner Umgebung scharf abhob. Während an den meisten der anderen Zäune Schilder vor bissigen Hunden warnten, hieß es hier einladend »Willkommen«.

Sie lenkte den Wagen auf den unbefestigten Parkplatz und war überrascht, daß bereits eine ganze Reihe Autos und Kleinlaster dort standen. Es war nicht einmal zehn Uhr an einem Sonntagmorgen, und doch war hier schon richtig Betrieb.

Angie parkte neben einem eingedellten roten Pick-up mit

blauen Türen und Gewehrständer im Rückfenster. Sie holte ihre Mitbringsel – Konserven, Toilettenartikel und ein paar Lebensmittel-Gutscheine – aus dem Kofferraum und lief über den Kiesweg zur leuchtend gestrichenen Haustür. Aus einer Verandaecke grinste sie ein Gartenzwerg an.

Schmunzelnd öffnete sie die Tür und – sah sich einem Trubel wie auf einem Jahrmarkt ausgesetzt.

Überall wuselten Menschen herum und sprachen wild durcheinander. An einem Erkerfenster spielte eine fröhliche Kinderschar lautstark mit Legosteinen. An der Wand saßen Frauen mit müden, erschöpften Gesichtern und füllten Formulare aus. In einer Ecke waren zwei Männer dabei, Kartons mit Konserven auszupacken.

»Kann ich Ihnen helfen?«

Angie brauchte eine Weile, bis sie begriff, daß sie gemeint war. Sie lächelte die Frau hinter dem Schreibtisch an. »Oh, Entschuldigung. Hier ist viel los.«

»Das reine Chaos. Daran wird sich bis nach den Feiertagen nichts ändern. Aber wir geben die Hoffnung nicht auf.« Die Frau runzelte die Stirn und tippte sich mit ihrem Stift ans Kinn. »Sie kommen mir irgendwie bekannt vor.«

»Das wundert mich nicht.« Vorsichtig stieg Angie über am Boden verstreutes Spielzeug hinweg und setzte sich der Frau gegenüber auf einen Stuhl. »Ich heiße Angie Malone. Früher Angie DeSaria.«

Die Frau schlug mit der flachen Hand auf den Schreibtisch, daß das Wasser im kleinen Aquarium schwappte. »Aber natürlich. Ich habe zusammen mit Mira meinen Schulabschluß gemacht. Dana Herter.« Sie streckte eine Hand zur Begrüßung aus, und Angie ergriff sie.

»Was können wir für Sie tun?

»Ich bin für eine Weile nach Hause gekommen …«

Dana Herters Gesicht verzog sich bekümmert. »Wir haben von Ihrer Scheidung gehört.«

Angie hatte Mühe, ihr Lächeln beizubehalten. »Wie könnte es auch anders sein.«

»Kleinstadt eben.«

»Das können sie laut sagen. Nun, wie auch immer. Ich werde eine Zeitlang im Restaurant aushelfen und dachte ...« Sie zuckte mit den Schultern. »Es würde mir vielleicht ganz guttun, mich auch ein bißchen gemeinnützig zu betätigen.«

Dana Herter nickte. »Ich arbeite hier, seit Doug mich verlassen hat. Doug Rhymer. Erinnern Sie sich an ihn? Er war Captain des Ringerteams. Jetzt lebt er mit Kelly Santos zusammen. Dieser Schlampe.« Sie bemühte sich um ein Lächeln, aber es gelang ihr nicht ganz. »Die Arbeit hier hat mir sehr geholfen.«

Angie lehnte sich auf ihrem Stuhl zurück und fühlte sich sonderbar haltlos. *Ich gehöre zu ihnen,* dachte sie. Den Unverheirateten. Die Leute würden sich wenig schmeichelhafte Gedanken über sie machen, weil ihre Ehe gescheitert war. Wie hatte sie das verdrängen können. »Was kann ich tun?«

»Vieles. Hier.« Dana Herter zog eine Schublade auf und holte eine Broschüre heraus. »In diesem Heft sind unsere Dienste zusammengefaßt. Lesen Sie es sich in Ruhe durch und schauen Sie dann, was Ihnen zusagt.«

Angie griff nach der Broschüre, schlug sie auf und wollte gerade zu lesen beginnen, als Dana Herter sie unterbrach. »Könnten Sie Ihre Spenden vielleicht bei Ted da drüben abgeben? Er fährt in ein paar Minuten.«

»Klar doch.« Angie stand auf und trug ihren Karton zu den beiden Männern, die ihn mit einem Lächeln quittierten. Sie drehte sich um, suchte sich mit ihrer Lektüre einen Platz an der Wand und vertiefte sich in die Broschüre.

Die Nachbarschaftshilfe bot in beeindruckend vielen Bereichen ihre Unterstützung an. Mit Eheberatung. Einem Familienzentrum. Einer Zuflucht für die Opfer häuslicher Gewalt. Einer Lebensmittelausgabe. Darüber hinaus wurde durch verschiedene Veranstaltungen Geld gesammelt: Golfturniere, Versteigerungen, Radrennen, Tanz-Marathons. *Täglich kommen Bewohner unserer Gemeinde vorbei, um Lebensmittel, Geld, Kleidung oder auch ein wenig ihrer Zeit zu spenden. Auf diese Weise helfen wir uns selbst und anderen …*

Angie durchzuckte ein Gefühl, das sie zunächst nicht benennen konnte. Als sie erkannte, daß es Hoffnung war, blickte sie auf und wünschte sich, sie könnte sich jemandem mitteilen.

Conlan, dachte sie auf Anhieb und merkte sogleich, wie ihr Lächeln schwand. Schlagartig kam ihr zu Bewußtsein, daß es in den kommenden Monaten noch viele Momente wie diesen geben würde. Zeiten, in denen sie – nur für eine Sekunde, aber eben lange genug, um den Schmerz zu empfinden – vergaß, daß sie allein war. Sie zwang sich dazu, wieder zu lächeln, aber es fühlte sich verkrampft an, unnatürlich.

In diesem Augenblick bemerkte Angie das Mädchen. Es kam zur Tür herein und sah aus wie direkt aus dem Wasser gezogen. Regen tropfte von Haaren, Nase, dem Mantelsaum. Die langen Haare waren rot, die Haut so blaß wie bei Nicole Kidman, und die riesigen, braunen Augen schienen zu groß für das Gesicht, ließen das Mädchen unglaublich jung aussehen. Sommersprossen bedeckten Wangen und Nasenrücken.

Es war das Mädchen vom Safeway-Parkplatz, das Mädchen, das dringend einen Job benötigte.

An der Tür blieb es stehen und versuchte, sich enger in seinen Mantel zu hüllen. Eine sinnlose Geste. Der Mantel war zu dünn und außerdem zu klein und an den Ärmeln bereits abgetragen. Zögernd bewegte sich das Mädchen auf Dana Herters Schreibtisch zu.

Die blickte hoch, lächelte und sagte etwas, was Angie nicht verstand.

Angie konnte nicht anders, als aufzustehen und ein paar Schritte näher zu gehen, um das Gespräch nicht zu verpassen.

»Ich habe von der Mantelsammlung erfahren«, sagte das Mädchen; sie zitterte vor Kälte und verschränkte schnell die Arme.

»Wir haben erst vor wenigen Tagen damit begonnen. Bitte hinterlaß deinen Namen und deine Telephonnummer. Sobald etwas in deiner Größe hereinkommt, rufen wir an.«

»Der Mantel soll für meine Mutter sein«, sagte das Mädchen. »Sie hat eine kleine Größe.«

Dana Herter tippte sich mit ihrem Stift gegen das Kinn und musterte ihr Gegenüber. »Und wie wär's mit einem Mantel für dich? Du scheinst dringend ...«

Das Mädchen lachte nervös. »Nicht nötig.« Es beugte sich vor, kritzelte etwas auf einen Zettel und schob ihn über den Schreibtisch. »Ich heiße Lauren Ribido. Das hier ist meine Nummer. Bitte rufen Sie an, wenn Sie etwas Passendes haben. Vielen Dank.« Das Mädchen drehte sich um und marschierte schnurstracks zur Tür hinaus.

Wie gelähmt starrte Angie die geschlossene Tür an. Ihr Herz hämmerte wild in ihrer Brust.

Lauf ihr nach, rief eine innere Stimme mit einer Heftigkeit, die sie verblüffte.

Ein verrückter Vorschlag. Warum sollte sie das denn tun? Sie wußte es nicht, hatte keine Antwort darauf. Sie wußte nur, daß das Mädchen irgend etwas an sich hatte, weshalb Angie sich zu ihm hingezogen, ja mehr noch, mit ihr verbunden fühlte. Dieses arme Mädchen, das selbst dringend einen Mantel brauchte und doch nur um einen für ihre Mutter gebeten hatte ... Angie machte einen Schritt vorwärts, dann noch einen. Bevor sie wußte, was sie tat, hatte sie das Haus auch schon verlassen.

Regen drückte das Gras der Rasenfläche platt, sammelte sich in braunen Pfützen. Die Blätter der Berberitzenhecke hinter den Parkplätzen leuchteten vor Nässe feuerrot und flatterten im Wind.

Weit hinten rannte das Mädchen dem Ende der Straße zu.

Angie stieg in ihr Auto, schaltete Scheinwerfer und Scheibenwischer ein und startete den Motor. Während sie über die Schlaglöcher holperte, fragte sie sich, was sie um Himmels willen hier eigentlich machte.

Einem halbwüchsigen Mädchen auflauern, sagte die sachliche Stimme in ihr.

Nein, nur helfen, widersprach die Träumerin in ihr.

Kurz vor der Straßenecke drosselte sie das Tempo. Und hielt. Sie wollte gerade das Fenster herunterkurbeln, um das Mädchen zu fragen, ob sie es irgendwohin mitnehmen könne, als ein Bus vorfuhr. Die Bremsen fauchten, die Türen öffneten sich. Blitzschnell verschwand das Mädchen im Inneren.

Der Bus setzte sich wieder in Bewegung.

Angie folgte ihm bis in den Ort. An der Ecke Driftwood Way und Highway hatte sie die Wahl, sich entweder auf den Heimweg zu machen oder weiter dem Bus hinterherzufahren.

Aus Gründen, die sie sich nicht erklären konnte, entschied sie sich für die zweite Option.

In einer der übelsten Wohngegenden von West End stieg das Mädchen schließlich aus. Es lief durch Straßen, die die meisten Menschen aus Angst gemieden hätten, und verschwand dann in einem heruntergekommenen Wohnblock mit dem absurden Namen Luxury Apartments. Wenig später ging hinter einem Fenster im vierten Stockwerk Licht an.

Angie parkte am Straßenrand und blickte an dem Gebäudekomplex empor. Er erinnerte sie an Romane von Roald Dahl. Überall nur Verfall und Trostlosigkeit.

Kein Wunder, daß das Mädchen so dringend Arbeit suchte.

»Du kannst sie nicht alle retten«, war für gewöhnlich Conlans Antwort gewesen, wenn Angie sich wieder einmal über die Ungerechtigkeit auf der Welt beklagte. *»Ich kann noch nicht einmal einen von ihnen retten«,* hatte sie stets entgegnet.

Damals konnte sie sich von Conlan in die Arme nehmen lassen, wenn sie in dieser Stimmung war.

Aber jetzt …

Jetzt war sie auf sich allein gestellt. Sie konnte das Mädchen natürlich nicht retten, das kam ihr auch gar nicht zu.

Aber vielleicht fand sie eine Möglichkeit, ihm zu *helfen.*

Wenn das kein Wink des Schicksals ist, dachte Angie, als sie am Montagvormittag vor dem Schaufenster von Clothes Line stand.

Da war er, genau vor ihr.

Ein dunkelgrüner, knielanger Wintermantel mit einem Kragen und Ärmelmanschetten aus Pelzimitat. Er war genau das, was junge Mädchen in diesem Jahr trugen. Angie erinnerte sich, selbst einen ganz ähnlichen Mantel besessen zu haben, damals in der vierten Klasse.

Die perfekte Winterbekleidung für ein blasses, rothaariges Mädchen mit traurigen, braunen Augen.

Angie verwandte ein oder zwei Sekunden darauf, sich den Kauf auszureden. Schließlich kannte sie das Mädchen gar nicht. Sie durfte sich nicht einfach in dessen Leben einmischen.

Doch die Einwände waren schwach und konnten sie nicht von ihrem Entschluß abbringen.

Manchmal mußte man eben tun, was man für richtig hielt, und abgesehen davon war sie froh, an etwas anderes zu denken als immer nur an sich.

Sie stieß die Tür auf und betrat das kleine Geschäft. Das metallische Scheppern der Glocke über ihrem Kopf führte sie in die Vergangenheit zurück, und für einen Moment war sie wieder eine spindeldürre Cheerleaderin mit pechschwarzen gegelten Haaren, die ihren Schwestern in das einzige Modegeschäft von West End folgte.

Inzwischen gab es natürlich mehrere Konfektionsläden, selbst eine J.-C.-Penney-Niederlassung draußen am Highway, aber damals war Clothes Line die einzige Quelle für Jordache-Jeans und gestrickte Stulpen.

»Täuschen mich meine alten Augen oder ist das wirklich *Angie DeSaria*?«

Die vertraute Stimme riß Angie aus ihren Träumen. Sie hörte schnelle Schritte (gummibesohlte Schuhe auf Linoleum) und mußte unwillkürlich lächeln.

Mrs. Costanza umtänzelte die Kleiderständer und Regale mit einer Behendigkeit, um die sie Evander Holyfield beneidet hätte. Zunächst kamen nur ihre hochtoupierten, schwarzgefärbten Haare in Sicht, dann ihre sorgsam gestrichelten Augenbrauen und schließlich ihr kirschroter Mund.

»Guten Tag, Miss Costanza«, sagte Angie zu der Frau, die ihr den ersten BH angepaßt und ihr siebzehn Jahre lang Schuhe verkauft hatte.

»Ich kann es kaum fassen.« Sie klatschte freudig in die Hände. »Selbstverständlich ist mir zu Ohren gekommen, daß du wieder da bist, ich hatte allerdings angenommen, daß du deine Kleidung in Seattle kaufst. Laß dich mal ansehen.« Sie legte beide Hände auf Angies Schultern und drehte sie um. »Jeans von Roberto Cavalli. Ein guter italienischer Junge. Das gefällt mir. Aber deine Schuhe sind nichts für lange Spaziergänge hier in der Gegend. Du brauchst unbedingt etwas Bequemeres. Und wie man mir gesagt hat, arbeitest du bei euch im Restaurant. Auch dafür solltest du dir neue Schuhe kaufen.«

Angie konnte sich ein Schmunzeln nicht verkneifen. »Sie haben recht. Wie immer.«

Mrs. Costanza strich ihr zart über die Wange. »Deine Mama ist überglücklich, dich wieder bei sich zu haben. Das letzte Jahr war schwer für sie.«

Angies Lippen zitterten. »Für uns alle.«

»Er war ein guter Mann. Der beste.«

Einen Moment lang sahen sie einander schweigend an, beide in Erinnerung an Angies Vater versunken. »Bevor ich mir bequeme Schuhe aussuche, würde ich gern wissen, was der Mantel im Schaufenster kostet«, sagte Angie schließlich.

»Ist der nicht ein bißchen jung für dich, Angela? Ich weiß, in der Großstadt …«

»Ich möchte ihn nicht für mich, sondern für … eine Freundin.«

»Ah.« Sie nickte. »Er ist genau das, was sich alle Mädchen in diesem Jahr wünschen. Komm, ich zeige ihn dir.«

Eine Stunde später verließ Angie das Clothes Line mit zwei Wintermänteln, zwei Paar Angora-Handschuhen, robusten Turnschuhen und einem Paar Slipper für die Arbeit. Als erstes fuhr sie zum Papierwarengeschäft, um einen Karton für die Mäntel zu kaufen.

Angie wollte sie auf der Rückfahrt nur bei der Nachbarschaftshilfe abgeben. Es war ihre feste Absicht.

Aber zu ihrer Überraschung fand sie sich mit einemmal vor dem heruntergekommenen Wohnblock des Mädchens wieder.

Angie klemmte sich den Karton unter den Arm und lief zum Eingang. Ihr Absatz verfing sich im rissigen Beton des Gehweges, und um ein Haar wäre sie gestürzt. Unbeholfen humpelte sie weiter und befürchtete, von weitem dem Glöckner von Nôtre Dame ähnlich zu sehen. Aber vermutlich beobachtete sie ja niemand, alle Fenster wirkten dunkel und abweisend.

Die ramponierte Haustür war unverschlossen, und Angie betrat den düsteren Flur. Links neben ihr an der Wand hing eine Reihe von Briefkästen mit Zahlen darauf. Der einzige Name war der der Hausmeisterin: Dolores Mauk, 1A.

Apartment 1A befand sich im Erdgeschoß, direkt gegenüber den Briefkästen. Angie ging zur Wohnungstür und klopfte. Als niemand öffnete, versuchte sie es ein zweites Mal.

»Ich komme«, rief jemand.

Die Tür ging auf. Auf der Schwelle erschien eine Frau in

mittleren Jahren mit einem verhärteten Gesicht, aber sanften Augen. Sie trug ein geblümtes Kittelkleid und Basketballschuhe von Converse. Ein rotes Tuch bedeckte ihre Haare.

»Sind Sie Mrs. Mauk?« fragte Angie und kam sich plötzlich verdächtig vor. Sie spürte das Mißtrauen der Frau.

»Bin ich. Was wünschen Sie?«

»Ich würde gern dieses Paket für Lauren Ribido abgeben.«

»Lauren ...« Der Mund der Frau verzog sich zu einem Lächeln. »Sie ist ein gutes Mädchen.« Dann runzelte Mrs. Mauk wieder die Stirn. »Aber Sie sehen nicht gerade aus wie eine Lieferantin.« Argwöhnisch musterte sie Angie von Kopf bis Fuß.

»In dem Karton sind Wintermäntel«, sagte Angie und fühlte sich durch das anschließende Schweigen zu weiteren Erklärungen genötigt. »Ich war gerade bei der Nachbarschaftshilfe und bekam zufällig mit, daß sie – Lauren – nach einem Mantel für ihre Mutter fragte. Nun, warum kaufst du nicht gleich zwei, sagte ich mir. Und da bin ich. Könnte ich die Sachen vielleicht bei Ihnen lassen? Wäre das okay für Sie?«

»Das wäre wohl das beste. Im Moment sind sie nämlich nicht zu Hause.«

Angie streckte Mrs. Mauk den Karton entgegen. Sie wollte sich gerade verabschieden, als die Hausmeisterin nach ihrem Namen fragte.

»Angela Malone. Früher hieß ich DeSaria.« In West End fügte sie das immer hinzu. Hier schien jeder ihre Familie zu kennen.

»Aus der Familie, der das Restaurant gehört?«

Angie nickte.

»Meine Tochter war früher sehr gern dort.«

Früher. Das war genau der Knackpunkt. Die Menschen hatten das Restaurant vergessen. »Schauen Sie doch wieder einmal bei uns herein und bringen Sie Ihre Tochter gleich mit. Ich sorge dafür, daß Sie beide fürstlich bedient werden.« Kaum hatte sie den Satz beendet, da wußte Angie auch schon, daß sie einen Fehler begangen hatte.

»Danke«, erwiderte Mrs. Mauk mit belegter Stimme. »Das werde ich.«

Die Tür fiel ins Schloß.

Verdutzt stand Angie im Hausflur und überlegte, was sie nur Falsches gesagt haben könnte. Dann machte sie kehrt, verließ das Gebäude und lief zurück zu ihrem Auto.

Hinter dem Steuer blieb sie noch eine Weile sitzen und betrachtete nachdenklich die trostlose Nachbarschaft. Ein gelber Schulbus bog um die Ecke und hielt. Mehrere Kinder sprangen heraus. Sie waren noch klein, höchstens sechs oder sieben Jahre alt.

Niemand wartete auf sie an der Haltestelle. Keine Mütter, keine Großeltern, keine anderen Verwandten.

In Angie verkrampfte sich etwas. Sie mußte trocken schlukken und sah zu, wie die Kinder in einem Rudel ungestüm davonrannten. Eins kickte eine leere Bierdose hoch durch die Luft, und alle lachten.

Sie waren fast schon aus ihrem Blickfeld verschwunden, als Angie bewußt wurde, was sie die ganze Zeit über irritiert hatte. Etwas fehlte ... Mäntel.

Kein einziges von ihnen trug einen Mantel, obwohl es draußen bitterkalt war. Und schon bald würde es noch eisiger sein.

Da kam ihr eine Idee. Eine Mantelsammlung im *DeSaria's*. Für jeden neuen oder noch gut erhaltenen Mantel würde der Spender ein Essen gratis erhalten.

Ein brillanter Einfall.

Angie drehte den Zündschlüssel und ließ den Motor an. Sie konnte es kaum erwarten, Mira davon zu erzählen.

Lauren eilte über den Schulhof. Die Kälte brannte auf ihren Wangen, ließ Nase und Ohren schmerzen. Ihr Atem verwandelte sich in weiße Wölkchen, die schnell zerstoben.

David stand neben dem Fahnenmast. Als er Lauren entdeckte, strahlte er über das ganze Gesicht. Sie konnte sehen, daß er schon lange auf sie gewartet hatte. Seine Wangen waren gerötet vor Kälte. »Verdammt frisch hier draußen.« Er zog sie fest an sich und küßte sie leidenschaftlich.

Gemeinsam schlenderten sie über den Rasen, unterhielten sich leise, winkten Freunden zu.

Vor Laurens Klassenraum blieben sie stehen. David küßte sie noch einmal und wollte dann in seine eigene Klasse gehen. Nach wenigen Schritten blieb er jedoch stehen und drehte sich noch einmal zu ihr um.

»Hör mal, ich hab ja ganz vergessen, dich was zu fragen. Welche Farbe soll denn mein Smoking für den Schulball haben?«

Lauren fühlte, wie ihr das Blut aus dem Gesicht wich. *Schulball!* Bis zu der Veranstaltung waren es nur noch zehn Tage.

Himmel! Sie hatte die Dekoration beschafft, den DJ engagiert und für die richtige Beleuchtung gesorgt.

Wie hatte sie da das Wichtigste vergessen können – ihr Kleid.

»Lauren?«

»Nun, was hältst du von Schwarz?« Lauren versuchte krampfhaft zu lächeln. »Schwarz paßt immer.«

»Alles, was du willst«, erwiderte er leichthin und grinste breit. Für David war immer alles leicht. Er brauchte sich nie Gedanken darüber zu machen, woher das Geld für neue Kleidung kam.

Während der Trigonometrie-Stunde konnte sie sich kaum konzentrieren. Als es klingelte, verzog sie sich in eine Ecke der Bücherei und kramte in ihrem Rucksack fieberhaft nach Geld.

Ihr Kassensturz ergab gerade einmal sechs Dollar und zwölf Cent. Mehr hatte sie nicht.

Nach der Schule schwänzte sie das Vorbereitungstreffen für den Ball und machte sich rasch auf den Heimweg.

An der Haltestelle Apple Way/Cascade Street verließ sie den Bus. Es regnete. Aber es war nicht der übliche feine Nieselregen, sondern eine wahre Sturmflut. Tropfen prasselten mit einer Heftigkeit auf das Pflaster, daß es aussah, als würde die Straße kochen. Ihre Kapuze bot nur wenig Schutz. Wasser rann ihr in Strömen über die Wangen, lief kalt und naß in ihren Kragen. Zentnerschwer hing ihr mit Büchern und Heften vollgestopfter Rucksack auf ihrem Rücken. Zu allem Unglück hatte sich auch noch ein Absatz ihrer Schuhe gelöst, so daß sie mehr hinkte als lief.

An der Ecke winkte sie Bubba zu, der grüßend die Hand hob, bevor er sich wieder seiner Beschäftigung zuwandte. Das Neonschild über seinem Kopf flackerte erschöpft. Das Schild am Fenster – »Ich habe schon deine Eltern tätowiert« – war durch die Wassermengen, die an der Scheibe herunterrannen, fast nicht mehr zu entziffern. Lauren humpelte weiter, vorbei am Hair-Apparent-Salon, in dem ihre Mutter angeblich arbeitete, am Mini-Mart der Familie Chu und dem Teriyaki-Takeout der Familie Ramirez.

Vor ihrem Wohnhaus blieb sie abrupt stehen, als könnte sie es nicht ertragen hineinzugehen. Schnell schloß Lauren die Augen und stellte sich das Zuhause vor, das ihr später einmal gehören würde: buttergelbe Wände, weichgepolsterte Sofas, riesige Panoramafenster und eine umlaufende Veranda, die ganz mit Blumentöpfen zugestellt war.

Sie versuchte, sich an ihren Traum zu klammern, doch er entglitt ihr, löste sich auf wie Rauch.

Wünschen und Hoffen hatte noch nie Essen auf den Tisch gezaubert oder ihre Mutter eine Minute früher nach Hause gebracht. Und ganz sicher würde es ihr auch kein Kleid für den Schulball bescheren.

Tief Luft holend, marschierte Lauren auf die Haustür zu,

vorbei an der Kiste mit Gartengeräten, die Mrs. Mauk in der letzten Woche neben den Zugangsweg gestellt hatte, in dem schwachen Versuch, in den Bewohnern so etwas wie Eigeninitiative zu wecken. Aber die Werkzeuge würden längst verrostet sein, bevor jemand auch nur daran dachte, die langstieligen Rosen zurückzuschneiden oder die Brombeerranken zu kappen, die mittlerweile die Autoabstellplätze und Mülltonnen zu überwuchern drohten.

Lauren durchquerte den düsteren Hausflur, lief die Treppen hinauf und stieß die wieder einmal nur angelehnte Tür auf.

»Mom!« Im überquellenden Aschenbecher auf dem Couchtisch aus Preßspan verglühte eine einsame Zigarette. Weitere Zigarettenstummel lagen um den Aschenbecher verstreut und hatten überall dunkle Flecken auf der Oberfläche hinterlassen. Ansonsten nirgendwo ein Lebenszeichen ihrer Mutter.

Wahrscheinlich war sie gegen fünf von der Arbeit nach Hause gekommen (falls sie sich überhaupt in den Salon bequemt hatte), um nur schnell in ihre Motorradbraut-Kluft zu schlüpfen und dann fluchtartig die Wohnung zu verlassen. Mittlerweile dürfte sie es sich auf einem Barhocker bequem gemacht haben, um sich die Welt schön zu trinken.

Von einer plötzlichen Eingebung gepackt, lief Lauren schnurstracks in ihr Zimmer. *Bitte, bitte, bitte.* Mit zitternden Fingern und angehaltenem Atem griff sie unter ihr Kopfkissen.

Aber da war nichts.

Ihre Mutter hatte die zwanzig Dollar gefunden.

Acht

Lauren wollte aufstehen, wollte Mrs. Mauk noch einmal um den Hosenanzug ihrer Tochter bitten, sich dann ein bißchen frisch machen und schminken. Aber sie blieb neben dem Couchtisch auf dem Fußboden hocken und starrte die Kippen im Aschenbecher an. Wieviel von ihren zwanzig Dollar war da buchstäblich in Rauch aufgegangen?

Sie wünschte, sie könnte weinen wie früher. Tränen bedeuteten, daß es immerhin noch Hoffnung gab. Wenn die Augen aber trocken blieben, dann war auch die Hoffnung dahin.

Die Wohnungstür flog auf und krachte gegen die Wand, daß die Fensterscheiben klirrten. Ihre Mutter stand im Türrahmen. Sie trug einen schwarzen Minirock, schwarze Stiefel und ein enges, blaues T-Shirt, das verdächtig neu aussah. Sie war erschreckend dünn geworden. Die eingefallenen Wangen, die Falten um Mund und Augen verunstalteten ihr früher so anziehendes Gesicht. Und dabei war sie gerade einmal vierunddreißig. Alkohol, Zigaretten und nacktes Elend hatten ihre einstige Schönheit zerstört. Nur das faszinierende Grün ihrer Augen war geblieben. Früher war ihre Mutter für Lauren die schönste Frau der Welt gewesen – wie für viele andere auch. Jahrelang hatte sie auf ihre Attraktivität gesetzt. Als diese mit der Zeit nachließ, verlor sie auch jede Energie.

Ihre Mutter nahm einen tiefen Zug aus ihrer Zigarette und blies den Rauch in die Luft. »Was starrst du mich so an?«

Lauren seufzte. Es war also wieder einer dieser Abende, an denen der Alkohol ihre Mutter im Stich gelassen hatte, wo es ihr nicht gelungen war, sich in einen Zustand seliger Gleichgültigkeit zu trinken. Langsam stand Lauren auf und machte sich daran, im Wohnzimmer aufzuräumen. »Ich starre dich nicht an.«

»Du solltest eigentlich auf der Arbeit sein.« Mit einem Fußtritt stieß ihre Mutter die Tür zu.

»Du auch.«

Lachend ließ sich ihre Mutter auf das Sofa fallen und legte die Füße auf den Couchtisch. »Ich war auf dem Weg. Aber du weißt ja, wie es ist.«

»Klar. Du mußt am *Tides* vorbei.« Lauren fiel auf, wie verbittert ihre Stimme klang.

»Fang jetzt bloß keinen Streit mit mir an.«

Lauren ging zum Sofa und setzte sich auf die Armlehne. »Du hast dir die zwanzig Dollar unter meinem Kopfkissen genommen. Das war *mein* Geld.«

Ihre Mutter drückte ihre Zigarette aus und steckte sich eine neue an. »Und?«

»In zehn Tagen findet der Schulball statt. Ich ...« Lauren verstummte. Sie haßte es, ihre Notlage zuzugeben, aber hatte sie eine Wahl? »Ich brauche ein Kleid.«

Grüne Augen musterten sie. Rauch waberte durch die Luft, schien die Distanz zwischen ihnen zu vergrößern. »Ich wurde auf einem Schulball flachgelegt«, sagte ihre Mutter schließlich.

»Ich *weiß*.« Lauren mußte gegen den Drang ankämpfen, genervt die Augen zu verdrehen.

»Scheiß auf den Schulball.«

Lauren konnte nicht begreifen, warum die Enttäuschung nach all den Jahren noch immer so weh tat. Wann würde sie endlich die Hoffnung aufgeben, daß ihre Mutter sich jemals änderte? »Vielen Dank, Mom. Du bist wie immer eine große Hilfe.«

»Du wirst es schon noch kapieren. Wenn du mal älter bist.« Ihre Mutter lehnte sich zurück, blies Rauch in die Luft. Ihre Lippen bebten, für einen winzigen Moment sah sie traurig aus, resigniert. »Es ist alles völlig unwichtig. Was du dir wünschst. Wovon du träumst. Du mußt mit dem leben, was übrig ist.«

Mit dieser Überzeugung würde Lauren nie aus dem Bett aufstehen. Oder von einem Barhocker klettern. Sie streckte die Hand aus und strich ihrer Mutter eine blondierte Haarsträhne aus der Stirn. »Für mich wird es anders, Mom.«

Der Ansatz eines Lächelns verzog das Gesicht ihrer Mutter. »Das hoffe ich«, flüsterte sie so leise, daß Lauren sich vorbeugen mußte, um sie überhaupt verstehen zu können.

»Irgendwie finde ich schon einen Weg, die Miete zu bezahlen *und* mir ein Kleid zu kaufen«, erklärte Lauren entschlossen. Sie glitt von der Couch, lief ins Schlafzimmer ihrer Mutter und suchte im Schrank nach etwas, das sich möglicherweise in ein Kleid für den Ball umändern ließ. Als sie gerade ein schwarzes Satin-Nachthemd in den Händen hielt, klingelte es an der Tür. Lauren reagierte nicht.

»Mrs. Mauk ist da«, rief ihre Mutter einen Augenblick später.

Lauren fluchte verhalten. Hätte ihre Mutter doch bloß nicht die Tür geöffnet. Ein Stöhnen unterdrückend, warf sie das Negligée aufs Bett und kehrte ins Wohnzimmer zurück.

Mrs. Mauk lächelte ihr entgegen. Zu ihren Füßen auf dem Boden stand ein großer Karton. Daneben knöpfte sich ihre Mutter einen Mantel zu. Er war aus weicher, schwarzer Wolle, in der Taille schmal geschnitten und hatte einen Schalkragen.

Lauren runzelte die Stirn.

»Das ist doch ein Mantel für eine alte Frau«, murrte ihre Mutter und lief ins Bad, um sich im Spiegel zu betrachten.

»Mrs. Mauk ...?« Lauren zwang sich zu einem Lächeln.

»Für dich ist auch einer da.« Die Hausmeisterin bückte sich und zog einen grünen Mantel mit Pelzbesatz aus dem Karton.

Lauren riß die Augen auf. »Für mich?«

Der Mantel sah genauso aus wie der, den Melissa Stonebridge trug, das beliebteste und wohlhabendste Mädchen an der Fircrest Academy. Ohne nachzudenken streckte Lauren die Hand aus und strich über das weiche Fell. »Das hätten Sie nicht ... Ich meine ... Ich kann doch nicht ...« Lauren zog verwirrt die Hand zurück. Mrs. Mauk konnte sich das doch gar nicht leisten.

»Die Mäntel sind nicht von mir.« Mrs. Mauks Mund verzog sich zu einem bedauernden Lächeln. »Eine Frau von der Nachbarschaftshilfe hat sie vorbeigebracht. Sie heißt Angela. Ihrer Familie gehört das *DeSaria's*-Restaurant an der Driftwood Street. Also wenn du mich fragst, kann sie es sich leisten ...«

Ein – Almosen, dachte Lauren. Die Frau hatte sie offenbar gesehen und Mitleid mit ihr empfunden.

»Der Mantel ist viel zu alt für mich«, rief Laurens Mutter aus dem Schlafzimmer. »Wie sieht deiner aus, Lauren?«

»Probier ihn an«, sagte Mrs. Mauk und drückte ihr die grüne Wolle in die Hände.

Lauren konnte nicht anders. Sie zog den Mantel an und fühlte sofort seine wohlige Wärme. Bis zu diesem Augenblick war ihr gar nicht bewußt gewesen, daß sie die ganze Zeit über leicht gefröstelt hatte. »Wie bedankt man sich denn für so etwas Wunderschönes?« flüsterte sie.

Mitfühlendes Verständnis trat in Mrs. Mauks Augen. »Es ist nicht leicht, auf Hilfe angewiesen zu sein«, sagte sie.

Einige Sekunden sahen sie sich schweigend an. »Ich schätze, ich fahre schnell mit dem Bus zum Restaurant«, sagte Lauren schließlich. »Vielleicht treffe ich sie da … um mich bei ihr zu bedanken.«

»Das ist eine gute Idee.«

»Ich bin bald wieder da, Mom«, rief Lauren ihrer Mutter zu.

»Bring mir einen besseren Mantel mit«, bekam sie zur Antwort.

Lauren wagte es nicht, Mrs. Mauk anzusehen. Gemeinsam verließen sie die Wohnung und stiegen wortlos die Treppen hinunter.

Vor dem Haus drehte sich Lauren noch einmal um und winkte Mrs. Mauk zu, die bereits wieder – wie immer – hinter ihrer Gardine stand und die Vorgänge auf der Straße beobachtete.

Eine halbe Stunde später zog Lauren die Tür des *DeSaria's* auf.

Das erste, was sie im Restaurant wahrnahm, war der Duft. Es roch geradezu himmlisch, und ihr fiel erst jetzt auf, wie hungrig sie war.

»Ich nehme an, du willst zu mir.«

Lauren hatte die Frau überhaupt nicht bemerkt, aber jetzt stand sie ihr direkt gegenüber. Sie war nur wenig größer als Lauren, war aber eine eindrucksvolle Erscheinung. Sie sah aus wie eine Filmschönheit mit schwarzen Haaren, dunklen Augen und einem strahlenden Lächeln. Ihre Kleidung war eindeutig nicht von der Stange. Schwarze Hosen mit ausgestelltem Bein, hochhackige schwarze Lederstiefel und ein blaßgelber Pullover mit rundem Ausschnitt. Irgend etwas an ihr kam Lauren bekannt vor.

»Sind Sie Angela DeSaria?«

»So ist es. Aber nenn mich doch bitte Angie.« Sie sah Lauren aus sanften, braunen Augen an. »Und du bist Lauren Ribido.«

»Vielen Dank für den Mantel«, brachte Lauren heiser über die Lippen und wußte plötzlich, wo sie die Frau schon einmal gesehen hatte. »Sie haben mir auf dem Parkplatz auch das Geld gegeben.«

Angie lächelte, aber es wirkte abwesend, nicht ganz real. »Vermutlich glaubst du, ich würde dich verfolgen. Aber das ist wirklich nicht meine Absicht. Es ist nur ... Wie soll ich es dir erklären? Ich bin erst seit kurzem wieder in West End und versuche noch, mich hier zurechtzufinden. Du bist mir aufgefallen, und ich wollte dir helfen.«

»Das haben Sie getan.« Lauren entging nicht, daß ihr vor Dankbarkeit und Scham erneut die Stimme versagte.

»Das freut mich. Kann ich sonst vielleicht noch irgend etwas für dich tun?«

»Ich könnte einen Job brauchen«, räumte Lauren leise ein.

Das schien Angie zu überraschen. »Hast du schon mal als Bedienung gearbeitet?«

»In zwei Sommerferien auf der Hidden Lake Ranch.« Am liebsten wäre Lauren im Erdboden versunken. Sie war sich sicher, daß dieser eleganten Frau nichts entging, was Lauren gern vor ihr verborgen hätte. Die Haare, die dringend geschnitten werden mußten, die ausgetretenen Schuhe, die schon lange nicht mehr wasserdicht waren, der schäbige Rucksack.

»Du bist nicht zufällig Italienerin?«

»Nein. Zumindest ist mir nichts davon bekannt. Macht das was aus?«

»Nicht unbedingt ...« Angie warf einen Blick über die Schulter zu einer geschlossenen Tür. »Aber wir haben bestimmte Vorstellungen.«

Und du erfüllst sie nicht. »Verstehe.«

»Sparst du für dein Studium?«

Ja, wollte Lauren sagen, aber als sie das Verständnis in Angies dunklen Augen sah, kam ihr etwas anderes über die Lippen. »Ich brauche ein Kleid für den Schulball.« Sie wurde puterrot und wollte kaum glauben, daß sie einer fremden Frau etwas so Privates anvertraut hatte.

Angie betrachtete sie schweigend – ohne zu lächeln oder die Stirn zu runzeln. »Ich mache dir einen Vorschlag«, sagte sie schließlich. »Setz dich gleich hier an den Tisch und iß was, und danach überlegen wir, was wir tun können.«

»Ich habe keinen Hunger«, erklärte Lauren, doch ihr knurrender Magen strafte sie Lügen.

Angie lächelte sie verständnisvoll an, was Lauren einen Stich versetzte. »Iß erst mal etwas. Und dann reden wir miteinander.«

Mira lehnte draußen neben der Hintertür an der Wand und hielt sich mit beiden Händen an einer Cappuccino-Tasse fest. Der Dampf des Kaffees mischte sich mit ihrem weißen Atem. »In diesem Jahr wird es früh Winter«, sagte sie, als Angie neben ihr auftauchte.

»Hierher habe ich mich immer geflüchtet, wenn abgewaschen werden mußte.« Angie grinste. Wieder wanderten ihre Gedanken in die Vergangenheit zurück. Sie konnte fast die dröhnende Stimme ihres Vaters durch die geschlossene Tür hören.

»Als wüßte ich das nicht«, lachte Mira.

Angie rückte ein bißchen näher, bis sie beide Schulter an Schulter an der Mauer des Hauses lehnten, das so viele ihrer Erinnerungen beherbergte. Sie blickten über den leeren Parkplatz. Die Straße dahinter wirkte in der Dämmerung wie ein silbernes Band. Noch weiter in der Ferne war zwischen Häusern und Bäumen das Grau des Meeres auszumachen. »Erinnerst du dich an die Liste, die ich zusammen mit Livvy aufgestellt habe?«

»Die *DeSaria*-Zerstörungsliste, wie Mama sie nennt? Wie könnte ich die vergessen?«

»Ich glaube, ich werde schon bald die erste Veränderung in die Tat umsetzen.«

»Welche?«

»Ich habe eine neue Bedienung gefunden. Ein Mädchen von der High School. Sie könnte an den Wochenenden bei uns arbeiten.«

Mira drehte sich zu ihr um. »Und was sagt Mama dazu?«

»Das könnte ein Problem werden, oder?«

»Mama bekommt glatt einen Anfall. Ist das Mädchen wenigstens Italienerin?«

»Ich glaube nicht.«

Mira schmunzelte. »Na, das kann ja heiter werden.«

»Spar dir dein Grinsen, ich meine es ernst. Ist es denn keine gute Idee, eine neue Kellnerin einzustellen?«

»Doch, natürlich. Rosa ist mittlerweile wirklich zu langsam. Eine neue Bedienung ist kein schlechter Anfang für deine Veränderungen. Wo hast du sie her? Von der Arbeitsvermittlung?«

Ihre Schwester biß sich auf die Lippe und senkte den Blick.

»Angie?« Jetzt grinste Mira nicht mehr. Ihre Stimme klang beunruhigt.

»Ich hab sie zufällig bei der Nachbarschaftshilfe gesehen, als ich dort ein paar Sachen abgegeben habe. Sie war dort, um nach einem Wintermantel für ihre Mutter zu fragen. Das hat mich auch auf die Idee mit der Mantelsammlung gebracht.«

»Aber erst einmal hast du ihr einen Mantel gekauft.«

»Hast du nicht selbst gesagt, daß ich mich um andere Menschen kümmern soll?«

»Und dann hast du ihr einen Job angeboten.«

Angie seufzte. Der Argwohn in Miras Stimme war ihr nicht entgangen. Es überraschte sie nicht, denn alle in der Familie hielten sie für zu vertrauensselig. Wegen Sarah Dekker. Nach ihrem Entschluß, Sarahs Kind zu adoptieren, hatten Angie und Conlan den Teenager großzügig in ihr Haus aufgenommen und alles getan, um dem Mädchen das Leben zu erleichtern.

»Du hast so viel Liebe in dir«, sagte Mira schließlich. »Es muß weh tun, sie niemandem geben zu können.«

Die Worte enthielten winzige Stacheln, die ihr schmerzhaft unter die Haut gingen. »Also darum geht es? *Mist.* Und ich dachte, ich würde lediglich ein Mädchen engagieren, damit es an den Wochenenden im *DeSaria's* bedient.«

»Vielleicht irre ich mich ja. Oder reagiere übertrieben.«

»Und vielleicht treffe ich nicht immer die beste Wahl.«

»Laß das, Angie«, sagte Mira leise. »Es tut mir leid, daß ich das Thema angeschnitten habe. Ich mache mir einfach zu viele Sorgen. Aber so ist es nun mal in einer Familie. Natürlich ist es richtig von dir, eine neue Kellnerin einzustellen. Das muß Mama einfach einsehen.«

Um ein Haar hätte Angie laut aufgelacht. »Sicher. Darin ist sie ganz groß.«

Mira ging nicht darauf ein. »Sei aber vorsichtig, okay?« meinte sie nach einer Weile.

Angie wußte, daß der Rat angebracht war. »Okay.«

Verstohlen sah Angie dem Mädchen beim Essen zu. Lauren aß langsam, als würde sie jeden Bissen genießen. Sie hatte etwas fast Altmodisches an sich, eine Sanftheit, die an die Mädchen einer anderen Generation erinnerte. Lange kupferfarbene Locken fielen ihr über den Rücken und bildeten einen lebhaften Kontrast zur Blässe ihres Gesichts. Sie hatte eine kleine, von Sommersprossen übersäte Stupsnase. Aber es waren vor allem ihre Augen – dieser traurige, abgeklärte Blick, den man sonst nur bei Erwachsenen fand –, die Angie in ihren Bann zogen.

»Sie werden mich nicht mögen«, sagten diese Augen.

»Du hast so viel Liebe in dir. Es muß weh tun, sie niemandem geben zu können.«

Angie mußte an die Worte ihrer Schwester denken. Selbstverständlich wußte sie genau, wie sehr sie sich davor hüten mußte, wieder in ihre alten Verhaltensmuster zurückzufallen.

Sehnsucht war eine starke Verführerin. Nie konnte Angie wissen, wann und wo sie von ihr überfallen wurde. Der kleinste Anlaß konnte ein Auslöser sein. Ein Kinderwagen. Eine Puppe. Eine traurige Melodie. Oder eben ein verzweifeltes, halbwüchsiges Mädchen.

Aber diesmal ging es nicht um Sehnsucht. Bestimmt nicht. Da war sie sich fast sicher.

Lauren hob den Kopf, blickte sich um und sah auf ihre Armbanduhr. Dann schob sie den leeren Teller zur Seite und verschränkte die Arme.

Jetzt oder nie.

Entweder würde ihre Mutter den Veränderungen zustimmen oder nicht.

Es war höchste Zeit, die Antwort herauszufinden.

Angie lief in die Küche, wo sich ihre Mutter über das Spülbecken beugte. Auf dem Tisch standen vier Kasserolen mit frischer Lasagne.

»Die Bolognese ist auch fast fertig«, verkündete Maria DeSaria. »Das reicht für morgen.«

»Und den Rest des Monats«, murmelte Angie.

Ihre Mutter hob den Kopf. »Was soll das heißen?«

Angie mußte sich genau überlegen, was sie jetzt sagte. Ein falsches Wort konnte einen erbitterten Streit entfachen. »Heute hatten wir sieben Gäste, Mama.«

»Das ist doch nicht schlecht für einen Wochentag.«

»Aber nicht genug.«

Mit einem heftigen Griff drehte ihre Mutter den Wasserhahn zu. »Mit den Feiertagen wird es besser werden.«

Angie änderte ihre Taktik. »Als Bedienung bin ich eine Katastrophe.«

»Mag sein. Aber du lernst mit jedem Tag dazu.«

»Allerdings bin ich schon jetzt besser als Rosa. Ich habe sie neulich abend beobachtet, Mama. Ich habe noch nie gesehen, daß sich jemand so langsam bewegen kann.«

»Sie ist schon lange bei uns. Findest du nicht, daß sie etwas Respekt verdient hat?«

»Wir müssen dringend ein paar Veränderungen vornehmen. Deswegen bin ich schließlich hier, oder?«

»Du wirst Rosa auf keinen Fall kündigen.« Ihre Mutter warf den Abwaschlappen in die Spüle wie einen Fehdehandschuh.

»Das würde ich nie tun.«

Maria DeSaria entspannte sich. Wenn auch nur ansatzweise. »Na, dann ist es ja gut.«

»Komm mit.« Angie griff nach der Hand ihrer Mutter und zog sie aus der Küche. Im Schatten des Durchgangs blieb Angie stehen. »Siehst du das Mädchen da?«

»Sie hat die Lasagne bestellt«, bemerkte ihre Mutter. »Offensichtlich hat sie ihr geschmeckt.«

»Ich würde sie gern ... Ich habe vor, sie abends und an den Wochenenden hier als Kellnerin arbeiten zu lassen.«

»Sie ist zu jung.«

»Ich werde sie einstellen. Und sie ist keineswegs zu jung. Livvy und Mira haben schon sehr viel früher mit dem Bedienen begonnen.«

Ihre Mutter musterte Lauren stirnrunzelnd. »Aber sie sieht nicht aus wie eine Italienerin.«

»Sie ist auch keine.«

Maria DeSaria sog scharf Luft ein und zog dann ihre Tochter tiefer in den Schatten des Durchgangs. »Jetzt hör mir mal gut zu ...«

»Willst du, daß ich dir mit dem Restaurant helfe?«

»Ja, aber ...«

»Dann laß mich auch meine Entscheidungen treffen.«

»Rosa wird tief gekränkt sein.«

»Ich glaube vielmehr, daß sie dankbar für die Unterstützung ist. Gestern ist sie zweimal gegen den Türrahmen gestoßen. Das Servieren fällt ihr zunehmend schwerer, sie ist eine alte Frau. Eine Hilfe wird ihr sehr willkommen sein.«

»Mit Mädchen von der High School hat man immer Scherereien. Frag deinen Vater.«

»Wir können Papa nicht fragen. Wir müssen schon beide allein entscheiden.«

Die Erinnerung an ihren Mann schien ihre Mutter zusammenschrumpfen zu lassen. Die Fältchen um ihre Mundwinkel vertieften sich. Sie biß sich auf die Lippe und spähte zu Laurens Tisch hinüber. »Ihre Haare sehen *sehr* unordentlich aus.«

»Draußen regnet es. Ich glaube, sie sucht dringend eine Arbeit. So wie du damals in Chicago. Kurz vor deiner Heirat mit Papa.«

Irrte sich Angie, oder zeigte ihre Mutter Anzeichen von Nachgiebigkeit? »Ihre Turnschuhe sind durchgescheuert und ihre Bluse ist viel zu klein. Armes Ding. Trotzdem ...« Sie runzelte verdrossen die Stirn. »Die letzte Rothaarige, die hier arbeitete, hat sich mit den Einnahmen eines ganzen Abends aus dem Staub gemacht.«

»Das Mädchen da wird uns nicht bestehlen.«

Maria DeSaria setzte sich in Bewegung und marschierte auf die Küche zu. Sie murmelte vor sich hin und gestikulierte wild mit beiden Händen.

Mit geschlossenen Augen hätte Angie möglicherweise ihren Vater neben der Küchentür stehen sehen können, wie er milde lächelnd den theatralischen Auftritt seiner Frau über sich ergehen ließ.

Ihre Mutter machte kehrt und kam zurück. »Er hat dich schon immer für die Klügste gehalten. Also gut, stell das Mädchen ein, aber laß sie bloß nicht an die Kasse.«

Fast hätte Angie über die Absurdität gelacht. »Okay.«

»Abgemacht.« Ihre Mutter drehte sich auf dem Absatz um und verließ das Restaurant.

Angie blickte zum Fenster hinaus und sah, wie ihre Mutter draußen auf der Straße weiter mit einem Mann debattierte, der nicht da war.

»Danke, Papa«, flüsterte Angie und lief durch das leere Restaurant zu Laurens Tisch.

Das Mädchen sah zu ihr auf. »Das hat wunderbar geschmeckt«, versicherte es schnell und ein bißchen nervös, wie Angie fand. Lauren faltete die Serviette ordentlich zusammen und legte sie auf den Tisch.

»Meine Mutter kann wirklich ganz ausgezeichnet kochen.« Angie setzte sich dem Mädchen gegenüber. »Bist du zuverlässig?«

»Absolut.«

»Wir können also fest damit rechnen, daß du pünktlich zur Arbeit erscheinst?«

Lauren nickte. Die dunklen Augen blickten ernst. »Selbstverständlich.«

Angie lächelte. So gut hatte sie sich seit Monaten nicht mehr gefühlt. »Okay. Wenn du willst, kannst du schon morgen anfangen. Sagen wir von fünf bis zehn? Ist das in Ordnung?«

»Großartig.«

Angie griff über den Tisch und schüttelte Laurens Hand. »Na dann, willkommen in unserer Familie.«

»Danke.« Hastig sprang Lauren auf die Füße. »Aber jetzt sollte ich zusehen, daß ich nach Hause komme.«

Angie hätte schwören können, daß Tränen in den Augen des Mädchens standen. Doch bevor sie etwas dazu sagen konnte, war Lauren verschwunden. Erst später, als Angie die Registrierkasse schloß, dämmerte es ihr.

Das Wort »Familie« hatte Lauren so abrupt aufbrechen lassen.

Als Angie ins Cottage zurückkehrte, war es leer, dunkel und – einsam.

Sie schloß die Tür hinter sich, blieb stehen und lauschte ihren eigenen Atemzügen. Es war ein Geräusch, an das sie sich gewöhnt hatte, aber hier, in diesem Haus, das früher nur Lachen, Musik und lebhafte Gespräche kannte, schmerzte es Angie. Als sie es nicht mehr ertragen konnte, warf sie ihre Tasche auf den Tisch in der Diele, lief ins Wohnzimmer und schaltete die alte Stereoanlage an. Sie schob eine Kassette ein und drückte die Play-Taste.

Tony Bennetts Stimme erklang aus den Lautsprechern, füllte den Raum mit Erinnerungen. Es war die Lieblingskassette ihres Vaters, die er selbst zusammengestellt hatte. Jeder Song setzte verspätet ein, manchmal fehlte sogar eine ganze Strophe. Sobald er im Radio ein Lied hörte, das ihm gefiel, sprang er aus dem Sessel hoch, rannte zur Anlage und schrie: »Ich liebe diesen Song.«

Sie wollte bei dieser Erinnerung lächeln, aber es gelang ihr nicht, ihr war zu schwer ums Herz. »Heute habe ich eine neue Kellnerin engagiert, Papa. Sie geht noch zur High School. Mamas Reaktion kannst du dir sicher vorstellen. Oh, und sie ist ein Rotschopf.«

Angie trat ans Fenster und starrte hinaus. Mondlicht tanzte auf den Wellen, ließ das nachtdunkle Meer glitzern. Der nächste Song setzte ein. »Wind Beneath My Wings« von Bette Middler.

Das Lied hatte sie auf seiner Trauerfeier gespielt. Die Musik zog Angie in ihren Bann und drohte, sie zu überwältigen.

»Es ist ganz leicht, mit ihm zu sprechen. Findest du nicht auch? Vor allem hier.«

Die Stimme ihrer Mutter ließ Angie herumfahren.

Maria DeSaria stand hinter der Couch und blickte ihre Tochter mit einem zaghaften Lächeln an. Sie trug einen alten Flanell-Morgenrock, ein Geschenk ihres Mannes. Langsam durchquerte sie den Raum und schaltete die Stereoanlage aus.

»Was machst du denn hier, Mama?«

Ihre Mutter nahm auf der Couch Platz und schlug mit der flachen Hand neben sich auf das Polster. »Ich wußte, daß dir eine schwere Nacht bevorsteht.«

Angie setzte sich neben ihre Mutter. Nahe genug, um sich an ihre Schulter lehnen zu können. »Woher wußtest du das?«

Wortlos legte ihre Mutter einen Arm um sie. »Das Mädchen …« sagte sie schließlich.

Natürlich. Daß Angie nicht von selbst darauf gekommen war. »Du meinst, ich sollte sie nicht zu nah an mich ranlassen?«

»Distanz war noch nie deine Stärke.«

»Nein.«

Ihre Mutter zog sie fester an sich. »Nimm dich in acht. Du hast ein weiches Herz.«

»Manchmal fühlt es sich tatsächlich an, als würde es zerbrechen.«

Maria DeSaria seufzte leise. »Wir müssen auch in solchen Zeiten weitermachen. Eine andere Möglichkeit gibt es nicht.«

Angie nickte. »Ich weiß.«

Danach suchten sie ein Kartenspiel hervor und spielten bis tief in die Nacht Gin Rommé. Bevor sie irgendwann nebeneinander auf der Couch einschliefen, unter einem Quilt, den ihre Mutter vor vielen Jahren genäht hatte, war sich Angie sicher, ihre Stärke wiedergefunden zu haben.

Neun

Lauren erschien eine Viertelstunde zu früh zur Arbeit. Sie trug ihre besten schwarzen Jeans und eine weiße Baumwollbluse, die Mrs. Mauk für sie gebügelt hatte.

Sie klopfte an die Eingangstür des *DeSaria's* und wartete. Als keine Reaktion erfolgte, öffnete sie die Tür und spähte ins Restaurant.

Es brannte noch kein Licht, die Tische waren nur vage auszumachen. »Hallo?« Lauren schloß die Tür hinter sich.

Mit schnellen Schritten näherte sich eine Frau. Ihre Hände steckten tief in den Taschen ihrer nicht mehr ganz weißen Schürze. Einen halben Meter vor Lauren blieb sie stehen.

Die fühlte sich wie ein Insekt unter einem Mikroskop. Das lag an der Art und Weise, wie die Frau sie stirnrunzelnd betrachtete. Die dicken Gläser der altmodischen Brille ließen ihre Augen geradezu riesig wirken.

»Bist du die Neue?«

Sie nickte und spürte die Hitze, die ihr in die Wangen schoß. »Ich heiße Lauren Ribido.« Sie streckte die Hand aus. Der Händedruck der Frau war kräftiger, als Lauren erwartet hatte.

»Ich bin Maria DeSaria. Ist das hier dein erster Job?«

»Nein. Ich arbeite schon jahrelang neben der Schule. Früher, in der fünften und sechsten Klasse, habe ich auf der Magruder Farm Erdbeeren und Himbeeren gepflückt. Seit dem letzten Sommer war ich bei Rite Aid. Oben am Highway.«

»Du hast Beeren gepflückt? Ich dachte, das wäre etwas für Wanderarbeiter.«

»Das ist es auch. Mit wenigen Ausnahmen. Für ein Kind war die Bezahlung völlig in Ordnung.«

Maria DeSaria neigte den Kopf zur Seite und musterte Lauren nachdenklich. »Wie sieht es mit Drogen aus, Alkohol, Schuleschwänzen, Probleme mit der Polizei? Bist du vielleicht eine von denen, die einem nur Scherereien machen?«

»Nein. Ich bekomme an der Fircrest Academy ganz gute Noten. Und mit der Polizei hatte ich noch nie irgendwelche Schwierigkeiten.«

»Fircrest? Soso. Bist du katholisch?«

»Ja«, antwortete Lauren leicht beunruhigt. Zur Zeit konnte es riskant sein, das zuzugeben. Die Kirche war ständig in den Schlagzeilen. Sie zwang sich, der Frau fest in die Augen zu blicken.

»Nun, das ist gut. Auch wenn du rothaarig bist.«

Da Lauren nicht wußte, was sie darauf erwidern sollte, schwieg sie.

»Hast du schon einmal bedient?« wollte Maria DeSaria schließlich wissen.

»Ja.«

»Also weißt du, wie man die Tische deckt.«

»Ja, Ma'am.«

»Die Bestecke sind da drüben in der Kommode«, erklärte Maria DeSaria. »Natürlich sind sie nicht aus Silber«, fügte sie schnell hinzu.

»Okay.«

Sie sahen sich einige Zeit stumm an. Wieder kam sich Lauren vor wie ein Insekt.

»Nun, dann fang an«, sagte Maria DeSaria.

Lauren lief zu der Kommode und zog die oberste Schublade so schwungvoll auf, daß Messer und Gabeln laut klapperten. Sie zuckte zusammen. Ein Fehler. Wie konnte sie nur so unvorsichtig sein?

Besorgt drehte sie sich zu Maria DeSaria um, die sie mit hochgezogenen Brauen beobachtete.

Es wird nicht leicht sein, es dieser Frau recht zu machen, dachte Lauren. Gar nicht leicht.

Am Ende der fünf Stunden waren Lauren zwei Dinge klargeworden: Erstens mußte sie morgen unbedingt Turnschuhe anziehen, bevor sie zur Arbeit ging. Und zweitens würde sie im *DeSaria's* nie genug Geld verdienen, um die ausstehende Miete bezahlen und sich ein anständiges Kleid für den Ball kaufen zu können.

Dennoch, ihr gefiel das Restaurant. Das Essen war großartig. Lauren gab sich alle Mühe und suchte sich Aufgaben, bevor jemand – speziell Maria DeSaria – ihr sagen konnte, was sie tun sollte. Gerade füllte sie frisches Olivenöl in die Karaffen.

»Das *DeSaria's* könnte ein richtig tolles Restaurant sein«, sagte Angie Malone plötzlich hinter ihr. »Aber dazu brauchen wir mehr Gäste.« Sie streckte Lauren einen Teller mit Tiramisu entgegen. »Komm, leiste mir ein bißchen Gesellschaft.«

Sie setzten sich an einen Tisch vor dem Kamin. Flammen züngelten an den knisternden Holzscheiten empor.

Lauren spürte Angies Blick und hob den Kopf. In den dunklen Augen der Frau entdeckte sie etwas. Sympathie, vielleicht mit einer Spur Mitleid gepaart. »Es war sehr nett von Ihnen, mich hier arbeiten zu lassen. Aber im Grunde benötigen Sie keine zweite Bedienung.« Sofort wünschte sie, das nicht gesagt zu haben. Sie brauchte den Job *dringend*.

»Wart's ab. Ich habe mit dem Restaurant noch viel vor«,

lächelte Angie. »Obwohl ich von der Branche wenig verstehe. Meine Schwester Livvy ist sogar fest überzeugt, daß ich alles gründlich vermasseln werde.«

Lauren konnte sich nicht vorstellen, daß diese attraktive Frau mit *irgend etwas* scheiterte. »Ich bin ganz sicher, daß Sie es schaffen. Das Essen ist echt große Klasse.«

»Ja. Meine Mutter und Mira sind ausgezeichnete Köchinnen.« Angie schob sich eine Gabel Tiramisu in den Mund. »Erzähl mal, seit wann wohnst du schon in West End? Vielleicht bin ich mit deiner Mutter oder anderen Verwandten zur Schule gegangen.«

»Das glaube ich nicht.« Lauren hoffte, daß das nicht allzu bitter klang. »Wir sind hergezogen, als ich in der vierten Klasse war.« Sie machte eine kurze Pause. »Nur meine Mom und ich.« Es gefiel Lauren, wie sich das anhörte. Als wären ihre Mutter und sie ein Team. Dennoch war ihre Familie etwas, worüber sie nicht sprechen wollte. »Wie steht's mit Ihnen? Haben Sie immer in West End gelebt?«

»Ich habe hier meine Kindheit verbracht. Dann bin ich fortgezogen, um zu studieren, und habe geheiratet ...« Angie verstummte und zeichnete mit den Gabelzinken Kreise auf ihrem Teller. »Nach der Scheidung bin ich wieder zurückgekommen.« Sie hob den Kopf und lächelte etwas gezwungen. »Tut mir leid. Es fällt mir immer noch schwer, das zu sagen.«

»Oh.« Mehr brachte Lauren nicht heraus. Statt dessen konzentrierte sie sich wieder auf ihr Tiramisu. Das Klappern der Gabeln auf den Porzellantellern hörte sich unangenehm laut an.

»Soll ich dich vielleicht nach Hause bringen?« fragte Angie schließlich.

»Nein, danke.« Die Frage überraschte Lauren. »Mein Freund wollte mich abholen.« In diesem Moment hupte es vor dem Restaurant. »Da ist er schon.« Sie warf einen hastigen Blick auf ihre leeren Teller. »Soll ich vorher noch schnell ...«

»Nein, lauf ruhig los. Wir sehen uns dann morgen.«
Forschend blickte Lauren Angie an. »Sind Sie sicher?«
»Bin ich. Und nun lauf.«
»*Bye.*« Lauren ging zum Tisch neben der Tür, hob ihren Rucksack auf, hängte ihn sich über die Schulter und rannte auf die Straße hinaus.

Die Menge tobte.
Wie alle anderen Zuschauer sprang Lauren von ihrem Sitz auf, klatschte in die Hände und schrie. Tosender Applaus rauschte durch die Tribünen. Auf der Anzeigetafel flackerte es, die Zahlen veränderten sich, und dann war der aktuelle Spielstand zu sehen: Fircrest – 28. Kelso Christian – 14.
»Das war ja *unglaublich.*« Anna Lyons packte Laurens Ärmel und zog heftig daran.
Lauren lachte. Davids Paß war einfach perfekt gewesen, eine 40-Meter-Spirale direkt in Jareds Hände. Sie hoffte, sein Vater hatte es gesehen.
»Kommt«, sagte jemand. »Gleich ist Halbzeit.«
Lauren folgte den anderen Mädchen den Gang und die Betonstufen hinunter. Sie eilten zu den Seitenlinien, an denen verschiedene Stände aufgebaut waren. Lauren lief zum Hotdog-Stand. »Hier kommt die Ablösung«, sagte sie zu Marci Morford, die gerade die Senftöpfe auffüllte. In der Halbzeitpause, während die Kapelle über das Spielfeld marschierte, verkaufte sie den Vorbeikommenden Hotdogs und Hamburger. Eltern, Lehrern, Schülern und Ehemaligen. In der Saison trafen sich freitags abends alle im Football-Stadion, um sich die Spiele anzusehen. Und alle redeten nur von David. Er spielte das Spiel seines Lebens.
Nach dem Ende der Halbzeitpause ging Lauren wieder auf die Tribüne und sah sich den Rest der Begegnung an.
Fircrest errang einen haushohen Sieg über die Kelso Christian School.

Langsam leerten sich die Tribünen. Zusammen mit ihren Freundinnen räumte Lauren den Stand auf, dann liefen sie zu den Kabinen, um auf die Spieler zu warten. Einer nach dem anderen kamen die Jungen heraus, begrüßten ihre Freundinnen und gingen mit ihnen davon.

Schließlich öffneten sich die Doppeltüren, und die letzten Spieler verließen lachend und sich gegenseitig knuffend die Kabinen. Mitten unter ihnen David, und doch hob er sich von den anderen irgendwie ab, wie vielleicht Brad Pitt und George Clooney in ihrer High-School-Zeit. Das Flutlicht schien nur auf ihn gerichtet, und seine ganze Person schien zu erstrahlen, von den blonden Haaren bis zu seinem Lächeln.

Lauren rannte auf ihn zu. Rasch löste er sich aus der Gruppe und zog sie fest in die Arme. »Du warst große Klasse«, flüsterte sie ihm zu.

Er grinste triumphierend. »Das kann man wohl behaupten, oder? Hast du die Bombe gesehen, die ich Jared verpaßt habe? Mannomann, die war echt Spitze.« Lachend gab er ihr einen Kuß.

Am Fahnenmast blieb David stehen und blickte sich suchend um.

Lauren wußte, wonach – oder vielmehr nach wem – er Ausschau hielt. Schnell schmiegte sie sich an ihn.

Die anderen hatten inzwischen ihre Autos erreicht. Sie hörten Wagentüren zuschlagen, lautes Hupen. Die Strandparty heute abend würde mehr als turbulent werden. Nichts brachte die Gang mehr in Schwung als ein Sieg. Im Gegensatz zum letzten Heimspiel. Danach hatten David und Lauren stundenlang im Auto seiner Mutter gesessen und über alles Mögliche geredet. Ihr war es egal, ob es eine Party gab oder nicht. Solange sie nur mit David zusammensein konnte.

»Hey, David«, rief jemand. »Kommst du mit Lauren auch zum Strand?«

»Überflüssige Frage«, erwiderte David und winkte. Dann

kniff er die Augen zusammen und spähte angestrengt zum Parkplatz hinüber. »Hast du sie irgendwo gesehen?«

Bevor Lauren antworten konnte, hörten sie die Stimme seiner Mutter. »David! Da bist du ja.«

Mit zügigen Schritten kam Mrs. Haynes auf sie zu und umarmte ihren Sohn. Lauren fragte sich, ob David auffiel, wie bemüht das Lächeln seiner Mutter war. »Ich bin sehr stolz auf dich.«

»Danke, Mom.« Er warf einen Blick über ihre Schulter.

»Dein Vater hat eine geschäftliche Besprechung«, sagte Mrs. Haynes. »Es tut ihm leid.«

Davids Gesicht verzog sich. »Sicher.«

»Ich lade euch zu einer Pizza ein. Wir könnten ...«

»Nein, danke. Am Clayborne Beach findet eine Party statt.« David ergriff Laurens Hand und zog sie mit sich.

Mrs. Haynes folgte ihnen zum Parkplatz, und David öffnete Lauren die Tür.

Sie zögerte kurz mit dem Einsteigen. »Vielen Dank für die Einladung, Mrs. Haynes.«

»Keine Ursache«, erwiderte Davids Mutter leise. »Viel Spaß.« Dann sah sie ihren Sohn an. »Aber sei um Mitternacht zu Hause.«

David lief um das Auto herum zur Fahrertür. »Versprochen.«

Als sie später im Kreis ihrer Freunde um ein Feuer saßen, drückte sich Lauren eng an David und flüsterte ihm zu: »Ich bin mir ganz sicher, daß dein Vater sehr gern zum Spiel gekommen wäre.«

Er seufzte. »Klar. Nächsten Freitag wird er bestimmt dasein«, sagte er, aber als sie ihn ansah, glänzten seine Augen. »Ich liebe dich.«

»Ich dich auch.« Zärtlich drückte sie seine Hand.

Er lächelte. Endlich.

In den vergangenen Tagen hatte Angie unermüdlich geschuftet. Sie stand jeden Morgen noch vor Sonnenaufgang auf, setzte sich an den Küchentisch und breitete ihre Unterlagen vor sich aus. In diesen frühen Stunden erarbeitete sie ein Konzept für die Mantelsammlung und ihre weiteren Projekte und dachte sich eine Reihe von Werbemaßnahmen aus. Gegen acht traf sie sich mit ihrer Mutter im Restaurant, um mehr über die Arbeit hinter den Kulissen zu lernen.

Als erstes suchten sie die Großhändler auf, und Angie bemerkte, daß ihre Mutter jeden Tag die gleichen Gemüsesorten auswählte: Tomaten, Paprikaschoten, Auberginen, Eisbergsalat, Zwiebeln und Karotten. Sie würdigte Steinpilze oder bunte Chilis, Kaiserschoten, Endivien, Radicchio oder schwarze Trüffel keines Blickes.

Bei Fisch und Fleisch war es ähnlich. Ihre Mutter kaufte ausschließlich die kleinen Krabben für Cocktails, nichts sonst. Von den Alpac Brothers verlangte sie gemischtes Hackfleisch sowie große Mengen ausgelöste Hähnchenbrust. Am vierten Tag wußte Angie, welche Möglichkeiten ihnen da entgingen. Daher schickte sie ihre Mutter unter dem Vorwand nach Hause, sie hätte dringend etwas zu erledigen. Sobald ihre Mutter verschwunden war, betrat Angie das winzige Büro des Obst- und Gemüsemarktes. »Okay«, sagte sie zu dem Mann hinter dem Schreibtisch. »Stellen wir uns einmal vor, das *DeSaria's* wäre ein ganz neues Restaurant.«

Mehr war nicht nötig. Der Mann deckte sie mit Informationen ein, daß Angie der Kopf schwirrte. Aber sie schrieb sich jedes Wort auf und setzte ihre Erkundungen bei den Fischhändlern fort.

Sie stellte Dutzende von Fragen:
Was sind die Vorteile von schockgefrorenem Fisch?
Welche Muscheln sind die besten? Welche Austern?
Wozu braucht man Calamari-Tinte?

Warum sind Bärenkrebse besser als Steinkrabben oder Meerspinnen?

Geduldig beantworteten die Händler alle ihre Fragen, und am Ende der Woche hatte Angie eine Vorstellung davon, wie die Speisekarte des *DeSaria's* verbessert werden konnte. Sie machte sich daran, im Internet nach Rezepten der angesagtesten Restaurants in Los Angeles, San Francisco und New York zu fahnden, durchforstete die Unterlagen ihres Vaters nach besonderen Gerichten und löcherte ihre Schwestern, bis die nur noch stöhnend die Augen verdrehten.

Zum ersten Mal in ihrem Leben hatte sie das Gefühl, wirklich zum Restaurant zu gehören, und fand zu ihrer aller Überraschung großen Gefallen daran.

Am Samstagabend überprüfte sie Rechnungen, füllte Zahlungsanweisungen aus und notierte sich, welche Vorräte zur Neige gingen. Die Stunden verstrichen wie im Fluge, und als die letzten Gäste das Restaurant verließen, war sie restlos erschöpft.

Aber glücklich.

Angie holte zwei Portionen Eis aus der Küche und setzte sich an den Tisch vor dem Kamin. Sie liebte die ruhigen Momente am Ende des Tages. Die Stille des geschlossenen Restaurants entspannte sie, und manchmal spürte sie im Knacken der Holzscheite oder beim Trommeln des Regens auf dem Dach die Anwesenheit ihres Vaters.

»Ich gehe jetzt, Angie.« Lauren tauchte im Durchgang zwischen den beiden Gasträumen auf.

»Hier wartet noch eine Portion Eis auf dich. Es ist absolut himmlisch.« In den letzten Tagen war es zu einer Art Ritual geworden, daß sich Angie und Lauren spätabends zu einem Dessert oder einem Stück Kuchen zusammensetzten.

»Wenn das so weitergeht, platze ich noch aus allen Nähten«, grinste Lauren.

Angie lachte. »Unsinn. Setz dich zu mir.«

Das Mädchen nahm ihr gegenüber Platz.

Genüßlich ließ sich Angie das Eis auf der Zunge zergehen. »Hm, ist das köstlich. Zu schade, daß wir heute kaum Gäste hatten.« Sie sah Lauren an. »Deine Trinkgelder können nicht gerade berauschend sein.«

»Stimmt.«

»Morgen sind die Flyer für die Mantelsammlung fertig. Die Aktion sollte uns eigentlich ein paar Gäste bringen.«

»Ich hoffe es.«

Die Besorgnis in Laurens Stimme entging Angie nicht. »Was kostet denn heutzutage ein Kleid für den Schulball?«

»Unsummen.«

Angie betrachtete ihr Gegenüber nachdenklich. »Welche Größe hast du?«

»Acht.«

»Genau wie ich.« Angie brauchte nicht lange zu überlegen. »Ich könnte dir ein Kleid leihen. Conlan, mein ... Ex-Mann ist Reporter für die *Seattle Times*. Hin und wieder mußten wir zu irgendwelchen gesellschaftlichen Anlässen. Daher habe ich ein paar Abendkleider. Eins davon paßt dir bestimmt.«

Der Ausdruck auf Laurens Gesicht war eine Mischung aus Sehnsucht und Scham. »Das kann ich wirklich nicht annehmen. Aber Danke für das Angebot.«

Angie beschloß, das Mädchen nicht zu drängen, es konnte sich die Sache ja in Ruhe überlegen. »Ist er dein fester Freund? Der Junge, der dich abends abholt?«

Lauren errötete. »Ja. Er heißt David Haynes.«

Angie wußte, was die hochroten Wangen bedeuteten: eindeutig Liebe. Es überraschte sie nicht. Lauren war kein flatterhaftes Wesen, das sich schnell verliebte und ebenso schnell wieder trennte. Mit anderen Worten: ein ernsthaftes Mädchen. »Seit wann seid ihr zusammen?«

»Seit fast vier Jahren.«

Angie zog die Brauen hoch. High-School-Jahre zählten doppelt und dreifach. Vier Jahre waren eine *Ewigkeit.*

Sieh dich vor, Lauren. Liebe kann dir das Herz brechen … Die Worte lagen Angie schon auf der Zunge, aber sie sprach sie nicht aus. Wenn das Mädchen Glück hatte, blieb ihm diese Erfahrung erspart.

Seufzend dachte sie an Conlan und daran, wie sehr sie ihn geliebt hatte. Und an ihr Gefühl von Leere, als diese Liebe vorbei war.

Bevor Lauren ihre Traurigkeit bemerken konnte, stand sie auf, trat ans Fenster und blickte in die Nacht hinaus. In diesem Jahr war es früh Herbst geworden. Überall rieselten welke Blätter von den Bäumen und wurden am Straßenrand zu Haufen zusammengefegt. In wenigen Tagen würden auch die letzten Bäume kahl sein.

»Alles in Ordnung mit Ihnen?«

Angie hörte die Beunruhigung in Laurens Stimme. »Ja.« Bevor sie noch etwas sagen konnte, sich entschuldigen oder vielleicht näher erklären, hielt ein Auto vor dem Restaurant und hupte.

»Das ist David.« Hinter ihr schob Lauren ihren Stuhl zurück und sprang auf.

Angie betrachtete das parkende Auto. Es war ein alter Porsche Speedster, das Chassis grau grundiert. Die verchromten Radkappen glänzten im Licht der Straßenlaterne, und die Reifen waren offensichtlich neu. »Alle Achtung, das ist aber ein toller Wagen.«

Lauren trat neben sie. »Manchmal nenne ich David ›Speed Racer‹. Wie in dem alten Zeichentrickfilm. Er lebt förmlich für den Wagen.«

»Verstehe. Jungs und ihre Autos …«

Lauren lachte. »Wenn ich noch *einen* Vortrag über Drehzahlen ertragen muß, bekomme ich vermutlich einen Schreikrampf. Aber natürlich sage ich ihm das nicht.«

Angie blickte dem Mädchen ins Gesicht. Noch nie hatte sie so offene, schrankenlose Zuneigung gesehen. Die erste große Liebe. Wieder wollte sie Lauren warnen, aber das stand ihr nicht zu. Das war Aufgabe der Mutter.

»Dann bis Dienstag«, sagte Lauren und lief zur Tür.

Angie sah zu, wie das Mädchen über den Bürgersteig rannte und im Innern des Porsche verschwand.

Plötzlich mußte sie an Tommy Matucci denken, und wie sie sich mit Haut und Haar in ihn verliebt hatte. Er fuhr damals einen alten, zerbeulten Ford Fairlane, an dem sein ganzes Herz hing.

Komisch.

Daran hatte sie jahrelang nicht mehr gedacht.

Der Porsche hielt vor Laurens Haus. Sie rutschte näher an David heran. Leicht war das nicht in dem kleinen Auto; die Gangschaltung schien immer im Weg zu sein. Aber mit der Zeit hatten sie da einiges Geschick entwickelt.

David nahm sie in die Arme. Unter seinen Küssen begann ihr Herz wild zu klopfen, und Lauren spürte wieder diese Sehnsucht, dieses Verlangen, das ihr das Atmen schwermachte. In wenigen Minuten waren die Scheiben beschlagen und die Welt um sie herum ausgeschlossen.

»Lauren«, flüsterte David, und sie hörte seiner Stimme an, daß es ihm genauso ging wie ihr. Seine Hand schob sich unter ihre Bluse. Die Berührung seiner Finger schickte kleine, elektrische Stöße über ihre Haut.

Mit einem Mal piepste seine Armbanduhr laut und durchdringend.

»Verdammt!« Abrupt ließ David Lauren los. »Es ist nicht zu *fassen,* daß ich jetzt schon nach Hause muß. Ich kenne Dreizehnjährige, die glatt bis eins oder zwei ausbleiben können.« Er verschränkte die Arme und reckte trotzig das Kinn.

Lauren unterdrückte ein Lächeln. Er hatte keine Ahnung,

wie *kindisch* seine Empörung wirkte. »Du solltest lieber froh darüber sein.« Sie schmiegte sich an ihn. »Schließlich beweist das doch, daß sie dich lieben.«

»Ja, stimmt.«

Lauren spürte seinen Herzschlag unter ihrer Hand. Eine kurze Sekunde lang fühlte sie sich um Jahre älter als er.

»Deiner Mom ist es völlig egal, wann du nach Hause kommst. Oder ob überhaupt.«

»Genau das meine ich.« Die bekannte Verbitterung stieg in Lauren hoch. *»Ich werde für dich nicht die Aufseherin spielen«,* hatte ihre Mutter irgendwann vor langer Zeit erklärt. *»Meine Eltern wollten mir vorschreiben, wann ich zu Hause zu sein hatte, aber das hat mich nur noch rebellischer gemacht.«* Inzwischen konnte Lauren kommen und gehen, wie es ihr beliebte.

David küßte sie wieder, lehnte sich dann jedoch seufzend im Fahrersitz zurück.

Sofort wußte Lauren, daß irgend etwas nicht stimmte. »Was ist?«

Er öffnete das Handschuhfach und zog Papiere heraus. »Hier.«

»Was …« Lauren warf einen Blick darauf. »Die Unterlagen für Stanford.«

»Mein Dad möchte, daß ich mich schon zum ersten Anmeldetermin bewerbe. Der läuft am fünfzehnten November ab.«

»Oh.« Auch Lauren ließ sich in die Polster zurücksinken. Sie wußte, daß er alles tun würde, um seinen Vater zufriedenzustellen.

»Ich dachte, du könntest dich zusammen mit mir bewerben.«

Die Hoffnung in seiner Stimme hätte sie fast in Tränen ausbrechen lassen. Seit Jahren fuhr er sie nun schon nach Hause. Er wußte, wo sie wohnte, *wie* sie wohnte. Warum kapierte er nicht, daß für sie ein Studium in Stanford ein Ding der Unmöglichkeit war? »Das kann ich mir nicht leisten. Ich brauche ein Stipendium. Und nicht nur für ein oder zwei Semester. Für das gesamte Studium.«

Er holte tief Luft und stieß sie langsam wieder aus. »Ich weiß.«

Einige lange Minuten saßen sie schweigend nebeneinander und starrten die beschlagene Windschutzscheibe an.

»Wahrscheinlich werde ich gar nicht angenommen«, sagte er schließlich.

»Red keinen Unsinn, David. Immerhin ist ein ganzes Gebäude nach deiner Familie benannt. Natürlich wird man dich annehmen.«

»Dich bestimmt auch.« David zog Lauren an sich und küßte sie, bis nichts mehr wichtig schien außer ihrer Liebe.

Aber als sie später allein in ihrer leeren, trostlosen Wohnung war, wünschte sie sich doch, in seiner Welt leben zu können, in der alles ganz leicht schien. Vor allem die Erfüllung von Träumen.

Als Mira zurückkehrte, stand Angie auf der Veranda ihrer Schwester.

»Du bist aber früh auf den Beinen«, stellte Mira fest, während sie mit schnellen Schritten näher kam. »Und du siehst irgendwie ganz schön beschissen aus.«

»Du hast es grad nötig. Trägt man neuerdings ausgeleierte Jogginghosen und Gummistiefel, wenn man seine Kinder zur Schule fährt?«

»Die meisten Mütter ja. Komm rein.« Lächelnd führte sie Angie ins Haus, in dem es nach Kaffee und Pfannkuchen duftete. Sie ging Richtung Küche, hob unterwegs herumliegendes Spielzeug auf, und goß Kaffee in zwei Tassen. »Okay«, sagte sie und setzte sich im Wohnzimmer auf einen Lehnsessel. »Warum bist du hier, und warum siehst du aus wie eine Dschungelcamp-Kandidatin?«

»Sehr komisch.« Angie sank auf eins der Sofas. »Ich habe die ganze Nacht durchgearbeitet.«

»Du kommst wohl nie zur Ruhe, was?« Mira trank einen Schluck und blickte ihre Schwester über den Tassenrand hinweg an.

Angie reichte ihr einen Block. »Hier habe ich meine nächsten Pläne zusammengefaßt.«

Mira setzte die Tasse ab und las. Ihre Augen wurden immer größer.

Angie steuerte während Miras Lektüre immer wieder Erläuterungen bei. »Abgesehen von der Mantelsammlung möchte ich dienstags künftig Weinabende veranstalten, an denen alle Flaschen zum halben Preis angeboten werden. Die Donnerstage würde ich gern unter das Motto ›Ausgeh-Abend‹ stellen. Jedes Pärchen, das bei uns ißt, erhält zwei Kinokarten. Und für freitags und samstags dachte ich an Happy Hours. Wir könnten das Restaurant um drei öffnen und bis fünf zu den Getränken kostenlos Häppchen servieren. Du weißt schon: Antipasti, Bruschetta, so etwas in der Art. Nach allem, was ich gelesen habe, können ein paar Happy Hours pro Woche unsere Einnahmen fast verdoppeln. Wir machen zu wenig aus unserer Schanklizenz, wenn wir nur hin und wieder einen Drink verkaufen. Und was hältst du von *Erleben Sie romantische Stunden im DeSaria's* als Slogan für unsere Werbekampagne? Ich könnte mir vorstellen, daß wir allen Pärchen unter unseren Gästen Rosen überreichen.«

»Grundgütiger«, hauchte Mira.

Angie wußte, was das bedeutete. Ihre Schwester war beim entscheidenden Punkt angelangt: bei der neuen Speisekarte. »Ich möchte die Hälfte der bisherigen Gerichte von der Karte streichen und die Preise der anderen verdoppeln. Wir müssen mehr Fisch und – je nach Saison – frisches Gemüse anbieten.«

»Grundgütiger«, wiederholte Mira und hob den Kopf. »Aber Papa hätte das alles spitzenmäßig gefunden, Angie.«

»Ist mir klar. Allerdings mache ich mir Sorgen um Mama.«

»Zu Recht«, lachte Mira.

»Wie schaffe ich es nur, ihr meine Pläne nahezubringen?«

»Aus sicherer Entfernung. Und im Kettenhemd.«

»Sehr witzig.«

»Okay, Prinzessin. Es gibt nur zwei Wege, Mamas Zustimmung zu bekommen. Der erste und erfolgversprechendste führt über Papa. Letzten Endes hat sie sich seinen Wünschen immer gefügt.«

»Unglücklicherweise redet er ausschließlich mit ihr.«

»Stimmt, also bleibt dir nur Plan B. Bring sie dazu, das Ganze für ihre Idee zu halten. Das hab ich getan, als ich Wings sehen wollte. Ich brauchte zwar fast einen Monat, aber schließlich fand sie, es wäre *unamerikanisch,* wenn ich nicht mit meinen Freundinnen ins Kingdome gehen würde.«

»Und wie gehe *ich* vor?«

»Indem du sie erst einmal um Rat fragst.«

Zehn

Unschlüssig betrachtete Lauren die Salz- und Pfefferstreuer, die sie gerade von den Tischen eingesammelt hatte.

Den ganzen Abend über dachte sie nun schon darüber nach, ob sie Angie um einen Vorschuß auf ihr erstes Gehalt bitten sollte. Oder sich ein Kleid borgen könnte.

So oder so würde es ganz und gar keinen guten Eindruck hinterlassen. Zweifellos würden die DeSarias sich fragen, was eigentlich aus ihren Trinkgeldern geworden war.

»Drogen«, würde Maria DeSaria kopfschüttelnd murmeln und wahrscheinlich alles auf Laurens rotes Haar schieben.

Aber wenn sie mit der Wahrheit über die Mietschulden herausrückte, würden Angie und ihre Mutter diese entsetzten, mitleidigen Blicke austauschen, die Lauren bis zum Überdruß von Lehrern, Nachbarn und Eltern ihrer Freundinnen kannte.

Sie ging zum Fenster und blickte in die neblige Dunkelheit hinaus.

Es gab Ereignisse, die so wichtig waren, daß sie ein ganzes Leben verändern konnten. Gehörte ein Schulball dazu? Wäre er später eine Erinnerung, die sich Lauren unter keinen Umständen entgehen lassen durfte? Würde es sie irgendwie … abwerten, wenn sie an dem Ball nicht teilnahm? Vielleicht könnte sie ein altes Kleid anziehen und so tun, als pfeife sie auf verstaubte Konventionen. So müßte sie wenigstens nicht zugeben, daß der Kauf eines neuen Kleides schlicht und ergreifend an Geldmangel gescheitert war. Außerdem wußten ohnehin alle, daß sie ohne Stipendium niemals auf der Fircrest Academy wäre. Niemand würde auch nur ein abfälliges Wort äußern. Aber Lauren würde den wahren Grund kennen. Und würde sich den ganzen Abend über elend fühlen. War der Ball das eigentlich wert?

Das waren Fragen, die ein Mädchen seiner Mutter stellen sollte.

»Ha!« sagte Lauren laut und ohne einen Anflug von Humor.

Sie würde sich auf sich selbst verlassen müssen, wie üblich. Sie hatte die Wahl. Entweder konnte sie sich eine Lüge ausdenken … oder Angie um Hilfe bitten.

Angie saß am Küchencounter und hatte ihre Notizen vor sich ausgebreitet.

Mit verschränkten Armen lehnte ihre Mutter am Spülbecken. Die Körpersprache sagte alles. Die Augen waren ganz schmal, die Lippen zu einem dünnen Strich verzogen.

»Ich war im Kino und habe mit Scott Forman gesprochen«, wagte Angie sich vor. »Er ist bereit, uns fünfzig Prozent Rabatt auf die Karten einzuräumen, wenn wir ihn in unsere Werbung einbeziehen.«

»Die Filme heutzutage sind allesamt grauenhaft. Zuviel Gewalt. Das schlägt den Leuten doch auf den Magen.«

»Vor dem Kinobesuch werden sie bei uns essen.«

»Eben.«

Aber Angie ließ nicht locker. Seit Beginn der Mantelsammlung hatte sich ihr Umsatz bereits gesteigert. Es war an der Zeit, auch ihre anderen Pläne in die Tat umzusetzen. »Hältst du es denn nicht für eine gute Idee?«

Ihre Mutter zuckte mit den Schultern. »Warten wir's ab.«

»Und wie findest du die Anzeigen?«

»Wieviel kosten sie?«

Angie suchte das entsprechende Angebot heraus und hielt es ihrer Mutter hin. Die warf nur einen Blick darauf. »Zu teuer.«

»Ich werde mich bemühen, günstigere Preise auszuhandeln.« Unauffällig holte sie eine Speisekarte des *Cassiopeia's* unter ihrem Notizblock hervor, eines italienischen Vier-Sterne-Restaurants in Vancouver. »Hast du irgendwelche Vorschläge für die Wein-Abende?«

Ihre Mutter rümpfte die Nase. »Wir könnten mit Victoria und Casey McClellan reden. Ihnen gehört das Weingut in Walla Walla. Wie heißt es doch gleich ... Seven Hills? Und Randy Finley in den Mount Baker Vineyards macht ebenfalls guten Wein. Vielleicht kommen sie uns preislich ein bißchen entgegen. Randy überschüttet mich immer mit Komplimenten für mein *Osso bucco*.«

»Das ist eine hervorragende Idee, Mama.« Schnell notierte sich Angie die Namen und stieß dabei wie unabsichtlich gegen die *Cassiopeia's*-Speisekarte.

Argwöhnisch reckte ihre Mutter den Hals. »Was ist das da?«

»Was denn?« Angie unterdrückte ein Grinsen. »Jetzt zum Fisch. Wir ...«

»Was willst du mit dieser Speisekarte, Angela Rose?«

»Der hier? Oh, ich wollte mich nur informieren, was die Konkurrenz zu bieten hat.«

Geringschätzig wedelte ihre Mutter mit der Hand. »Diese Leute waren doch noch nie in Italien.«

»Ihre Preisgestaltung ist interessant.«

»Warum?«

»Die Hauptgerichte beginnen bei vierzehnfünfundneunzig.« Sie schüttelte den Kopf. »Es ist ziemlich traurig, daß so viele Menschen hohe Preise mit Qualität gleichsetzen.«

»Gib her.« Maria DeSaria riß Angie die Speisekarte aus der

Hand und schlug sie auf. »Kräuter-Omelettes mit Waldpilzen und gebratenem Weißfisch für einundzwanzigfünfundneunzig. Soll das etwa ein italienisches Gericht sein? Meine Mutter, sie ruhe in Frieden, bereitete einen *Tonno al cartoccio* zu, der einem auf der Zunge zerging.«

»In dieser Woche hat Terry Thunfisch im Angebot, Mama. Ahi auch. Und seine Calamari sind einfach Klasse.«

»Erinnerst du dich an das Lieblingsgericht deines Vaters? *Calamari ripieni.* Dazu braucht man aber die allerbesten Tomaten.«

»Genau die hat mir Johnny versprochen.«

»Calamari und Ahi sind nicht billig.«

»Einen Versuch ist es wert. An einem oder zwei Abenden, als Special. Wenn wir keinen Erfolg haben, sind wir zumindest schlauer.«

Es klopfte an die Küchentür.

Angie unterdrückte einen Fluch. Um ein Haar hätte ihre Mutter zugestimmt. Jede noch so kleine Unterbrechung konnte alles zunichte machen, und sie müßte wieder bei null anfangen.

Mit ihrer zusammengefalteten Schürze in den Händen kam Lauren herein.

»Nacht, Lauren«, lächelte Angie. »Schließ ab, wenn du hinausgehst.«

Das Mädchen rührte sich nicht. Es sah besorgt aus, unsicher.

»Vielen Dank, *ragazza*«, fügte Maria DeSaria hinzu. »Gute Nacht.«

Lauren stand wie angewurzelt.

»Ist noch was?« fragte Angie.

»Ich ... äh ...«, stotterte das Mädchen hilflos, gab sich dann aber einen Ruck. »Ich kann morgen doch zur Arbeit kommen.«

»Schön.« Angie wandte sich wieder ihren Papieren zu. »Dann sehen wir uns also morgen um fünf.«

Sobald Lauren verschwunden war, nahm Angie den Faden wieder auf. »Also Mama, was sagst du dazu, wir heben die Preise ein wenig an und haben täglich ein besonderes Fischgericht auf der Karte?«

»Was soll ich schon dazu sagen, daß meine Tochter ganz versessen darauf ist, die Speisekarte zu ändern, die jahrzehntelang mehr als gut genug war.«

»Es sind alles nur kleine Veränderungen, Mama. Und nur solche, die uns auch bestimmt weiterbringen.« Angie hielt kurz inne, um ihren nächsten Worten mehr Nachdruck zu verleihen. »Papa hätte zugestimmt.«

»Er hat meine *Calamari ripieni* geliebt, das ist wahr.« Ihre Mutter verließ endlich ihren Standort vor dem Spülbecken und setzte sich neben ihre Tochter. »Ich weiß noch genau, wie er mir den Cadillac gekauft hat. Er war ja so stolz auf das Auto.«

»Aber du hast dich standhaft geweigert, es zu fahren.«

Ihre Mutter lächelte. »Dein Vater hielt mich für total verrückt, weil ich das schöne Auto einfach ignoriert habe. Also verkaufte er eines Tages kurzerhand meinen Buick und legte die Schlüssel für den Cadillac auf den Tisch. Zusammen mit einem Zettel, auf dem stand: *›Komm zu mir zum Lunch. Ich stelle schon mal den Sekt kalt.‹* Er wußte, daß man mich zu Veränderungen zwingen muß.«

»Ich möchte dich aber auf keinen Fall zwingen ...«

»Das tust du aber.« Ihre Mutter seufzte. »Schon immer, Angela. Dein ganzes Leben ging es darum, auf Gedeih und Verderb deinen Willen durchzusetzen.« Sie strich sanft über Angies Wange. »Das hat dein Vater an dir geliebt, und jetzt wäre er ganz besonders stolz auf dich.«

Plötzlich verschwendete Angie keinen Gedanken mehr an die Speisekarte. Sie dachte an ihren Vater: an die Art, wie er sie auf seine Schultern gehoben hatte, damit sie die Thanksgiving Parade besser sehen konnte, wie er abends mit ihr betete, sie beim Frühstück mit kleinen albernen Scherzen aufmunterte.

»Daher werden wir es zunächst mit ein paar Fischgerichten versuchen«, fuhr ihre Mutter mit verdächtig glänzenden Augen fort. »Und dann sehen wir weiter.«

»Es wird ganz bestimmt ein Erfolg, Mama. Wart's nur ab. Und wenn erst die Anzeigen erscheinen, geben sich im *DeSaria's* die Gäste die Klinke in die Hand.«

»Es kommen schon jetzt mehr Gäste. Das muß ich zugeben. Es war eine gute Idee, das Mädchen einzustellen. Lauren ist eine gute Bedienung. Am Anfang habe ich befürchtet, daß wir mit diesem rothaarigen Mädchen nur Scherereien bekommen, und als ich von dir dann auch noch hörte, daß das arme Ding noch nicht einmal ein Kleid hat, dachte ich ...«

»O *nein*!« Angie sprang auf.

»Was hast du?«

»Morgen ist der Schulball. Deswegen hat sie vorhin so herumgedruckst. Sie wollte mich daran erinnern, daß sie morgen freibraucht.«

»Und warum hat sie dann gesagt, sie würde zur Arbeit kommen?«

»Keine Ahnung.« Angie zog ihren Mantel vom Haken neben der Tür und suchte in der Tasche fieberhaft nach ihrem Autoschlüssel. »Gute Nacht, Mama. Bis morgen.«

Hastig rannte sie auf die Straße hinaus. Es fiel ein leichter Nieselregen.

Sie blickte die Straße hinauf und hinunter.

Nirgendwo eine Spur von Lauren.

Angie lief zum Parkplatz, sprang in ihr Auto und fuhr auf der Driftwood Street nach Norden. Außer ihr war kein anderer Wagen unterwegs. Sie wollte schon auf den Highway einbiegen, als ihr Blick auf die Bushaltestelle fiel.

Selbst aus der Entfernung ließ das Licht einer Straßenlaterne Laurens Haar kupferrot schimmern.

Angie stoppte direkt vor dem Mädchen.

Lauren hob den Kopf. Ihre Augen waren rot und geschwollen.

»Oh ... aber ... was ...«, stammelte sie.

Angie stieß die Beifahrertür auf. Eiskalte Luft strömte ins Auto. »Steig ein.«

Lauren zeigte hinter sich. »Vielen Dank. Aber mein Bus muß gleich kommen.«

»Morgen findet der Ball statt, stimmt's? Das war es, was du mir in der Küche sagen wolltest.«

»Ich gehe nicht hin.«

»Warum denn nicht?«

Lauren senkte den Blick. »Ich habe keine Lust.«

Angie betrachtete die alten, ausgetretenen Schuhe des Mädchens. »Du weißt doch noch, daß ich dir ein Kleid leihen wollte?«

Lauren nickte.

»Brauchst du eins?«

»Ja.« Die Antwort war kaum zu verstehen.

»Okay. Sei morgen um drei im Restaurant. Hattest du ursprünglich vor, dich bei einer Freundin für den Ball fertig zu machen?«

Lauren schüttelte den Kopf.

»Wie wäre es dann, wenn du das bei mir tust? Das könnte doch spaßig werden.«

»Ist das Ihr Ernst? Gerne.«

»Abgemacht. Sag David, daß er dich bei mir abholen soll. Miracle Mile Road 7998. Die erste Einfahrt nach der Brücke.«

Der Bus kam hinter ihnen zum Stehen und hupte.

Erst sehr viel später, als sie ihr dunkles, leeres Haus betrat, fragte sich Angie, ob sie vielleicht einen Fehler begangen hatte.

So etwas war eigentlich Aufgabe der Mutter.

Am nächsten Morgen sprang Angie förmlich aus den Federn. Schon um sieben Uhr trafen sie und ihre Mutter sich mit Lieferanten. Gegen zehn waren die Vorräte für die Woche bestellt, Gemüse und Obst auf ihre Frische überprüft, Zahlungsanweisungen ausgefüllt, Wechselgeld in der Registrierkasse deponiert und die Tischdecken zur Wäscherei gebracht. Als Maria DeSaria das Restaurant verließ, um private Dinge zu erledigen, fuhr Angie zur Druckerei, um Flyer und Gutscheine für den Wein-Abend abzuholen. Danach brachte sie die erste Ladung Mäntel zur Nachbarschaftshilfe.

Als sie die chemische Reinigung erreichte, setzte feiner Regen ein. Gegen Mittag schüttete es. Wahre Regenfluten ergossen sich durch die Straßen. Durchaus nicht ungewöhnlich.

Zu dieser Jahreszeit war das Wetter vorhersehbar: grauer Himmel und Regen bis Anfang Mai. In den nächsten Monaten wäre Sonnenschein ein seltenes Geschenk, auf dessen Dauer man nicht hoffen durfte. Sensible Gemüter, die unter der feuchten Düsternis litten, wachten nachts auf und konnten wegen des unablässig trommelnden Regens nicht wieder einschlafen.

Eine Viertelstunde nach drei hielt Angie vor dem Restaurant.

Lauren wartete unter der grünweißen Markise. Neben ihren Füßen stand ein alter, blauer Rucksack.

Angie ließ das Fenster herunter. »Entschuldige, daß ich mich verspätet habe.«

»Ich dachte schon, Sie hätten es vergessen.«

Unwillkürlich fragte sich Angie, wie oft Lauren erfahren haben mußte, daß Versprechen nicht eingehalten wurden.

»Komm.« Sie stieß die Beifahrertür auf.

»Sind Sie auch sicher?«

Angie lächelte. »Ganz sicher. Livvy vertritt mich im Restaurant. Los, steig endlich ein.«

Das Mädchen setzte sich neben sie und zog die Tür zu. Regen prasselte auf das Wagendach, ließ das kleine Auto förmlich erbeben.

Während der Fahrt sprach keine von ihnen ein Wort. Das laute Zischen der Scheibenwischer machte jede Unterhaltung unmöglich.

Als sie zum Cottage kamen, parkte Angie in der Nähe der Tür und wandte sich Lauren zu. »Was meinst du? Sollten wir deine Mutter anrufen? Vielleicht wäre sie gern dabei.«

Lauren lachte kurz und verbittert auf. »Das glaube ich kaum.« Sie schien zu merken, wie ablehnend sie sich anhörte. »Sie macht sich nichts aus Bällen.«

Angie gestattete es sich nicht, über die weitergehende Bedeutung dieser Worte nachzudenken. Sie war Laurens Chefin. Mehr nicht. Sie würde dem Mädchen ein Kleid leihen. Das war alles.

»Okay. Laß uns hineingehen und nachsehen, was ich für dich habe.«

Lauren drehte sich halb zur Seite und fiel Angie stürmisch um den Hals. Sie strahlte über das ganze Gesicht. »Danke, Angie. Vielen, vielen Dank.«

Mit Märchen und Zaubergeschichten war Lauren nicht aufgewachsen. Im Gegensatz zu den meisten ihrer Freundinnen hatte sie ihre Kindheit vor dem Fernseher zugebracht, um sich Sendungen anzusehen, in denen Mord und Totschlag, Prostitution und Verbrechen an Frauen an der Tagesordnung waren. Das *wahre* Leben eben, wie ihre Mutter oft betonte. In der Wohnung der Familie Ribido hatte es weder Zeichentrickfilme noch Disney-Streifen gegeben. Schon mit sieben Jahren wußte Lauren, daß Märchenprinzen Betrüger waren. Wenn sie abends in ihrem schmalen Bett lag, in einem Apartment, in dem es permanent nach Zigaretten und Bier roch, stellte sie sich nie vor, Aschenputtel oder Dornröschen zu sein. Derartige Träume waren ihr fremd, sie hatte ihren Wert nie kennengelernt.

Bis heute.

An diesem Nachmittag öffnete Angie Malone Lauren eine Tür, und sie bot einen überwältigenden Blick auf eine Welt, in der alles möglich zu sein schien, in der es weder Enttäuschungen noch Zurückweisungen gab.

Das zweigeschossige Holzhaus stand im Schatten riesiger Bäume. In der Ferne rauschte das Meer.

»Mein Vater hat dieses Cottage gebaut«, erklärte Angie. »Als ich ein Kind war, haben wir hier draußen immer den Sommer verbracht.«

Auf der Veranda standen weiße Schaukelstühle aus Rohrgeflecht, und man konnte sich gut vorstellen, daß man an einem Tag wie heute mit einer Tasse heißer Schokolade da auf einem der Stühle saß und auf den Ozean hinaussah.

Wie gebannt blieb Lauren stehen. Dieses Cottage war genau das, was sie sich für ihre Zukunft erträumt hatte.

»Lauren?« Angie drehte sich nach ihr um.

Ein einziger Blick auf dieses Haus ließ tausend Wünsche wach werden.

»Entschuldigung«, murmelte Lauren und lief schnell weiter.

Die Einrichtung des Hauses hielt alles, was sein Äußeres versprochen hatte. Vor einem Kamin aus Findlingen standen sich zwei gemütliche Stoffsofas gegenüber. Ein mächtiger Baumstamm zwischen ihnen diente als Tisch.

Die Küche war klein und freundlich, mit buttergelben Schränken und großen Fenstern, die auf den Rosengarten hinter der Veranda hinausgingen. Hohe Tannen umgaben das Grundstück und vermittelten den Eindruck, daß alle Nachbarn meilenweit entfernt waren.

»Es ist wunderschön«, flüsterte Lauren.

»Oh, danke. Uns gefällt es auch.« Angie bückte sich, um

Feuer im Kamin zu machen. »Und nun zur Sache. Welcher Stil ist dir am liebsten?«

»Wie bitte?«

Angie drehte sich zu ihr um. »Wie willst du heute abend aussehen? Sexy? Mädchenhaft? Wie eine Prinzessin?«

»Mir ist jedes Kleid recht.«

»Meine Güte, du brauchst wirklich *ernsthaft* Hilfe. Komm mit.« Angie eilte an Lauren vorbei und die Treppe hinauf. Bei jedem Schritt knarrten die Stufen.

Schnell lief Lauren ihr nach. Sie durchquerten einen schmalen Flur und betraten ein luftiges Schlafzimmer mit schrägen, weißgestrichenen Holzwänden. Ein großes Himmelbett dominierte den Raum. Auf den Nachttischen zu beiden Seiten stapelten sich Bücher und Zeitschriften.

Angie trat vor den begehbaren Schrank und zog an einer Schnur. Eine Glühbirne schaltete sich ein und beleuchtete dichtgehängte Kleidung.

»Sehen wir mal ... Ich habe nur ein paar meiner Kleider mitgebracht. Eigentlich hatte ich vor, sie über ebay zu verkaufen.« Sie ging zum Ende des Schranks, wo mehrere beigefarbene Nordstrom-Kleidersäcke hingen.

Nordstrom ...

Noch nie hatte Lauren etwas aus dem berühmten Modehaus in Seattle besessen. Himmel, sie konnte sich doch nicht einmal einen Becher Kaffee am Stand vor dem Geschäft leisten. Verunsichert trat sie einen Schritt zurück.

Angie zog den Reißverschluß eines Sacks auf und holte ein langes schwarzes Kleid heraus. »Wie findest du das?«

Das schmalgeschnittene Kleid hatte ein Nackenband aus Straß und zwei Reihen größerer Steine um die Taille. Der Stoff wirkte glatt und federleicht. Wahrscheinlich Seide.

»Ich weiß nicht ...« So etwas konnte sich Lauren unmöglich ausleihen. Was wäre, wenn sie etwas darauf verschüttete?

»Du hast recht. Zu seriös. Absolut nichts für einen Schulball.« Angie ließ das Kleid auf den Boden fallen und suchte eifrig weiter zwischen den Kleidersäcken.

Lauren bückte sich und hob das schwarze Kleid auf. Fast zärtlich strichen ihre Finger über den Stoff. Noch nie hatte sie etwas so Feines, Luftiges berührt.

»Ah!« Angie holte ein anderes Kleid aus seiner Schutzhülle. Die Farbe war ein zartes Muschelrosa. Der Stoff schien fester zu sein, eine Art Strickmaterial, das sich dem Körper der Trägerin anpaßte. Das Kleid war ärmellos, hatte vorn einen schlichten runden Ausschnitt, ließ hinten aber viel Rücken frei. »Es hat einen eingearbeiteten Stütz-BH. Für siebzehnjährige Brüste natürlich völlig überflüssig.«

Schon wieder hielt ihr Angie ein Kleid hin. Smaragdgrün diesmal, mit langen Ärmeln und tiefem Decolleté. Es war atemberaubend, aber Laurens Blicke kehrten zu dem muschelrosa Strick-Etui zurück.

»Wieviel hat das gekostet?« fragte sie leise.

Angie betrachtete das muschelrosa Kleid und lächelte. »Das alte Ding? Das habe ich bei Rack gefunden. Nein, in diesem Secondhand-Laden auf dem Capitol Hill.«

Lauren mußte grinsen. »Klar doch. Sicher.«

»Das gefällt dir also am besten?«

»Aber ich könnte es schmutzig machen. Oder ...«

»Keine Widerrede.« Angie hängte die beiden anderen Kleider in den Schrank zurück. »Zeit für die Dusche.«

Lauren sah zu, wie Angie das rosafarbene Kleid aufs Bett warf, und folgte ihr dann ins Bad.

»Was ist mit Schuhen?«

Lauren nickte.

»Welche Farbe?«

»Schwarz.«

»Das könnte passen«, sagte Angie, als sie den Boiler der Dusche anschaltete. »Es dauert eine Ewigkeit, bis das Wasser warm ist. In der Zeit könnte ich glatt einen Pullover stricken.« Sie öffnete einen Schrank, holte Flaschen, Tuben und Tiegel heraus. »Eine Peeling-Creme. Du weißt, was das ist, oder?«

Als Lauren nickte, griff Angie bereits nach etwas anderem. »Eine Feuchtigkeitsmaske. Gut für die Haut. Läßt mich glatt zehn Jahre jünger aussehen.«

»Dann könnte ich wieder als Kindergartenkind durchgehen.«

Lachend drückte Angie Lauren die Pflegemittel in die Hände. »Jetzt dusch erst mal, dann kümmern wir uns um deine Haare und dein Make-up.«

Am liebsten hätte Lauren die Dusche gar nicht wieder verlassen. Hier gab es keine ächzenden, pfeifenden Rohre. Das Wasser lief ohne Unterbrechung und wurde auch nicht plötzlich kalt. Nachdem sie Creme und Maske benutzt hatte, fühlte sie sich wie neugeboren. Sie trocknete ihre Haare, wickelte sich in ein flaumweiches Badetuch und kehrte ins Schlafzimmer zurück.

Umgeben von Haarbürsten, Kämmen, Lockenstäben, Schminkutensilien und Kosmetiktäschchen saß Angie auf dem Bettrand. »Ich habe einen perlenbestickten schwarzen Schal, eine passende Abendtasche und das hier gefunden.« Sie hielt eine Haarspange in der Hand, einen wunderschönen rosa-schwarzen Schmetterling. »Komm her. Meine Schwestern und ich haben uns früher manchmal stundenlang frisiert.« Angie griff nach einem Kopfkissen und warf es neben dem Bett auf den Fußboden.

Gehorsam setzte sich Lauren mit dem Rücken zum Bett auf das Kissen.

Sofort begann Angie ihr Haar zu bürsten. Das fühlte sich so angenehm an, daß Lauren wohlig seufzte. Sie konnte sich nicht erinnern, wann jemand ihr Haar gebürstet hätte. Ihre Mutter ließ sich höchstens einmal dazu herab, ihr die Haare zu schneiden.

»Okay«, sagte Angie nach einer Weile. »Und nun setz dich aufs Bett.«

Die beiden wechselten die Positionen. Jetzt kniete Angie vor dem Bett. »Mach die Augen zu.«

Hauchzarte Pinselhärchen berührten ihre geschlossenen Lider ... stäubten Rouge auf ihre Wangen.

»Jetzt kommt ein bißchen Glitzerpuder auf deinen Hals und Nacken. Eigentlich hatte ich ihn für meine Nichte gekauft, aber Mira fand es unpassend ... So, fertig.«

Lauren stand auf, schlüpfte in das muschelrosa Kleid und Angie zog den Reißverschluß zu.

»Einfach perfekt«, seufzte Angie zufrieden. »Überzeuge dich selbst.«

Langsam trat Lauren vor den großen Spiegel an der geschlossenen Schlafzimmertür.

Und wollte ihren Augen nicht trauen. Das Kleid paßte ihr wie angegossen und ließ sie aussehen wie eine Prinzessin aus den Märchenbüchern, die sie nie gelesen hatte.

Elf

Angie zog die oberste Schublade der Kommode auf. Zwischen Unterwäsche und Socken lag ihre Kamera.

»Damit du meine Enkel aufnehmen kannst«, hatte ihre Mutter gesagt, als sie ihr den Apparat schenkte.

Babies kommen so selbstverständlich wie im Frühjahr die grünen Knospen, hatte ihr Lächeln hinzugefügt.

Angie seufzte.

Jahrelang war die Kamera ihr ständiger Begleiter gewesen. Mit ihr hatte sie unermüdlich sämtliche Familienfeiern aufgenommen: Babyparties, Kindergeburtstage, Einschulungen. Doch irgendwann tat er zu weh, dieser Blick durch den Sucher auf ein Leben, das sie sich sehnsüchtig wünschte, das ihr aber offenbar nicht vergönnt war. Nach und nach hatte sie aufgehört, ihre Nichten und Neffen zu photographieren. Es schmerzte sie einfach zu sehr, das, was ihr fehlte, auch noch zu dokumentieren. Angie wußte, daß das kindisch war, selbstsüchtig, aber das Wissen half nicht viel. Als dann vor fünf Jahren die kleine Dani zur Welt kam, hatte sie den Photoapparat endgültig beiseite gelegt.

Jetzt holte sie die Kamera aus der Schublade, legte einen neuen Film ein und ging die Treppe hinunter.

Lauren stand vor dem Kamin. Der rotgoldene Schein der

Flammen hinter ihr verlieh ihrer blassen, sommersprossigen Haut einen Bronzeschimmer. Das rosafarbene Kleid war vielleicht eine Spur zu lang und zu weit, aber beides fiel nicht im geringsten ins Gewicht. Mit ihrem von der Schmetterling-Spange gehaltenen französischen Zopf wirkte sie wie eine Prinzessin.

»Du siehst wunderschön aus«, sagte Angie, als sie ins Wohnzimmer kam, und stellte verblüfft fest, daß sie auf den Anblick mit – Rührung reagierte. Es war doch gar keine große Sache, einem halbwüchsigen Mädchen bei der Vorbereitung auf einen Schulball zu helfen. Also warum dann diese unerwarteten Gefühle?

»Das finde ich auch.« Es lag so etwas wie Überraschung in ihrer Stimme. Verwunderung.

Plötzlich brauchte Angie dringend ein wenig Distanz, die sie nur durch den Blick durch den Sucher herbeiführen konnte. Sie begann wie wild zu photographieren, bis Lauren laut lachte. »Warten Sie! Heben Sie noch ein paar Bilder für David auf.«

»Natürlich. Wie dumm von mir. Setz dich. Ich koche uns einen Tee. Den können wir trinken, während wir auf David warten.« Sie lief in die Küche.

»Er hat versprochen, um sieben hier zu sein«, rief Lauren ihr nach. »Wir wollen vorher im Club essen.«

In der Küche brühte Angie zwei Tassen Tee und trug sie ins Wohnzimmer. »Im Club? Nobel geht die Welt zugrunde.«

Lauren lachte. Sie sah unglaublich jung aus, wie sie da am äußersten Rand des Sofas hockte. Offensichtlich befürchtete sie, das Kleid zu zerknittern. Vorsichtig nippte sie an ihrem Tee und hielt die Tasse mit beiden Händen umfaßt.

Wieder fühlte sich Angie von Emotionen überwältigt. Sie hatte Angst davor, was die Welt einem Mädchen wie diesem antun könnte, einem Mädchen, das manchmal viel zu einsam schien.

»Sie sehen mich so komisch an. Halte ich etwa die Tasse falsch?« wollte Lauren wissen.

»Nein.« Schnell machte Angie noch ein Photo. Als sie die Kamera wieder senkte, blickte sie in Laurens strahlende Augen. Wie konnte eine Mutter sich nur freiwillig diesen kostbaren Moment entgehen lassen? »Ich nehme mal an, du bist schon auf vielen Schulbällen gewesen«, mutmaßte sie. Wahrscheinlich war das die Erklärung.

»Ja. Auf den meisten.« Aber irgendwie schien Lauren nicht ganz bei der Sache zu sein. Schließlich stellte sie die Teetasse ab. »Darf ich Sie was Persönliches fragen?«

»Normalerweise sollte man darauf grundsätzlich mit Nein antworten.«

»Darf ich trotzdem?«

»Nur zu.« Angie lehnte sich in die Sofapolster zurück.

»Warum tun Sie das alles für mich?«

»Ich mag dich, Lauren. Und darum wollte ich dir einfach ein bißchen helfen. Das ist alles.«

»Ich glaube, Sie tun es aus Mitleid.«

Angie seufzte. Sie konnte der Frage nicht ausweichen. Lauren wollte eine aufrichtige Antwort. »Vielleicht auch. Aber nicht ausschließlich. Ich weiß, wie es ist, wenn Wünsche nicht in Erfüllung gehen.«

»*Sie*?«

Angie schluckte trocken. Etwas in ihr bereute, dieses Thema überhaupt angeschnitten zu haben. Jetzt wußte sie nicht recht, wie sie fortfahren sollte. »Ich habe keine Kinder«, sagte sie leise.

»Warum nicht?«

Die Direktheit der Frage gefiel Angie. Frauen ihres Alters neigten dazu, die Gefahren einer solchen Unterhaltung rechtzeitig zu erkennen und sie wie ein Minenfeld zu umgehen. »Die Ärzte wissen es nicht genau. Ich bin dreimal schwanger geworden, aber ...« Sie dachte an Sophia und schloß kurz die Augen. »Aber ich hatte kein Glück.«

»Es hat Ihnen also *gefallen,* mir beim Anziehen zu helfen?« In Laurens Stimme klang eine Wehmut mit, die Angies Emotionen spiegelte.

»So ist es«, sagte Angie leise. Sie wollte gerade noch etwas hinzufügen, als es an der Tür klingelte.

»Das ist David«, sagte Lauren, sprang auf und rannte los.

»Halt!« rief Angie ihr nach.

»Was ist?« Verdutzt drehte Lauren sich um.

»Eine Lady wird gerufen, wenn ihr junger Kavalier sie abholen will. Lauf ins Schlafzimmer hinauf. Ich werde aufmachen.«

»Wirklich?«

»Geh.«

Sobald Lauren verschwunden war, ging Angie zur Tür und öffnete sie.

Vor ihr auf der Veranda stand ein junger Mann. In seinem tadellos geschnittenen, schwarzen Smoking mit weißem Hemd und silbergrauer Fliege war er die Erfüllung aller Mädchenträume.

»Sie müssen David sein. Ich habe Sie vor dem Restaurant parken sehen. Ich bin Angie Malone.«

Er drückte ihre Hand so kraftvoll, daß sie Angst um ihre Gelenke bekam. »David Ryerson Haynes.« Nervös lächelnd blickte er über ihre Schulter.

Angie trat zur Seite. »Haynes? Das Holzunternehmen?«

Er nickte. »Ist Lauren fertig?«

Angie rief Laurens Namen. Zwei Sekunden später erschien sie auf dem oberen Treppenabsatz.

David erstarrte. Ein leises »*Whoa*« kam aus seinem Mund, als er sich auf die Treppe zubewegte. »Du siehst atemberaubend aus.«

Lauren eilte die Stufen herab. Mit bebenden Lippen sah sie ihn an. »Findest du?«

Er überreichte ihr ein Bukett weißer Blüten und küßte sie. Selbst aus einiger Entfernung bemerkte Angie, wieviel

Sanftmut und Zärtlichkeit in dem Kuß lagen. Sie mußte unwillkürlich lächeln.

»Kommt ihr beiden«, sagte sie. »Höchste Zeit für das obligatorische Photo. Stellt euch vor den Kamin.«

Wieder und wieder drückte Angie auf den Auslöser. Sie mußte sich schließlich zwingen, die Kamera sinken zu lassen. »Okay«, sagte sie endlich. »Viel Spaß. Und fahrt vorsichtig.«

Sie war nicht sicher, ob Lauren und David sie gehört hatten. Wie gebannt blickten sie einander in die Augen.

Aber an der Tür schlang Lauren dann beide Arme um Angie und drückte sie fest an sich. »Das werde ich Ihnen nie vergessen«, wisperte sie. »Vielen Dank.«

»Keine Ursache«, flüsterte Angie zurück. Doch ihre Kehle war plötzlich so trocken, daß sie nicht wußte, ob ihr überhaupt ein Ton über die Lippen gekommen war.

Sie sah zu, wie David Lauren zum Auto geleitete und ihr galant die Tür öffnete.

Ein kurzes Winken, dann waren sie verschwunden.

Angie ging ins Haus und schloß die Tür. Die plötzliche Ruhe wirkte bedrückend.

Offenbar hatte sie ganz vergessen, wie still ihr Leben geworden war. Wenn sie nicht die Stereoanlage anschaltete, konnte sie nichts hören als ihr Atmen oder ihre Schritte auf den Holzdielen.

Angie spürte, wie sie einen Abhang hinabzugleiten begann, den sie nur zu gut kannte. Unten an der Talsohle war es einsam und kalt.

Auf keinen Fall wollte sie dorthin. Es hatte so viel Kraft gekostet und so lange gedauert, sich aufzurappeln und dieses tiefe Tal wieder zu verlassen. Angie wünschte, sie könnte jetzt einfach Conlan anrufen. Früher hatte er es immer geschafft, sie vor dem Abgleiten zu bewahren. Aber diese Zeit war endgültig vorbei.

Es klingelte. Gott sei Dank! Angie rannte zum Telephon.

»Hallo?« Es überraschte sie, wie normal sie sich anhörte. Eine Frau am Abgrund sollte nicht mit so ruhiger Stimme sprechen.

»Na, wie ist es gelaufen?« fragte ihre Mutter.

»Großartig. Sie sah einfach bezaubernd aus.« Angie zwang sich zu einem Lachen und hoffte, daß es natürlicher klang, als es sich anfühlte.

»Ist alles in Ordnung mit dir?«

Die Frage ihrer Mutter tat ihr gut. »Ja, sicher. Ich denke, ich gehe heut mal früh ins Bett. Wir reden morgen ausführlich miteinander, okay?«

»Ich liebe dich, Angela.«

»Ich dich auch, Mama.«

Nachdem sie mit zittrigen Händen den Hörer aufgelegt hatte, wollte Angie tausend Dinge tun: Musik hören, ein Buch lesen, sich Gedanken über die neue Speisekarte machen. Aber letzten Endes war sie für alles zu erschöpft. Sie kroch in ihr riesiges Bett, zog sich die Decke bis ans Kinn und schloß die Augen.

Irgendwann später wachte sie auf.

Jemand rief ihren Namen. Angie blickte auf die Uhr. Es war noch nicht einmal neun.

Sie stand auf und stolperte die Treppe hinunter.

In der Küche stand ihre Mutter. Regentropfen glitzerten auf ihrem Mantel. Sie stemmte die Hände in die Hüften. »Dir geht es ganz und gar nicht gut.«

»Das wird schon.«

»Eines Tages werde ich neunzig sein. Das heißt aber nicht, daß die Zeit bis dahin leicht wird. Komm.« Sie griff nach Angies Hand und zog sie aufs Sofa. Eng aneinandergeschmiegt saßen sie da. So wie früher, als Angie noch ein kleines Mädchen war.

»Es hat großen Spaß gemacht, Lauren herauszuputzen. Erst später … als sie dann weg war … fing ich an nachzudenken über …«

»Ich weiß«, sagte ihre Mutter leise. »Du hast dich an deine Tochter erinnert.«

Angie seufzte. So war das nun einmal mit der Trauer. Manchmal empfand man sie ganz intensiv, ganz gleich, wieviel Zeit seit dem Verlust vergangen war. Und daran würde sich bis zum Ende ihres Lebens nichts ändern.

»Ich habe auch ein Kind verloren. Einen Sohn«, flüsterte ihre Mutter in die Stille hinein.

Scharf holte Angie Luft. »Aber davon hast du uns nie etwas erzählt.«

»Über manche Dinge kann man nicht sprechen. Er wäre mein erstes Kind gewesen.«

»Und warum hast du es mir nicht gesagt? Als ...«

»Ich konnte es nicht.«

Angie spürte den Schmerz ihrer Mutter, und das gemeinsame Leid verband sie irgendwie, führte zu einem ganz neuen Verständnis.

»Ich wollte mit dir nur über positive Dinge reden, dir Hoffnung geben«, fügte ihre Mutter hinzu.

Angie betrachtete ihre Hände. Für eine Sekunde überraschte es sie, keinen Ehering mehr zu sehen.

»Sei vorsichtig bei diesem Mädchen«, sagte ihre Mutter leise.

Diesen Rat hörte sie nun schon zum zweiten Mal. Angie fragte sich, ob es ihr wohl gelingen würde, ihn zu befolgen.

Sonnenschein an einem Herbstmorgen ist ein Gottesgeschenk in diesem Teil der Welt, so selten wie rosafarbene Diamanten.

Lauren betrachtete ihn als ein Zeichen.

Sie streckte sich träge und wurde langsam wach. Unten auf der Straße rauschte der Verkehr. In der Wohnung nebenan stritten die Nachbarn. Irgendwo hupte ein Auto. Im Zimmer gegenüber schlief ihre Mutter den Rausch der letzten Nacht aus.

Für den Rest der Welt war es ein ganz gewöhnlicher Sonntagmorgen.

Lauren drehte sich auf die Seite. Die alte, durchgelegene Matratze ächzte und stöhnte.

David lag auf dem Rücken, seine wirren Haare verdeckten die Hälfte seines Gesichts. Ein Arm hing über der Bettkante, der andere lag angewinkelt über seinem Kopf. Angie konnte die rötlichen Pusteln unter seinem Haaransatz sehen und die winzige, gezackte Narbe auf seinem Wangenknochen. Die hatte er sich in der sechsten Klasse beim Touch Football geholt.

»Ich habe geblutet wie ein Schwein«, brüstete er sich immer, wenn er die Geschichte erzählte. Nichts tat er lieber, als mit seinen beim Sport oder anderswo erlittenen Verletzungen zu prahlen. Lauren zog ihn dann stets auf, ein Hypochonder zu sein.

Jetzt zeichnete sie die Narbe mit einer Fingerspitze nach.

Der Abend gestern war wundervoll gewesen. Mehr als wundervoll. Sie kam sich vor wie eine Prinzessin, und als David sie zu den Klängen von Aerosmiths »Angel« auf die Bühne führte, schwebte sie buchstäblich auf Wolken. Sie fragte sich, ob sie das jemals vergessen könnte. Würde sie ihren Kindern davon erzählen? *Kommt, ihr Süßen, ich will euch von dem Abend erzählen, an dem Mommy zur Homecoming-Queen gewählt wurde ...*

»Ich liebe dich«, hatte David geflüstert und ihre Hand gehalten, als ihr die Krone auf den Kopf gesetzt wurde. Durch ihre verdammten Tränen konnte sie ihn kaum erkennen, aber in diesem Moment hatte sie ihn geliebt, daß es echt weh tat. Sie konnte sich nicht vorstellen, jemals getrennt von ihm zu sein.

Aber wenn sie an verschiedenen Colleges studierten ...

Allein schon bei der Vorstellung krampfte sich in Lauren alles zusammen.

Neben ihr begann David sich allmählich zu rühren. Er schlug die Augen auf und lächelte sie an. »Ich muß meinen Eltern sagen, daß ich künftig häufiger bei Jared übernachte.«

Er zog sie in seine Arme, und Lauren hatte das Gefühl, wie ein Puzzleteilchen zu ihm zu passen, als wären sie füreinander geschaffen.

So wie jetzt würde es später immer sein, wenn sie auf dem College waren, und noch später, nach ihrer Heirat. Nie wieder müßte sie sich allein und einsam fühlen. Sie küßte ihn. »Sonntags wacht meine Mom nie vor zwölf auf.«

»In einer Stunde treffe ich mich zu Hause mit meinem Onkel Peter. Ich habe einen Termin mit einem großen Tier von Stanford.«

»Am Sonntag? Ich dachte ...«

»Er ist nur für das Wochenende in West End. Komm doch einfach mit.«

Ihr Lächeln schwand, zusammen mit der Vorfreude auf einen romantischen Sonntag. »Vielen Dank.« Wenn er sie wirklich dabeihaben wollte, hätte er es ihr schon früher vorgeschlagen.

»Jetzt sei doch nicht gleich eingeschnappt.«

»Ach, komm schon, David. Hör auf zu träumen. Ich werde nie ein Stipendium für Stanford kriegen, und ich habe keine Mommy und keinen Daddy, die mir ganz einfach einen Scheck ausschreiben. Du hingegen könntest problemlos auch an die USC gehen.«

Das alte Thema. Davids tiefer Seufzer unterstrich nur, wie leid er die Diskussion war. »Erstens kannst du sehr wohl eine Zulassung für Stanford bekommen. Zweitens können wir uns auch dann häufig sehen, wenn du an der USC studierst. Wir *lieben* uns, Lauren. Daran werden auch ein paar Kilometer Entfernung nichts ändern.«

»Ein paar *hundert* Kilometer.« Lauren sah zur Kunststoffdecke hoch. Der Wasserfleck in einer Ecke hatte die Form einer Wolke. Sie wünschte, sie könnte lächeln. »Ich muß heute ohnehin arbeiten.«

Er zog sie wieder an sich und küßte sie auf diese ganz besondere Art, die ihr Herz immer viel schneller schlagen ließ. Ihre Verärgerung verebbte. Als er sich schließlich von ihr löste, um aufzustehen, fröstelte sie.

David hob seinen Smoking auf und zog sich an.

Sie richtete sich auf und zerrte die Decke über ihre nackten Brüste. »Der gestrige Abend war einfach phantastisch.«

David kam um das Bett herum und setzte sich neben sie. »Du machst dir zu viele Sorgen.«

»Sieh dich doch um, David.« Lauren hörte, wie heiser ihre Stimme klang. Bei jedem anderen wäre es ihr zutiefst peinlich gewesen. »Habe ich nicht jeden Grund, mir Sorgen zu machen?«

»Nicht wegen mir. Ich liebe dich.«

»Das weiß ich.« Sie glaubte es mit jeder Faser ihres Herzens. Lauren streckte die Arme nach David aus, küßte ihn. »Viel Glück.«

Nachdem er gegangen war, saß Lauren noch lange Zeit im Bett und starrte die Tür an. Schließlich stand sie auf, duschte, zog sich an und ging in die Diele. Vor dem Zimmer ihrer Mutter blieb sie stehen und hörte drinnen leises Schnarchen.

Die alte Sehnsucht stieg in Lauren hoch. Sie berührte die Tür und dachte darüber nach, ob ihre Mutter auch nur *einen* Gedanken an ihren Schulball verschwendet hatte.

Frag sie …

Manchmal, wenn morgens Sonnenstrahlen schräg durch die staubigen Vorhänge fielen, wachte ihre Mutter durchaus guter Dinge auf. Vielleicht war heute einer dieser Tage. Lauren hoffte es. Sie klopfte leise und öffnete die Tür. »Mom?«

Alle viere von sich gestreckt, lag ihre Mutter auf der Bettdecke. Sie wirkte erschreckend mager, unter ihrem dünnen

T-Shirt zeichneten sich deutlich die Rippen ab. In der letzten Zeit aß sie einfach nicht genug. Lauren betrachtete sie einen Moment schweigend. Mit einemmal fiel ihr ein, wie jung ihre Mutter eigentlich noch war. »Mom?« Sie ging ins Zimmer und setzte sich auf die Bettkante.

Stöhnend drehte sich ihre Mutter auf den Rücken. »Wie spät ist es?« murmelte sie, ohne die Augen zu öffnen.

»Noch nicht mal zehn.« Lauren wollte ihr die Haare aus der Stirn streichen, aber das wagte sie nicht. Es wäre eine zu intime Geste, die alles ruinieren könnte.

Ihre Mutter rieb sich die Augen. »Ich komme mir vor wie durch die Mangel gedreht. Phoebe und ich haben gestern schwer einen draufgemacht.« Sie grinste verschlafen. »Keine große Überraschung.«

Lauren beugte sich vor. »Ich bin zur Homecoming-Queen gewählt worden«, sagte sie so leise, als könnte sie es noch immer nicht ganz glauben.

»Was?« Die Augen ihrer Mutter schlossen sich wieder.

»Auf dem Schulball. Gestern abend«, sagte Lauren, aber ihre Mutter hörte gar nicht zu. »Ist ja auch egal.«

»Ich glaub, ich bleib heute im Bett. Ich fühl mich hundeelend.« Ihre Mutter drehte sich wieder auf die Seite. Innerhalb von Sekunden hörte Lauren sie erneut schnarchen.

Sie verdrängte ihre Enttäuschung. Es war töricht von ihr gewesen, etwas anderes zu erwarten. Es gab Lektionen, die sie schon vor langer Zeit hätte lernen müssen.

Seufzend stand sie auf und verließ das Zimmer.

Eine Stunde später fuhr Lauren mit dem Bus quer durch West End. Die Sonne war längst wieder hinter schweren, dunkelgrauen Wolken verschwunden. Als der Bus die letzte Ampel erreichte, begann es zu regnen.

Nur wenige Autos standen am Straßenrand, aber die Parkplätze der Kirchen waren voll.

Das erinnerte Lauren daran, wie sie früher sonntags vormittags immer das Fenster ihres Zimmers geöffnet hatte, auch wenn es regnete oder schneite. Das Wetter war ihr egal. Sie lehnte sich aus dem Fenster, lauschte dem Läuten der Kirchenglocken und stellte sich vor, wie es sein mußte, sich sonntags fein anzuziehen und zum Gottesdienst zu gehen. Und immer tauchte vor ihren geschlossenen Augen das gleiche Bild auf: Sie sah ein kleines, rothaariges Mädchen in einem hellgrünen Kleid, das hinter einer hübschen blonden Frau herlief. Und auf den Stufen zur Kirche warteten bereits weitere Familienmitglieder auf sie.

»Komm schon, Lauren«, sagte die Frau dann immer und streckte lächelnd die Hand nach ihr aus. *»Wir wollen doch nicht zu spät kommen ...«*

Seit langer Zeit öffnete Lauren ihr Fenster nicht mehr. Wenn sie jetzt hinausblickte, sah sie nur das baufällige Haus nebenan und Mrs. Sanchez' zerbeulten blauen El Camino. Jetzt träumte sie nur noch nachts davon.

Der Bus wurde langsamer, fuhr die nächste Haltestelle an. Beklommen betrachtete Lauren die große Tüte auf ihrem Schoß. Sie hätte vorher anrufen müssen, so gehörte es sich nun einmal. Man konnte nicht einfach unangemeldet auf der Schwelle stehen, selbst wenn man nur etwas zurückbringen wollte. Aber sie kannte Angies Telephonnummer nicht. Und wenn sie ganz ehrlich war, wollte sie nicht allein zu Hause herumsitzen.

»Miracle Mile Road«, rief der Fahrer.

Lauren sprang hoch, lief zum Ausgang und verließ den Bus.

Hinter ihr schlossen sich die Türen. Der Bus fuhr an.

Lauren drückte die Tüte fest an ihre Brust und bemühte sich, sie vor dem prasselnden Regen zu schützen.

Die Straße vor ihr erstreckte sich nahezu ins Unendliche, gesäumt von gewaltigen Nadelbäumen, deren Spitzen bis in die Wolken zu reichen schienen. In größeren Abständen konnte

Lauren bunte Briefkästen ausmachen, aber sonst waren keine Anzeichen von Leben zu sehen. Es war die Zeit des Jahres, in der der Wald sich selbst gehörte, für ein paar dunkle, neblignasse Wochen, in denen Wanderer, die sich in die grüne Wildnis wagten, möglicherweise erst im Frühling gefunden wurden.

Als Lauren die Einfahrt erreichte, stach heftiger Regen ihr Gesicht wie mit eisigen Nadeln.

Das Cottage wirkte leer und verlassen. Hinter den Fenstern war kein Lichtschein zu entdecken. Regen trommelte aufs Dach, sammelte sich in großen Lachen. Zum Glück stand Angies Auto im Carport.

Lauren lief zur Tür und klopfte.

Sie konnte von drinnen Geräusche hören. Musik.

Lauren klopfte erneut. Mit jeder verstreichenden Minute wurden ihre Finger steifer. Es war bitterkalt.

Nach dem dritten Klopfen drehte sie versuchsweise am Knauf. Zu ihrer Überraschung ließ er sich problemlos drehen. Sie stieß die Tür auf.

»Hallo?« Zögernd trat Lauren über die Schwelle.

Bei Regen und ohne elektrisches Licht wirkte das Haus düster, fast traurig.

Auf dem Küchentisch bemerkte Lauren eine Tasche, daneben lagen Autoschlüssel.

»Angie?« Lauren stellte ihre Tüte auf den Tisch, zog ihre nassen Schuhe und Socken aus und lief ins Wohnzimmer.

Das Haus war leer.

»Verdammt«, flüsterte Lauren. Jetzt mußte sie den ganzen Weg zur Haltestelle zurück, um auf den Bus zu warten. Sie hatte keine Ahnung, wie oft der Neuner an der Ecke Miracle Mile Road hielt.

Aber da sie nun schon einmal hier war, sollte sie zumindest das Kleid in Angies Schlafzimmer zurückbringen. Sie stieg die Treppe hinauf.

Die Stufen knarrten unter ihrem Gewicht. Sie drehte sich um und sah, daß sie mit jedem Schritt nasse Fußabdrücke zurückließ.

Na großartig. Jetzt mußte sie auch noch die Treppe wischen.

Vor der geschlossenen Schlafzimmertür blieb Lauren stehen und klopfte für den Fall, daß Angie um halb elf noch schlief.

Sie öffnete die Tür.

Im Zimmer war es stockfinster. Schwere Vorhänge verdeckten die Fenster.

Lauren tastete nach dem Lichtschalter und knipste ihn an. Die Deckenlampe flammte auf.

Sie lief zu dem begehbaren Schrank, hängte das Kleid an seinen ursprünglichen Platz und trat in den Raum zurück.

»Lauren?« Angie saß aufrecht im Bett und sah sie mit gerunzelter Stirn und deutlich verwirrt an.

Vor Verlegenheit blieb Lauren wie angewurzelt stehen. Sie konnte fühlen, wie ihr das Blut in die Wangen schoß.

»Ich ... äh. Ich habe geklopft. Ich wollte nur ...«

Müde lächelte Angie sie an. Ihre Augen waren gerötet und ganz verquollen, als hätte sie geweint. Winzige Fältchen zogen sich über ihre Wangen. Ihre langen dunklen Haare waren wirr und zerzaust. Alles in allem sah sie gar nicht gut aus. »Es ist schon in Ordnung, Liebes.«

»Ich sollte wieder gehen.«

»Nein!« Dann fügte sie ein wenig sanfter hinzu: »Es wäre schön, wenn du bleibst.« Sie deutete auf das Fußende des Himmelbetts. »Setz dich.«

»Aber ich bin total naß.«

Angie zuckte mit den Schultern. »Ist ja nur Wasser. Das trocknet wieder.«

Lauren betrachtete ihre nackten Füße. Die Haut sah blutrot aus, die bläulichen Adern leuchteten geradezu. Sie setzte sich auf das Bett, streckte die Beine aus und lehnte sich gegen das Fußende.

Angie warf ihr ein großes Kissen zu und wickelte ihre Füße in eine unglaublich weiche Decke. »Erzähl schon. Wie war es?«

Die Frage löste etwas in Lauren. Die sonderbare Verkrampfung in ihrer Brust. Sie wollte anfangen, den gestrigen Abend in allen Einzelheiten zu schildern, aber irgend etwas hielt sie davon ab. Die Traurigkeit in Angies Augen. »Sie haben geweint«, stellte sie fest.

»In meinem Alter sieht man morgens immer so aus.«

»Erstens ist es schon halb elf. Also fast Nachmittag. Zweitens weiß ich genau, wie es ist, wenn man im Schlaf weint.«

Angie stopfte sich ein Kissen in den Nacken und starrte zur Zimmerdecke. Es dauerte eine Weile, bis sie etwas sagte. »Manchmal habe ich schlechte Tage. Nicht oft, aber ... dann und wann.« Sie seufzte und blickte Lauren wieder an. »Leider verläuft das Leben nicht ganz so, wie man es sich erträumt hat. Du bist zu jung, um davon schon etwas zu wissen. Wie auch immer, es ist unwichtig.«

»Sie glauben, ich bin zu jung, um zu wissen, was Enttäuschungen sind?«

Lange und schweigend sah Angie sie an. »Nein, das glaube ich nicht. Aber manche Dinge werden nicht besser, wenn man darüber redet. Also, nun erzähl endlich von dem Ball. Ich will jede noch so kleine Einzelheit wissen.«

Lauren wünschte, sie würde Angie besser kennen. Dann wüßte sie jetzt, ob es besser war, das Thema fallenzulassen oder weiterzuverfolgen. Sie wollte unbedingt das Richtige tun.

»Bitte«, sagte Angie.

»Der Ball war einfach super. Alle haben mir gesagt, daß ich großartig aussehe.«

»Das hast du auch.« Angie lächelte. Diesmal war es aufrichtig, nicht dieses aufgesetzte Mir-geht-es-gut-Lächeln von vorhin. Lauren war erleichtert. Es gab ihr das Gefühl, etwas für Angie getan zu haben. »Auch die Dekoration war große

Klasse. Das Motto lautete *Winter Wonderland*, und überall gab es künstlichen Schnee und Spiegel, die aussahen wie gefrorene Seen. Ach ja, Brad Gaggiany hatte seine Rumbowle gebraut. In wenigen Minuten war sie weg.«

Angie runzelte die Stirn. »Ach ja?«

Lauren biß sich auf die Lippe. Hätte sie das nur nicht erwähnt. Sie hatte ganz vergessen, daß sie sich mit einer Erwachsenen unterhielt. Aber schließlich fehlte ihr damit jede Erfahrung. Mit ihrer Mutter sprach sie *nie* über Schulveranstaltungen. »Aber ich hab so gut wie gar nichts getrunken«, log sie hastig.

»Da bin ich ja beruhigt. Alkohol kann ein Mädchen dazu bringen, Dinge zu tun, die es lieber lassen sollte.«

Die Sanftheit in Angies Stimme entging Lauren nicht. Sie mußte an ihre Mutter denken und daran, daß diese sofort über die Schicksalsschläge ihres eigenen Lebens lamentiert hätte, vor allem die Last, Mutter zu sein.

»Und raten Sie mal, was das tollste von allem war.« Lauren ließ Angie keine Zeit zu überlegen. »Ich bin zur Homecoming-Queen gewählt worden.«

Freudig klatschte Angie in die Hände. »Super. Das ist ja großartig. Los, ich will mehr wissen, und daß du mir bloß kein Detail vergißt.«

Ausgelassen schwatzten die beiden über den Ball. Als es eine Stunde später Zeit war, zum Restaurant zu fahren, konnte Angie schon wieder lachen.

Zwölf

Den ganzen Tag über hatte das Telephon pausenlos geklingelt. Es war der dritte Sonntag im Oktober, und auf der Titelseite der sogenannten Unterhaltungsbeilage der kleinen *West End Gazette* war eine großformatige Anzeige erschienen.

Unter der Überschrift *Romantische Stunden im DeSaria's* wurden alle Neuerungen aufgezählt – Wein-Abend, Dinner mit anschließendem Kinobesuch, Happy Hours. Zudem gab es Coupons zum Ausschneiden: fünfzig Prozent Rabatt beim Kauf einer Flasche Wein, ein kostenloses Dessert zu jedem Hauptgericht, montags bis freitags ein Mittagsessen für zwei zum Preis von einem.

Leser, die das *DeSaria's* längst vergessen hatten, erinnerten sich an vergangene Zeiten, an Abende, die sie mit ihren Eltern in der kleinen Trattoria an der Driftwood Street verbracht hatten. Und die meisten hatten offenbar unverzüglich zum Hörer gegriffen, um sich einen Tisch reservieren zu lassen. Zum ersten Mal seit vielen Jahren war das Restaurant ausgebucht. Berge von Mänteln stapelten sich in der für die Sammlung vorgesehenen Kiste. Jedermann schien die Gelegenheit zu nutzen, Nachbarn in Not zu helfen.

»Ich weiß nicht recht«, sagte Maria DeSaria, während sie

Ahi-Steaks abspülte und auf Pergamentpapier ausbreitete. »Niemand kann vorhersagen, wie viele Gäste heute abend Fisch bestellen werden. Es war keine gute Idee, Angela. Zu teuer. Wir sollten mehr Cannelloni und Lasagne vorbereiten.« Sie wiederholte das nun schon zum fünften Mal seit einer knappen Stunde.

Verstohlen zwinkerte Angie Mira zum, die große Mühe hatte, ein Lachen zu unterdrücken. »Für den Fall eines Atomkrieges hätten wir genügend Lasagne in der Tiefkühltruhe, um ganz West End zu versorgen, Mama.«

»Mach keine Scherze über den Krieg, Angela. Du mußt die Petersilie feiner hacken, Mira. Wir wollen doch nicht, daß unseren Gästen die Stiele zwischen den Zähnen steckenbleiben. Feiner.«

Lachend hieb Mira mit ihrem Messer weiter auf die Petersilie ein.

Maria DeSaria strich das Pergament sorgfältig glatt und bepinselte es mit Olivenöl. »Gib mir die Schalotten, Mira.«

Unauffällig verließ Angie die Küche und kehrte in den Gastraum zurück.

Schon jetzt, viertel nach fünf, war die Hälfte der Tische besetzt. Rosa und Lauren nahmen Bestellungen auf und füllten die Gläser der Gäste mit Wasser.

Angie ging von Tisch zu Tisch und begrüßte die Kundschaft, wie es ihr Vater früher getan hatte. Nichts entging seiner Aufmerksamkeit. Er breitete Servietten aus, rückte den Damen die Stühle zurecht, rief nach mehr Wasser.

Sie traf Leute, die sie seit Jahren nicht gesehen hatte, und jeder wußte irgendeine kleine Anekdote über ihren Vater zu erzählen. Über ihre eigene Trauer hatte sie ganz vergessen, daß sein Tod auch in der Gemeinschaft von West End eine schmerzliche Lücke hinterlassen hatte. Als sie sich sicher sein konnte, daß jeder Tisch gut versorgt war, kehrte sie in die Küche zurück.

Ihre Mutter war einem mittleren Nervenzusammenbruch nah. »Schon jetzt acht Fischbestellungen, und der erste Schub ist hin. Die Hitze war zu stark. Das Pergament ist gerissen.«

Mira stand in einer Ecke und schnitt wortlos Tomaten. Es war offensichtlich, daß sie am liebsten unsichtbar gewesen wäre.

Angie ging zu ihrer Mutter, die wie ein Derwisch durch die Küche wirbelte, und legte ihr eine Hand auf die Schulter. »Immer mit der Ruhe, Mama. Atme erst einmal tief durch.«

Maria DeSaria hielt inne, holte tief Luft und sackte dann in sich zusammen. »Ich bin eine alte Frau«, murmelte sie. »Zu alt für …«

Die Tür flog auf. In knielangem Faltenrock, weißer Bluse und schwarzen Stiefeln stand Livvy vor ihnen. »Ist das wirklich wahr? Mama hat die Speisekarte geändert?«

»Wer hat dich angerufen?« fragte Mira und wischte sich die Hände an der Schürze ab.

»Mister Tannen. Er hatte es in der Reinigung von Mister Garcia gehört, der in der Druckerei arbeitet.«

Maria DeSaria würdigte ihre Töchter keines einzigen Blickes. Sie würzte die Fischfilets mit Salz und Pfeffer, streute frischen Thymian, Petersilie und gehackte Cocktailtomaten darauf. Dann wickelte sie jede Portion Fisch sorgfältig in Pergamentpapier, legte sie auf ein Backblech und schob das Ganze in den Backofen.

»Es stimmt tatsächlich«, hauchte Livvy ergriffen. »Was ist das?«

»*Tonno al cartoccio*«, antwortete ihre Mutter herablassend. »Nichts Besonderes. Da drüben habe ich Heilbutt. Für *Rombo alla capperi e pomodori*. Ein Leibgericht deines Vaters. Die Tomaten waren in dieser Woche ganz besonders schmackhaft.«

Es klingelte durchdringend. Mit flinken Fingern zog Maria DeSaria das Blech aus dem Ofen und legte die Fischpakete auf Teller. Heute wurde der Fisch mit marinierten Paprikaschoten, gegrillten Zucchini und Polenta serviert. »Was starrt ihr mich alle so an?« Als Rosa und Lauren zur Küche hereinkamen, drückte ihnen Maria DeSaria die Teller in die Hände. Als die beiden verschwunden waren, verkündete sie leichthin: »Ich denke schon seit Jahren über neue Gerichte nach. Veränderungen sind immer gut. Euer Papa, er ruhe in Frieden, hat immer gesagt, ich könnte alles auf der Karte austauschen. Bis auf meine Lasagne.« Sie hob beide Arme und wedelte mit den Händen. »Steht nicht hier rum wie die Ölgötzen. Hinaus mit dir, Olivia. Lauren kann Unterstützung brauchen. Mira, hol mir noch mehr Tomaten.«

Als Livvy und Mira gegangen waren, lachte ihre Mutter laut auf. »Komm her«, sagte sie zu Angie und breitete die Arme aus. »Dein Papa wäre sehr stolz auf dich«, flüsterte sie.

Angie drückte sie an sich. »Auf *uns*.«

Später am Abend, als auch die letzten Gäste vor ihrem Dessert aus Tiramisu oder Zabaione mit frischen Himbeeren saßen, kam Maria DeSaria aus der Küche, um sich zu erkundigen, wie ihre Gerichte geschmeckt hatten.

Bei ihrem Erscheinen klatschten die anwesenden Gäste, und Mr. Fortense rief: »Ein phantastisches Essen.«

Maria DeSaria lächelte. »Vielen Dank. Und besuchen Sie uns bald wieder. Morgen mache ich Spargel-Gnocchi mit frischen Tomaten. Da werden Ihnen die Tränen kommen.« Sie sah Angie an. »Es ist das Lieblingsgericht meiner jüngsten Tochter.«

Als die letzten Gäste gegen halb elf das Restaurant verließen, war Lauren total erschöpft. Den ganzen Abend über waren alle Tische besetzt gewesen. Einige Male hatten sich sogar kleine Warteschlangen vor der Tür gebildet. Die arme Rosa war von dem Ansturm völlig überfordert gewesen. In der ersten Stunde war Lauren so schnell hin und her geflitzt, daß ihr fast schwindlig wurde. Doch dann kam Livvy hereingeschwebt wie ein Engel und hatte Lauren einen Teil ihrer Arbeit abgenommen.

Jetzt stand Lauren am Tisch neben der Tür. Rosa war schon vor mehr als einer Stunde nach Hause gegangen, und die anderen hielten sich in der Küche auf. Zum ersten Mal an diesem Abend konnte Lauren entspannt durchatmen. Sie holte ihr Trinkgeld aus der Schürzentasche und zählte.

Dann noch einmal.

Einundsechzig Dollar. Plötzlich machte es nichts mehr, daß ihre Füße und Handgelenke schmerzten und sämtliche Muskeln verspannt waren. Sie war reich. Noch ein paar Abende wie dieser, und sie hätte das Geld für die College-Anmeldung zusammen.

Lauren band ihre Schürze ab und marschierte Richtung Küche. Als sie sie fast erreicht hatte, flogen die Schwingtüren auf.

Livvy kam als erste heraus, dicht gefolgt von Mira. Auf den ersten Blick hätten sie unterschiedlicher nicht sein können, auf den zweiten konnte allerdings kein Zweifel daran bestehen, daß sie Schwestern waren. Ihre Gesten ähnelten sich zu sehr. Beide hatten das gleiche rauhe Lachen wie Angie. Wenn man sie nicht sah, war es nicht ganz leicht, ihre Stimmen auseinanderzuhalten.

Ein halblautes Klicken. Frank Sinatras warme Samtstimme verstummte abrupt.

Wie angewurzelt blieben Mira und Livvy stehen und lauschten. Der nächste Song setzte ein. Laut, hämmernd. So unerwartet, daß Lauren einen Moment brauchte, ihn zu erkennen.

»Glory Days«. Bruce Springsteen. *I had a friend was a big baseball player back in high school …*

Mit einem gellenden Freudenschrei warf Livvy beide Arme in die Luft und begann mit Mira zu tanzen, die sich so unbeholfen und ruckhaft bewegte, als würden ihr Elektroschocks verabreicht.

»Das habe ich seit Jahren nicht mehr gemacht. Seit ... Gott, ich kann mich nicht mal erinnern, wann ich das letzte Mal getanzt habe«, rief Mira ihrer Schwester zu.

Livvy lachte. »Das sieht man, große Schwester. Du erinnerst mich fatal an Elaine in dieser saukomischen *Seinfeld*-Folge. Du mußt unbedingt mehr unter Menschen.«

Mira versetzte Livvy einen gezielten Stoß mit der Hüfte.

Bewundernd sah Lauren den Schwestern zu. Die beiden wirkten plötzlich wie zwei ganz andere Frauen. Jünger. Unbeschwerter.

Wieder schwangen die Küchentüren auf. Angie und ihre Mutter tanzten heraus. Maria DeSarias Hände lagen auf den Schultern ihrer Tochter. »Polonaise«, rief jemand.

Livvy und Mira schlossen sich den beiden an. Ausgelassen tanzten die vier um die leeren Tische herum, warfen dann und wann die Köpfe in den Nacken und stampften mit den Füßen.

Es sah albern aus und hatte etwas Verstaubtes an sich. Wie aus einer TV-Show für alte Leute.

Und trotzdem unglaublich anziehend.

Lauren hatte keine Ahnung, wie sie reagieren sollte. Sie wußte nur, daß sie nicht dazugehörte. Sie tat hier schließlich nur ihren Job.

Das da war Familiensache.

Sie wandte sich zum Gehen.

»O nein. Hiergeblieben«, rief Angie.

Lauren drehte sich wieder um. Die Polonaiseschlange hatte sich aufgelöst.

Mira und Livvy tanzten miteinander. In der Ecke stand Maria DeSaria und sah ihren Töchtern schmunzelnd zu.

»Du kannst doch jetzt nicht gehen.« Schnell kam Angie auf Lauren zu. »Wir feiern hier 'ne Party.«

»Aber ich ...«

Lachend griff Angie nach Laurens Hand. Die Worte »... gehöre doch nicht dazu« blieben unausgesprochen.

Die Musik wechselte. »Crocodile Rock« dröhnte aus den Lautsprechern.

»Elton!« schrie Livvy. »Wir haben ihn im Tacoma Dome gesehen. Wißt ihr noch?«

Wieder begannen alle zu tanzen.

»Los, beweg dich«, sagte Angie, und bevor Lauren wußte, wie ihr geschah, stampfte und rockte sie im Kreis der Frauen. Beim dritten Song – Billy Joels »Uptown Girl« – kreischte sie ebenso übermütig wie die anderen.

Sie lachten, tanzten und sprachen immer wieder begeistert davon, wie erfolgreich der Abend doch verlaufen war. Lauren fühlte sich wohl wie selten zuvor, und als die Party gegen Mitternacht zu Ende ging, graute ihr vor zu Hause.

Aber ihr blieb natürlich keine Wahl. Sie wollte den Bus nehmen, doch Angie bestand darauf, sie heimzufahren. Unterwegs schwatzten sie pausenlos weiter, aber irgendwann hielt Angies Wagen vor Laurens Haus.

Müde trottete sie die düsteren Treppen zu ihrer Wohnung hinauf.

Die Tür war nur angelehnt.

Im Wohnzimmer waberte grauer Rauch unter der Kunststoffdecke. Der Aschenbecher quoll vor Kippen über, einzelne Zigarettenstummel lagen auf dem wackligen Couchtisch. Eine leere Ginflasche war zu irgendeinem Zeitpunkt auf dem Fußboden gelandet.

Lauren wußte Bescheid: zwei verschiedene Zigarettenmarken und Bierflaschen auf dem Küchentisch. Man brauchte keinen detektivischen Spürsinn, um die Indizien zu erkennen.

Ihre Mutter hatte aus der Kneipe einen von diesen – Typen mit nach Hause gebracht. Einen dieser Verlierer.

Jetzt waren sie beide in ihrem Schlafzimmer. Das rhythmische Knarren des alten Bettgestells sprach Bände.

Lauren ging auf Zehenspitzen in ihr Zimmer und schloß leise die Tür. Sie schlug ihren Taschenkalender auf und schrieb unter das heutige Datum »DeSaria-Party«. Damit sie es nicht etwa vergaß. Sie wollte die beiden Worte schwarz auf weiß sehen, um sich daran erinnern zu können, wie – glücklich sie sich an diesem Abend gefühlt hatte.

Sie schlich ins Bad und wusch sich in Rekordtempo. Auf keinen Fall wollte sie »ihm« zufällig auf dem Flur begegnen.

Dann lief sie in ihr Zimmer zurück und schlug die Tür hinter sich zu. Sie kroch ins Bett, zog die Decke bis ans Kinn und starrte ins Leere.

Sie dachte an die vergangenen Stunden. Und mit den Bildern stellte sich ein sonderbar zwiespältiges Gefühl ein: teils Freude, teils Bedauern.

Es ist nur ein Restaurant, rief sie sich in Erinnerung. Ein Arbeitsplatz.

Angie ist meine Chefin und nicht ... meine *Mutter*.

Sicher, aber dennoch ... Lange Jahre, ihr ganzes Leben hatte sie unter ihrer Einsamkeit gelitten, und jetzt war da dieses – unbegründete – Gefühl, doch irgendwohin zu gehören.

Selbst wenn sie sich damit etwas vormachte, war es immer noch besser als die kalte Leere ihres tatsächlichen Daseins.

Lauren versuchte, nicht mehr darüber nachzudenken, sich nicht ständig an ihre Gespräche zu erinnern, aber es gelang ihr nicht. Gegen Ende des Abends, als sie alle behaglich vor dem Kamin saßen und Lauren sich rundum wohl fühlte, hatte sie es gewagt, den einzigen Witz zu erzählen, den sie kannte. Mira und Angie lachten schallend, während Maria DeSaria sagte: »Das ist doch absurd. Warum sollte der Mann denn so etwas sagen?« Daraufhin mußten alle noch lauter lachen, am meisten Lauren.

Als sie jetzt daran dachte, hätte sie heulen mögen.

Dreizehn

Der Oktober verging wie im Flug, im November hingegen schien das Leben in ruhigeren Bahnen zu verlaufen. Es war keinen Tag trocken. Manchmal peitschten Stürme wahre Regenfluten herab und verwandelten das Meer in einen kochenden Kessel aus Wogen und Gischt. Aber meistens tropfte es nur unablässig vom Himmel herab, als könnten die schweren Wolken ihr Wasser nicht halten.

In den vergangenen beiden Wochen hatte sich Lauren so selten wie möglich zu Hause aufgehalten. Immer war *dieser Mann* da, trank Bier, qualmte Zigaretten und verpestete die Luft mit seiner Anwesenheit. Natürlich hatte sich ihre Mutter in ihn verliebt. Er war genau ihr Typ.

Lauren wich ihm aus, indem sie jetzt fast jeden Abend und an den Wochenenden im Restaurant arbeitete. Obwohl die DeSarias inzwischen eine weitere Bedienung eingestellt hatten, versuchte Lauren, diesen Arbeitsrhythmus einzuhalten. Wenn sie nicht jobbte, war sie in der Schulbibliothek oder traf sich mit David.

Ihre Bemühungen, Geld zu verdienen und gleichzeitig ihre bereits glänzenden Noten weiter zu verbessern, hatten allerdings einen Nachteil: Sie war ständig müde. Gerade jetzt kostete es sie große Anstrengung, im Unterricht nicht einzuschlafen. Vorn stand Mr. Goldman neben einem Bild und verbreitete sich ebenso langatmig wie begeistert über die Art und Weise, wie Jackson Pollock Farben einsetzte.

Lauren fand, daß das Gemälde so aussah, als hätte ein wütendes Kind allzu ausgiebigen Gebrauch von seinem Tuschkasten gemacht.

Vergleichende Kunstbetrachtung.

Ihr einziges Wahlfach in diesem Jahr. Daneben hatte sie nur noch Trigonometrie belegt, und die wurde für den Abschluß nicht einmal verlangt. So wie es aussah, konnte sie am Ende des Semesters ihre Prüfung ablegen.

Es klingelte. Lauren klappte ihr Buch zu, stand auf und schob sich inmitten ihrer lachenden, drängelnden, schwatzenden Mitschüler zur Tür hinaus.

Draußen an der Fahnenstange spielte David Hacky Sack. Als er Lauren entdeckte, strahlte er über das ganze Gesicht. Schnell zog er sie in seine Arme. Zum ersten Mal an diesem Tag fühlte sie sich nicht erschöpft.

»Wenn ich nicht gleich etwas zu essen bekomme, sterbe ich«, rief jemand.

»Ich auch.«

David ergriff Laurens Hand, schlenderte mit ihr und den anderen die Straße hinunter zum *Hamburger Haven*.

Natürlich mußte Marci Morford sofort einen Quarter in die Jukebox stecken. Afromans *»Crazy Rap«* setzte ein.

Grinsend verdrehten die anderen die Augen, und als Anna Lyons die Hauswirtschaftslehrerin Mrs. Fiore erwähnte, beschwerten sich alle darüber, daß in diesem Fach auch noch Hausarbeiten aufgegeben wurden.

Lauren bestellte sich einen Erdbeer-Milkshake, einen Bacon Burger und Pommes Frites.

Es fühle sich gut an, ein bißchen Geld in der Tasche zu haben. Jahrelang hatte sie so getan, als wäre sie nie hungrig. Jetzt aß sie, als müßte sie alle entgangenen Gelegenheiten nachholen.

»Meine Güte, Lo«, lachte Irene Herman. »Du kannst ja ganz schöne Mengen verdrücken. Kannst du mir vielleicht einen Dollar leihen?«

»Kein Problem.« Lauren fischte ein paar Dollars aus ihrer Jeanstasche und gab sie der Freundin. »Ich weiß doch, daß du den Tag ohne Milkshake nicht überstehst.«

Während des Essens unterhielten sie sich darüber, welche Portionen jeder einzelne von ihnen bewältigen konnte.

»Hört mal«, sagte Kim nach einer Weile, »habt ihr auch die Mitteilung der kalifornischen Colleges bekommen?«

Lauren hob den Kopf. »Welche Mitteilung?«

»Am Wochenende findet eine große Infoveranstaltung in Portland statt.«

Portland. Eine anderthalbstündige Autofahrt. Laurens Herz begann schneller zu schlagen. »Toll.« Sie griff nach Davids Hand und drückte sie. »Wir könnten zusammen hinfahren.«

Davids Gesicht verfinsterte sich. »Am Wochenende fahre ich zu meiner Grandma. Nach Indiana. Davor kann ich mich auf keinen Fall drücken. Meine Großeltern feiern goldene Hochzeit.« Er sah sich am Tisch um. »Kann vielleicht einer von euch Lauren nach Portland mitnehmen?«

Alle in der Runde fanden irgendeine Entschuldigung.

Mist. Jetzt mußte sie den Bus nehmen. Und nicht nur das. Auf einer weiteren Collegeveranstaltung wäre sie die einzige ohne elterliche Begleitung.

Nach und nach verließen die anderen den *Hamburger Haven*. David und Lauren blieben am Tisch zurück.

»Kommst du wirklich allein nach Portland? Vielleicht könnte ich eine Erkältung vortäuschen ...«

»Nein. Wenn ich Großeltern hätte, würde ich sie auch besuchen wollen.« Lauren verspürte einen feinen Stich. Wie oft hatte sie davon geträumt, zu einer Oma zu fahren oder sich mit einer Cousine zu treffen. Für zwei oder drei Verwandte hätte sie fast alles gegeben.

»Kannst du nicht Angie fragen, ob sie dich begleitet? Sie scheint doch sehr nett zu sein.«

Lauren dachte nach. Könnte sie Angie wirklich um diesen großen Gefallen bitten? »Stimmt«, sagte sie, nur um David zu beruhigen. »Ich werde sie fragen.«

In den nächsten Tagen ging Lauren immer wieder Davids Vorschlag durch den Kopf. Sie war es nicht gewohnt, jemanden zu haben, den Sie bitten konnte. Das würde sie irgendwie – bedauernswert aussehen lassen und möglicherweise Fragen nach ihrer Mutter auslösen. Grund genug, die ganze Sache einfach zu vergessen und mit dem Bus zu fahren.

Aber Angie war anders. Sie schien wirklich Verständnis zu haben.

Am Freitag haderte Lauren noch immer mit sich. Das Restaurant war gutbesucht, und sie rannte von Tisch zu Tisch, um die Gäste zufriedenzustellen. Hin und wieder musterte sie Angie verstohlen, um abzuschätzen, wie ihre Bitte aufgenommen werden würde. Zweimal stand sie kurz davor, ihre Frage zu stellen, verlor aber beide Male die Nerven und drehte sich wortlos wieder um.

»Also gut«, sagte Angie, als sie die Kasse abschloß. »Schieß los, Mädchen.«

Lauren füllte gerade die Salzstreuer nach. Sie zuckte so heftig zusammen, daß sie die weißen Körner auf dem ganzen Tisch verschüttete.

»Oh, das bringt Unglück«, sagte Angie. »Wirf Salz über deine linke Schulter. Schnell.«

Lauren nahm Salz zwischen Daumen und Zeigefinger, schnippte es über die Schulter.

»Puuh, das war knapp. Wir hätten vom Blitz getroffen werden können. Also, was hast du auf dem Herzen?«

»Dem Herzen?«

»Dem Ding, das da in deiner linken Brust klopft. Den ganzen Abend schon läßt du mich nicht aus den Augen, verfolgst mich auf Schritt und Tritt. Ich kenne dich, Lauren. Irgendwas willst du mir sagen. Möchtest du dir morgen freinehmen? Die neue Kellnerin hat sich gut eingearbeitet. Ich könnte auf dich verzichten, falls du mit David etwas unternehmen willst.«

Jetzt oder nie.

Lauren holte ihren Rucksack, zog einen bedruckten Zettel heraus und gab ihn Angie.

»Kalifornische Colleges ... Umfassende Information über Studienangebote ... Treffen mit Hochschulrepräsentanten. Hm.« Angie sah Lauren an. »So etwas gab es zu meiner Zeit nicht. Möchtest du morgen freihaben, damit du nach Portland fahren kannst?«

»Ich-würde-gern-könnten-Sie-mich-vielleicht-hinfahren?« Zwischen den einzelnen Worten holte Lauren kein einziges Mal Luft.

Angie runzelte die Stirn.

Na bitte. Sie hatte ja gewußt, daß es eine überflüssige Frage war. »Vergessen Sie es. Ich nehme mir nur morgen frei, okay?« Lauren bückte sich nach ihrem Rucksack.

»Ich mag Portland«, sagte Angie.

»Echt?«

»Ja.«

»Sie fahren also mit mir hin?« fragte Lauren ungläubig.

»Selbstverständlich. Und noch eins, Lauren. Sei nächstes Mal nicht so ein Schisser. Wir sind schließlich Freundinnen. Da gehört es doch dazu, einander hin und wieder einen Gefallen zu tun.«

Um ein Haar wäre Lauren in Tränen ausgebrochen. »Danke, Angie. Ja, wir sind Freundinnen.«

Hinter Vancouver wurde der Verkehr ausgesprochen zähflüssig. Erst mitten auf der Brücke, die die Staaten Washington und Oregon verband, erkannten Angie und Lauren den Grund. An diesem Nachmittag fand das große Football-Spiel zwischen den Huskies und den Ducks statt. Die Mannschaft der University of Washington gegen die der University of Oregon.

»Wir schaffen es nicht mehr rechtzeitig«, sagte Angie nun schon zum dritten Mal in den letzten zwanzig Minuten. Es überraschte sie, wie sehr sie das aufregte. Sie hatte sich verpflichtet, Lauren pünktlich zu der Veranstaltung zu bringen, und jetzt kamen sie zu spät.

»Keine Sorge, Angie. Selbst wenn wir ein paar Minuten verpassen, ist das doch kein Beinbruch.«

Angie setzte den Blinker und ordnete sich in die Schlange der Abfahrt ein. *Endlich …*

Sobald sie die Brücke hinter sich hatten, wurde der Verkehr flüssiger. Angie raste eine Straße hinunter, eine andere hinauf und fand schließlich eine Parklücke. »Geschafft.« Sie blickte auf die Uhr am Armaturenbrett. »Nur sieben Minuten zu spät. Jetzt aber schnell.«

Sie rannten quer über den Parkplatz und in das Gebäude. Der Saal platzte fast aus den Nähten.

»Verdammt.« Angie wollte nach vorn eilen. Notfalls mußten sie sich eben auf die Podiumsstufen setzen. Aber Lauren packte ihre Hand und führte sie zu zwei freien Stühlen in der letzten Reihe.

Hinter einem langen Konferenztisch auf dem Podium saßen etwa fünfzehn Vertreter unterschiedlicher Universitäten. Der Diskussionsleiter erteilte ihnen nacheinander das Wort, damit sie Aufnahmebedingungen erläuterten, Unterschiede zwischen den Colleges deutlich machten und sich dazu äußerten, wie viele einheimische Studenten in Kalifornien studierten, wie viele aus anderen Staaten.

Emsig schrieb Lauren jedes Wort in ihr Notizbuch.

Angie verspürte einen sonderbaren Stolz. Wenn sie eine Tochter gehabt hätte, dann hätte sie wie Lauren sein sollen. Klug. Ernsthaft. Ehrgeizig.

Am Ende des etwa einstündigen Vortrags wußte Angie eins mit Sicherheit: Unter den aktuellen Bedingungen hätte sie nicht die geringste Chance, an der UCLA angenommen zu werden. Zu ihrer Zeit bedurfte es lediglich der Fähigkeit, sich einigermaßen klar ausdrücken zu können sowie eines Notendurchschnitts von 3,0. Um heute in Stanford studieren zu dürfen, sollte man mindestens eine tödliche Krankheit besiegt oder die National Science Fair gewonnen haben. Es sei denn, man konnte gut mit einem Lederball umgehen. Dann benötigte man einen Notendurchschnitt von 1,7.

Lauren klappte ihr Notizbuch zu. »Das wär's dann.«

Um sie herum standen Zuhörer auf, begannen sich angeregt zu unterhalten und bewegten sich auf die Ausgänge zu.

»Und was macht dich so mutlos?« fragte Angie. Sie blieb sitzen. Es hatte wenig Sinn, sich in das Getümmel zu stürzen.

»Daß fast neunzig Prozent der Studenten an kalifornischen Colleges in diesem Staat auch zu Hause sind. Und daß die Studiengebühren steigen.«

»Und weshalb heißt das für dich, daß das Glas halbleer ist? Das sieht dir überhaupt nicht ähnlich.«

Lauren seufzte. »Manchmal ist es nicht leicht, auf die Fircrest Academy zu gehen. Alle meine Freunde können sich das College aussuchen, das *ihnen* gefällt. Ich muß ein College finden, dem *ich* gefalle.«

»Kommt es da nicht vor allem auf das Bewerbungsschreiben an?«

»Ja.«

»Und auf Empfehlungen.«

»Ja. Zu dumm, daß ich kaum Jerry Brown oder Arnold Schwarzenegger dazu bringen werde, mir eine zu schreiben. So wie es aussieht, kann ich nur darauf hoffen, daß mein Mathelehrer Mister Baxter mit seinem Empfehlungsschreiben Eindruck schindet. Leider vergißt er die Hälfte der Zeit, wo die Tafel hängt.«

Angie blickte zur Bühne. Die Vertreter von Loyola-Marymount, der USC und Santa Clara saßen noch am Tisch und sprachen miteinander.

»Wo würdest du am liebsten studieren?« fragte sie Lauren.

»Ich schätze mal an der USC. Sie wäre Davids zweite Wahl.«

»Ich werde dir nicht sagen, was ich davon halte, deinem Freund aufs College zu folgen. Okay, ich tue es doch. Es ist keine gute Idee. Du solltest die Wahl deines Colleges nicht von deinem Freund abhängig machen. Und jetzt komm.« Angie stand auf.

Lauren verstaute das Notizbuch in ihrem Rucksack. »Wo wollen Sie denn hin?« fragte sie, als Angie auf das Podium losmarschierte.

Energisch packte sie Laurens Hand. »Wir haben uns nicht auf den weiten Weg hierher gemacht, um jetzt einfach klein beizugeben.«

Lauren wollte ihre Hand befreien, aber Angie ließ nicht locker. Sie umrundete den Orchestergraben und stieg die Stufen zum Podium hinauf. Mit Lauren im Schlepptau baute sie sich vor dem USC-Repräsentanten auf.

Der Mann hob den Kopf und lächelte sparsam. Zweifellos hielt er Lauren für ihre Tochter und war es gewöhnt, daß Mütter ihre Kinder zu ihm auf die Bühne zerrten. »Guten Tag. Was kann ich für Sie tun?«

»Mein Name ist Angela Malone«, sagte sie und reichte ihm die Hand. »Ich habe an der University of Los Angeles studiert, aber Lauren hier scheint ganz versessen auf die USC zu sein. Auch wenn ich nicht begreife, warum.«

Der Mann lachte. »Höre ich da etwa eine gewisse Kritik an meiner Hochschule heraus?« Er sah Lauren an. »Und wer sind Sie?«

Sie wurde tiefrot. »Lauren Ribido. Fircrest Academy.«

»Ah. Eine Schule mit einem ausgezeichneten Ruf. Nicht schlecht.« Er lächelte sie an. »Sie brauchen doch nicht so nervös zu sein. Entspannen Sie sich. Und was möchten Sie bei uns studieren?«

»Journalismus.«

Das war neu für Angie. Sie lächelte so stolz, als wäre sie Laurens Mutter.

»Träumen wohl davon eine Nachfolgerin von Woodward und Bernstein zu werden, was? Wie sehen Ihre schulischen Leistungen aus?«

»Ich gehöre zu den oberen sechs Prozent meines Jahrgangs. Und habe etliche Auszeichnungen bekommen.«

»Eignungstest?«

»Im letzten Jahr tausendfünfhundertzwanzig Punkte. Aber ich habe ihn in diesem Jahr wiederholt. Das Ergebnis steht noch aus.«

»Das vom letzten Jahr ist beeindruckend genug. Treiben Sie Sport?«

»Ja.«

»Und sie arbeitet neben der Schule zwanzig bis fünfundzwanzig Stunden in der Woche«, fügte Angie hinzu.

»Beachtlich.«

Angie wagte den entscheidenden Schachzug. »Kennen Sie William Layton?«

»Den Dekan der Fakultät für Betriebswirtschaft? Aber sicher. Er stammt doch aus dieser Gegend, oder irre ich mich?«

Angie nickte. »Ich bin mit seiner Tochter zur Schule gegangen. Was halten Sie davon, wenn er Lauren eine Empfehlung schreibt?«

Der Mann sah Lauren an und zog eine schmale Messingschatulle aus der Brusttasche. »Hier ist meine Karte. Schicken Sie Ihre Bewerbung an diese Adresse. Ich werde mich persönlich darum kümmern.« Und an Angie gewandt, fügte er hinzu: »Eine Empfehlung von Layton würde mit Sicherheit helfen.«

Lauren konnte es noch immer nicht glauben. Immer wieder mußte sie spontan auflachen. Irgendwo in der Nähe von Kelso hatte Angie sie angefleht, sich nicht mehr bei ihr zu bedanken.

Aber wie könnte sie das? Zum ersten Mal in ihrem Leben fühlte sie sich ernstgenommen. Als wäre sie jemand.

Sie hatte die Chance auf ein Studium an der USC. Eine Chance.

Lauren blickte Angie an. »Vielen Dank. Wirklich. Ich meine es ernst.«

»Ich weiß, ich weiß«, lachte Angie. »Aber du tust ja gerade so, als hätte dir noch nie jemand einen Gefallen getan. Das war doch eine Kleinigkeit.«

»Oh, ganz im Gegenteil«, widersprach Lauren plötzlich sehr ernst. Angies Begleitung und Fürsprache bedeuteten ihr viel, sehr viel. Zum ersten Mal hatte Lauren das Gefühl, nicht auf sich allein gestellt zu sein.

Vierzehn

In der Fircrest Academy herrschte helle Aufregung. Es war die dritte Novemberwoche, alle Unterhaltungen und Gespräche kreisten nur um ein Thema: die Zulassung zum College. Lauren hatte ihre Anträge auf finanzielle Unterstützung ausgefüllt, Kopien von ihren Zeugnissen angefertigt und sich große Mühe bei der Begründung ihrer Bewerbung gegeben. Darüber hinaus war es Angie gelungen, ihr eine Empfehlung von Dr. Layton zu beschaffen. Langsam begann Lauren zu glauben, sie könnte eine echte Chance auf ein Stipendium an der USC haben.

»Habt ihr schon von Andrew Wanamaker gehört? Sein Großvater hat ihn doch tatsächlich in Yale untergebracht. Dabei sind die Entscheidungen offiziell noch gar nicht gefallen.« Seufzend lehnte sich Kim Heltne gegen einen Baumstamm. »Wenn Swarthmore mich nicht nimmt, kriegt mein Dad die Krise. Und ich hasse Schnee, aber das interessiert ihn gar nicht.«

Sie hockten während der Lunchpause im Kreis auf dem Rasen. David, Lauren und ihre Freunde, die sich seit Beginn der High School kannten.

»Für Swarthmore würde ich glatt einen Mord begehen«, grinste Jared. »Mich will man nach Stone Hill schicken, wie ein Paket. Von einer katholischen Einrichtung zur nächsten.«

Lauren lag auf dem Rücken, den Kopf in Davids Schoß gebettet. Ausnahmsweise regnete es nicht, und das Gras fühlte sich trocken an. Es war zwar kalt, doch die Sonne wärmte ihre Wangen.

»Ich soll auf die Alma mater meiner Mutter«, sagte Susan. »Yippee! William and Mary, ich komme. Unsere Schule hier ist größer als dieses College.«

»Und wie schaut's bei dir aus, Lauren? Schon irgendwo ein Stipendium in Aussicht?« fragte Kim.

Lauren zuckte mit den Schultern. »Ich schreibe mir die Finger wund. Noch eine weitere Begründung *Warum-ich-es-verdiene,* und ich bekomme einen Schreikrampf.«

»Sie wird ein Stipendium kriegen«, erklärte David im Brustton der Überzeugung. »Schließlich ist sie die Schlauste der ganzen Schule.«

Der Stolz in seiner Stimme entging Lauren nicht, und normalerweise hätte sie darüber gelächelt. Aber jetzt starrte sie nur auf sein Kinn und konnte an nichts anderes denken als an ihre gemeinsame Zukunft. Er hatte sich für ein Studium in Stanford beworben und würde zweifellos zugelassen werden. Die Vorstellung, sich von ihm trennen zu müssen, ließ sie noch mehr frösteln als das Novemberwetter. Er hingegen schien sich nicht die geringsten Sorgen zu machen. Er war sich ihrer Liebe ganz sicher. Woher nahm ein Mensch nur diese Gewißheit?

Kim öffnete ihre Limoflasche. Die Flüssigkeit perlte und zischte. »Ich kann es kaum erwarten, diesen ganzen verdammten Bewerbungskram endlich hinter mir zu haben.«

Lauren schloß die Augen. Um sie herum ging die Unterhaltung weiter, aber sie beteiligte sich nicht mehr daran.

Aus Gründen, die sie sich nicht erklären konnte, fühlte sie sich plötzlich nervös und gereizt. Vielleicht lag es an der Kälte und der klaren Luft. Auf solche Tage folgten meist heftige Weststürme, die alle Wolken vom Himmel fegten. Oder vielleicht war es auch die Unruhe an der Schule. Sie wußte nur, daß irgend etwas nicht stimmte.

Tau lag auf dem Gras wie feine, silberne Perlen. Angie saß auf der hinteren Veranda, trank eine Tasse Kaffee und blickte aufs Meer hinaus. Das rhythmische Aufbranden der Wellen war so beständig und vertraut wie ihr eigener Herzschlag.

Es war die Begleitmusik ihrer Jugend: das dumpfe Rauschen des Meeres, das Prasseln von Regentropfen auf Rhododendronblätter, das Knarren von Schaukelstuhlkufen auf verwitterten Verandadielen.

Nur Stimmen fehlten. Das Lachen und Rufen von Kindern. Angie wandte den Kopf, um ihrem Mann etwas zu sagen, und erkannte eine Sekunde zu spät, daß sie allein war.

Langsam stand sie auf und ging ins Haus, um sich frischen Kaffee zu holen. Sie wollte gerade nach der Kanne greifen, als es an die Tür klopfte.

»Ich komme.«

In einem knöchellangen Flanellschlafrock und grünen Plastik-Clogs stand ihre Mutter auf der Veranda. »Er will, daß ich hingehe.«

Stirnrunzelnd schüttelte Angie den Kopf. Ihre Mutter sah aus, als hätte sie geweint. Angie legte einen Arm um sie und führte sie ins Wohnzimmer zum Sofa. »Was ist denn los?«

Ihre Mutter griff in ihre Tasche und zog einen weißen Umschlag heraus. »Er will, daß ich hingehe«, wiederholte sie.

»Wer?«

»Papa.«

Sie öffnete den Umschlag. In ihm befanden sich zwei Karten für *Das Phantom der Oper*. Ihre Eltern hatten schon immer ein Abonnement für das Fifth Avenue Theater im Zentrum von Seattle. Es war der einzige Luxus, den ihr Vater sich gegönnt hatte.

»Ich wollte sie eigentlich verfallen lassen. Wie schon die

Karten für *The Producers* im Juli.« Seufzend ließ ihre Mutter die Schultern sinken. »Aber Papa meint, wir sollten uns die Vorführung anschauen.«

Angie schloß kurz die Augen und sah ihren Vater vor sich, wie er in seinem besten schwarzen Anzug zur Tür lief. Musicals hatte er geliebt, vor allem *West Side Story*. Natürlich: Tony und Maria ...

»*Wie eure Mama und ich*«, sagte er häufig, »*nur daß wir uns für immer lieben. Eh, Maria?*«

Angie öffnete die Augen wieder und konnte am Gesichtsausdruck ihrer Mutter erkennen, daß auch sie den bittersüßen Erinnerungen nachhing.

»Das ist eine gute Idee. Laß uns doch über Nacht bleiben. Wir gönnen uns ein Dinner im Palisades und ein Zimmer im Fairmont Olympic. Das wird uns beiden guttun.«

»Ich danke dir, Liebes«, flüsterte ihre Mutter mit zittriger Stimme. »Genau das hat dein Papa auch vorgeschlagen.«

Am nächsten Morgen stand Lauren zeitig auf und bereitete sich ein Frühstück zu. Aber als sie sich dann an den Tisch setzte, wurde ihr allein beim Anblick der Spiegeleier ganz schlecht. Sie schob den Teller so abrupt zur Seite, daß die Gabel scheppernd auf den Tisch fiel. Einen Moment lang befürchtete sie, sich übergeben zu müssen.

»Was hast du denn?«

Überrascht hob Lauren den Kopf. Ihre Mutter stand in der Tür mit Augenringen wie ein Pandabär. Sie trug ein altes T-Shirt mit dem Aufdruck »Black Sabbath« über einem absurd kurzen, pinkfarbenen Stretch-Mini und zog an einer Zigarette.

»Wahnsinn, Mom. Schön, dich wiederzusehen. Ich dachte schon, du würdest dein Schlafzimmer überhaupt nicht mehr verlassen. Wo ist denn der Märchenprinz?«

Ihre Mutter lehnte sich gegen den Türrahmen. Auf ihrem

Gesicht lag ein verträumtes selbstzufriedenes Lächeln. »Er hier ist anders.«

Was meinst du mit anders? Wie eine andere Spezies? hätte Lauren fast gefragt, hielt sich aber rechtzeitig zurück. Sie hatte ausgesprochen miese Laune, und die wurde auch nicht besser, wenn sie mit ihrer Mutter einen Streit vom Zaun brach. »Das sagst du immer. War nicht auch Jerry Eckstrand *anders*? Und dieser Typ mit dem VW-Bus – wie hieß er doch gleich? Dirk? Der war definitiv *anders*.«

»Was bist du so zickig?« Ihre Mutter nahm einen tiefen Zug aus ihrer Zigarette. Während sie den Rauch langsam wieder ausstieß, knabberte sie an ihrem Daumennagel. »Hast du vielleicht deine Tage?«

»Hab ich nicht. Aber wir sind schon wieder mit der Miete im Rückstand, und du scheinst dich ja endgültig zur Ruhe gesetzt zu haben.«

»Es geht dich zwar nichts an, aber es ist durchaus möglich, daß ich ihn liebe.«

»Der letzte, von dem du das behauptet hast, hieß ›Snake‹. Bei einem Typen, der den Namen eines Reptils trägt, kann man sich doch nicht irren. Da weiß man sofort, auf was man sich einläßt.«

»Du bist heute morgen wirklich unausstehlich. Irgendwas hast du doch.« Ihre Mutter ging zum Sofa, setzte sich und legte die Füße auf den Tisch. »Ich glaube wirklich, er könnte der Richtige sein, Lo.«

Lauren glaubte, ein leichtes Zittern in der Stimme ihrer Mutter wahrgenommen zu haben, aber da mußte sie sich verhört haben. Männer gingen schließlich in ihrem Leben ein und aus. Ihre Mutter hatte sich schon in Dutzende verliebt. Immer unsterblich, und immer für höchstens drei Wochen.

»Ich hatte mit Phoebe ein paar Gläschen getrunken und wollte gerade gehen, als Jake aufkreuzte. Er sah aus wie der Held in einem Western, der in die Bar kommt, um mit seinen

Feinden kurzen Prozeß zu machen. Als das Licht auf sein Gesicht fiel, dachte ich eine Sekunde lang, es wäre Brad Pitt.« Sie lachte. »Als ich am nächsten Morgen neben ihm wach wurde, sah er natürlich überhaupt nicht mehr aus wie ein Filmstar. Aber er hat mich geküßt. Am hellichten Tag.«

Lauren spürte eine winzige Öffnung in der Mauer zwischen ihnen. Sie setzte sich neben ihre Mutter. »Du hörst dich irgendwie ... anders an, wenn du seinen Namen aussprichst.«

Zum ersten Mal rückte ihre Mutter nicht von ihr ab. »Ich hätte nicht geglaubt, daß mir das noch passieren würde.« Sie schien zu merken, was sie da gerade gesagt hatte, und lächelte gleich abwehrend. »Aber wahrscheinlich hat es gar nichts zu bedeuten.«

»Ich könnte ihm zumindest mal Tag sagen.«

»Mach das. Er hält dich schon für eine Ausgeburt meiner Phantasie.« Ihre Mutter lachte. »Als würde ich mich nach einem Kind *sehnen*.«

Lauren konnte nicht glauben, daß sie erneut in die Falle getappt war. Und daß es noch immer so weh tat. Sie wollte aufstehen, aber ihre Mutter faßte tatsächlich nach ihrer Hand und hielt sie zurück.

»Und der Sex mit ihm ... Mannomann, der ist verdammt gut.« Sie zog an ihrer Zigarette und atmete verträumt lächelnd wieder aus.

Rauch hüllte Lauren ein, stieg ihr in die Nase. Sie mußte würgen und spürte, wie sich ihr der Magen umdrehte.

Lauren schaffte es gerade noch ins Bad und übergab sich. Sie putzte sich die Zähne und ging mit noch immer leicht wackligen Beinen ins Wohnzimmer zurück. »Wie oft habe ich dich schon gebeten, mir nicht deinen Rauch direkt ins Gesicht zu blasen?«

Ihre Mutter drückte die Zigarette im überfüllten Aschenbecher aus und musterte Lauren. »Oft. Aber gekotzt hast du noch nie.«

»Ich muß los.« Lauren griff nach ihrem Teller, um ihn in die Küche zu bringen. »David und ich wollen nach der Schule noch lernen.«

»Wer ist David?«

Lauren verdrehte die Augen. »Toll, Mom. Ich bin seit vier Jahren mit ihm zusammen.«

»Oh, der. Dieser gutaussehende Junge.« Ihre Mutter trank einen Schluck Coke, ließ sie aber keinen Moment aus den Augen. Zum ersten Mal hatte Lauren das Gefühl, daß ihre Mutter sie tatsächlich *wahrnahm.* »Du hast alle Chancen, Lauren. Aber glaub mir, ein Typ mit 'nem Steifen kann sie komplett ruinieren.«

Ihre Mutter lachte nicht, sondern sah sie weiter an. Es dauerte eine Weile, bis sie den Mund wieder öffnete. »Du weißt, warum sich ein Mädchen ohne offenkundigen Grund übergeben muß, oder?«

»Ich fasse es nicht, wie ich mich von dir zu diesem Kleid überreden lassen konnte«, sagte Angie und betrachtete sich im Spiegel ihres Hotelzimmers.

»Ich habe dich nicht dazu überredet«, rief ihre Mutter aus dem Bad. »Ich habe es dir gekauft.«

Kritisch musterte sich Angie im Profil und bemerkte entsetzt, wie sich die rote Seide an ihren Körper schmiegte. Einfach unmöglich. Nie im Leben hätte sie sich dieses Kleid ausgesucht. Rot war eine so … aufdringliche Farbe. Und dann der Schnitt. Geradezu aufreizend. Angie bevorzugte schlichte Eleganz.

Normalerweise hätte sie sich geweigert, es anzuziehen. Aber dafür waren die Stunden mit ihrer Mutter zu schön gewesen. Erst ein Mittagessen im Georgian, dann ein Besuch in Gene Juarez' Wellness Center und schließlich Shopping bei Nordstrom. Als ihre Mutter das Kleid auf einem Ständer mit herabgesetzten »Modellen« erspähte, stieß sie einen kleinen, spitzen Schrei aus und stürmte sofort darauf zu.

Anfangs hatte Angie noch an einen Scherz geglaubt und machte abfällige Bemerkungen über den tiefen Rückenausschnitt, die mit Tausenden von silbernen Perlen bestickte Korsage und den Preis, der trotz siebzig Prozent Nachlaß nach wie vor heftig war. Aber ihre Mutter ließ sich nicht vom Kauf abbringen.

»Das kann ja wohl nicht dein Ernst sein«, sagte sie jetzt kopfschüttelnd zu ihrer Mutter, als die aus dem Bad kam. »Wir gehen ins Theater und nicht zur Oscar-Verleihung.«

»Du bist nun wieder ein Single, wie man wohl heutzutage sagen würde.« Ihre Mutter lächelte, aber in ihren Augen konnte Angie noch etwas anderes lesen. *Das Leben ändert sich,* sagte ihr trauriger Blick, *auch wenn es dir nicht paßt.* »Mister Tannen erzählte mir neulich, daß sich Tommy Matucci nach dir erkundigt hat.«

Angie beschloß, den letzten Satz einfach zu ignorieren. Ein Wiedersehen mit ihrem Freund aus High-School-Tagen stand nicht unbedingt ganz oben auf ihrer Wunschliste. »Du meinst also, ich erhöhe meine Chancen auf ein neues Leben, wenn ich mich aufdonnere wie eine Edelnutte – oder ein Hollywoodstar, was mehr oder weniger das gleiche ist.« Es sollte flapsig klingen, aber bei den Worten »neues Leben« geriet ihre Stimme doch leicht ins Schwanken.

»Ich meine, daß es für dich höchste Zeit ist, nach vorn zu blicken und nicht zurück. Deine Veränderungen im Restaurant sind ein Riesenerfolg, besonders der Pärchenabend, und du kannst sehr stolz auf dich sein. Du hast immerhin so viele Mäntel gesammelt, daß in West End nun niemand mehr frieren muß. Grund genug, auch mal zufrieden zu sein.«

Angie wußte, daß es ein guter Rat war. »Ich liebe dich, Mama. Habe ich dir das eigentlich schon gesagt?«

»Nicht oft genug. Aber jetzt laß uns gehen. Sonst verspäten wir uns noch, sagt dein Vater.«

Eine knappe Viertelstunde später erreichten sie das Theater, zeigten am Eingang ihre Karten vor und betraten das Foyer.

»Dein Papa war unglaublich gern hier. Er hat jedes Mal eins von diesen teuren Programmheften gekauft und nie auch nur ein einziges fortgeworfen. Ich habe noch immer einen großen Stapel davon im Schrank.«

Angie legte einen Arm um ihre Mutter und drückte sie an sich.

»Er hätte uns direkt zur Bar geführt.«

»Na, dann werden wir ihm auch folgen.« Angie bahnte ihnen einen Weg durch die Menge, reihte sich an der Bar in die Schlange ein und bestellte Weißwein, als sie endlich dran war. Mit den Gläsern in der Hand schlenderten Angie und ihre Mutter umher und bewunderten die prächtige, barocke Ausstattung des Foyers.

Um zehn vor acht signalisierten Lampen über den Saaltüren den baldigen Beginn der Vorstellung.

Sie gingen zu ihren Plätzen in der vierten Reihe und setzten sich. Gedämpfte Geräusche füllten das Theater: Schritte, Flüstern, im Orchestergraben wurden Instrumente gestimmt.

Dann begann die Vorführung.

Für die nächste Stunde zog das Geschehen auf der Bühne die Zuschauer in ihren Bann. Als in der Pause die Lichter angingen, wandte Angie den Kopf zur Seite.

Ihre Mutter hatte Tränen in den Augen.

Das verstand Angie nur zu gut. Andrew Lloyd Webbers Musik ging einem zu Herzen, weckte die tiefsten Emotionen.

»Oh, das wäre ganz nach seinem Geschmack gewesen«, flüsterte Maria DeSaria. »Er hätte die Lieder immer und immer wieder gesungen, bis sie mir zu den Ohren herausgekommen wären.«

Angie drückte sanft die Hand ihrer Mutter. »Du wirst ihm später die Handlung ganz genau erzählen.«

Ihre Mutter sah sie an. Die dicken Gläser der altmodischen

Brille vergrößerten ihre dunklen, feuchten Augen. »Er will nicht mehr so oft mit mir sprechen. ›Es ist an der Zeit, Maria‹, sagt er. Ich weiß nicht, was ich ohne ihn machen soll, so allein.«

Angie war diese Art von Einsamkeit nur allzu vertraut. Sie schmerzte, manchmal so sehr, daß man glaubte, sie nicht länger ertragen zu können, aber es gab keine Möglichkeit, diese Klippe zu umschiffen. Man mußte einfach abwarten, bis die ärgsten Schmerzwogen abgeklungen waren. »Du bist nicht allein, Mama. Du hast Kinder, Enkel, Freunde.«

»Das ist nicht dasselbe.«

»Nein.«

Eine Weile saßen sie schweigend und in Erinnerungen versunken nebeneinander. »Würdest du mir bitte was zu trinken holen?« fragte Maria DeSaria schließlich.

»Klar. Kommt sofort.«

Angie stand auf und lief zur Tür zum Foyer. Dort blieb sie noch einmal stehen und blickte sich um.

Ihre Mutter war als einzige in der vierten Reihe zurückgeblieben. Sie sah so klein aus, richtiggehend in sich zusammengefallen. Und sie sprach mit Papa.

Angie eilte zur Bar, vor der sich eine lange Schlange gebildet hatte.

Und dann sah sie ihn.

Sie holte tief Luft und ließ sie ganz langsam wieder entweichen.

Er sah gut aus.

Atemberaubend und herzbeklemmend gut.

Aber er war schon immer der attraktivste Mann gewesen, den sie je gesehen hatte. Sie erinnerte sich an ihre erste Begegnung vor vielen vielen Jahren am Huntington Beach. Sie wollte damals Surfen lernen, scheiterte aber kläglich. Eine gewaltige Welle schlug über ihr zusammen und begrub sie unter sich. In ihrer Panik wußte sie nicht mehr, wo oben und unten war. Dann hatten sich Finger fest um ihr Handgelenk geschlossen und sie an die Oberfläche gezogen. Blinzelnd schaute sie auf und blickte in die strahlendsten blauen Augen, die sie je gesehen hatte.

»Conlan.« Angie sprach den Namen ganz leise aus, als wäre er gar nicht da und sie hätte sich ihn nur eingebildet. Langsam und wie in Trance bewegte sie sich auf ihn zu.

Er bemerkte sie.

Sie starrten sich an, machten einen Schritt aufeinander zu, als wollten sie sich umarmen, blieben aber abrupt wieder stehen.

»Ich freue mich, dich zu sehen«, sagte er.

»Ich freu mich auch.«

Ein verlegenes Schweigen breitete sich aus, und plötzlich wünschte Angie, sie wäre nie auf ihn zugegangen.

»Wie geht's dir? Lebst du noch immer in West End?«

»Mir geht's gut. Es scheint, als hätte ich Talent für das Restaurant. Wer hätte das gedacht?«

»Dein Dad«, sagte er und verriet mit diesen beiden Worten, wie gut er sie kannte.

»Ja. Und wie sieht's im Blätterwald aus?«

»Gut. Ich schreibe eine Serie über den Freeway-Mörder. Vielleicht hast du sie gelesen?«

Angie wünschte, sie könnte ja sagen. Früher hatte sie immer vor allen anderen jede seiner Zeilen verschlungen. »Leider nein. Über Lokalnachrichten komme ich neuerdings nicht hinaus.«

»Oh.«

Sie spürte ein schmerzhaftes Ziehen in der Herzgegend. Allein schon seine Nähe tat weh. Sie sollte sich verabschieden, bevor sie die Beherrschung und damit ihre Würde verlor. »Lebst du allein?« hörte sie sich statt dessen fragen.

»Nein.«

Angie nickte. Es war eigentlich mehr ein ruckhaftes Zucken des Kinns. »Natürlich nicht. Nun, ich sollte jetzt besser …« Sie drehte sich um.

»Warte.« Mit einer schnellen Bewegung umfaßte er ihr Handgelenk.

Sie blieb stehen und betrachtete seine langen, gebräunten Finger auf der hellen Haut ihres Unterarms.

»Wie geht es dir?« fragte er und kam ganz nahe an sie heran. »Ganz ehrlich?«

Sie konnte sein Rasierwasser riechen. Dolce & Gabbana, sie hatte es ihm letztes Weihnachten geschenkt. Sie sah ihm ins Gesicht, bemerkte den Schatten von Bartstoppeln an seinem Unterkiefer, wo er vergessen hatte, sich zu rasieren. Es war schon immer sein Problem gewesen, daß er sich nie für etwas genügend Zeit ließ. Jeden Morgen mußte Angie überprüfen, ob er sich auch sorgfältig genug rasiert hatte. Am liebsten hätte sie die Hand ausgestreckt, sein Gesicht berührt, mit der Fingerspitze sanft über die Kinnlinie gestrichen. »Es geht mir gut. Sogar besser als gut. Offen gestanden, bin ich gern in West End.«

»Du hast aber doch immer gesagt, du würdest nie wieder dorthin zurückkehren.«

»Ich hab vieles gesagt. Und vieles auch wieder nicht.«

Sie sah, wie sich sein Gesichtsausdruck veränderte. Irgend etwas – Trauer, Bedauern, Schmerz? – zog seine Mundwinkel nach unten. »Nicht, Angie …«

»Du fehlst mir.« Sie konnte nicht glauben, daß sie das tatsächlich gesagt hatte. Bevor er reagieren konnte, zwang sie sich zu einem Lächeln. »Ich bin viel mit meinen Schwestern zusammen. Und es macht großen Spaß, wieder Tante Angie sein zu können.«

Er lachte, offenbar erleichtert über den Themenwechsel. »Laß mich raten. Du hast Jason versprochen, mit Mira zu reden, daß es schon in Ordnung ist, sich die Augenbraue piercen zu lassen.«

Einen kurzen Moment lang schien es zwischen ihnen wie früher zu sein. Wie damals, als sie noch ein Paar waren, ein glückliches Paar. »Sehr komisch. Einen Ring durch die Braue finde ich ganz und gar nicht in Ordnung. Du liegst allerdings nicht völlig verkehrt: Jason sagte was von einem Tattoo.«

»Conlan?«

Eine blonde Frau trat auf ihn zu. Sie war etwa Anfang dreißig und trug ein marineblaues Kostüm mit einer Perlenkette. Alles an ihrer Erscheinung war perfekt. Sie sah aus wie die Besitzerin einer kleinen, exklusiven Boutique.

»Ich möchte dir Lara vorstellen, Angie. Lara, das ist Angela.«

Angie zwang sich zu einem Lächeln. Vermutlich strahlte sie zu übertrieben, doch sie brachte einfach kein natürliches Lächeln zustande. »Ich freue mich, Sie kennenzulernen. Nun, ich sollte mich jetzt besser beeilen. Die Pause ist bestimmt gleich zu Ende.« Sie wandte sich zum Gehen.

Aber Conlan legte eine Hand auf ihren Arm, zog sie ein bißchen näher an sich heran. »Es tut mir sehr leid«, sagte er leise.

»Was?« Sie lachte. Es klang spröde.

»Ruf mich doch mal an.«

Angie hatte das Gefühl, daß ihr krampfhaftes Lächeln jeden einzelnen Gesichtsmuskel schmerzen ließ. »Mach ich, Conlan. Vielleicht laufen wir uns ja irgendwann, irgendwo mal wieder über den Weg. Würde mich freuen. Bis dann.«

Fünfzehn

Das schlimmste daran war, daß sie es fast schon vergessen hatte. Wenigstens glaubte sie es, was letzten Endes auf das gleiche hinauslief.

»Verdrängung«, war Miras einziger Kommentar, nachdem Angie sich lang und breit über ihre Gefühle nach der Scheidung ausgelassen hatte.

Und wenn schon, dachte Angie. In den letzten Monaten hatte sie sich mit den Katastrophen in ihrem Leben auseinandergesetzt. Vor allem mit dem Tod ihres Vaters, dem Verlust ihrer Tochter und der bitteren Erkenntnis, daß sie keine Kinder mehr bekommen würde. Sie war stolz darauf, wie sie ihre Trauer bewältigt hatte. Sicher, ab und zu hatte sie herbe Rückschläge einstecken müssen, aber sie hatte sich stets wieder gefangen.

Neben all diesen schmerzhaften Erfahrungen war die Scheidung irgendwie in den Hintergrund getreten.

Doch jetzt, nach dem Theaterbesuch, war sie wieder präsent, und Angie konnte die Augen nicht länger davor verschließen.

»Ich wüßte nicht, was an Verdrängung falsch sein sollte«, sagte sie zu Mira, die gerade Pastateig knetete.

»Nun, sie ist keine dauerhafte Lösung. Die ganzen Gefühle

stauen sich auf, um eines Tages schließlich zu explodieren. Das führt dann dazu, daß manche Leute plötzlich bei McDonald's mit einer Knarre herumfuchteln.«

»Willst du damit sagen, daß ich irgendwann wild um mich schieße?«

»Ich sage nur, daß Gefühle sich auf lange Sicht nicht verdrängen lassen. Irgendwann muß man sich ihnen stellen.«

»Und du denkst, dieser Zeitpunkt ist bei mir gekommen?«

»Conlan war einer von den Guten«, sagte Mira leise.

Angie ging zum Fenster und starrte hinaus. »Du hast es erfaßt: Er *war* es.«

»Manche Frauen laufen später den Männern nach, die sie unvorsichtigerweise gehen ließen.«

»Wenn man dich hört, könnte man meinen, Conlan wäre ein Hund, der sich von seiner Leine losgerissen hat. Sollte ich vielleicht Suchzettel mit einer Belohnung an die Bäume im Volunteer Park aufhängen?«

Mira kam zum Fenster, stellte sich neben Angie und legte ihr einen Arm um die Schulter. »Ich weiß noch genau, wie es war, als du Conlan damals kennengelernt hast.«

»Bitte nicht.« Angie wollte sich nicht erinnern, nicht jetzt.

»Ich wollte doch nur ...«

»Ich weiß schon, was du sagen wolltest.«

»Wirklich?«

»Natürlich.« Angie lächelte ihre Schwester an und hoffte, daß sie nicht ganz so traurig aussah, wie sie sich fühlte. »Manche Dinge gehen nun einmal zu Ende, Mira.«

»Die Liebe sollte aber nicht dazu gehören.«

Angie wünschte, sie könnte wieder so naiv sein, aber bei einer Scheidung verlor man zwangsläufig den Glauben an das Gute. Vielleicht war diese Form der Unschuld sogar das erste Opfer der Trennung. »Ich weiß.« Angie lehnte sich gegen ihre Schwester. Sie sprach nicht aus, was sie beide dachten: Es passierte jeden Tag.

An der Haltestelle Shorewood Street verließ Lauren den Bus.

Nur wenige Schritte entfernt leuchtete ihr die Safeway-Reklame entgegen.

»Du weißt, warum sich ein Mädchen ohne erkennbaren Grund übergeben muß, oder ...?«

Lauren zog sich die Kapuze ihres Sweatshirts tief ins Gesicht. Sie betrat den Supermarkt, griff mit gesenktem Kopf nach einem roten Einkaufskorb und lief direkt zu den Regalen mit den Drogerie-Artikeln.

Ohne einen Gedanken an den Preis zu verschwenden, schnappte sie sich zwei Packungen und warf sie in den Korb. Dann rannte sie zu den Zeitungen und zog ein *U.S. News & World Report* vom Stapel. Die Titelstory lautete: »*Colleges im Vergleich.*«

Perfekt.

Sie legte die Zeitung auf die Schwangerschaftstests und begab sich schnurstracks zu einer der Kassen.

Eine Stunde später hockte sie zu Hause auf dem Badewannenrand. Sie hatte die Tür abgeschlossen, obwohl es gar nicht nötig gewesen wäre. Die Geräusche aus dem Schlafzimmer ihrer Mutter waren unverkennbar. In der nächsten Zeit würde sie kaum ins Bad geschneit kommen.

Lauren starrte die Packung an. Das Kleingedruckte war nur schwer zu entziffern. Mit zitternden Fingern öffnete sie die Schachtel.

»Bitte, lieber Gott.« Den Rest ließ sie unausgesprochen. Er wußte, was sie sich wünschte.

Oder besser gesagt: Was sie *auf gar keinen Fall* wollte.

Angie stand am Tisch neben der Tür und trug Reservierungen in den Kalender ein. In den letzten zwölf Stunden hatte sie ununterbrochen gearbeitet. Aber alles war besser, als an Conlan zu denken.

Sie hob den Kopf und sah Lauren vor dem Kamin stehen

und in die Flammen starren. Das Restaurant war bis auf den letzten Platz besetzt, und doch schien das Mädchen nichts zu tun zu haben. Angie ging zu ihr und legte ihr sanft eine Hand auf die Schulter.

Lauren zuckte zusammen und wirbelte mit verwirrtem Gesichtsausdruck zu ihr herum. »Wie? Haben Sie was gesagt?«

»Ist mit dir alles in Ordnung?«

»Klar. Sicher. Ich wollte nur gerade etwas für Tisch sieben holen.« Sie runzelte die Stirn, als könnte sie sich nicht erinnern.

»Zabaione.«

»Was?«

»Tisch sieben. Mr. und Mrs. Mayberry warten auf Zabaione und auf Cappuccino. Und Bonnie Schmidt hat Tiramisu bestellt.«

Laurens versuchte ein Lächeln, aber es erreichte nicht ihre Augen, die irgendwie leer, fast traurig blieben. »Stimmt.« Sie lief Richtung Küche.

»Warte.«

Lauren blickte über die Schulter zurück.

»Mama hat heute zuviel Panna Cotta gemacht. Du weißt, wie schnell die schlecht wird. Bleib doch nach der Arbeit noch ein paar Minuten da und leiste mir bei einer Portion Gesellschaft.«

»Danke, aber Dickmacher kann ich jetzt gerade gar nicht gebrauchen«, sagte Lauren und setzte ihren Weg in die Küche fort.

In der nächsten Stunde ließ Angie das Mädchen nicht aus den Augen und bemerkte, wie blaß es war, wie bemüht sein Lächeln wirkte. Einige Male versuchte sie, Lauren durch eine Bemerkung zum Lachen zu bringen, doch ohne Erfolg. Irgend etwas stimmte da nicht. Vielleicht war David der Grund. Oder sie machte sich noch immer Gedanken über die Zulassung zum College.

Als sich Angie von den letzten Gästen verabschiedet hatte

und die Registrierkasse schließen wollte, war sie ernsthaft besorgt.

Mit fest vor der Brust verschränkten Armen stand Lauren am Fenster und starrte in die Dunkelheit hinaus. Gegenüber auf der anderen Straßenseite hängten freiwillige Helfer gerade Plastik-Truthähne und Pilgerväter-Hüte an die Laternen. Schon in einer Woche, nach Thanksgiving, würden sie durch Lichterketten ersetzt werden. Die vorweihnachtliche Beleuchtung der Stadt war ein Ereignis, das niemand verpassen wollte und das am ersten Dezember Hunderte von Touristen nach West End lockte. Auch Angie hatte es sich nie entgehen lassen, selbst während ihrer Ehe nicht. Manchen Familientraditionen konnte man sich nun einmal nicht entziehen.

Sie trat hinter Lauren. »Es dauert nur noch eine Woche, bis die Weihnachtsbeleuchtung eingeschaltet wird.«

»Hm.«

Sie konnte Laurens blasses Gesicht in der Scheibe sehen. »Geht deine Familie auch jedes Jahr hin?«

»Meine Familie?« Lauren ließ die Arme sinken.

»Deine Mom und du?«

Lauren gab ein Geräusch von sich, das als Lachen hätte durchgehen können. »Meine liebe Mommie ist nicht unbedingt jemand, der abends in der Kälte geduldig darauf wartet, daß die Lichter eingeschaltet werden.«

Erwachsene Worte, dachte Angie. Die Absage, die man einem Kind gab, das sich danach sehnte, die Weihnachtslichter zu sehen. Angie wollte dem Mädchen gerne eine Hand auf die Schulter legen, es wissen lassen, daß es nicht allein war, aber eine solche Geste war im Moment eindeutig nicht erwünscht. »Vielleicht möchtest du ja mit mir hingehen. Mit *uns*, sollte ich wohl besser sagen. Wir fallen dann immer wie ein Heuschreckenschwarm in den Ort ein und essen Hotdogs und trinken heiße Schokolade und kaufen am Rotary-Stand heiße Maroni. Ich weiß, es ist albern, aber ...«

»Nein, vielen Dank.«

Die Abwehr in der Stimme des Mädchens entging Angie nicht. Doch dahinter hörte sie noch etwas: Verzweiflung. Sie spürte, daß Lauren jeden Augenblick zur Tür hinausstürmen würde. Sie mußte ihre Worte sehr bewußt wählen. »Was ist denn los, Liebes?«

Bei dem letzten Wort schien Lauren in sich zusammenzusacken. Ein undefinierbares Geräusch kam über ihre Lippen, dann trat sie hastig vom Fenster zurück und wandte sich ab. »Bis morgen.«

»Du bleibst hier, Lauren Ribido.« Angie war selbst ganz überrascht. Sie hatte bislang gar nicht gewußt, daß sie die strenge-Mutter-Masche in ihrem Repertoire hatte.

Langsam hob Lauren den Kopf. »Was wollen Sie von mir?«

Der Schmerz in Laurens Stimme ging Angie zu Herzen. »Ich mache mir Sorgen um dich, Lauren. Offensichtlich hast du Probleme. Ich würde dir gern helfen.«

Hilflos sah Lauren sie an. »Bitte, tun Sie das nicht.«

»Was?«

»So nett zu sein. Das ertrage ich heute nicht.«

Angie wußte nur zu gut, was Lauren meinte. Das Mädchen war an dem kritischen Punkt, an dem es nicht mehr viel brauchte, um es zusammenbrechen zu lassen. Es tat Angie weh, daß ein so junges Mädchen dermaßen litt, aber andererseits waren Verunsicherung und überschwengliche Gefühle nicht typisch für dieses Alter? Vermutlich grämte sich Lauren nur über ein schlechtes Testergebnis. Es sei denn ... »Hast du dich von David getrennt?«

Irrte sie sich, oder hätte Lauren fast gelächelt? »Danke, daß Sie mich daran erinnern, daß es noch schlimmer sein könnte.«

»Zieh schon mal deinen Mantel an.«

»Warum?«

»Wir gehen eine Runde spazieren.«

Angie lief schnell in die Küche, um ihren eigenen Mantel zu

holen. Als sie zurückkam, stand Lauren mit ihrem neuen, grünen Mantel neben der Tür. Ihren Rucksack hatte sie über eine Schulter gehängt.

»Komm, laß uns gehen«, sagte Angie.

Nebeneinander schlenderten sie über den dunklen Bürgersteig, den alle paar Meter eine Laterne beleuchtete. Normalerweise wäre die Straße an einem Wochentag um halb elf Uhr abends leer und verlassen, aber heute sahen sie überall Leute, die West End auf die kommenden Festlichkeiten vorbereiteten. Es roch nach verbranntem Holz und dem Ozean.

An der Ecke boten Frauen vom Soroptimist Club heiße Schokolade an. Angie blieb stehen.

»Mit Marshmallows?« fragte die Verkäuferin und stieß dabei kleine weiße Atemwölkchen aus.

»Gern«, lächelte Angie.

Sie umfaßte den Becher mit beiden Händen. Die Wärme übertrug sich auf ihre Finger, heißer Dampf stieg ihr ins Gesicht. Sie führte Lauren zu einer Bank, und sie setzten sich. Selbst von hier aus konnte man das Meer rauschen hören. Es war der Herzschlag der Stadt, gleichmäßig und beständig.

Sie warf einen Blick auf Lauren, die gedankenverloren in ihren Becher starrte. »Und jetzt red endlich, Lauren. Ich weiß, als Erwachsene bin ich für dich vielleicht nicht die ideale Ansprechpartnerin, aber glaube mir, es hilft, sich jemandem anzuvertrauen und über die Probleme zu reden, die einen bedrücken.«

»Probleme ...«, wiederholte das Mädchen schnaubend, als hätte die Ältere massiv untertrieben. Aber das überraschte Angie nicht. Mit siebzehn war eben alles eine einzige, große Katastrophe.

»Komm schon, Lauren. Laß mich dir doch helfen.«

Endlich drehte sich Lauren zu ihr um. »Es geht um David.«

Worum sonst. In diesem Alter ging es fast immer um einen Jungen. Wenn er nicht oft genug anrief, brach es einem das

Herz. Wenn er in der Mittagspause mit Melissa Sue sprach, war das Anlaß genug, um stundenlang Tränen zu vergießen.

Angie schwieg. Am liebsten hätte sie gesagt, daß Lauren ja noch jung war und David irgendwann nicht mehr als eine süße Erinnerung an ihre erste Liebe sein würde. Doch das war natürlich das Allerletzte, was eine Siebzehnjährige hören wollte. Also wartete sie.

»Wie bringt man jemandem schlechte Neuigkeiten bei?« fragte Lauren schließlich. »Ich meine jemandem, den man wirklich liebt?«

»Das wichtigste dabei ist, daß man ehrlich ist. Und zwar immer. Ich habe einen hohen Preis dafür bezahlt, daß ich meinen Mann belogen habe, weil ich ihn nicht verletzen wollte. Das war unser Ende.« Sie sah Lauren an. »Es geht ums Studium, oder?« Angie bemühte sich um einen sanften Tonfall, um ihren folgenden Worten den Stachel zu nehmen. »Du befürchtest, daß du und David getrennt werdet. Aber du hast doch bisher noch gar keine Rückmeldung vom College erhalten. Es bringt nichts, sich vorher schon völlig verrückt zu machen.«

Der Mond kam hinter einer Wolke hervor und beleuchtete Laurens Gesicht, ließ sie plötzlich älter aussehen, reifer. Ihre Wangen schienen schmaler geworden zu sein, ihre Augen wirkten sehr dunkel, als würden sie etwas verbergen. »Das Studium«, wiederholte sie fast tonlos.

»Lauren? Ist alles in Ordnung?«

Hastig senkte das Mädchen den Blick. »Ja. Das ist es. Ich hab nur Angst, daß wir ... getrennt werden.« Sie schien das Eingeständnis kaum über die Lippen bringen zu können.

Angie legte einen Arm um Laurens Schultern. Sie merkte, wie das Mädchen zitterte, und war sich sicher, daß das nicht von der Kälte kam. »Das ist doch völlig verständlich, Lauren. Mit siebzehn war ich bis über beide Ohren in Tommy Matucci verliebt. Er ...«

Abrupt schüttelte Lauren Angies Hand ab und sprang auf. Das silberne Mondlicht beschien die Tränen auf ihren Wangen. »Ich muß los.«

Auch Angie stand auf. »Warte. Laß mich dich wenigstens noch eben nach Hause fahren.«

»Nein.« Jetzt schluchzte Lauren und gab sich gar keine Mühe mehr, das zu verbergen. »Danke, daß Sie mir Mut machen wollten, aber ich muß jetzt wirklich gehen. Ich bin wie immer morgen abend im Restaurant. Keine Angst.«

Sie machte auf dem Absatz kehrt und rannte davon.

Hilflos stand Angie da und lauschte Laurens Schritten, bis sie in der Dunkelheit verklangen. Irgend etwas mußte sie falsch gemacht haben, ohne sich erklären zu können, was. Sie wußte nur, daß von Anfang an alles schiefgelaufen war.

»Vielleicht ist es ganz gut, daß ich keine Kinder habe«, sagte sie halblaut.

Dann erinnerte sie sich an ihre eigene Jugend. Tagtäglich hatte sie sich mit ihrer Mutter erbitterte Auseinandersetzungen geliefert, über die Länge ihrer Röcke, die Höhe ihrer Absätze, wann sie abends wieder zu Hause zu sein hatte ... Ganz gleich, was ihre Mutter auch sagte, nichts davon hatte sie hören wollen. Und ganz bestimmt keine, wenn auch gutgemeinten Ratschläge zu so heiklen Themen wie Liebe, Sex oder Drogen.

Möglicherweise war das Angies Fehler gewesen. Sie hatte Laurens Problem unbedingt für sie lösen wollen, doch vielleicht wollte das Mädchen etwas ganz anderes von ihr.

Beim nächsten Mal werde ich einfach nur zuhören, nahm Angie sich fest vor.

Sechzehn

Der Pärchen-Abend war ein Riesenerfolg. Viele Bewohner von West End – alte wie junge – schienen nur auf eine Gelegenheit gewartet zu haben, im *DeSaria's* gut zu Abend zu essen und sich danach einen Film anzusehen. Vermutlich hatte auch das Wetter das Seine dazu beigetragen. Es war ein trostloser, trüber November, und in einer Kleinstadt wie West End gab es an einem kalten, regnerischen Abend nicht viele andere Vergnügungsmöglichkeiten.

Angie ging von Tisch zu Tisch, unterhielt sich mit den Gästen und achtete darauf, daß Rosa und Carla, die neue Kellnerin, keinen Wunsch übersahen. Sie füllte Wasser nach, brachte frisches Brot und bediente an einigen der Tische selbst.

Die Spezialgerichte ihrer Mutter waren heute besonders gut gelungen. Schon gegen acht war der Safran-Risotto mit Muscheln ausverkauft, und es sah ganz so aus, als würde in spätestens einer Stunde nichts mehr vom Lachs auf Engelshaar-Pasta mit gegrillten Tomaten und Artischockenherzen übrig sein. Es überraschte Angie, wie sehr sie dieser Erfolg befriedigte.

Darüber dachte sie neuerdings häufiger nach. Im Grunde genommen seit dem Abend, an dem sie an der Bar im Musical-Theater zufällig Conlan getroffen hatte. Schließlich mangelte es ihr nicht an Zeit zum Nachdenken. Was sollte eine alleinstehende kinderlose Frau ohne Aussichten auf eine Romanze in einer Kleinstadt auch sonst groß tun?

Sobald Angie einmal begonnen hatte, sich mit ihrem Leben zu befassen, schien sie damit nicht mehr aufhören zu können. Immer wieder dachte sie über die Entscheidung nach, die sie vor vielen Jahren getroffen hatte, lange bevor sie alt genug war, um verstehen zu können, was wirklich zählte.

Mit sechzehn hatte sie beschlossen, es in ihrem Leben zu etwas zu bringen. Weil sie in einer Kleinstadt und in einer großen Familie aufgewachsen war, vielleicht, oder weil ihr die Liebe und Anerkennung ihres Vaters sehr viel bedeutete. Selbst jetzt konnte sie nicht sagen, was für ihre Wahl ausschlaggebend gewesen war. Sie wußte nur, daß sie sich nach einem anderen, anspruchsvolleren und intellektuelleren Leben gesehnt hatte. Das Studium in Los Angeles war der Anfang gewesen. Niemand sonst aus ihrem High-School-Jahrgang studierte so weit entfernt von West End. Und mit ihrer Fächerwahl setzte sie sich noch weiter von ihrer Heimat und ihrer Familie ab. Russische Literatur, Kunstgeschichte, Fernöstliche Religionen, Philosophie. Diese Kurse vermittelten ihr eine Vorstellung von der Größe und Vielfalt der Welt. Und sie wollte sie unbedingt verstehen, erfahren. Aber sobald man sich in einem Rennwagen anschnallt und über die Überholspur donnert, vergißt man leicht, das Tempo zu drosseln, um die Umgebung zu betrachten. Da zählt nichts anderes als die Zielgerade.

Dann hatte sie Conlan kennengelernt.

Und wie sehr hatte sie ihn geliebt. Tief genug, um vor Gott zu geloben, daß es in diesem Leben keinen anderen Mann für sie geben würde.

Angie konnte den Zeitpunkt nicht benennen, wann diese Liebe an Intensität verlor, wann sie damit begann, ihr Leben danach zu beurteilen, was ihr fehlte. Es war nicht ohne Ironie: Aus Liebe hatten sie sich ein Kind gewünscht, aber bei ihren Versuchen, diesen sehnlichen Wunsch zu erfüllen, war ihre Liebe auf der Strecke geblieben.

Wenn sie diese Serie an Enttäuschungen doch nur näher zusammengebracht hätte, anstatt sie voneinander zu entfernen.

Wenn sie beide doch nur stärker gewesen wären.

All das hätte sie Conlan bei ihrer zufälligen Begegnung im Theater sagen sollen. Statt dessen hatte sie sich aufgeführt wie eine Halbwüchsige, die beleidigt darauf reagiert, daß ihre Schwärmerei für den Quarterback nicht erwidert wird.

Nachdem die letzten Gäste gegangen waren, schenkte sich Angie ein Glas Wein ein und setzte sich an den Kamin. Es war angenehm ruhig im Restaurant. Sie sah keinen Grund, nach Hause zu fahren. Hier fühlte sie sich wohl. Im Cottage bestand immer die Gefahr, daß sie sich sehr schnell sehr allein fühlte.

Allein …

Sie trank einen Schluck Wein und redete sich ein, daß der Schauer, der ihr gerade über den Rücken gelaufen war, von der Wärme des Kaminfeuers rührte.

Die Küchentüren schwangen auf, und Mira betrat den Gastraum. Sie sah müde aus.

»Ich dachte, du wärst schon nach Hause gegangen«, sagte Angie und schob ihrer Schwester einen Stuhl zurecht.

»Ich habe Mama zu ihrem Auto gebracht. Bevor sie sich hinter das Steuer setzte, hat sie mir allerdings noch erklärt, daß sich meine Tochter neuerdings anzieht wie ein Flittchen.« Sie ließ sich auf den Stuhl fallen. »Ach, ein Schluck Wein würde mir jetzt auch guttun.«

Angie goß ein Glas ein und schob es Mira hin. »So sehen doch inzwischen alle Teenager aus.«

»Das habe ich Mama auch gesagt. Und weißt du, was sie geantwortet hat? ›Sag Sarah, daß sie da etwas anpreist, für das sie bei weitem zu jung ist.‹ Ach ja, und daß Papa sich im Grab umdrehen würde.«

»Ah. Die ganz großen Geschütze.«

Mit einem kümmerlichen Lächeln nippte Mira an ihrem Glas. »Du siehst aber auch nicht unbedingt glücklich aus.«

Angie seufzte. »Mir geht es auch nicht gut, Mira. Seit ich Conlan wiedergesehen habe.«

»Falsch. Dir geht es nicht gut, seit ihr beide euch getrennt habt. Das weiß jeder, nur du weißt es offenbar nicht.«

»Er fehlt mir«, gestand Angie leise.

»Und was gedenkst du zu tun?«

»Tun?«

»Na, um ihn zurückzubekommen.«

Schon die Worte taten weh. »Es ist zu spät, Mira. Der Zug ist abgefahren.«

»Es ist nie zu spät, solange du nicht tot bist. Erinnerst du dich noch an Kent John? Als er dich abservieren wollte, hast du einen Feldzug gestartet, der noch Jahre danach Tagesgespräch war.«

Angie lachte. Es stimmte. Sie hatte dem armen Kent auch nicht die Spur einer Chance gelassen. »Damals war ich fünfzehn.«

»Ja, und jetzt bist du achtunddreißig. Conlan ist weit mehr wert als irgendein High-School-Flirt. Wenn du ihn liebst ...« Wie ein guter Angler – und in West End wußte jeder, wie man fischt – ließ Mira den Köder vor Angies Nase baumeln.

»Er liebt *mich* nicht mehr«, sagte Angie schnell.

Mira sah ihr in die Augen. »Bist du dir da so sicher?«

Noch nie in ihrem Leben hatte Lauren einen Schultag geschwänzt. Aber Angie hatte recht: Sie brauchte Gewißheit, bevor sie sich ernstlich Sorgen machte.

Steif saß sie auf ihrem Platz im Bus und blickte durchs Fenster auf die vorbeifliegende Landschaft. Als sie den Greyhound-Bus bestiegen hatte, war es draußen noch dunkel gewesen. Erst als der Bus Fircrest durchquerte, wurde es allmählich hell. Vor jeder Haltestelle flehte Lauren innerlich, daß niemand den Bus bestieg, den sie kannte. Glücklicherweise wurden ihre Gebete erhört.

Irgendwann schloß sie die Augen. Jeder einzelne Kilometer brachte sie ihrem Ziel näher.

»Du weißt, warum sich ein Mädchen ohne erkennbaren Grund übergeben muß, oder ...?«

»Ich bin nicht schwanger«, flüsterte Lauren und hoffte inständig, daß es stimmte.

Diese billigen Teststreifen waren doch alles andere als zuverlässig. Das wußte schließlich jeder.

Sie *konnte* nicht schwanger sein. Ganz gleich, was der kleine Streifen auch behauptet hatte.

»Seventh und Gallen«, rief der Fahrer.

Lauren griff sich ihren Rucksack und verließ den Bus.

Die Kälte sprang sie förmlich an. Feuchte, eisige Luft hüllte sie ein, ließ sie nach Atem ringen. Hier roch es wie in einer Großstadt: stickig und nach Abgasen, nicht nach Tannen und Meer wie zu Hause.

Lauren schlug den Kragen hoch und lief zwei Blocks weit zur Chester Street.

Dann stand sie vor einem großen quadratischen Betonklotz mit Flachdach.

Beratungscenter für Familienplanung.

Was für ein Witz. Im Grunde war sie hier doch völlig falsch. Für sie müßte es »ungewollte Schwangerschaft« heißen.

Lauren seufzte tief und merkte plötzlich, daß ihr Tränen über die Wangen kullerten.

Hör auf! Du bist nicht schwanger. Du läßt es dir nur bestätigen.

Mit schnellen Schritten lief sie über den Plattenweg zum Eingang. Ohne zu zögern, stieß sie die Tür auf, durchquerte die Sicherheitskontrolle und betrat den Wartebereich.

Als erstes fielen ihr die Frauen und Mädchen auf, die vor ihr gekommen waren. Nicht eine sah aus, als wäre sie gern hier. Männer konnte Lauren nicht entdecken. Dann bemerkte sie die Trostlosigkeit: graue Wände, graue Plastikstühle, grauer Teppichboden.

Lauren ging schnurstracks zum Empfang. Die Frau hinter dem Schreibtisch lächelte ihr entgegen.

»Kann ich Ihnen helfen?« fragte sie und zog einen Stift aus ihren toupierten Haaren.

Hastig beugte sich Lauren über den Schreibtisch und flüsterte: »Ribido. Ich hatte angerufen ...«

Die Frau warf einen Blick in ihre Unterlagen. »O ja. Schwangerschaftstest.«

Lauren zuckte zusammen. Hätte die Frau nicht ein bißchen leiser sprechen können? »Ja, richtig.«

»Setzen Sie sich bitte. Es dauert noch einen Moment.«

Ohne eine der wartenden Frauen anzusehen, eilte Lauren zu einem Stuhl und setzte sich. Sie senkte den Kopf, ließ die Haare ins Gesicht fallen und starrte auf den Rucksack auf ihrem Schoß.

Eine Ewigkeit später kam eine Frau und rief Laurens Namen.

Sie sprang auf. »Das bin ich.«

»Kommen Sie doch bitte mit. Ich heiße Judy.« Sie führte Lauren in einen kleinen Untersuchungsraum und forderte sie auf, sich auf eine papierbedeckte Liege zu setzen. Dann nahm sie auf einem Stuhl vor ihr Platz und blickte auf ihr Klemmbrett. »Sie sind also gekommen, um einen Schwangerschaftstest vornehmen zu lassen, Lauren?«

»Ich bin fest überzeugt, daß er nicht nötig ist, aber ...« Sie versuchte ein Lächeln. »Sicher ist sicher.« Lauren wartete darauf, daß die Frau eine Bemerkung über *sicheren Sex* machte. Ihr Lächeln erstarb.

»Haben Sie Geschlechtsverkehr?«

Plötzlich fühlte sich Lauren zu jung für diese Frage. »Ja.«

»Schützen Sie sich? Nehmen Sie Verhütungsmittel?«

»Aber ja. Ich war mit David drei Jahre zusammen, bevor ... Sie wissen schon. Und wir haben nur *ein* Mal kein Kondom benutzt.«

Die Frau schenkte ihr ein mitfühlendes Lächeln. »Einmal reicht leider, Lauren.«

»Ich weiß.« Jetzt fühlte sie sich nicht nur zu jung, sondern auch noch dumm und töricht. »Das war in der ersten Oktoberwoche. Daran erinnere ich mich genau, denn wir haben nach dem Spiel gegen Longview miteinander geschlafen. Und danach bekam ich pünktlich meine Blutungen.«

»Und warum bist du dann hier?«

»Weil ich in diesem Monat deutlich über der Zeit bin, und ...« Lauren bekam das Wort kaum über die Lippen.

»Und?«

»Ich habe einen dieser Tests gemacht, die man im Supermarkt kaufen kann. Er war positiv. Aber die sind doch häufig unzuverlässig, oder?«

»Sagen wir, diese Tests sind nicht hundertprozentig sicher. Wie war Ihre Periode im letzten Monat?«

»Schwach. Aber eindeutig da.«

Judy sah sie an. »Wußten Sie, daß man auch während einer Schwangerschaft bluten kann? Mitunter kommt es einem vor wie eine Periode.«

Lauren fröstelte mit einemmal. »So?«

»Nun, lassen Sie uns jetzt einen richtigen Test machen, dann wissen wir Bescheid.«

Lauren zog die Wohnungstür hinter sich zu.

Sie warf ihren Rucksack auf die Couch und lief durch den kleinen Flur. Während der langen Busfahrt hatte sie sich unablässig den Kopf darüber zermartert, was sie sagen sollte. Und vor allem *wie*. Als sie jetzt vor der halbgeöffneten Zimmertür ihrer Mutter stand, wußte sie noch immer keine Antwort.

Gerade wollte sie anklopfen, als sie drinnen Stimmen vernahm.

Na toll. *Er* war da, was sonst.

»Weißt du noch, der Abend, an dem wir uns kennengelernt haben?« fragte er mit heiserer Stimme. Alle Freunde ihrer Mutter hörten sich so an; als hätten sie seit frühester Jugend pausenlos filterlose Zigaretten gequalmt. Wenn sie es recht bedachte, war die Frage erstaunlich romantisch. Lauren ertappte sich dabei, wie sie den Oberkörper vorbeugte und die Ohren spitzte, um die Antwort ihrer Mutter nicht zu verpassen.

»Klar«, gab ihre Mutter zurück. »Wie könnte ich das vergessen?«

»Damals hab ich dir gesagt, daß ich nur für kurze Zeit in West End bleibe. Jetzt bin ich schon einen Monat hier.«

»Ach.« Ihre Mutter hörte sich überraschend ... gekränkt an. »Das wußte ich. Es hat Spaß gemacht, aber irgendwann hat alles ein Ende.«

»Laß das«, sagte er leise.

Lauren trat noch einen Schritt näher an den Türspalt.

»Was soll ich lassen?«

»Ich bin kein toller Fang, Billie. Ich habe im Leben schon ziemlich viel Mist gebaut. Menschen weh getan, so was. Vor allem den drei Frauen, die mich geheiratet haben.«

»Glaubst du etwa, ich bin Mutter Teresa?«

Lauren hörte Schritte. Offenbar durchquerte er den Raum und setzte sich aufs Bett. Die Matratze ächzte unter seinem Gewicht.

»Es wäre nicht sonderlich schlau von dir, mit mir zusammen West End zu verlassen«, sagte er.

Verblüfft hielt Lauren den Atem an.

»Heißt das, du willst mich mitnehmen?« fragte ihre Mutter mit fast krächzender Stimme.

»Ich schätze ja.«

»Im Juni macht Lauren ihren High-School-Abschluß. Wenn du so lange ...«

»Warten ist nicht mein Ding, Billie.«

Es folgte ein unangenehmes Schweigen. »Schade, Jake«, sagte ihre Mutter schließlich. »Vielleicht hätte aus uns ... Ach, ich weiß auch nicht ... etwas werden können.«

»Ja. Ausgesprochen schlechtes Timing.«

Lauren hörte, wie er aufstand und sich der Tür näherte.

Sie stolperte ins Wohnzimmer zurück und tat so, als wäre sie in diesem Moment nach Hause gekommen.

Mit schnellen Schritten kam Jake aus dem Schlafzimmer. Als er Lauren sah, blieb er stehen und lächelte.

Sie sah ihn zum ersten Mal. Er war groß – knapp einsneunzig –, hatte lange blonde Haare und trug die typische Biker-Kluft: schwarze Lederhosen, nietenbeschlagene, schwarze Lederjacke, schwere schwarze Stiefel. Sein hageres, schroffes Gesicht erinnerte Lauren an die zerklüfteten Berge im National Forest. Aus dem runden Ausschnitt seines T-Shirts lugte das Ende eines farbigen Tattoos hervor. Der Schwanz eines Drachens oder einer Schlange.

Wenn programmierter Ärger ein Gesicht hatte, dann dieses.

»Hey, Kid.« Er nickte ihr im Vorbeigehen flüchtig zu.

Lauren sah ihm nach, wie er die Wohnung verließ, und blickte dann zur Zimmertür ihrer Mutter. Sie machte ein paar Schritte, blieb dann aber unschlüssig stehen.

Wahrscheinlich war es kein guter Zeitpunkt.

Die Tür flog auf, und Laurens Mutter stolperte heraus. »Wo sind meine verdammten Kippen?«

»Auf dem Couchtisch.«

»Danke. Mann, geht's mir dreckig. Der letzte Drink gestern abend war wohl schlecht.« Ihre Mutter suchte zwischen den leeren Pizza-Kartons, bis sie die Zigarettenschachtel gefunden hatte. »Du bist aber früh zu Hause. Ist irgendwas?«

»Ich bin schwanger.«

Abrupt fuhr ihre Mutter herum. Die unangezündete Zigarette klebte in ihrem Mundwinkel. »Soll das ein Witz sein?«

Lauren machte einen Schritt auf sie zu. Sie konnte nicht anders. Obwohl sie in der Vergangenheit unzählige Male enttäuscht worden war, hoffte sie immer noch, daß es *diesmal* anders sein würde, und jetzt gerade sehnte sie sich danach, in den Arm genommen und getröstet zu werden. Wünschte sich, die Worte *Es wird alles gut* zu hören, auch wenn es eine Lüge war. »Ich bin schwanger«, wiederholte sie leiser.

Der Arm ihrer Mutter zuckte nach oben. Gleich darauf verspürte Lauren einen scharfen Schmerz im Gesicht. Die Heftigkeit des Schlags überraschte beide.

Keuchend holte Lauren Luft. Ihre Wange brannte wie Feuer, aber es war ihre Mutter, die Tränen in den Augen hatte.

»Nicht weinen«, sagte sie. »Bitte.«

Fassungslos starrte ihre Mutter sie an. Die Zigarette baumelte noch immer zwischen ihren Lippen.

In ihren pinkfarbenen Hüft-Jeans und dem knappen weißen T-Shirt hätte sie aussehen können wie ein Teenager, statt dessen wirkte sie wie eine uralte Frau. »Hast du denn gar nichts von mir gelernt?« Sie lehnte sich gegen die weißverputzte Wand.

Lauren stellte sich neben sie. Ihre Schultern berührten sich, aber keine der beiden streckte die Hand nach der anderen aus. Dumpf starrte Lauren vor sich hin und versuchte sich zu erinnern, was sie sich von ihrer Mutter erhofft hatte. »Ich brauche deine Hilfe.«

»Wobei?«

Schon immer hatte sich Lauren in der Gegenwart ihrer Mutter einsam gefühlt, aber nie stärker als in diesem Moment. »Ich weiß nicht.«

Endlich drehte sich ihre Mutter zu ihr um. Die Verzweiflung in ihren mascaraverschmierten Augen war schlimmer als der Schlag. »Laß es wegmachen«, sagte sie. »Du kannst dir nicht von einem kleinen Fehltritt dein ganzes Leben ruinieren lassen.«

»Also das bin ich für dich? Ein Fehltritt?«

»Sieh mich doch an. Stellst du dir so deine Zukunft vor?«

Lauren schluckte und wischte sich über die Augen. »Es ist ein Baby, nicht irgendein ... Ding. Und wenn ich es nun behalten möchte? Würdest du mir helfen?«

»Nein.«

»*Nein*? Einfach so?«

Schließlich berührte ihre Mutter sie doch. Aber so flüchtig, daß Lauren es kaum spürte. »Ich habe für meinen Fehler bezahlt. Für deinen werde ich das nicht tun. Hör auf meinen Rat. Laß es abtreiben. Verbau dir nicht deine ganze Zukunft.«

Bist du dir da so sicher ...

Die Frage hatte Angie die ganze Nacht keine Ruhe gelassen.

»Verdammt noch mal, Mira«, murrte sie leise.

»Was hast du gesagt?« Ihre Mutter hob den Kopf und sah sie erwartungsvoll an. Sie standen in der Küche von Angies Elternhaus und bereiteten Pasteten für Thanksgiving vor.

»Nichts, Mama.«

»Du murmelst schon die ganze Zeit vor dich hin. Irgendwas geht dir doch im Kopf herum. Gib dir ein bißchen mehr Mühe mit den Pecannüssen, Angela. Niemand will eine Pastete essen, die unordentlich belegt ist.«

»Ich weiß beim besten Willen nicht, wie ich es richtig mache.« Angie warf die Tüte mit den Nüssen auf den Tisch und stürmte aus der Küche. Draußen auf der Veranda hing Tau wie Perlen am Geländer, schimmerte auf den Holzbohlen. Der Rasen war dicht und weich wie Samt.

Sie hörte, wie sich hinter ihr die Schiebetür öffnete. Und wieder schloß.

Gleich darauf stellte sich ihre Mutter neben sie und blickte auf die herbstlich kahlen Rosenbeete. »Du hast gerade von etwas anderem gesprochen als von den Nüssen.«

Angie rieb sich die Augen und seufzte. »Ich habe Conlan in Seattle getroffen.«

»Es war aber auch Zeit, daß du es mir sagst.«

»Mira hat geplappert, hm?«

»Deine Schwester hat es mir *anvertraut*. Sie macht sich Sorgen um dich. Genau wie ich.«

Angie stützte die Hände auf das kalte Holzgeländer und beugte sich vor. Einen Moment lang glaubte sie, das Meer zu hören, erkannte dann aber, daß ein Düsenflugzeug über sie hinwegflog. Sie wollte ihre Mutter schon fragen, wie es nur angehen konnte, daß sie mit achtunddreißig eine alleinstehende, kinderlose Frau war. Aber sie kannte die Antwort. Sie hatte die Liebe durch ihre Finger gleiten lassen. »Ich komme mir total verloren vor.«

»Und was willst du jetzt tun?«

»Das weiß ich nicht. Die gleiche Frage hat Mira mir auch schon gestellt.«

»Deine Schwester ist ein wirklich kluges Mädchen. Und?«

»Vielleicht rufe ich ihn an«, sagte Angie und zog das erstmals wirklich in Betracht.

»Gute Idee. Ich persönlich würde ihm natürlich lieber in die Augen sehen wollen. Nur dann kann man sich sicher sein.«

»Er könnte sich einfach umdrehen und gehen.«

Ihre Mutter wirkte verblüfft. »Hast du das gehört, Tony? Deine Angela ist ein Feigling. Das kenne ich gar nicht von unserer Tochter.«

»In den letzten Jahren habe ich einiges einstecken müssen, Mama.« Sie versuchte zu lächeln. »Ich bin nicht mehr so stark wie früher.«

»Du irrst dich. Die alte Angela ließ sich von ihren Schicksalsschlägen überwältigen. Aber meine neue Tochter hat keine Angst.«

Angie wandte den Kopf, blickte in die tiefen, dunklen Augen ihrer Mutter und fand darin ihr ganzes Leben widergespiegelt. Der Duft von Tabu-Parfum und Aqua-Net-Haarspray stieg ihr in die Nase. Plötzlich empfand sie es als sehr beruhigend, hier auf dieser Veranda neben ihrer Mutter stehen zu können. Es war ein Beweis dafür, daß sich im Leben vieles ändern konnte, nur eines nicht.

Die Verbundenheit einer Familie.

Es entbehrte nicht einer gewissen Ironie. Sie war bis nach Kalifornien geflüchtet, um Abstand zu ihrer Familie zu gewinnen. Dabei hätte sie wissen müssen, daß das unmöglich war. Ihre Familie würde ihr immer nahsein, selbst ihr Vater ... so wie heute an diesem kalten Herbstmorgen auf der Veranda.

»Ich bin froh, daß ich wieder zu Hause bin, Mama. Mir war überhaupt nicht klar, wie sehr ihr mir alle gefehlt habt.«

Maria DeSaria lächelte. »Uns schon. Aber jetzt sollten wir zusehen, daß die Pasteten endlich in den Ofen kommen. Wir haben noch jede Menge zu backen.«

Siebzehn

Der Rockbund von Laurens Schuluniform war unverändert, schien aber dennoch irgendwie nicht mehr ganz zu passen. Prüfend betrachtete sie sich im Spiegel und versuchte, sich einzureden, daß in diesem frühen Stadium noch niemand etwas sehen konnte. Sie kam sich vor wie Hester Prynne – nur mit einem scharlachroten S auf ihrem Bauch.

Rasch wusch sie sich die Hände und verließ den Toilettenraum.

Die letzte Unterrichtsstunde war eben zu Ende. Schreiend und lachend rannten Mitschüler an Lauren vorbei. So außer Rand und Band waren sie immer vor einem Feiertag. Viele riefen Lauren etwas zu oder winkten. Bemerkte wirklich keiner von ihnen, was mit ihr los war, daß sie sich *verändert* hatte?

»Lo!« Seinen Rucksack neben sich herschleifend, trottete David auf Lauren zu. Als er sie erreicht hatte, ließ er ihn fallen und umarmte sie.

Lauren klammerte sich an ihn. Als sie sich schließlich von ihm löste, merkte sie, daß sie am ganzen Körper zitterte.

»Wo hast du gesteckt?« wollte David wissen.

»Können wir uns irgendwo in Ruhe unterhalten?«

»Du weißt es schon, oder? Verdammt. Dabei habe ich extra jedem gesagt, daß ich dich damit überraschen will.«

Sie blickte David an, und ihr fiel auf, wie seine Augen leuchteten. Er sah aus, als könnte er jeden Moment in schallendes Gelächter ausbrechen. »Ich habe keine Ahnung, wovon du redest.«

»Echt nicht?« Er strahlte noch mehr, packte sie bei der Hand und zog sie mit sich. Sie rannten an der Cafeteria vorbei, an der Bibliothek, und suchten sich eine dunkle Nische in der Nähe des Musiksaals. Drinnen übte gerade die Schulband. Die abgehackten Klänge von »Tequila« stiegen in die kalte Nachmittagsluft.

Lächelnd drückte David ihr einen festen Kuß auf die Lippen und angelte etwas aus der Tasche.

Lauren betrachtete den Briefumschlag in seiner Hand. Offenbar war er hastig aufgerissen worden. Der obere Rand des Kuverts war zerfetzt. Sie griff danach und sah den Absender.

Stanford University.

Mit angehaltenem Atem zog sie den Brief heraus und überflog die ersten Zeilen. »Sehr geehrter Mister Haynes, wir freuen uns, Ihnen mitteilen zu können …«

Tränen schossen in Laurens Augen, raubten ihr die Sicht. Sie konnte nicht weiterlesen.

»Ist das nicht toll?« David nahm ihr den Brief wieder ab. »Es hat auf Anhieb geklappt.«

»Der Brief kommt sehr früh. Sonst hat noch niemand Nachricht von seinem College.«

»Ich schätze, ich hatte verdammtes Glück.«

Glück, klar doch …

»Wow.« Lauren senkte den Kopf, es war ihr in dem Moment nicht möglich, ihm in die Augen zu blicken. Nun konnte sie es ihm auf keinen Fall sagen.

»Jetzt geht's los, Lauren. Du wirst an der USC oder in Berkeley studieren, und wir werden uns so oft wie möglich sehen. Wir können jedes Wochenende zusammen verbringen. Und die Ferien.«

Schließlich sah Lauren ihn doch an und hatte plötzlich das Gefühl, daß sie ein ganzer Ozean trennte. Unterschiedliche Colleges spielten kaum noch eine Rolle. »Du fährst doch heute abend weg, oder?« Selbst in ihren eigenen Ohren hörte sich ihre Stimme dumpf an, ausdruckslos.

»Wir verbringen Thanksgiving bei Onkel Frederick.« Er zog sie fest an sich und flüsterte in ihr Ohr. »Es ist nur ein kurzes Wochenende. Danach können wir feiern.«

Lauren *wollte* sich für ihn freuen. *Stanford* ... Davon hatte er immer geträumt. »Ich bin stolz auf dich, David.«

»Ich liebe dich, Lauren.«

Ja, er liebte sie. Von ganzem Herzen, und nicht auf diese oberflächliche Art, bei der es nur um das Prickeln erster sexueller Erfahrungen ging.

Gestern wäre Lauren darüber glücklich gewesen. Heute sahen die Dinge anders aus.

Es war leicht, jemanden zu lieben, wenn es keinerlei Komplikationen gab.

In der letzten Woche noch hatte Laurens größte Sorge darin bestanden, nicht mit David in Stanford studieren zu können. Inzwischen war das ihr kleinstes Problem. Sobald wie möglich mußte sie David sagen, daß sie ein Kind erwartete, und von dem Moment an würde nichts mehr einfach sein. Am wenigsten die Liebe.

Am Mittwochabend bewältigte Lauren ihre Schicht im Restaurant wie in Trance. In ihrem Kopf rasten die Gedanken, so daß es unmöglich schien, sich auch nur eine Bestellung merken zu können, geschweige denn ein Dutzend.

»Lauren?«

Sie drehte sich um und entdeckte Angie, die sie mit einem leicht besorgten Ausdruck in den Augen anlächelte.

»Wir möchten dich und deine Mutter zu unserem Thanksgiving-Essen einladen.«

»Oh.« Lauren hoffte, daß man ihr die Überraschung nicht anmerkte. Solange sie sich erinnern konnte, hatte sie sich nach einer solchen Einladung gesehnt.

Angie trat näher. »Wir würden uns wirklich sehr freuen, wenn ihr kommen könntet.«

»Ich ...« Lauren verstummte. Irgend etwas in ihr wollte nicht absagen. »Meine Mom macht sich nicht viel aus Feiern«, wich sie aus. *Es sei denn, es gibt Gin und Gras ...*

»Wenn sie keine Zeit hat, dann komm doch einfach allein. Überleg's dir, ja? Bitte! Wir treffen uns alle gegen eins im Haus meiner Mutter.« Angie drückte Lauren einen Zettel in die Hand. »Hier ist die Adresse. Wir hätten dich wirklich gern dabei. Du arbeitest im *DeSaria's,* also gehörst du doch praktisch zur Familie.«

Als Lauren am nächsten Morgen wach wurde, fielen ihr sofort Angies Worte wieder ein: *Du arbeitest im DeSaria's, also gehörst du doch praktisch zur Familie ...*

Zum ersten Mal war sie zu einem Thanksgiving-Essen eingeladen, aber wie könnte sie zu den DeSarias gehen, in ihrem *Zustand*? Eine Feier im Familienkreis war etwas anderes als die Arbeit im Restaurant. Bestimmt brauchte Angie sie nur ein paarmal anzusehen und wüßte Bescheid. Und davor fürchtete sich Lauren seit dem Augenblick, an dem sie die Gewißheit erlangt hatte, daß sie schwanger war.

Gegen elf war Lauren noch immer unschlüssig, was sie tun sollte. Plötzlich klingelte das Telephon. Nach dem ersten Läuten nahm sie den Hörer ab. »Ja bitte?«

»Lauren? Ich bin's, Angie.«

»Oh. Hallo.«

»Es sieht aus, als würde es bald regnen, und ich weiß, daß das Auto deiner Mutter kaputt ist. Soll ich dich vielleicht abholen?«

Lauren seufzte. »Nein, danke.«

»Aber du kommst um eins, oder?«

Die Sanftheit in Angies Stimme und ihr eigener dringender Wunsch, endlich so etwas wie Zugehörigkeit zu erfahren, machten es Lauren einfach unmöglich, nein zu sagen. »Ja, sicher. Um eins.« Nachdem sie aufgelegt hatte, lief sie zum Zimmer ihrer Mutter und lauschte. Drinnen war alles still. Lauren klopfte. »Mom?«

Bettfedern quietschten, gefolgt von Schritten. Die Tür ging auf. Mit verquollenen Augen und fahler Haut stand ihre Mutter vor ihr. Sie trug ein knielanges T-Shirt mit dem Slogan einer Bar: *Die letzte Zuflucht: Trinken bis der Arzt kommt. Seit 89 Jahren.* Ihre Mutter gähnte. »Was gibt's?«

»Heute ist Thanksgiving, erinnerst du dich? Wir sind zum Essen eingeladen.«

Ihre Mutter griff hinter sich nach Zigaretten und steckte sich eine an. »Ach ja. Bei deiner Chefin. Ich dachte, du wärst dir noch nicht sicher.«

»Ich ... ich würde gern hingehen.«

Ihre Mutter warf einen Blick über die Schulter. Auf den Mann im Bett vermutlich. »Ich glaube, ich bleib lieber hier.«

»Aber ...«

»Geh du nur. Viel Spaß. Solche Feiern sind nicht mein Ding. Das weißt du genau.«

»Sie haben uns aber beide eingeladen. Es wäre peinlich, wenn ich ohne dich da auftauche.«

Lächelnd blies ihre Mutter Rauch in die Luft. »Nicht peinlicher als *mit* mir.« Sie zeigte mit der Zigarette auf Laurens Bauch. »Abgesehen davon bist du nicht mehr allein.«

Die Tür fiel ins Schloß.

Lauren ging zurück in ihr Zimmer. Eine gute Stunde später hatte sie all ihre Sachen auf dem Bett ausgebreitet und wußte noch immer nicht, was sie anziehen sollte. Das Nachdenken über die Kleiderfrage hatte auch etwas Gutes: Es lenkte sie von ihrer Schwangerschaft ab.

Schließlich wurde die Zeit knapp, und Lauren entschied sich für einen halblangen, mit indianischen Motiven bedruckten Rock, ein weißes T-Shirt mit schwarzer Spitze am Ausschnitt und den Mantel, den sie von Angie bekommen hatte. Sie bürstete sich die Haare und faßte sie im Nacken zu einem Pferdeschwanz zusammen. Dann legte sie einen Hauch Rouge auf und ein bißchen Wimperntusche, um nicht mehr ganz so blaß auszusehen.

Um Viertel vor eins bestieg Lauren den Bus.

Sie war der einzige Fahrgast und bot vermutlich den traurigen Anblick eines Menschen ohne Familie.

Immerhin wußte sie, wo sie Thanksgiving verbringen konnte. Im Gegensatz zu den Menschen, die diesen Tag allein waren, Fertiggerichte aus Stanniolschälchen aßen und sich Filme ansahen, die Sehnsucht nach dem weckten, was sie nicht hatten. An Feiertagen war es immer das gleiche: Die Fernseh-Specials, die Paraden und Umzüge – sie alle zeigten glückliche Familien, die zusammenkamen, um gemeinsam zu feiern und im Kreise ihrer Liebsten eine schöne Zeit miteinander zu erleben. *Mütter, die Babies in den Armen hielten.*

Lauren stieß einen tiefen Seufzer aus.

Offenbar konnte sie nichts dagegen tun. Die Gedanken an das Kind ließen ihr keine Ruhe; immer wieder drängten sie sich in ihr Bewußtsein.

»Heute nicht«, sagte sie laut. Warum sollte sie nicht mit sich selbst reden? Es gab niemanden im Bus, der über sie lachen oder unangenehm berührt den Blick abwenden konnte.

Heute würde sie ihr erstes Thanksgiving im Kreis einer Familie verbringen. Darauf hatte sie ihr Leben lang gewartet. Sie würde sich den Tag nicht durch Sorgen über ihre Schwangerschaft ruinieren lassen.

An der Ecke Maple Drive und Sentinel verließ sie den Bus. Der Himmel wirkte bleiern. Es sah aus, als wäre es bereits früher Abend und nicht Mittag. Ein schneidender Wind zerrte an den Ästen der Bäume und wirbelte tote Blätter durch die Luft. Noch regnete es nicht, aber das konnte nicht mehr lange auf sich warten lassen. Ein Unwetter war im Anzug.

Lauren knöpfte sich den Mantel bis zum Hals zu und eilte die Straße entlang. Sie zählte die Hausnummern mit, obwohl das gar nicht nötig gewesen wäre. Als sie das Haus der DeSarias erreicht hatte, erkannte sie es auf Anhieb. Der Rasen des Vorgartens wirkte makellos gepflegt. Zu beiden Seiten des Plattenweges kämpften kohlähnliche Blumen mit leuchtenden, purpurnen Farbbändern gegen den trüben, düsteren Tag an.

Es war ein wundervolles Haus im Tudorstil, mit bleiverglasten Fenstern, Spitzdach und einem von Backsteinen überwölbten Eingang. Neben der Tür breitete eine Jesus-Statue grüßend die Arme aus.

Lauren lief an einem Springbrunnen mit einer Madonnenfigur vorbei zur Tür und klopfte.

Sie konnte drinnen Geräusche hören, aber niemand öffnete.

Sie drückte auf die Klingel.

Erneut keine Reaktion. Lauren wollte sich schon wieder abwenden und gehen, als plötzlich die Tür aufflog.

Auf der Schwelle erschien ein kleines blondes Mädchen. Es trug ein hübsches, schwarzes Samtkleid mit weißen Paspeln.

»Wer bist du denn?« fragte das Kind.

»Ich heiße Lauren. Angie hat mich zum Essen eingeladen.«

»Oh.« Das Mädchen lächelte, drehte sich um und rannte davon.

Lauren machte einen Schritt ins Haus hinein, blieb dann aber mit einem Mal unsicher stehen. Ein kalter Windstoß fegte in den Flur und erinnerte sie daran, die Tür zu schließen.

Zögernd durchquerte sie die kleine Diele.

Im Wohnzimmer herrschte drangvolle Enge. Drei Männer mit Cocktailgläsern in den Händen standen vor dem großen Erkerfenster und diskutierten lebhaft über das Football-Spiel, das sie im Fernsehen verfolgten. An einem Tisch spielten Teenager Karten. Sie lachten und johlten. Auf dem Teppich lagen kleinere Kinder um ein Candy-Land-Brett wie die Speichen eines Rades.

Unschlüssig drehte Lauren sich um. Im Raum gegenüber saß eine Gruppe älterer Leute vor einem weiteren Fernseher.

Mit angehaltenem Atem lief sie an der geöffneten Tür vorbei. Niemand sprach sie an, keiner hielt sie auf. Schließlich fand sie sich an der Schwelle zur Küche wieder.

Als erstes nahm sie den Duft wahr.

Er war einfach himmlisch.

Dann sah Lauren die Frauen. Mira schälte Kartoffeln, Olivia arrangierte Antipasti auf einem Silbertablett, Angela schnitt Gemüse klein und Maria DeSaria rollte Pastateig aus.

Alle sprachen wild durcheinander, stießen sich in die Seiten und lachten ausgelassen.

»Lauren!« Angie blickte von der Gemüseschüssel hoch. »Da bist du ja endlich.«

»Vielen Dank für die Einladung.« Zu spät dachte Lauren daran, daß sie etwas hätte mitbringen müssen, einen Strauß Blumen vielleicht.

Angie reckte sich und spähte über die Schulter des Mädchens. »Wo ist deine Mom?«

Lauren spürte, daß sie rot wurde. »Sie ist ... äh ... ein bißchen erkältet.«

»Nun, wir freuen uns, daß *du* kommen konntest.«

Unversehens sah sich Lauren von Frauen umringt und beteiligte sich an den Vorbereitungen, ohne darum gebeten zu werden. Sie half Mira beim Tischdecken, trug mit Livvy die Vorspeisen ins Wohnzimmer und wusch gemeinsam mit Angie die benutzten Schüsseln und Teller ab.

Zu keinem Zeitpunkt hielten sich weniger als fünf Leute in der Küche auf, und als es ans Servieren ging, verdoppelte sich diese Zahl. Jeder schien genau zu wissen, was zu tun war. Die

Frauen bewegten sich mit der Präzision von Synchronschwimmerinnen. Als es schließlich soweit war, sich zum Essen zu setzen, fand sich Lauren auf einem Stuhl zwischen Mira und Sal wieder.

Nie zuvor hatte sie eine solche Fülle an Speisen gesehen. Es gab natürlich Truthahnbraten und zwei verschiedene Saucen, Berge von Stampfkartoffeln, grüne Bohnen mit Zwiebeln und Knoblauch, Risotto mit Parmesan und Prosciutto, Pasta in Hühnerbrühe, gefüllte Zucchini und Tomaten, selbstgebackenes Brot.

»Es ist geradezu unanständig, nicht wahr?« lachte Mira.

»Nein, es ist wundervoll«, hauchte Lauren.

An der Stirnseite des Tisches faltete Maria DeSaria die Hände und sprach ein Gebet. Dann stand sie auf. »Es ist unser erstes Thanksgiving ohne Papa ...« Sie brach abrupt ab und kniff die Augen zu. »Aber ich bin sicher, daß er mit großer Liebe an uns denkt.«

Als sie die Augen wieder aufschlug, standen Tränen in ihnen. »Laßt es euch schmecken«, sagte sie hastig und nahm wieder Platz. Nach kurzem Schweigen setzte erneut die Unterhaltung ein.

Mira streckte die Hand nach der Platte mit aufgeschnittenem Braten aus und bot sie Lauren an. »Hier, nimm. Jugend geht vor Schönheit.« Sie lachte.

Lauren beließ es nicht beim Braten. Sie füllte ihren Teller, bis kaum noch Platz darauf war. Und ein Bissen schmeckte köstlicher als der andere.

»Was machen deine College-Bewerbungen?« erkundigte sich Mira und trank einen Schluck Weißwein.

»Ich habe sie alle abgeschickt.« Lauren versuchte, ein wenig Enthusiasmus in ihre Stimme zu legen. Vor drei Tagen noch hätte sie der Gedanke an ihre Bewerbungen mit Vorfreude erfüllt. Trotz ihrer Furcht, abgelehnt zu werden, trotz ihrer Angst, sich von David trennen zu müssen.

Jetzt freute sie sich nicht mehr auf die Zukunft.

»Wo hast du dich denn überall beworben?«

»Bei der University of Southern California, der UCLA, der UW, Pepperdine, Berkeley und Stanford«, zählte sie mit einem abschließenden Seufzer auf.

»Wow, ich bin beeindruckt. Kein Wunder, daß Angie stolz auf dich ist.«

Lauren sah Mira an. »Sie ist *stolz* auf mich?«

»Das sagt sie immer.«

Die Vorstellung bohrte sich wie ein Pfeil in ihr Inneres. »Oh.«

Mira schnitt ihren Braten in mundgerechte Happen. »Ich wünschte, ich hätte auch ein College weiter weg besucht. Rice vielleicht oder Brown. Doch damals hatten wir solche Ambitionen nicht. Zumindest ich nicht. Angie schon. Dann habe ich Vince kennengelernt und …«

»Ja?«

»Ursprünglich wollte ich für zwei Jahre an das Community College in Fircrest, dann für zwei weitere Jahre ans Western.« Sie lächelte. »Die Reihenfolge wurde ja auch eingehalten. Allerdings lagen zwischen meinem High-School-Abschluß und dem College acht Jahre. Das Leben verfolgt eben seine eigenen Pläne.« Sie blickte zum Tisch mit den Kindern hinüber.

»Also hat Sie ein Baby vom Studium abgehalten.«

Mira runzelte die Brauen. »So würde ich es nicht formulieren. Nein, es hat meine Ausbildung nur verzögert, weiter nichts.«

Danach schmeckte Lauren das Essen nicht mehr. Mechanisch schob sie sich die Bissen in den Mund und half später ebenso mechanisch beim Abräumen des Geschirrs. Unablässig mußte sie an das Kind denken. Wie es in ihr immer größer werden und ihr immer engere Grenzen setzen würde.

Alle in der Küche schienen nur ein Thema zu kennen: Babies und Kindererziehung. Sie verstummten, wenn Angie den

Raum betrat, doch sobald sie verschwunden war, nahmen sie das Gespräch wieder auf.

Lauren wünschte, sich ganz unauffällig aus dem Staub machen zu können.

Aber das wäre unhöflich gewesen, und sie war nun einmal ein Mädchen, das sich an die Regeln hielt und niemanden vor den Kopf stieß.

Ein Mädchen, das nicht protestierte, als sein Freund erklärte, bei *einem* Mal ohne Kondom werde schon nichts geschehen. »Ich zieh mich rechtzeitig zurück«, hatte David versprochen.

»Nicht rechtzeitig genug«, murmelte sie leise vor sich hin, als sie mit ihrem Stück Pastete ins Wohnzimmer ging.

In Gedanken war sie meilenweit weg, während sie zwischen Livvys kleinen Söhnen auf dem Sofa saß und dumpf auf ihren Teller starrte. Einer der Jungen fragte sie nach Spielzeugen aus, die sie nicht kannte, und nach Filmen, die sie nie gesehen hatte. Lauren konnte keine einzige Frage beantworten. Sie hatte ja schon große Mühe, lächelnd zu nicken und so zu tun, als höre sie zu. Wie sollte sie sich auf die Wißbegierde eines Kindes konzentrieren können, wenn sie gleichzeitig daran denken mußte, daß in ihr ein Baby heranwuchs und mit jedem Schlag ihres Herzens größer wurde? Sie legte eine Hand auf ihren Bauch und fühlte, wie flach er noch war.

»Komm mit.«

Erschreckt hob Lauren den Kopf, zog hastig die Hand vom Bauch fort.

Mit einer karierten Wolldecke über der Schulter stand Angie vor ihr. Ohne auf Laurens Reaktion zu warten, drehte sie sich um und lief auf die Glasschiebetür zu.

Lauren folgte ihr auf die hintere Veranda. Sie setzten sich auf eine Holzbank und legten die Füße auf das Geländer. Sorgfältig stopfte Angie die Decke um sie beide fest.

»Also, willst du darüber sprechen?«

Die leise, freundliche Frage weckte in Lauren den fast verzweifelten Wunsch, sich endlich jemandem anvertrauen zu können. Sie sah Angie an. »Sie wissen doch, wie das ist, wenn man liebt, oder?«

»Ich habe Conlan über viele Jahre geliebt, und meine Eltern waren fast ein halbes Jahrhundert miteinander verheiratet. Daher möchte ich behaupten, daß ich mich ein bißchen in Sachen Liebe auskenne.«

»Aber Sie sind geschieden. Also wissen Sie auch, daß es mit der Liebe irgendwann vorbei sein kann.«

»Ja. Sie kann enden. Aber auch ein ganzes Leben lang andauern.«

Lauren wußte nichts von einer Liebe, die auch stürmische Zeiten überstand. Aber sie hatte bereits eine sehr genaue Vorstellung von Davids Reaktion auf ihre Schwangerschaft. Oh, er würde beteuern, daß es absolut nichts ausmache, daß er sie liebte, daß alles gut werden würde, aber beide wüßten, daß das so nicht stimmte.

»Haben Sie Ihren Mann geliebt?«

»Ja.«

»Also hat *er* aufgehört Sie zu lieben?« Als Lauren Angies verletzten Gesichtsausdruck sah, wünschte sie, sie hätte die Frage nicht gestellt.

»Ach, Lauren ...« Angie seufzte. »Wenn es um Gefühle geht, sind die Antworten nicht immer eindeutig. Die Liebe kann uns alle Probleme überwinden lassen, aber auch selbst unser größtes Problem sein.« Sie betrachtete ihre ringlose linke Hand. »Ich glaube, er hat mich geliebt. Lange Zeit.«

»Trotzdem hat ihre Ehe nicht gehalten.«

»Wir hatten harte Zeiten, Lauren.«

»Ihre Tochter.«

Offensichtlich überrascht hob Angie den Kopf. Dann lächelte sie wehmütig. »Die wenigsten trauen sich, sie zu erwähnen.«

»Das tut mir leid ...«

»Du brauchst dich dafür nicht zu entschuldigen. Hin und wieder rede ich ganz gerne über sie. Als sie starb, war das das Ende für Conlan und mich. Aber laß uns über dich sprechen. Habt ihr euch getrennt? David und du?«

»Nein.«

»Dann muß es etwas mit dem College zu tun haben. Willst du mit mir darüber reden?«

Mit dem College? Zunächst verstand Lauren die Frage nicht. Das College war in weite Ferne gerückt, schien so gar nicht in die Wirklichkeit zu passen.

Hatte nichts mit der Realität eines schwangeren Mädchens zu tun.

Oder einer Frau, die für ein Kind alles gegeben hätte.

Sie sah Angie an und wünschte sich sehnlichst, sie um Hilfe bitten zu können. Aber sie brachte die Worte nicht über die Lippen.

»Vielleicht ist es auch etwas sehr viel Ernsteres«, sagte Angie langsam.

Fast heftig streifte Lauren die Decke ab und sprang auf. Sie lief zum Geländer und blickte in die Dunkelheit.

Auch Angie erhob sich von der Bank, legte ihr eine Hand auf die Schulter. »Kann ich irgend etwas für dich tun?«

Lauren schloß die Augen. Allein die Frage tat ihr schon gut.

Aber ihr konnte niemand helfen. Das wußte sie. Sie mußte ihr Problem selbst bewältigen.

Lauren seufzte. Hatte sie denn überhaupt eine Wahl? Sie war siebzehn Jahre alt. Gerade hatte sie ihre College-Bewerbungen verschickt und dafür jeden Cent ausgegeben.

Sie war noch ein Teenager. Zu jung, um schon Mutter zu werden. Sie hatte genug bittere Erfahrungen mit ihrer eigenen Mutter, die ihre Tochter ablehnte. Das würde sie *keinem* Kind antun.

Und wenn sie ihr Problem löste ...

Drück dich um das Wort nicht herum, forderte ihr Unterbewußtsein. *Wenn du darüber nachdenken kannst, dann nenn es auch beim richtigen Namen.*

Und wenn sie eine *Abtreibung* vornehmen ließ ... Sollte sie es David sagen?

Wie könnte sie es ihm verschweigen?

»Eins weiß ich sicher«, flüsterte Lauren und sah zu, wie sich ihr nebliger Atem in weiße Fetzen auflöste. »Er würde lieber nichts davon wissen wollen.«

»Was hast du gesagt?«

Lauren drehte sich zu Angie um. »Es geht darum, daß ... es bei uns zu Hause im Moment besonders schlimm ist. Meine Mutter hat wieder mal einen neuen Freund, einen totalen Versager, und außerdem geht sie kaum noch arbeiten. Und wir ... streiten uns ständig wegen jeder Kleinigkeit.«

»In deinem Alter habe ich mir mit meiner Mutter auch so manchen Grabenkampf geliefert. Ich bin überzeugt, daß ...«

»Das läßt sich nicht vergleichen, glauben Sie mir. Meine Mutter ist anders als Ihre.« Lauren spürte, daß sich ihr die Kehle zuschnürte, und wandte schnell den Kopf ab, damit Angie ihr nicht in die Augen sehen konnte. »Sie wissen doch, wie wir leben.«

Angie trat einen Schritt näher. »Du hast mir gesagt, daß deine Mutter noch jung ist. Vierunddreißig, stimmt's? Das heißt, daß sie noch ein halbes Kind war, als sie dich bekam. Das kann nicht leicht gewesen sein. Ich bin sicher, daß sie tut, was sie kann.« Sie legte eine Hand auf Laurens Schulter. »Wir sollten versuchen, den Menschen zu verzeihen, die wir lieben, selbst wenn uns das höllisch schwerfällt. Manche Dinge sind eben, wie sie sind.«

»Ja«, flüsterte Lauren tonlos.

»Aber ich danke dir für deine Offenheit«, sagte Angie. »Es ist nicht leicht, über Familienprobleme zu sprechen.«

Richtig. Und über manche kann man *gar nicht* sprechen ...

Blicklos starrte Lauren in die Dunkelheit und überlegte krampfhaft, was sie sagen sollte. Aber sie brachte nicht mehr heraus als ein heiseres: »Danke. Es tut gut, sich mal aussprechen zu können.«

Angie legte einen Arm um Lauren und drückte sie sanft an sich. »Dafür sind Freundinnen schließlich da.«

Achtzehn

Also hat er aufgehört Sie zu lieben?

Laurens Frage ließ Angie die ganze Nacht hindurch keine Ruhe. Am Morgen konnte sie kaum noch an etwas anderes denken.

Also hat er aufgehört Sie zu lieben?

Das hatte Conlan nicht ein einziges Mal zu ihr gesagt. In all den Monaten, in denen ihre Ehe Stück für Stück zerbrochen war, hatte keiner von ihnen je zum anderen gesagt: »Ich liebe dich nicht mehr.«

Sie hatten aufgehört, ihr gemeinsames Leben zu lieben.

Aber das war ganz und gar nicht das gleiche.

Allmählich schlich sich die Frage »Was wäre wenn« in Angies Gedanken und nahm schließlich immer konkretere Formen an.

Was wäre, wenn er sie noch immer liebte? Oder sie wieder lieben könnte? Sobald sich Angie diese Fragen gestellt hatte, trat alles andere unweigerlich in den Hintergrund.

Sie rief ihre Schwester an. »Livvy, du mußt mich heute unbedingt im Restaurant vertreten«, sagte sie ohne jede Einleitung.

»Es ist Thanksgiving-Wochenende. Warum sollte ich ...«

»Ich fahre zu Conlan.«

»Okay. Ich bin da.«

Dem Himmel sei Dank für Schwestern.

Inzwischen war es fast Mittag, und Angie fuhr durch die Vororte von Seattle. Stoßstange an Stoßstange krochen die Autos dahin. Die vor vielen Jahren gebauten Freeways reichten schon lange nicht mehr aus.

An der nächsten Ausfahrt verließ sie den Freeway und fädelte sich in den Verkehr Richtung Zentrum ein. Zu ihrer Überraschung entdeckte sie direkt gegenüber dem *Times*-Gebäude einen freien Parkplatz. Angie hielt am Straßenrand und schaltete den Motor aus.

Und fragte sich, was zum Teufel sie hier eigentlich machte. Sie konnte sich nicht einmal sicher sein, ob er heute arbeitete. Sie wußte absolut nichts über sein neues Leben.

Sie hatten sich getrennt. Waren geschieden. Wie kam sie auf die Idee, er könnte sie sehen wollen?

Merkst du es, Papa? Deine Angela hat Angst ...

Aber mit Angst lebte es sich nicht gut. Und das war die Wahrheit.

Sie warf einen Blick in den Spiegel an der Sonnenblende und sah jedes noch so winzige Fältchen, das die Jahre und traurige Ereignisse auf ihrem Gesicht hinterlassen hatten.

»Verdammt!«

Wenn doch nur genügend Zeit für eine Rundumerneuerung wäre.

Nur Mut, Angie ...

Sie schnappte sich ihre Tasche, schloß den Wagen ab, überquerte die Straße und betrat das Gebäude.

Die Dame am Empfang war neu.

»Guten Tag. Ich möchte zu Conlan Malone.«

»Werden Sie erwartet?«

»Nein.«

»Mister Malone ist sehr beschäftigt. Ich werde ...«

»Ich bin seine Frau.« Angie zuckte zusammen und korrigierte sich dann hastig: »Seine Exfrau.«

»Oh. Lassen Sie mich ...«

»Angie?« Mit einem breiten Lächeln kam der Wachschutzmann Henry Chase auf sie zu. Er arbeitete schon so lange bei der *Times*, daß er praktisch zum Inventar gehörte. »Na, wir haben uns aber lange nicht mehr gesehen.«

Sie atmete erleichtert auf. »Hey, Henry.«

»Wollen Sie zu ihm?«

»Ja.«

»Kommen Sie mit.«

Angie lächelte der Rezeptionistin zu, die schulterzuckend zum Telephonhörer griff.

Sie folgte Henry Chase zu den Fahrstühlen, verabschiedete sich und fuhr in die dritte Etage hinauf.

An diesem Feiertagswochenende waren viele der Schreibtische in der Großraumredaktion nicht besetzt, aber nicht alle. Angie sah eine ganze Reihe bekannter Gesichter. Journalisten und Reporter hoben die Köpfe, lächelten nervös und blickten zu Conlans Büro hinüber.

Das Auftauchen der Ex-Frau löste sichtbar Unruhe aus. Aber das war kein Wunder in einer Branche, die von Neuigkeiten – und Klatsch – lebte.

Entschlossen reckte Angie das Kinn, umklammerte ihre Tasche mit verschwitzten Fingern und marschierte weiter.

Sie sah Conlan, noch bevor er sie bemerkte. Er stand am Fenster seines Büros und telephonierte, während er sich gleichzeitig den Mantel anzog.

Plötzlich wurde sie von Erinnerungen überwältigt. Sie dachte daran, daß er sie morgens immer als erstes geküßt hatte, ausnahmslos jeden Morgen, selbst wenn er schon zu spät dran war und dringend in die Redaktion mußte, und daß sie ihn dann manchmal zur Seite geschoben hatte, weil ihr andere, wichtigere Dinge durch den Kopf gingen.

Sie klopfte an die Glastür.

Conlan drehte sich um. Langsam wurde sein Lächeln dünner, seine Augen schmaler. Aus Verärgerung? Enttäuschung? Sie war sich nicht sicher, sie konnte seinen Gesichtsausdruck nicht deuten. Oder lag da etwas wie Trauer in seinem Blick?

Er winkte sie herein.

Angie öffnete die Tür und trat ein.

Er hob kurz die Hand und sprach weiter ins Telephon. »Das ist *nicht* okay, George. Wir haben einen Termin ausgemacht. Der Photograph sitzt bereits im Van und wartet.«

Angie betrachtete seinen Schreibtisch. Er war über und über mit Notizen und Briefen bedeckt. An einer Seite wuchs ein Zeitungsstapel in die Höhe.

Die Photos von ihr waren verschwunden. Es gab überhaupt nichts Persönliches, keinen Hinweis darauf, wer er in seiner Freizeit war.

Angie blieb stehen. Aus Angst, sie könnte nervös mit dem Fuß auf den Boden trommeln oder sich unbehaglich auf dem Stuhl winden, wenn sie sich setzte.

»Zehn Minuten, George. Rühren Sie sich nicht von der Stelle.« Conlan beendete das Gespräch und wandte sich ihr zu. »Angie ...« Mehr sagte er nicht, dennoch vernahm Angie die ungestellte Frage: *Warum bist du hier?*

»Ich war gerade in der Stadt. Ich dachte, wir könnten vielleicht ...«

»Schlechter Zeitpunkt, Angie. Das eben am Telephon war George Stephanopoulos. Ich treffe mich mit ihm in ...« Er warf einen Blick auf seine Armbanduhr, »... exakt siebzehn Minuten.«

»Oh.«

Er bückte sich nach seinem Aktenkoffer.

Unwillkürlich wich sie einen Schritt zurück. Sie kam sich plötzlich angreifbar vor, verletzlich.

Er sah sie an.

Keiner von ihnen sagte ein Wort. Gespenster der Vergangenheit und längst verklungene Geräusche schienen den Raum zu erfüllen. Lachen, Weinen, Flüstern.

Angie wünschte sich, daß er es ihr leichter machte, ihr irgendein kleines Zeichen der Ermutigung gab. Dann könnte sie ihr »Es tut mir alles so leid« vorbringen, und er würde wissen, warum sie gekommen war.

»Entschuldige, aber ich muß los.« Er hob den Arm, um ihr aufmunternd auf die Schulter zu klopfen, ließ die Hand jedoch wieder sinken. Eine halbe Ewigkeit starrten sie einander schweigend an, dann verließ er das Büro.

Sie sank auf den nächstbesten Stuhl.

»Angie?«

Sie wußte nicht, wie lange sie vor Conlans Schreibtisch gesessen und versucht hatte, die Beherrschung zurückzugewinnen. Jetzt drehte sie sich um und sah sich Diane VanDerbeek gegenüber.

Angie blieb sitzen. Sie war sich nicht sicher, ob ihre Beine sie tragen würden. »Diane! Wie schön, dich zu sehen.«

Diane arbeitete schon lange Jahre mit Conlan zusammen. Sie und ihr Mann John waren gute Freunde gewesen. Nach der Scheidung war Conlan das Sorgerecht für diese Freundschaft zugefallen. Nein, das stimmte nicht ganz. Angie hatte die beiden kampflos aufgegeben. Noch wochenlang nach der Scheidung hatte Diane Nachrichten auf ihrem AB hinterlassen. Doch Angie hatte sich nie bei ihr gemeldet.

»Laß ihn in Ruhe, um Himmels willen. Er ist gerade dabei, sein Leben wieder auf die Reihe zu kriegen.«

Angie runzelte die Stirn. »Wenn man dich so hört, könnte man fast glauben, daß die Scheidung einen gebrochenen Mann aus ihm gemacht hat. Er war doch immer durch nichts, aber auch gar nichts zu erschüttern.«

Schweigend sah Diane sie an, als würde sie sich ihre nächsten Worte sehr genau überlegen. Nach ein paar Sekunden blickte sie durchs Fenster in den grauen Novembertag hinaus. Ihre Lippen waren zu einem Strich zusammengepreßt.

Angie spürte, wie sie sich verspannte. Diane war schon immer sehr direkt gewesen. Nach dem Motto: Ich halte mit meiner Meinung nicht hinter dem Berg. Angie war sich ziemlich sicher, daß sie nicht hören wollte, was Diane gleich sagen würde.

»Hat dir wirklich so viel gefehlt?« fragte Diane schließlich.

»Ich glaube nicht, daß ich darüber sprechen möchte.«

»Zweimal bin ich in diesem Jahr in sein Büro gekommen, und er war in Tränen aufgelöst. Nachdem Sophie gestorben war und nachdem du dich zur Scheidung entschlossen hattest.« Ihre Stimme wie auch der Blick wurden sanfter. »Ich weiß noch, daß ich nach Sophies Tod dachte: Traurig, daß er in die Redaktion kommen muß, um weinen zu können.«

»Hör auf«, flüsterte Angie.

»Ich habe versucht, dir das alles damals zu sagen, als es noch wichtig gewesen wäre, aber du wolltest mir ja nicht zuhören. Also warum bist du *jetzt* hier?«

»Ich dachte ...« Abrupt stand Angie auf. Sie würde jeden Moment in Tränen ausbrechen. Und wenn sie damit erst einmal anfing, konnte niemand wissen, wann sie wieder aufhörte. »Egal. Ich muß jetzt gehen. Ich war eine Idiotin.« Sie hastete zur Tür. Als sie gerade um die Ecke bog, hörte sie Diane ihr hinterherrufen:

»Laß ihn in Ruhe, Angie. Du hast ihm schon genug weh getan.«

In dieser Nacht fand Angie kaum Schlaf. Als sie sich ins Bett legte, tauchten vor ihren geschlossenen Augen die Erinnerungen auf wie Bilder auf einer Filmleinwand.

Vor vier Jahren waren sie zu Conlans Geburtstag nach New York geflogen. Er hatte ihr ein Kleid von Armani gekauft, ihr erstes Haute-Couture-Modell.

»Aber das war ja teurer als mein erstes Auto. So etwas kann ich doch nicht anziehen. Wir sollten es zurückgeben. In Afrika verhungern Kinder …«

Conlan trat neben sie vor den Spiegel ihres Hotelzimmers. »Laß uns heute abend nicht an die Kinder in Afrika denken. Du siehst hinreißend aus.«

Angie drehte sich zu ihm um, verschränkte die Arme in seinem Nacken und sah ihm in seine unglaublich blauen Augen.

Sie hätte ihm sagen sollen, daß sie ihn mehr liebte als alles auf der Welt. Sogar mehr als die Kinder, die ihnen offenbar verwehrt blieben. Warum hatte sie es nicht getan?

»Die Seide fühlt sich wundervoll an. Aber nicht halb so wundervoll wie deine Haut.«

Seine sanften, zärtlichen Hände auf ihrem Rücken hatten kleine wohlige Schauer über ihren Körper gejagt, hatten sie vor Verlangen erbeben lassen, daran erinnerte sie sich ganz genau. Und daran, daß sie zu dem Zeitpunkt nicht empfängnisbereit gewesen war.

»Es ist der falsche Zeitpunkt …«, hatte sie erklärt und dabei nicht bemerkt, wie sehr sie ihn damit vor den Kopf gestoßen hatte.

Wie dumm von ihr. Wie unsensibel.

Eine andere Erinnerung stieg auf, die noch nicht so lange zurücklag. Wegen eines Werbeauftrags für eine Bank mußte sie geschäftlich nach San Francisco, und Conlan hatte sie begleitet. Um die Gelegenheit zu einem romantischen Wochenende zu nutzen, wie er sagte. Sie hatte zugestimmt, weil … nun ja, weil sie immer seltener Zeit für Romantik fanden.

Irgendwann waren sie die vierunddreißig Stockwerke zur Promenade Bar hinaufgefahren und hatten sich an einen Tisch am Fenster gesetzt. Der Ausblick auf die lichterfunkelnde Stadt an der Bay war überwältigend.

Conlan entschuldigte sich, um die Toilette aufzusuchen, und Angie bestellte einen Maker's Mark mit Eis für Conlan und einen Cosmopolitan für sich. Während sie auf die Drinks wartete, vertiefte sie sich wieder in ihre Geschäftsunterlagen.

Als die Kellnerin die Gläser auf den Tisch stellte, starrte Angie verblüfft auf die Rechnung. »Siebzehn Dollar für einen Cosmopolitan?«

»Sie sind in der Promenade Bar«, entgegnete die junge Frau. »Das hat seinen Preis. Soll ich die Drinks wieder mitnehmen?«

»Nein, natürlich nicht. Danke.«

Eine Minute später kam Conlan zurück. Er hatte gerade Platz genommen, als sich Angie schon zu ihm beugte. »Hier trinke ich nichts mehr. Siebzehn Dollar für einen Cocktail.«

Conlan seufzte, lächelte dann aber schnell. Gezwungen? Damals war es ihr nicht so vorgekommen. »Wofür willst du eigentlich sparen? Wir haben das Geld. Also können wir es auch ausgeben.«

Jetzt endlich begriff Angie, daß er sie weniger wegen eines romantischen Wochenendes begleitet hatte, als vielmehr wegen seines Wunschs nach einem anderen Leben. Das war seine Art, sich damit abzufinden, daß sich ihre Träume nicht erfüllt hatten. Er wollte sich – und ihr – begreiflich machen, daß sie auch ohne Kinder ein glückliches erfülltes Leben führen konnten, daß Ausflüge wie der nach San Francisco sie ein allzu stilles Haus und ein leeres Kinderzimmer vergessen lassen konnten.

»Dann nehme ich *drei* Drinks«, hätte sie sagen sollen, »und ... bestelle mir obendrein den Hummer.«

Er hätte gelacht, sie geküßt, und vielleicht wäre das der Auftakt zu einem neuen Leben gewesen.

Statt dessen war sie in Tränen ausgebrochen. »Verlang nicht von mir, die Hoffnung aufzugeben«, hatte sie gesagt. »Ich bin noch nicht soweit.«

Und damit war jede Chance auf einen Neubeginn vertan.

Warum hatte sie nur so lange die Augen vor den Tatsachen

verschlossen? Sie war sich ganz sicher gewesen, daß der unerfüllte Wunsch nach einem Kind ihre Liebe und damit am Ende ihre Ehe zerstört hatte.

Aber das war nicht die ganze Wahrheit. Sie selbst war daran zerbrochen, *sie* hatte ihre Ehe zerstört. Kein Wunder, daß Conlan sich von ihr getrennt hatte.

Kein Wunder.

»Zweimal kam ich in sein Büro, und er war in Tränen aufgelöst ... Traurig, daß er in die Redaktion kommen muß, um weinen zu können ...«

Am Samstagabend herrschte Hochbetrieb im Restaurant. Jeder Tisch war besetzt, und am Eingang hatte sich bereits eine kleine Warteschlange gebildet. Angie war dankbar für den Trubel. So kam sie wenigstens nicht zum Nachdenken.

Denn das war das Letzte, was sie wollte.

Gegen Geschäftsschluß tauchte Mira aus der Küche auf. »Nun?« fragte sie. »Livvy hat mir erzählt, daß du Conlan besucht hast. Wie ist es gelaufen?«

»Nicht so gut.«

»Oh.« Miras Blick wurde traurig. »Das tut mir leid.«

»Nicht so sehr wie mir.«

»Die Liebe kann uns alle Probleme überwinden lassen, aber auch unser größtes Problem sein ...«

Das ganze Wochenende über gingen Lauren immer wieder Angies Worte durch den Kopf. Sie hoffte, daß in ihnen die Antwort lag, irgendein Lichtblick, den sie nur noch nicht sehen konnte. Im Moment konnte sie nichts erkennen außer Trostlosigkeit.

Sie wollte keine Mutter sein.

Sie wollte kein Kind bekommen und es dann fortgeben.

Sie wollte nur eins: *nicht* schwanger sein.

Am Sonntagabend war Lauren schon ganz krank vor Sorge.

Sie ging Angie bei der Arbeit aus dem Weg und schlüpfte bei Schichtende unbemerkt aus der Tür, ohne sich vorher zu verabschieden. Sie verzichtete auf den Bus und lief den ganzen Weg nach Hause, krampfhaft bemüht, endlich einmal an etwas anderes zu denken. Es gelang ihr nicht.

Irgendwann begann es zu regnen. Lauren zog ihre Kapuze hoch und lief weiter. Das richtige Wetter für meine Situation, dachte Lauren und empfand eine verquere Genugtuung über die nasse Kälte.

Als sie schließlich in ihre Straße einbog, sah sie David.

Er stand vor ihrem Haus und hielt einen Strauß roter Rosen in der Hand. »Hey, Trixie.«

Schnell rannte sie auf ihn zu und umschlang ihn mit beiden Armen. David hob sie hoch und drückte sie so fest an sich, daß ihr fast die Luft wegblieb.

Er liebt mich ...

Das hatte sie das Wochenende über fast vergessen. Sie brauchte es nicht allein durchzustehen. Sie war nicht ihre Mutter.

Lauren strahlte ihn an. »Wolltet ihr nicht erst morgen früh zurückkommen.«

»Du hast mir so gefehlt, daß ich mich abgesetzt habe.«

»Das hat deiner Mom aber bestimmt nicht gefallen.«

»Ich hab ihr vorgeschwindelt, ich müsse was für Chemie tun«, grinste David. »Wir wollen doch nicht, daß man in Stanford von mir enttäuscht ist. Vor mir liegt schließlich eine goldene Zukunft, oder?«

Laurens Lächeln verblaßte. Seine Zukunft war golden.

Stanford ...

Schlagartig meldete sich die Einsamkeit zurück, und Lauren kam sich um Jahre älter vor als David, sie fühlte sich ihm plötzlich ganz fern, obwohl er sie in den Armen hielt. Sie mußte ihm unbedingt sagen, daß sie schwanger war. Das *durfte* sie ihm nicht verschweigen.

»Ich liebe dich, David.« Lauren spürte, daß ihr Tränen in die Augen schossen, doch die würde er kaum bemerken, höchstens für Regentropfen halten.

»Ich liebe dich auch. Aber jetzt laß uns schnell ins Auto hüpfen, bevor wir uns noch 'ne Lungenentzündung einfangen.« Er lächelte. »Bei Eric steigt 'ne Party.«

Nein, heute abend nicht, wollte Lauren sagen, und ihn zu ihrer schäbigen Wohnung mitnehmen. Aber wenn sie dann in ihrem Zimmer waren, müßte sie ihm von dem Kind erzählen, und das wollte sie nicht. Wenigstens jetzt nicht. Sie wünschte sich noch einen unbeschwerten Abend, an dem sie im Kreis ihrer Freunde Speed Racer und Trixie sein konnten.

Und so ließ sie sich von ihm zum Auto ziehen.

»Die Liebe kann uns alle Probleme überwinden lassen ...«

Bitte, lieber Gott, flehte Lauren im stillen. *Mach, daß das stimmt.*

Neunzehn

In dieser Nacht träumte Angie schwarzweiß. Die Bilder hatten die Qualität von Photos aus einem alten Familienalbum, Aufnahmen von Momenten, die Vergangenheit waren und nie wiederkehren würden. Sie fuhr Karussell in Searle Park und winkte einem kleinen, dunkelhaarigen Mädchen zu, das die blauen Augen seines Vaters hatte.

Langsam verblaßte das Mädchen, als wäre nebliger Dunst aufgezogen, um die Welt zu verschleiern.

Dann sah sie Conlan beim Training der Little League.

Die Bilder wirkten verschwommen und undeutlich, denn sie hatte nie selbst am Spielfeldrand gestanden und zugesehen, wie ihr Mann die Söhne seiner Freunde trainierte, hatte nie begeistert applaudiert, wenn Billy VanDerbeek sich wieder einmal selbst übertraf. Damals war sie zu Hause geblieben, hatte sich in ihrem Bett verkrochen. *»Es ist einfach zu schmerzhaft«,* sagte sie zu Con, wenn er sie bat, doch mitzukommen.

Warum hatte sie nie auch nur einmal an *ihn* gedacht, daran, was er vielleicht brauchte?

»Verzeih mir, Con«, flüsterte sie im Traum und streckte die Arme nach ihm aus.

Keuchend fuhr sie aus dem Schlaf und drehte sich auf die

Seite. Zusammengerollt lag sie lange Stunden wach und bemühte sich krampfhaft, die Erinnerungen zu verscheuchen. Es war ein Fehler gewesen, in die Vergangenheit zurückkehren zu wollen. Manche Dinge ließen sich nun einmal nicht wiederholen. Das hätte sie wissen müssen.

Immer wieder brach sie in Tränen aus. Als es unten an die Haustür klopfte, war ihr Kopfkissen ganz feucht.

Gott sei Dank, dachte sie. Jemand, der mich von der Vergangenheit ablenkt.

Angie setzte sich auf und strich sich die Haare aus dem Gesicht. Schnell warf sie die Decke zurück, krabbelte aus dem Bett und stolperte die Treppe hinunter. »Ich komme«, rief sie. »Eine Sekunde!«

Als sie die Tür endlich aufgerissen hatte, standen Mama, Mira und Livvy vor ihr.

»Es ist Advent«, erklärte ihre Mutter. »Du kommst mit uns in die Kirche.«

»Vielleicht nächsten Sonntag«, wehrte Angie ab. »Gestern abend ist es spät geworden. Ich habe nicht gut geschlafen.«

»Natürlich nicht«, antwortete ihre Mutter ungerührt.

Angie wußte, wenn sie gegen eine Mauer rannte. Sobald die DeSaria-Frauen zu etwas entschlossen waren, war jeder Widerstand zwecklos. »Also gut ...«

Sie brauchte fünfzehn Minuten, um zu duschen und sich die Haare zu trocknen, dann weitere drei für ihr Make-up.

Kurz vor zehn hielten sie auf dem Parkplatz der Kirche.

Angie trat in den kalten Dezembervormittag hinaus, und es kam ihr vor, als hätte jemand die Zeit zurückgedreht. Sie war wieder das kleine, weißgekleidete Mädchen bei seiner Erstkommunion, dann die junge Braut in Weiß bei ihrer Trauung, und schließlich eine Frau in Schwarz, die um ihren Vater trauerte. So viele wichtige Ereignisse in ihrem Leben hatten sich hinter diesen Buntglasfenstern abgespielt.

Sie gingen zur dritten Reihe, in der Vince und Sal die Kinder der Größe nach aufgereiht hatten wie die Orgelpfeifen. Angie nahm neben ihrer Mutter Platz.

Im Verlauf der nächsten Stunde folgte sie den festen Regeln der Messe, wie sie es als Kind gelernt hatte: Sie stand auf, setzte sich, kniete nieder, stand wieder auf.

Beim Schlußgebet stellte Angie fest, daß sie sich verändert hatte, etwas in ihr war wieder da, obwohl ihr bis jetzt gar nicht bewußt gewesen war, daß es ihr gefehlt hatte.

Ihr Glaube hatte sie nie verlassen. Er war immer in ihr gewesen und hatte darauf gewartet, daß sie sich ihm wieder zuwandte. Eine Art Frieden überkam Angie. Sie fühlte sich stärker, sicherer. Nach dem Gottesdienst trat sie in die klare, frische Luft hinaus und blickte zur anderen Straßenseite hinüber.

Da war der Searle Park. Das Karussell aus ihrem Traum glänzte in der Wintersonne. Sie hatte ihre ganze Kindheit über in diesem Park gespielt. Ihre Kinder hätten ihn auch geliebt.

Sie überquerte die Straße und hörte plötzlich ein helles Lachen: *Stoß mich ab, Mommy. Stärker, mehr ...*

Angie ließ sich auf einen kalten, verrosteten Sitz nieder, schloß die Augen und dachte an die gescheiterte Adoption, die Babys, die sie nie zur Welt gebracht hatte, die Tochter, die zu früh sterben mußte, und die Ehe, die zerbrochen war.

Sie begann laut zu schluchzen. Krampfhaft und quälend, aber als es vorüber war, fühlte sie sich ruhiger, erleichtert. Endlich.

Angie blickte zum blaßblauen Himmel hoch und spürte die tröstliche Anwesenheit ihrer Vaters.

»Angie!«

Sie wischte sich über die Augen.

Mira kam über die Straße gelaufen. Ihr langer Rock flatterte um ihre Beine. Als sie ihre Schwester erreicht hatte, war sie ganz außer Atem. »Alles in Ordnung mit dir?«

Das Lächeln fiel ihr überraschend leicht. »Ja. Sicher.«
»Wirklich?«
»Wirklich.«
Mira setzte sich neben Angie, und beide stießen sich mit den Füßen ab. Das Karussell begann sich zu drehen.
Angie blickte erneut zum Himmel hoch. Sie war wieder in Bewegung.

Lauren brauchte den ganzen nächsten Tag, um all ihren Mut zusammenzunehmen. Als sie in Mountainaire ankam, dunkelte es bereits. Das Tor war verschlossen, und das Pförtnerhaus wirkte verlassen. Ein Mann in brauner Uniform schlang Lichterketten um den schmiedeeisernen Zaun, der das gesamte Gelände umgab.
Sie ging zum Pförtnerhaus und spähte durchs Fenster. Hinter einem mit Auto-Magazinen übersäten Schreibtisch stand ein leerer Stuhl.
»Kann ich Ihnen helfen?«
Der Mann mit den Lichterketten. Er wirkte leicht irritiert über ihre Anwesenheit, aber vielleicht gehörte das auch zu seinem Job.
»Ich möchte zu David Haynes.«
»Erwartet er Sie?«
»Nein.« Ihre Stimme war nur mehr ein heiseres Krächzen. Kein Wunder. Die Party gestern abend war so turbulent gewesen, daß sie und David sich anschreien mußten, wenn sie miteinander reden wollten. Später, als David irgendwann nach Hause gegangen war, für den Fall, daß seine Eltern unerwartet zurückkehrten, hatte sie sich in den Schlaf geweint.
Aber sie konnte ihr Geheimnis nicht länger für sich behalten. Sie *mußte* es ihm sagen.
Das Tor vor ihr schepperte leise und schwang dann langsam auf. Lauren nickte dem Wachmann zu, obwohl sie ihn durch das winzige Fenster gar nicht erkennen konnte. Es re-

flektierte nur ihr Bild: Ein schlankes, verschüchtertes Mädchen mit roten Locken und braunen Augen, die sich schon jetzt mit Tränen füllten.

Als sie zu Davids Haus gelangte – nach einem größeren Umweg über mehrere unbekannte Wege und Sträßchen –, regnete es. Es war kein richtiger Regen, mehr eine Art nasser Nebel, der einem die Wangen benetzte und das Atmen schwer machte.

Schließlich stand sie vor seinem Zuhause. Das majestätische Gebäude im georgianischen Stil sah aus wie eine Weihnachtskarte. Festlich geschmückt mit elektrischen Kerzen in allen Fenstern und einer Tannengirlande über dem Portal.

Lauren schob die kleine Pforte auf und lief über den gepflasterten Weg zur Haustür. Als sie die Eingangsstufen erreichte, schaltete sich automatisch Licht an. Sie drückte auf die Klingel und hörte irgendeine klassische Melodie. Bach vielleicht.

Mr. Haynes öffnete die Tür. Er trug khakifarbene Hosen mit messerscharfen Bügelfalten und ein schneeweißes Hemd. Sein Haar saß perfekt, sein Teint wirkte makellos und glatt. »Hallo, Lauren. Das ist aber eine Überraschung.«

»Ich weiß, es ist schon ziemlich spät, Mister Haynes. Ich hätte vorher anrufen sollen. Das habe ich auch getan, doch es ist niemand ans Telephon gegangen.«

»Und dann hast du beschlossen, einfach herzukommen.«

»Ich hatte angenommen, Sie wären verreist ... Und ich muß dringend mit David sprechen.«

Er lächelte. »Keine Sorge, du störst nicht. Er spielt ohnehin nur mit der verdammten Xbox. Ich bin sicher, er freut sich über deinen Besuch.«

»Danke, Mister Haynes.« Sie konnte wieder freier atmen.

»Geh ruhig schon nach unten. Ich sage David Bescheid.«

Der Teppich auf den Treppenstufen war so dick, daß er das Geräusch ihrer Schritte schluckte. Durchs Geländer konnte sie einen Blick in den elegant eingerichteten Wohnraum werfen: flachsfarbener Teppichboden, cremefarbene Wildledersitzgruppe mit braunen und goldenen Kissen, ein Couchtisch aus blassem Marmor. Hinter geschnitzten Holztüren verbarg sich ein riesiger Plasma-Bildschirm.

Mit leichtem Unbehagen setzte sie sich auf die Sofakante und wartete. Sie hörte keine Geräusche aus dem Treppenhaus, aber plötzlich kam David hereingestürmt und zog sie in seine Arme.

Lauren klammerte sich an ihn.

Sie hätte alles dafür gegeben, die Zeit zurückdrehen zu können, als sie ihm nichts Wichtigeres zu gestehen hatte als ihre Liebe. Die Erwachsenen warnten ständig vor Risiken, vor den Konsequenzen leichtfertig begangener Handlungen. Jetzt wünschte Lauren, sie hätte darauf gehört.

»Ich liebe dich, David.« Sie zuckte leicht zusammen, weil ihr die Verzweiflung in ihrem dünnen Stimmchen nicht entgangen war.

Mit gerunzelter Stirn sah er sie an, trat einen halben Schritt zurück.

Es gefiel ihr gar nicht, daß er sich von ihr gelöst hatte.

»In letzter Zeit benimmst du dich irgendwie seltsam.« Er warf sich aufs Sofa und zog sie auf sich.

Hastig befreite sich Lauren. »Deine Eltern sind da. Wir können doch nicht ...«

»Nur mein Dad. Mom ist bei irgendeiner Benefizveranstaltung.« Wieder wollte er sie an sich ziehen.

Sie wünschte es sich sehnlichst. Wünschte sich nichts mehr, als ihn zu küssen und sich von ihm streicheln und liebkosen zu lassen, bis sie ...

... das *Baby* vergaß.

Sanft schob sie ihn zurück und kniete sich auf das Sofa. »David ...« Allein seinen Namen auszusprechen, schien unglaubliche Kraft zu kosten.

»Was ist denn nur los? Langsam machst du mir echt Angst.«

Sie konnte sich nicht mehr beherrschen. Tränen brannten in ihren Augen.

Zärtlich berührte David ihr Gesicht, wischte die Tränen fort. »Ich habe dich noch nie weinen sehen.« Lauren hörte den Anflug von Panik in seiner Stimme.

Sie holte tief Luft. »Erinnerst du dich an das Spiel gegen Longview? Das erste Heimspiel des Jahres?«

David war sichtlich verblüfft. »Klar, einundzwanzig zu sieben.«

»Es gab noch ein anderes Ergebnis.«

»Was meinst du?«

»Danach sind wir alle zum Pizzaessen ins *Rocco's* gegangen und anschließend in den State Park.«

»Ja, stimmt. Aber worauf willst du eigentlich hinaus, Lauren?«

»Du hattest dir den Escalade deiner Mom geliehen«, sagte sie leise und erinnerte sich, wie er den Rücksitz zurückgeklappt, eine hellblaue Decke und ein Kissen hervorgeholt hatte. An alles hatte er gedacht, nur nicht an das Wichtigste.

Ein Kondom.

Sie hatten am äußersten Rand des Strands geparkt, unter uralten Kiefern. Ein gigantischer Silbermond hatte auf sie herabgeblickt und ihren Gesichtern einen matten Glanz verliehen. Aus dem Radio kam »Truly, Madly, Deeply« von Savage Garden.

David erinnerte sich auch. Das sah sie ihm an. Und auch, daß ihm allmählich die Folgen klar wurden. Mit einem Mal stand ihm die Angst förmlich ins Gesicht geschrieben. Er runzelte die Stirn und rückte ein wenig von ihr ab. »Ich erinnere mich.«

»Ich bin schwanger.«

Er gab ein Geräusch von sich, das ihr ins Herz schnitt, einen Seufzer, der im Nichts verhallte. »Nein.« Er schloß die Augen. »Verdammt. *O verdammt.*«

»Ich schätze, wir haben ein echtes Problem.« Lauren spürte, wie er sich immer weiter von ihr entfernte, und es schmerzte sie mehr, als sie geglaubt hätte. Sie hatte versucht, sich auf alle denkbaren Reaktionen vorzubereiten, aber wenn er aufhörte sie zu lieben, könnte sie es nicht ertragen.

Langsam schlug er die Augen wieder auf und sah sie an. Sein Blick war stumpf, leer. »Bist du dir sicher?«

»Absolut.«

»Oh«, machte er nur und versuchte trotz seiner offensichtlichen Verwirrung und Bestürzung zu lächeln. »Und jetzt?« fragte er schließlich mit ganz belegter, heiserer Stimme.

Lauren schaute ihn nicht an. Sie wußte, daß er den Tränen nahe war und wollte nicht mit ansehen, wie er die Fassung verlor. »Ich weiß nicht.«

»Könntest du ... du weißt schon ... könntest du nicht ...?«

»Es abtreiben lassen?« Lauren kniff die Augen zusammen und hatte das Gefühl, das etwas in ihr zerbrach. Genau das hatte sie schon überlegt. Warum tat es dann so weh, wenn er darüber sprach? »Wahrscheinlich ist das die Lösung.«

»Ja«, sagte er, allzu schnell. »Die Rechnung übernehme ich. Und ich begleite dich.«

Lauren hatte das Gefühl, langsam unter Wasser gezogen zu werden und zu ertrinken. »Okay.« Selbst in ihren Ohren hörte sich ihre Stimme fern und fremd an.

Lauren starrte aus dem Fenster auf die vorbeifliegende Landschaft und versuchte, nicht daran zu denken, wohin sie fuhr, was sie vorhatte. David saß neben ihr. Seine Hände umklammerten das Lenkrad. Seit fast einer Stunde hatten sie kein Wort mehr miteinander gesprochen. Worüber denn auch? Sie würden ...

... es wegmachen lassen.

Bei der Vorstellung lief es ihr kalt über den Rücken. Aber hatte sie eine andere Wahl?

Die Fahrt nach Vancouver wollte partout kein Ende nehmen, und mit jedem Kilometer schien sich Lauren mehr zu verkrampfen. Sie hätte den Eingriff genausogut zu Hause vornehmen lassen können, doch David wollte kein Risiko eingehen. Seine Familie kannte zu viele der Ärzte in und um West End.

Jetzt kam in einiger Entfernung die Klinik in Sicht. Sie hatte befürchtet, daß vor dem Eingang Demonstranten mit Transparenten patrouillierten, auf denen schreckliche Dinge standen und die herzzerreißende Bilder zeigten. Aber davon war weit und breit nichts zu sehen. Vielleicht wollten selbst Abtreibungsgegner an einem so trostlosen und frostigen Tag nicht vor die Tür.

Lauren schloß die Augen und kämpfte gegen eine plötzlich aufsteigende Panik an.

David streckte zum ersten Mal die Hand nach ihr aus. Sie war kalt und zitterte. Seltsamerweise gab seine Angst ihr Kraft. »Alles in Ordnung?«

Lauren war ihm unendlich dankbar dafür, daß er sie begleitete, daß er sich um sie sorgte. Sie hätte ihm das gern gesagt, ihre Kehle war jedoch wie zugeschnürt. Als sie geparkt hatten, fühlte sie sich von der Schwere ihrer Entscheidung nahezu überwältigt. Sie unterzog sich keiner x-beliebigen Behandlung. Sie ließ ihr Kind abtreiben.

Einen schrecklichen Augenblick lang konnte sie sich nicht rühren. David kam um den Wagen herum und öffnete ihr den Schlag.

Zusammen gingen sie auf den Eingang der Klinik zu. Immer einen Fuß vor den anderen setzen, sagte sich Lauren. Etwas anderes wagte sie nicht zu denken.

David hielt ihr die Tür auf.

Das Wartezimmer war voller Frauen – hauptsächlich junge Mädchen –, die offenbar allein gekommen waren, mit gesenkten Köpfen und fest zusammengedrückten Knien auf ihren Stühlen saßen. Manche taten, als würden sie in Zeitschriften lesen, während andere gar nicht erst vorgaben, daß irgend etwas sie vom Grund ihres Hierseins ablenken konnte. David war der einzige Mann im Raum.

Lauren begab sich zur Anmeldung, nahm ein paar Formulare in Empfang und setzte sich auf einen freien Stuhl, um sie auszufüllen. Danach kehrte sie damit zur Anmeldung zurück.

»Sie sind siebzehn?« fragte die Frau hinter dem Schreibtisch.

Lauren zuckte unwillkürlich zusammen. Sie hatte sich fest vorgenommen, sich für älter auszugeben, war jedoch viel zu nervös, um klar denken zu können. »Fast achtzehn. Brauche ich ...« Hastig dämpfte sie die Stimme. »Brauche ich die Zustimmung meiner Mutter für ... für das hier?«

»In Washington nicht. Ich wollte mich nur vergewissern. Sie sehen jünger aus.«

Lauren seufzte erleichtert. »Oh.«

»Setzen Sie sich bitte. Sie werden aufgerufen.«

Lauren ging zu ihrem Stuhl zurück. David nahm neben ihr Platz. Sie hielten einander bei den Händen, sahen sich aber nicht an. Lauren befürchtete, in Tränen auszubrechen, wenn sie es tat. Statt dessen las sie das Infoblatt, das offenbar ein anderes Mädchen auf dem Tisch zurückgelassen hatte.

Der Eingriff dauert für gewöhnlich etwa fünfzehn Minuten, stand da. *Nach einer Ruhephase von vierundzwanzig bis achtundvierzig Stunden ist die Aufnahme von Arbeit wieder möglich ... minimale Beschwerden ...*

Lauren legte das Infoblatt auf den Tisch zurück. So jung sie auch war, wußte sie doch, daß es auf Schmerzen oder Ruhephasen ebensowenig ankam wie auf die Dauer des »Eingriffs«. Was wirklich zählte, war, ob sie mit der Entscheidung und den Konsequenzen würde leben können.

Sie legte eine Hand auf ihren noch flachen Bauch. Da drinnen, in ihr, wuchs etwas Lebendiges heran.

Ein Kind.

Es war sehr leicht, sich vorzustellen, daß ein Eingriff von fünfzehn Minuten ihr Problem beseitigen konnte. Aber wenn das nun nicht der Fall war? Wenn sie für den Rest ihres Lebens um dieses verlorene Baby trauerte?

Sie sah David an. »Bist du sicher, daß es richtig ist?«

Er wurde blaß. »Welche Wahl haben wir denn?«

»Ich weiß es nicht.«

Eine Frau kam in den Warteraum und verlas Namen vom Zettel auf ihrem Klemmbrett. »Lauren. Sally. Justine.«

David drückte Laurens Hand. »Ich liebe dich.«

Mit zitternden Knien stand Lauren auf. Auch die beiden anderen Mädchen erhoben sich. Lauren warf David einen letzten, unsicheren Blick zu und folgte der Schwester über den Flur.

»Justine, Behandlungsraum zwei«, sagte die Frau, blieb stehen und öffnete eine Tür.

Ein ängstlich aussehendes, halbwüchsiges Mädchen betrat den Raum und schloß die Tür hinter sich.

»Lauren, Raum drei«, sagte die Frau ein paar Sekunden später und stieß die entsprechende Tür auf. »Ziehen Sie sich bitte aus und schlüpfen Sie in den bereitliegenden Kittel.«

Diesmal war Lauren das verängstigte Mädchen, das den Raum betrat. Als sie den weißen Baumwollkittel anzog und sich die Vlieshaube aufsetzte, fielen ihr trotz des Farbunterschieds Robe und Barett der High-School-Absolventen ein. Welch ironische Streiche einem das Leben doch mitunter spielte. Sie setzte sich auf den Rand des Untersuchungstischs.

Silbern glänzende Stahlschränke und Instrumententische ließen sie blinzeln; im grellen Licht der Neonröhren blendeten sie Lauren.

Die Tür ging auf, und ein älterer Mann kam herein. Er trug eine OP-Mütze und sein Mundschutz hing ihm locker um den Hals. Er wirkte erschöpft. »Hallo«, sagte er und warf einen Blick in ihre Unterlagen. »Lauren. Legen Sie die Beine in die Schienen und strecken Sie sich auf dem Rücken aus. Machen Sie es sich so bequem wie möglich.«

Eine weitere Person betrat den Raum. »Hallo, Lauren. Ich heiße Martha und werde dem Arzt assistieren.« Beruhigend tätschelte sie Laurens Hand.

Tränen brannten in Laurens Augen und ließen alles um sie herum verschwimmen.

»In ein paar Minuten ist es vorbei«, sagte die Schwester.

Vorbei.

In ein paar Minuten.

Der Eingriff.

Abrupt setzte sie sich auf. »Ich kann es nicht tun.« Tränen liefen ihr die Wangen hinunter. »Ich könnte damit nicht leben.«

Der Arzt seufzte tief. In seinen traurigen Augen sah Lauren, wie oft er diesen Moment schon erlebt hatte. »Sind Sie ganz sicher?« Er konsultierte ihre Unterlagen. »Ihr Zeitfenster für den Eingriff ...«

»Die Abtreibung.« Die Schärfe des Wortes schien ihr die Zunge zu zerschneiden.

»Ja«, sagte er. »Eine Abtreibung ist nur noch bis zur ...«

»Ich weiß.« Zum ersten Mal seit Tagen war sie sich ihrer Entscheidung ganz sicher, und diese Gewißheit nahm ihr jede Angst. »Ich werde meine Meinung nicht ändern.« Sie zog sich die Haube vom Kopf.

»Also gut, dann wünsche ich Ihnen alles Gute«, sagte der Arzt und verließ den Raum.

»Planned Parenthood kann Ihnen bei einer Adoption behilflich sein, falls Sie das wollen«, sagte die Schwester. Ohne eine Antwort abzuwarten, ging auch sie aus dem Zimmer.

Lauren blieb noch einen Moment lang sitzen. Ihre Gefühle waren ein hoffnungsloses Durcheinander. Aber ihren Entschluß bereute sie keine Sekunde. Mit einer anderen »Lösung« hätte sie nicht leben können. Sie vertrat die Ansicht, daß eine Frau das Recht hatte, selbst entscheiden zu können. Aber in diesem Fall war es *ihre* Wahl.

Sie glitt vom Untersuchungstisch und begann, sich wieder anzuziehen.

Sie hatte *richtig* gehandelt. Ohne jeden Zweifel. Davon war sie fest überzeugt.

Aber was würde David dazu sagen?

Stunden später saß Lauren neben David auf der cremefarbenen Couch im Wohnzimmer seiner Eltern. Oben ging möglicherweise das normale Leben weiter, hier unten war es geradezu unheimlich still. Sie drückte Davids Hand so fest, daß sich ihre Finger fast taub anfühlten. Und schien mit dem Weinen einfach nicht aufhören zu können.

»Ich schätze, wir werden wohl heiraten«, sagte er fast tonlos.

Es schmerzte Lauren, wie resigniert er sich anhörte. Sie drehte sich zu ihm um, drückte ihn an sich und fühlte seine Tränen an ihrem Hals. Jede einzelne brannte sich tief in ihre Haut. Lauren rückte ein Stück ab, um ihn ansehen zu können. Er wirkte ... verzweifelt. Er bemühte sich sehr, reif und erwachsen zu sein, aber seine Augen verrieten seine Jugend. Sie waren weit aufgerissen vor Furcht, seine Lippen bebten. Sanft strich ihm Lauren über die tränenfeuchte Wange. »Nur weil ich schwanger bin, brauchen wir doch nicht ...«

Heftig riß sich David von ihr los. »Mom!«

In einem eleganten schwarzen Hosenanzug mit blütenweißer Bluse stand Mrs. Haynes in der Tür, in der Hand eine flache Schachtel. »Dein Dad hat mich angerufen. Er meinte, ihr beiden würdet euch vielleicht über eine Pizza freuen«, sagte sie und starrte ihren Sohn entgeistert an. Dann begann sie hemmungslos zu schluchzen.

Zwanzig

Wenn Lauren geglaubt hatte, elender könne sie sich gar nicht mehr fühlen, dann wurde sie an diesem Abend eines Besseren belehrt. Mrs. Haynes weinen zu sehen, war schon nahezu unerträglich, Davids Reaktion auf die Tränen seiner Mutter allerdings noch schlimmer. Lauren saß im Wohnzimmer von Davids Familie, auf einem eleganten, weißen Sessel neben dem Kaminfeuer, das sie hätte wärmen sollen. Sie ließ die Auseinandersetzung, das Schreien und Schluchzen über sich ergehen und versuchte, sich so unsichtbar wie möglich zu machen.

Sie hatte das Gefühl, alles wäre allein ihre Schuld.

Natürlich wußte sie, daß das nicht stimmte. Für dieses Baby waren sie beide verantwortlich, aber wie oft hatte ihre Mutter sie ermahnt, vorsichtshalber immer Kondome einzustecken? *»Mit einem Steifen kann kein Mann klar denken. Und du bist es, die dann am Ende mit einem Balg dasitzt«,* hatte sie mehr als einmal gesagt. Es war die Quintessenz ihrer sexuellen Aufklärung gewesen. Lauren hätte auf sie hören sollen.

»Ich kenne ein paar Ärzte in Los Angeles und San Francisco.« Mr. Haynes fuhr sich mit einer Hand durch seine bereits zerrauften Haare. »Hervorragende Mediziner. Und sehr diskret. Niemand bräuchte je etwas zu erfahren.«

Seit wenigstens zehn Minuten sprachen sie nun schon über dieses Thema. Nach schier endlosem Hadern mit dem Schicksal und bitteren Vorwürfen über »diese absolut unbegreifliche Sorglosigkeit« waren sie bei der Frage aller Fragen gelandet: Was nun?

»Sie hat es versucht«, sagte David.

»In Vancouver«, fügte Lauren hinzu. So leise, daß sie sich selbst kaum hören konnte.

Mrs. Haynes sah sie an. Langsam, ganz langsam setzte sie sich. Eigentlich war es mehr eine Art Einknicken. »Wir sind katholisch«, sagte sie schließlich.

Lauren empfand schon über dieses Minimum an Entgegenkommen Dankbarkeit. »Ja«, flüsterte sie. »Und ... das war es nicht allein.« Sie wollte das Wort – *Baby* oder *Leben* – nicht laut aussprechen, aber es war dennoch präsent, lag irgendwie in der Luft.

»Ich habe Lauren gebeten, mich zu heiraten«, sagte David.

Sie konnte sehen, wie sehr er sich bemühte, stark und verantwortungsvoll zu sein; aber auch, wie nahe er einem Zusammenbruch war. Er schien allmählich zu begreifen, was er alles aufgeben müßte. Wie konnte eine Liebe überleben, die so viele Opfer forderte?

»Ihr seid viel zu jung für eine Heirat, verdammt noch mal. Sag ihnen das, Anita.«

»Wir sind auch zu jung, um ein Kind zu bekommen«, erklärte David. Schweigen breitete sich aus.

»Es gibt die Möglichkeit einer Adoption«, sagte Mrs. Haynes.

David hob den Kopf. »Das stimmt, Lauren. Es gibt sicher Menschen, die dieses Baby lieben werden.«

Die Hoffnung in seiner Stimme ließ erneut Tränen in Laurens Augen schießen. Sie wollte widersprechen und sagen, daß auch sie dieses Baby lieben könne. *Ihr* Baby. Aber sie brachte keinen Ton heraus.

»Ich werde Bill Talbot anrufen«, sagte Mr. Haynes. »Ich

bin sicher, daß er Rat weiß. Wir werden Leute finden, die ein gutes Zuhause bieten können.«

Er hörte sich an, als ginge es darum, einen Welpen abzugeben.

Mrs. Haynes sah zu, wie ihr Mann das Zimmer verließ und senkte mit einem tiefen Seufzer den Kopf.

Verunsichert runzelte Lauren die Stirn. Sie taten so, als wäre es bereits beschlossene Sache.

David kam auf sie zu. Sie hätte nie gedacht, daß seine Augen so traurig aussehen könnten. Er griff nach ihrer Hand und drückte sie. Sie wartete darauf, daß er etwas sagte. Sehnte sich geradezu verzweifelt nach einem *Ich liebe dich*. Aber er schwieg.

Was sollte er auch sagen? Es gab keine optimale Lösung für diese Situation, keinen Weg, der nicht einen von ihnen – und am meisten sie selbst – ins Unglück führte.

»Komm, Lauren«, sagte Mrs. Haynes schließlich und stand auf.

»Ich kann sie doch nach Hause bringen, Mom.«

»Nein, das mache ich«, sagte Davids Mutter mit einer Stimme, die trotz ihrer Brüchigkeit keinen Widerspruch zuließ.

»Dann fahre ich mit.« David zog Lauren vom Sessel hoch.

Sie folgten Mrs. Haynes in die Garage, in der der schwarze Cadillac Escalade stand.

Der Tatort.

David hielt die Beifahrertür auf. Lauren wollte nicht vorn sitzen, aber auch nicht unhöflich erscheinen. Mit einem unterdrückten Seufzer ließ sie sich auf den Sitz fallen. Sofort schaltete sich der Kassettenrecorder ein, und die wehmütigen Klänge von »Hotel California« erfüllten das Auto.

Nachdem David seiner Mutter die Richtung genannt hatte, sagte keiner der beiden auch nur ein Wort. Mit jeder Sekunde nahm Laurens Anspannung zu. Sie hatte das unangenehme Gefühl, daß Mrs. Haynes ihre Mutter sprechen wollte, daß das der eigentliche Grund für das Heimbringen war.

Aber wie sollte sie es verhindern? Wenn sie bei ihrem Wohnblock ankämen, wäre es fast Mitternacht.

»Meine Mom ist beruflich unterwegs«, log sie und fühlte sich scheußlich dabei.

»Ich dachte, sie wäre Friseurin«, sagte Mrs. Haynes.

»Das ist sie auch. Sie ist bei einer Convention, da stellen die Firmen ihre neuen Produkte vor.« Lauren wußte, daß die Chefin ihrer Mutter mitunter zu derartigen Veranstaltungen gefahren war.

»Verstehe.«

»Sie können mich gleich hier rauslassen. Es ist nicht nötig, daß ...«

»Vor dem *Safeway*?« Davids Mutter hob die Brauen. »Das halte ich für keine gute Idee.«

Lauren schluckte nur stumm. Hinter ihr gab David seiner Mutter eine genaue Wegbeschreibung.

Wenig später hielt der Cadillac am Straßenrand. Im Mondschein erinnerte der heruntergekommene Block an einen Roman von Roald Dahl, an eins dieser erbärmlichen Quartiere, in denen ein *armes, bemitleidenswertes Kind* sein Leben fristen mußte.

David stieg aus und kam zur Beifahrertür.

Mrs. Haynes drückte auf die Türverriegelung und sah sie stirnrunzelnd an.

Das laute Klicken ließ Lauren zusammenzucken.

»Hier wohnst du?«

»Ja.«

Zu ihrer Verblüffung schien Mrs. Haynes' Gesichtsausdruck sanfter zu werden. Sie seufzte.

Draußen zerrte David am Türgriff.

»David ist das einzige Kind, das ich bekommen konnte«, sagte Mrs. Haynes. »Seine Geburt war für uns wie ein Wunder. Vielleicht habe ich ihn zu sehr geliebt. Ein Kind ... verändert einen irgendwie. Ich wollte nur, daß er glücklich wird und all die Chancen bekommt, die ich nicht hatte.« Sie sah Lauren an. »Wenn ihr heiratet und das Baby behaltet ...« Sie verstummte kurz. »Mit einem Kind ist das Leben nicht gerade leicht. Ohne Geld und eine gute Ausbildung sogar mehr als schwer. Ich weiß, wie sehr du David liebst. Das kann ich sehen. Und er liebt dich. Sogar so sehr, daß er auf seine Zukunftschancen verzichten würde. Vermutlich sollte ich darauf stolz sein.« Den letzten Satz sagte sie sehr leise, fast bedauernd, daß sie diesen Stolz nicht empfinden konnte.

David klopfte an die Scheibe. »Mach die Tür auf, Mom.«

Lauren wußte, was Mrs. Haynes nicht aussprach. *Wenn du David wirklich liebst, dann darfst du nicht zulassen, daß er sich seine Zukunft verbaut.*

Genau das hatte sich Lauren auch schon überlegt. Wenn er sie genug liebte, um alles aufzugeben, müßte sie ihn dann nicht genug lieben, um das zu verhindern?

»Falls du ausführlicher über das alles sprechen möchtest, kannst du jederzeit zu mir kommen«, sagte Mrs. Haynes.

Das Angebot überraschte Lauren. »Danke.«

»Sag deiner Mutter, daß ich sie morgen anrufen werde.«

Lauren wagte an den Verlauf *dieser* Unterhaltung nicht einmal zu denken. »Okay.«

Da sie nicht wußte, was sie noch sagen sollte, öffnete sie die Verriegelung und stieg aus.

»Was zum Teufel hat sie zu dir gesagt?« fragte David und schlug die Tür hinter ihr zu.

Lauren sah ihn an und dachte daran, wie seine Mutter geweint hatte, fast lautlos und doch voller Verzweiflung. »Daß sie dich liebt.«

Sein Gesicht verzog sich schmerzlich. »Was sollen wir nur tun?«

»Ich weiß es nicht.«

Lange Zeit sahen sie sich schweigend an. »Ich sollte jetzt besser einsteigen«, sagte er schließlich.

Sie nickte. Als er sie zum Abschied küßte, zwang sie sich dazu, sich nicht an ihn zu klammern. Es kostete sie ihre ganze Kraft, ihn gehen zu lassen.

Lauren fand ihre Mutter im Wohnzimmer. Sie saß auf der Couch, rauchte und wirkte ausgesprochen nervös.

Ihre Mutter stellte ihr Glas auf den Fußboden. »Ich wollte dich heute wirklich begleiten.«

»Klar. Und was ist dir dazwischengekommen?«

Mit sichtlich zitternder Hand griff ihre Mutter wieder nach ihrem Drink. »Ich wollte mir Zigaretten aus dem Mini-Mart holen. Auf dem Rückweg traf ich zufällig Neddie. Das *Tides* war offen, und ich dachte, ich könnte mir noch schnell einen Drink genehmigen. Ich hatte ihn wirklich bitter nötig ... Aber als ich wieder auf die Uhr sah, war es zu spät.« Hastig zog sie an ihrer Zigarette und betrachtete Lauren prüfend durch die graue Qualmwolke. »Du siehst schlecht aus. Vielleicht solltest du dich hinsetzen. Willst du ein Aspirin? Ich hol dir eins.«

»Mir geht's gut.«

»Tut mir leid, Lauren«, sagte sie leise.

Zum ersten Mal hörte Lauren aufrichtiges Bedauern in der Stimme ihrer Mutter. »Schon gut.« Sie bückte sich, um leere Pizzakartons und Zigarettenschachteln vom Boden aufzuheben. »Sieht ganz so aus, als hättest du mit Jake ziemlich gefeiert.« Sie hob den Kopf und sah, daß ihre Mutter weinte. Es berührte sie auf eine eigentümliche Weise, zu sehen, daß ihre Mutter offenbar doch zu Emotionen fähig war.

Lauren ging zum Sofa und kniete sich neben ihre Mutter. »Du brauchst doch nicht zu weinen, Mom. Mit mir ist wirklich alles in Ordnung.«

»Er verläßt mich.«

»Was?«

»Mein ganzes Leben liegt in Scherben. Und ich werde alt.«

Ihre Mutter drückte die Zigarette aus und steckte sich eine neue an.

Es schmerzte mehr als jeder Schlag. Selbst an einem so furchtbaren Tag wie heute dachte ihre Mutter nur an sich. Lauren schluckte trocken, stand auf und räumte weiter auf. Das Atmen fiel ihr schwer, und sie kämpfte mit den Tränen. »Ich habe es nicht durchgezogen«, sagte sie leise.

Ihre Mutter hob den Kopf. Ihre Augen waren blutunterlaufen und mit Mascara verschmiert. »Was?« Offenbar brauchte sie einen Moment, um zu begreifen, was ihre Tochter da gerade gesagt hatte. »Ich hab mich wohl verhört.«

»Nein, hast du nicht.« Hilflose Verzweiflung überkam Lauren, drohte, sie zu überwältigen. Obwohl es geradezu absurd war, ein Ding der Unmöglichkeit, sehnte sie sich danach, daß ihre Mutter die Arme ausbreitete, sie an sich zog und tröstete. »Ich konnte nicht. Es ist meine Schuld. Für die ich bezahlen muß und nicht ...« Sie warf einen Blick auf ihren Bauch.

»Das Baby«, sagte ihre Mutter kalt. »Du kannst ja noch nicht mal das Wort aussprechen.«

Lauren trat einen Schritt vor, biß sich auf die Lippe und rang die Hände. »Ich habe Angst, Mom. Ich dachte ...«

»Das *solltest* du auch. Sieh mich an. Sieh dich um hier.« Sie stand auf und lief mit weit ausholender Geste quer durchs Zimmer. »Ist das etwa das Leben, das du dir wünschst? Hast du *dafür* in der Schule gebüffelt wie eine Verrückte? Du verlierst dadurch ein College-Jahr. Ist dir das eigentlich klar? Und wenn du jetzt nicht mit dem Studium beginnst, tust du es nie mehr.« Sie packte Lauren bei den Schultern und schüttelte sie. »Du wirst wie *ich*. Nach deiner ganzen Schufterei. Willst du das? Willst du das wirklich?«

Lauren riß sich los und taumelte einen Schritt zurück. »Nein«, gab sie kleinlaut zu.

Ihre Mutter seufzte schwer. »Wenn du schon eine Abtreibung nicht hinbekommst, wie willst du dann mit einer Adoption fertig werden, um Gottes willen? Oder denkst du etwa im Ernst daran, das Kind zu behalten? Morgen gehst du in die Klinik zurück. Diesmal komme ich mit. Versau dir nicht die Chance auf ein besseres Leben.« Ihre Wut schien verraucht. Sie strich Lauren das Haar aus der Stirn, schob eine Locke hinter ihr Ohr. Es war wahrscheinlich die zärtlichste Geste, die Lauren je erlebt hatte.

Doch das war schlimmer, als angeschrien zu werden. »Ich kann nicht.«

Mit Tränen in den Augen starrte ihre Mutter sie an. »Du brichst mir das Herz.«

»Sag doch so was nicht.«

»Was soll ich denn sonst sagen? Du hast dich entschieden. Gut. Ich habe mein Bestes versucht.« Sie bückte sich nach ihrer Handtasche. »Ich brauch jetzt was zu trinken.«

»Geh nicht. Bitte.«

Ihre Mutter lief bereits zur Tür. Auf halbem Wege drehte sie sich noch einmal um.

Krampfhaft schluchzend stand Lauren mitten im Zimmer. Sie wußte, daß ihre verzweifelte Bitte ihr anzusehen war.

Fast wäre auch ihre Mutter in Tränen ausgebrochen. »Tut mir leid.« Gehetzt verließ sie die Wohnung.

Am nächsten Morgen wurde Lauren durch Bruce Springsteens Stimme geweckt, die laut durch die Wände drang.

Langsam richtete sie sich auf und rieb sich die brennenden, verquollenen Augen.

Offensichtlich hatte es ihre Mutter nicht bei einem Drink belassen. Eigentlich kaum überraschend. Wenn sich die siebzehnjährige Tochter in andere Umstände gebracht hatte, konnte man schließlich nichts anderes tun, als ausgiebig zu feiern.

Seufzend kletterte sie aus dem Bett, stolperte ins Bad und duschte lange. Als sie fertig war, stellte sie sich auf das ausgefranste Handtuch, das ihrer Mutter und ihr als Badematte diente, und betrachtete sich prüfend im Spiegel.

Ihre Brüste waren eindeutig größer geworden, das ließ sich nicht leugnen. Die Brustwarzen möglicherweise auch. Aber da war sie sich nicht ganz sicher, da sie auf die nie sonderlich geachtet hatte.

Sie drehte sich halb um und musterte ihren nackten Körper im Profil.

Ihr Bauch war flach wie immer. Nichts wies darauf hin, daß in ihr neues Leben heranwuchs.

Lauren wickelte sich in ein Handtuch und kehrte in ihr Zimmer zurück. Nachdem sie ihr Bett gemacht hatte, zog sie ihre Schuluniform an: einen roten Pullover mit rundem Ausschnitt, einen karierten Rock, weiße Strümpfe und schwarze Halbschuhe. Dann knipste sie das Licht aus, verließ das Zimmer und lief über den Flur.

An der geöffneten Wohnzimmertür blieb Lauren stehen und stutzte.

Irgend etwas stimmte da nicht.

Die Aschenbecher auf dem Couchtisch waren geleert. Nirgendwo standen benutzte Gläser oder halbvolle Flaschen. Die verschlissene purpurrote Decke, die normalerweise über der Rückenlehne der Couch hing, war fort.

Fort.

Unmöglich. Selbst ihre Mutter würde doch nicht …

Sie hörte, wie draußen auf der Straße ein Motor angelassen wurde. Es war das unverkennbare, heisere Röhren einer Harley Davidson.

Lauren rannte zum Fenster und zerrte die schäbigen Vorhänge zur Seite.

Ihre Mutter saß hinter Jake auf dem Sozius. Sie blickte zu Lauren hoch.

Lauren presste ihre Finger gegen die Fensterscheibe. »Nein!«

Langsam und zögernd, als täte ihr jede Bewegung weh, hob ihre Mutter den Arm und winkte ihr zu.

Die Maschine raste die Straße hinunter, bog um die Ecke und verschwand.

Lange Zeit blieb Lauren am Fenster stehen, sah auf die leere Straße hinunter und wartete immer noch darauf, daß sie zurückkamen.

Als sie sich nach einer halben Ewigkeit umdrehte, entdeckte sie den Zettel auf dem Couchtisch.

Da wußte sie es.

Sie ging zum Tisch, griff nach dem Zettel und las die mit blauem Kugelschreiber gekritzelte Notiz.

Es war die Bilanz ihrer Mutter-Tochter-Beziehung, in drei dürftigen Worten zusammengefaßt.

Tut mir leid.

Und der Boss sang noch immer. »*Baby, we were born to run …*«

Einundzwanzig

Bereits zum dritten Mal wählte Angie Laurens Nummer.

»Noch immer kein Glück?« Ihre Mutter kam aus der Küche.

Angie lief zum Fenster und blickte hinaus. »Nein. Es sieht ihr überhaupt nicht ähnlich, einfach nicht zur Arbeit zu erscheinen. Langsam fange ich an, mir Sorgen zu machen.«

»Mädchen in ihrem Alter haben mitunter Flausen im Kopf. Ich bin überzeugt, daß es nichts Ernstes ist.«

»Vielleicht sollte ich eben schnell bei ihr vorbeifahren. Nach dem Rechten sehen ...«

»Nun übertreib mal nicht. Sie ist heute nicht gekommen. Na und? Wahrscheinlich ist sie mit ihrem Freund unterwegs und genehmigt sich gerade ein paar Bier.«

»Sehr beruhigend, Mama.«

Ihre Mutter trat neben sie. »Morgen ist sie bestimmt wieder da. Du wirst schon sehen. Warum kommst du nicht mit mir nach Hause? Auf ein Gläschen Wein.«

»Lieber ein anderes Mal«, lächelte Angie. »Ich möchte einen Weihnachtsbaum kaufen. Wenn du nichts dagegen hast, würde ich gern ein bißchen früher gehen.«

»Du willst das Cottage zum Fest schmücken? Das würde Papa sehr freuen.«

Die leise Melancholie in Maria DeSarias Stimme entging

Angie nicht. Kein Wunder. Sie würde Weihnachten erstmals ohne Papa feiern. Sie legte einen Arm um die schmale Taille ihrer Mutter und zog sie an sich. »Was hältst du davon, wenn wir am Mittwoch etwas zusammen unternehmen, Mama? Wir könnten ein bißchen einkaufen, irgendwo einen Happen essen und dann nach Hause fahren, um gemeinsam den Baum zu schmücken. Und du kannst mir endlich beibringen, wie man Tortellini macht.«

»Keine Tortellini. Die sind zu schwer für dich. Wir fangen mit etwas Einfachem an. Mit einer Tapenade vielleicht. Mit einem Mixer kannst du doch umgehen, oder?«

»Sehr komisch.«

Ihre Mutter schmunzelte. »Danke.«

Eng umschlungen standen sie noch eine Weile am Fenster und blickten in die Dunkelheit. Schließlich verabschiedete sich Angie, nahm ihren Mantel und verließ das Restaurant.

Trotz der Kälte wimmelte es im Zentrum der kleinen Stadt vor Menschen. Dutzende Touristen schlenderten durch die Straßen und bewunderten die strahlenden Lichterketten. An einer Ecke standen Sänger in viktorianischen Kostümen aus rotem und grünem Samt und gaben »Stille Nacht« zum Besten. Eine Traube aus Touristen und Einheimischen hörte ihnen zu. Die Einheimischen erkannte man daran, daß sie keine Einkaufstüten bei sich hatten. Mit klingenden Glöckchen rumpelte eine Pferdekutsche über das Kopfsteinpflaster. Schon das erste Adventswochenende war ein Erfolg gewesen, der am kommenden Samstag mit Sicherheit übertroffen wurde. Ganze Busladungen Touristen würden eintreffen und die Einheimischen murren, daß sich ihr Ort in ein Disneyland verwandelt habe, sich das Ereignis jedoch unter keinen Umständen entgehen lassen.

Als Angie den Christmas Shop erreichte, begann es zu schneien. Sie schlug ihre Kapuze hoch, eilte über die Straße und betrat das Geschäft.

Sie fand sich in einem Weihnachts-Wunderland wieder. Überall glitzerte, schimmerte und funkelte es. Plötzlich blieb Angie stehen. Direkt vor ihr stand eine schmalgewachsene, mit silbernen und goldenen Ornamenten geschmückte Fichte: Engel, Weihnachtsmänner, Sterne und Glaskugeln.

Sie erinnerten Angie an ihre Sammlung von Christbaumschmuck. Das erste Stück hatte ihr Conlan vor vielen Jahren geschenkt, ein kleiner Holzschuh aus Holland, auf dem mit Glitzerspray *Our First Christmas* geschrieben stand. Zu jedem Fest war etwas Neues hinzugekommen.

»Hey, Angie«, trällerte eine Frauenstimme.

Angie hob den Kopf und wischte sich schnell über die Augen, als die Inhaberin hinter der Kasse hervorkam. Tillie steckte in ihrem roten Santa-Claus-Kostüm, das Angie noch aus ihrer Kindheit kannte.

»Wie ich höre, hast du neuen Schwung in das *DeSaria's* gebracht«, lachte Tillie. »Deine Mutter soll so stolz auf dich sein, daß sie fast platzt.«

Angie versuchte zu lächeln. So war es nun einmal in West End. Kein geschäftlicher Erfolg blieb unbemerkt – vor allem nicht der von anderen. »Zumindest hat sie Gefallen an den neuen Rezepten gefunden.«

»Wer hätte das gedacht? Ich sollte unbedingt mal bei euch reinschauen. Nach dem Fest vielleicht. Also, was suchst du? Kann ich dir helfen?«

Angie blickte sich um. »Ich brauche neuen Christbaumschmuck.«

Tillie wurde ernst. »Ich habe von deiner Scheidung gehört. Kann nicht leicht gewesen sein.«

»Nein.«

»Ich mach dir einen Vorschlag: Komm doch in zehn Minuten wieder, ja? Ich stelle dir etwas Schönes zusammen. Zum Selbstkostenpreis.«

»Oh, aber das kann ich doch nicht …«

»Dafür lädst du Bill und mich bei euch zum Essen ein.«

Angie nickte. Auf diese Weise hatte auch ihr Vater Geschäfte in West End gemacht. »Ich hole mir schnell einen Baum und bin in ein paar Minuten zurück.«

Eine Stunde später befand sich Angie wieder auf dem Heimweg. Der Baum war sicher auf dem Wagendach vertäut, auf dem Rücksitz lag ein Karton mit Christbaumschmuck, neben ihr eine Packung elektrischer Kerzen. Wegen der glatten, vereisten Straßen dauerte die Fahrt länger als üblich. Aus den Lautsprechern kam »Jingle Bell Rock« und versetzte sie in vorfreudige Stimmung.

Das hatte sie auch dringend nötig. Einen Baum allein kaufen zu müssen, ihn allein aufzustellen, ihn allein zu schmücken und sich allein an ihm zu erfreuen, war ziemlich deprimierend.

Angie parkte vor dem Cottage, schaltete den Motor ab und stieg aus. Sie blieb einen Moment neben dem Auto stehen und starrte den Baum an, während Schneeflocken wie Küsse auf ihr Gesicht rieselten.

Er wirkte sehr viel größer als auf dem Verkaufsgelände.

Nun ja …

Sie holte sich ein Paar alte Arbeitshandschuhe ihres Vaters aus der Garage und ging daran, den Baum vom Dach zu holen. Als sie es endlich geschafft hatte, war sie zweimal gestürzt, hatte sich an einem besonders widerspenstigen Zweig die Nase aufgekratzt und eine Schramme im Autolack verursacht.

Sie packte den Stamm mit beiden Händen und schleppte ihn Schritt um Schritt aufs Haus zu. Als sie die Tür fast erreicht hatte, bog ein Auto auf die Einfahrt ein.

Scheinwerfer kamen auf sie zu, träge trieben Schneeflocken im gleißenden Licht.

Angie ließ den Baum los und hielt sich eine Hand schützend über die Augen. Bestimmt war das Mira, die ihr helfen wollte.

Schwestern!

»Schalte endlich das verdammte Licht aus«, rief Angie. »Du blendest mich.«

Die Scheinwerfer blieben an. Statt dessen wurde die Fahrertür aufgestoßen. Mick Jaggers Stimme dröhnte durch die Dunkelheit. Jemand stieg aus.

»Mira?« Verunsichert wich Angie einen Schritt zurück. Plötzlich wurde ihr bewußt, wie einsam es hier draußen war.

Lautlos kam jemand auf sie zu. Der frische Schnee dämpfte jeden Schritt.

Jetzt erkannte sie sein Gesicht und erstarrte. »Conlan.«

Er kam noch näher, so nahe, daß sie die Wärme seines Atems auf ihrem Gesicht spüren konnte. »Hey, Ange.«

Sie wußte nicht, was sie sagen sollte. Früher hatten sie gar nicht genug miteinander reden können, die Worte waren nur so hervorgesprudelt. Inzwischen schien diese Quelle endgültig versickert zu sein. Sie erinnerte sich wieder an Dianes Worte.

»Zweimal kam ich in sein Büro, und er war in Tränen aufgelöst.«

Wenn eine Frau die Verzweiflung ihres Mannes nicht einmal bemerkte, was sollte sie später dann auch sagen?

»Wie schön, dich zu sehen ...«

»Ein herrlicher Winterabend ...«

Sie sagten es beide zur selben Zeit, mußten lachen und versanken darauf wieder in unbehagliches Schweigen. Angie wartete, daß er noch etwas hinzufügte, doch das tat er nicht. »Ich wollte gerade den Baum aufstellen.«

»Das sehe ich.«

»Hast du in diesem Jahr einen Baum?«

»Nein.«

Als sie seinen Gesichtsausdruck sah, wünschte sie sich, sie hätte das nicht gefragt. »Ich schätze, du willst mir nicht helfen, ihn ins Haus zu tragen?«

»Lieber würde ich zusehen, wie du dich mit ihm abplagst.«

»Du bist einsfünfundachtzig. Ich einsdreiundsechzig. Los, bring ihn rein.«

Lachend bückte er sich nach dem Baum.

Sie rannte voraus, um ihm die Tür zu öffnen.

Gemeinsam hoben sie den Baum in den Ständer.

»Ein bißchen mehr nach links.« Sie streckte die Hand aus und drückte den Stamm in eine aufrechtere Position.

Stöhnend ging er in die Hocke und verschwand unter den Ästen.

Angie fühlte sich von Erinnerungen überwältigt. Sobald der Baum kerzengerade und sicher in seinem Ständer verankert war, lief sie in die Küche. »Ich hole uns schnell ein Gläschen Wein.«

In der Diele atmete sie erst einmal tief durch.

Es tat schon weh, ihn nur anzusehen.

Angie goß Rotwein – seinen Lieblingswein – in zwei Gläser und kehrte ins Wohnzimmer zurück. Conlan stand vor dem Kamin und blickte sie an. In seinem schwarzen Pullover und den ausgeblichenen Jeans wirkte er wie ein in die Jahre gekommener Rockstar.

»Ich könnte behaupten, daß ich auf dem Weg zu einem Interview war und kurz vorbeigekommen bin«, sagte er, nachdem sie ihm ein Glas gereicht hatte.

»Ich könnte antworten, daß es mir gleichgültig ist, warum du hier bist.«

Sie saßen einander gegenüber und plauderten über Belanglosigkeiten. Angie leerte bereits ihr drittes Glas, als er schließlich die entscheidende Frage stellte.

»Warum hast du mich neulich in der Redaktion besucht?«

Darauf gab es die unterschiedlichsten Antworten. Die Frage war nur: Wie weit wollte sie sich vorwagen? Lange Zeit hatte sie Conlan Halbwahrheiten aufgetischt, um ihm Enttäuschungen zu ersparen. Aber das war eine tückische Straße, auf der man leicht ins Schleudern geriet. Am Ende hatte sie nur noch sich selbst geschützt. Bis sie eines Tages erkannte, daß sie allein und einsam war. »Du hast mir gefehlt«, sagte sie schließlich.

»Was heißt das?«

»Hast *du* mich auch vermißt?«

»Wie kannst du mich das fragen?«

Angie stand auf, ging auf ihn zu. »Hast du?«

Angie kniete sich vor ihn hin. Ihre Gesichter waren einander so nahe, daß sie sich in seinen blauen Augen sehen konnte. Sie hatte ganz vergessen, was für ein Gefühl es war, sich in seinen Augen zu spiegeln. »Es hat mich um den Verstand gebracht«, wiederholte sie die Worte, die sie vor vielen Monaten im Kinderzimmer gesagt hatte.

»Und bist du jetzt wieder vernünftig?«

Angie spürte seinen Atem auf ihren Lippen. »*Vernünftig* ist ein schrecklich *vernünftiges* Wort. Aber es geht mir eindeutig besser. Im Grunde habe ich mich damit abgefunden.«

»Du machst mir Angst, Angie«, sagte er leise.

»Warum?«

»Nun, du hast mir schon einmal das Herz gebrochen.«

Sie beugte sich kaum merklich vor. »Du brauchst keine Angst zu haben«, flüsterte sie und streckte die Arme nach ihm aus.

Zweiundzwanzig

Angie hatte vergessen, wie es war, geküßt zu werden. Es gab ihr das Gefühl, wieder jung zu sein; es war sogar noch besser, weil da nichts von den Ängsten und Unsicherheiten der Jugend war – nur diese erregende Empfindung, endlich wieder zu leben. Sie seufzte leise.

Conlan schob sie von sich.

Sie verspürte diese fast brennende Begierde und blickte ihn verwirrt an. »Con?«

Ihm ging es ähnlich. Das sah sie an dem glasigen Blick, an seinen halbgeöffneten Lippen. Für einen Moment hatte er sich hingegeben, riß sich jetzt aber wieder zusammen. »Ich habe dich geliebt«, sagte er.

Falls da noch irgendein Zweifel in ihr gewesen wäre, hätte die Vergangenheitsform des Satzes ihn beseitigt. Mit vier Worten hatte er sich ihr offenbart und alles gesagt, was wichtig war.

Angie griff nach seinem Arm. Er zuckte zusammen und versuchte sich zu befreien, aber das ließ sie nicht zu. In seinen Augen sah sie Verunsicherung und Furcht. Aber auch einen Schimmer von Hoffnung, und das gab ihr Mut.

»Sprich mit mir«, sagte sie, wohlwissend, daß er gelernt hatte, *nicht* mit ihr zu reden. In den Monaten nach Sophies

Tod war sie so zerbrechlich geworden, daß er Schweigen für die klügste Reaktion hielt. Jetzt hatte er Angst, sich ihr zuzuwenden, weil er befürchtete, ihre Zerbrechlichkeit könnte zurückkehren und sie beide wie eine Flutwelle verschlucken.

»Und was sollte jetzt anders sein?«

»Was meinst du damit?«

»Unsere Liebe war dir nicht genug.«

»Ich habe mich geändert.«

»Nach acht Jahren hast du dich also plötzlich geändert?«

»Plötzlich?« Sie ließ seinen Arm los. »Im letzten Jahr habe ich meinen Vater verloren, meine Tochter und meinen Mann. Glaubst du wirklich, das wäre spurlos an mir vorübergegangen? Papa und Sophia – nun, das war furchtbar, aber irgendwie ... was weiß ich, Schicksal. Aber du ...« Ihre Stimme wurde zu einem Flüstern. »Daß ich dich verloren habe, war einzig und allein meine Schuld. Um das zu erkennen, habe ich lange gebraucht, und jetzt läßt es mich nicht mehr zur Ruhe kommen. Ich kann nachts kaum schlafen. Ich war nicht für dich da. Jedenfalls nicht so, wie du für mich. Du meinst, ich hätte mich *plötzlich* verändert? Das sehe ich anders.«

»Ich wußte, wie sehr du leidest.«

»Und ich habe mich dem Schmerz völlig ausgeliefert, bis nichts anderes mehr zählte.« Sanft berührte sie sein Gesicht. »Aber du hast auch gelitten.«

»Ja.« Mehr sagte er nicht.

Lange sahen sie sich schweigend an. Angie wußte nicht, was sie noch sagen sollte.

»Liebe mich.« Ihre Worte überraschten sie selbst. Die Verzweiflung in ihrer Stimme war nicht zu überhören. Aber das war ihr egal. Der Wein hatte sie verwegen gemacht.

Conlan lachte. »So einfach ist das nicht.«

»Warum nicht? Unser ganzes Leben lang haben wir getan, was von uns erwartet wurde. College, kirchliche Trauung,

Beruf, Kinder.« Sie machte eine kurze Pause. »Am Ende waren wir wie diese Tiere in der Kalahari, die im Schlamm feststecken und krepieren.« Sie beugte sich zu ihm, so nahe, daß er sie hätte küssen können, wenn er es gewollt hätte. »Es gibt jetzt für uns keinen vorgezeichneten Weg mehr. Keinen einzig *richtigen* Weg. Wir sind zwei Menschen, die schwere Zeiten durchgemacht haben und an einem unbekannten Ort angelangt sind. Geh mit mir ins Bett«, fügte sie leise hinzu.

Er fluchte verhalten. Es hörte sich zornig an – und resigniert.

»Bitte. Liebe mich.«

Stöhnend zog er sie an sich.

Am nächsten Morgen erwachte Angie zum vertrauten Trommeln des Regens auf Dach und Fensterbretter.

Conlans Arme hielten sie selbst im Schlaf umschlungen. Wohlig drückte sie sich an ihn, genoß das Gefühl seiner Nähe auf ihrer Haut. Seine ruhigen, gleichmäßigen Atemzüge kitzelten ihren Nacken.

So hatten sie während ihrer Ehe immer geschlafen: wie zwei Löffel aneinandergeschmiegt. Sie hatte ganz vergessen, wie geborgen und sicher sie sich dabei fühlte.

Behutsam löste sie sich von ihm und drehte sich um. Sie mußte ihn sehen …

Angie berührte sein Gesicht, fuhr mit der Fingerspitze sanft die feinen Linien nach, die der Schmerz hinterlassen hatte. Sie glichen ihren eigenen. Jedes Fältchen erzählte davon, wie sie gelebt, was sie gewonnen und was sie verloren hatten. Früher oder später hinterließ all das dauerhaft Spuren auf einem Gesicht. Sie sah jedoch auch den jungen Conlan, den Mann, in den sie sich verliebt hatte. Sie erkannte ihn an den Wangenknochen wieder, den Lippen und den Haaren, die noch nicht grau geworden waren und dringend geschnitten werden mußten.

Er schlug die Augen auf.

»Guten Morgen«, sagte Angie und wunderte sich über ihre rauhe Stimme.

Die Liebe ist schon sonderbar, dachte Angie. Sie erfaßte jeden Winkel einer Frau, selbst vor der Stimme machte sie an einem kalten Wintermorgen nicht halt.

»Morgen.« Er küßte sie zärtlich und lehnte sich zurück. »Und was nun?«

Unwillkürlich mußte sie lächeln. Typisch Conlan. Die Es-gibt-für-uns-keinen-vorgezeichneten-Weg-mehr-Theorie verfing nicht bei einem Mann, der sein Geld mit Fragen verdiente. Sie kannte die Antwort. Hatte sie in der Sekunde gewußt, als sie ihn im Theater in Seattle sah, und wahrscheinlich sogar schon lange davor.

Aber sie waren bereits einmal gescheitert, und das hatte sie gezeichnet, einen Knacks hinterlassen. »Ich schätze, wir warten einfach ab, was passiert.«

»Das konnten wir noch nie besonders gut. Du kennst uns. Die großen Planer.«

Du kennst *uns* ...

Das reichte ihr für den Moment. Es war mehr, als sie gestern erwarten durfte.

»Diesmal müssen wir vorsichtiger sein, oder?«

»Du *hast* dich verändert.«

»Das bringen Verluste so mit sich.«

Er seufzte, und Angie wünschte, sie könnte die Worte zurücknehmen. Aber wie konnte man Jahre auslöschen? Es gab eine Zeit, in der ihre Liebe von Hoffnung, Glück und Leidenschaft geprägt war. Damals waren sie jung gewesen und voller Zuversicht. Konnten sie das wirklich wiederfinden? Nach allem, was geschehen war?

»Gegen Mittag muß ich in der Redaktion sein.«

»Ruf an und sag, du seist krank. Wir könnten ...«

»Nein.« Er schlug die Decke zur Seite und schwang sich

aus dem Bett. Nackt stand er neben ihr und betrachtete sie nachdenklich. »Im Bett waren wir immer gut, Ange. Das war nie das Problem.« Er seufzte, und das leise Geräusch erinnerte sie an alles, was zwischen ihnen schiefgegangen war. Er bückte sich nach seinen Sachen.

Während er sich anzog, überlegte sie, was sie sagen konnte, um ihn zurückzuhalten. Aber es fiel ihr nichts anderes ein als: *Zweimal kam ich in sein Büro, und er war in Tränen aufgelöst ...*

Sie hatte ihm das Herz gebrochen. Womit konnte sie ihn jetzt überzeugen? Worte waren so flüchtig. Mit einem Atemzug ausgesprochen, mit dem nächsten verklungen.

»Komm wieder«, sagte sie schließlich, als er auf die Tür zumarschierte. »Irgendwann. Wenn du bereit dazu bist.«

Er blieb stehen und drehte sich zu ihr um. »Ich glaube nicht, daß ich das kann. Leb wohl, Angie.«

Er ging.

Im Restaurant war Angie so zerstreut, daß ihre Mutter wiederholt Bemerkungen darüber machte, aber Angie hütete sich, irgend etwas verlauten zu lassen. Sobald sie gestand, mit Conlan geschlafen zu haben, würde sich das wie ein Lauffeuer in der Familie verbreiten, und sie hatte keine Lust, sich sechzehn verschiedene Kommentare dazu anzuhören. Darüber hinaus würden die mit Sicherheit geäußerten Befürchtungen nicht ohne Wirkung auf sie bleiben. Und sie wollte sich die Hoffnung nicht zerstören lassen, daß er irgendwann zum Cottage zurückkam.

Statt dessen konzentrierte sie sich auf Näherliegendes. Zum Beispiel auf die Tatsache, daß Lauren wieder nicht zur Arbeit erschienen war und auch nicht angerufen hatte. Inzwischen hatte Angie bereits etliche Nachrichten hinterlassen, aber keine war beantwortet worden.

»Angela.«

Erschreckt erkannte sie, daß ihre Muter mit ihr sprach, und legte den abgenommenen Hörer wieder auf. »Ja, Mama?«

»Willst du den ganzen Abend da stehenbleiben und das Telephon anstarren? Wir haben Gäste.«

»Ich befürchte, sie steckt in Schwierigkeiten. Irgend jemand sollte versuchen, ihr zu helfen.«

»Sie hat eine Mutter.«

»Aber manchmal erzählen Teenager ihren Eltern nicht alles. Was ist, wenn sie verzweifelt ist und niemanden hat, mit dem sie reden kann?«

Ihre Mutter seufzte. »Dann wirst du sie retten. Aber sieh dich vor, Angie.«

Es war ein guter Rat. Vernünftig und begründet. Er hatte Angie zwei Tage lang von Laurens Wohnung ferngehalten. Aber mit jedem Tag war ihre Beunruhigung gewachsen, und mittlerweile machte Angie sich ernsthafte Sorgen.

»Morgen fahre ich zu ihr«, erklärte sie entschlossen.

Von Tag zu Tag wurde es schwerer, mit dem normalen Alltag der High School klarzukommen. Lauren fürchtete sich wie eine Außerirdische, die unversehens auf der Erde gelandet war – ohne zu wissen, wie sie überleben sollte. Sie konnte sich nicht auf den Unterricht konzentrieren, keine Unterhaltungen führen, nicht essen, ohne sich zu übergeben. Nur ein Gedanke kreiste beständig in ihrem Kopf: *Ich bekomme ein Kind, ein Kind …*

Sie gehörte hier nicht mehr her. Jede Minute kam ihr vor wie eine große Lüge. Sie befürchtete, daß jeden Moment die Wahrheit herauskommen könnte und das Getuschel einsetzte.

Da ist Lauren Ribido …

Armes Mädchen …

Schwanger …

Ruiniert …

Sie wußte nicht, ob ihre Freunde zu ihr stehen oder sich

von ihr distanzieren würden, aber im Grunde war es ihr egal. Sie hatte mit ihnen nichts mehr gemein. Wen interessierte schon das Pop Quiz in Trigonometrie oder die Szene, die Robin und Chris einander auf dem Schulball gemacht hatten? Das alles kam ihr jetzt reichlich albern vor, und obwohl Lauren sich nun in der Grauzone zwischen Kind-Sein und Frau-Sein gefangen fühlte, wußte sie, daß sie nie wieder ganz unbeschwert jung sein würde.

Sogar David verhielt sich ihr gegenüber anders. Sie wußte, daß er sie noch immer liebte – Gott sei Dank. Aber manchmal wollte er offenbar lieber allein sein und ging nach Hause. Sie ahnte, daß er dann über all das nachdachte, was er für ihre Liebe aufgeben mußte.

Er würde das Richtige tun. Was immer das war. Aber er würde Stanford drangeben müssen und die Chancen, die eine Ausbildung an dieser Universität mit sich brachte. Vor allem würde es ihn seine Jugend kosten. Ein Preis, den sie bereits bezahlt hatte.

»Lauren?«

Sie schreckte hoch und erkannte, daß sie den Kopf auf den Tisch gelegt hatte. Neben ihr stand ihr Lehrer Mr. Knightsbridge und sah sie mit gerunzelter Stirn an.

»Langweile ich dich, Lauren?«

Die anderen kicherten und lachten.

Hastig richtete sie sich auf. »Nein, Sir.«

»Dann ist es ja gut.« Er gab ihr einen rosa Zettel. »Mrs. Detlas möchte dich sprechen.«

Überrascht sah Lauren ihn an. »Warum?«

»Das hat sie mir nicht gesagt, aber es ist Zeit für die College-Bewerbungen, und sie ist unsere Studienberaterin.«

Für eine Antwort von den Colleges war es noch zu früh, aber vielleicht hatte sie vergessen, etwas auszufüllen, oder eine Bewerbung an eine falsche Adresse geschickt. Als spielte das jetzt noch eine Rolle.

Sie packte Bücher und Hefte in ihren Rucksack und eilte über den Hof zum Büro der Schulverwaltung. Draußen war es eisig kalt. Eine dünne Reifschicht bedeckte Rasen und Wege.

Auch im Schulbüro kam es ihr eigentümlich kalt vor. Mary, die Sekretärin, sah kaum von ihrer Arbeit hoch, und die Erste-Hilfe-Schwester Jan wandte schnell den Blick ab.

Lauren lief über den Korridor, dessen Wände mit Anzeigen für Colleges, wissenschaftliche Praktika und Ferienjobs bepflastert waren. Vor Mrs. Detlas' Zimmer blieb sie stehen, holte tief Luft und klopfte.

»Herein.«

Lauren stieß die Tür auf. »Tag, Mrs. Detlas.« Sie bemühte sich, nicht allzu nervös zu klingen.

»Guten Tag, Lauren. Setz dich.«

Kein Lächeln, kein belangloses Geplauder.

Das konnte nichts Gutes bedeuten.

»Vorhin habe ich mit David gesprochen, und er erwähnte, daß er daran denkt, doch nicht nach Stanford zu gehen. Er sagte – und ich zitiere –, ihm sei *etwas dazwischengekommen*. Weißt du, was das sein könnte?«

Lauren schluckte. »Ich bin sicher, daß er Stanford nicht aufgeben würde. Wie könnte er das?«

»Genau. Wie könnte er?« Mrs. Detlas pochte mit ihrem Stift auf den Tisch und ließ Lauren nicht aus den Augen. »Natürlich hat mich das beunruhigt. Die Haynes' sind sehr wichtig für unsere Schule.«

»Das weiß ich.«

»Also habe ich Mrs. Haynes angerufen.«

Lauren seufzte auf.

»Sie wollte mir zwar nichts sagen, aber ich merkte, wie besorgt und durcheinander sie war. Daher habe ich Coach Tripp gebeten, mit David zu sprechen. Du weißt, daß er und der Coach sich sehr nahestehen.«

»Ja, Mrs. Detlas.«

»Du bist schwanger.«

Lauren schloß die Augen. David hatte *versprochen,* niemandem etwas zu sagen. Jetzt mußte es sich innerhalb von Stunden herumsprechen. Man würde über sie tuscheln, mit dem Finger auf sie zeigen …

»Es tut mir leid, Lauren«, sagte Mrs. Detlas nach einer langen Pause. »Mehr als du ahnen kannst.«

»Was soll ich jetzt tun?«

Mrs. Detlas schüttelte den Kopf. »Das kann ich dir nicht sagen. Aber ich weiß, daß an der Fircrest noch nie ein schwangeres Mädchen seinen Abschluß gemacht hat. Die Eltern gehen auf die Barrikaden, falls sie davon erfahren.«

»Wie bei Evie Cochran?«

»Ja. Evie wollte unbedingt bleiben, mußte aber schließlich doch abgehen. Ich glaube, sie wohnt bei einer Tante in Lynden.«

»Ich habe keine Verwandten.«

Mrs. Detlas hörte nicht zu. Sie öffnete einen Aktenordner, las den Inhalt und schloß ihn wieder. »Ich habe mich mit dem Direktor der West End High in Verbindung gesetzt. Du kannst das Semester dort beenden und im Januar deinen Abschluß machen.«

»Ich verstehe nicht recht.«

»Du bist mit einem Stipendium auf unserer Schule, Lauren. Das kann jederzeit widerrufen werden. Und dafür gibst du uns einen hinlänglichen Grund. Wir haben dich als eine Art Vorbild betrachtet. Davon kann jetzt wohl kaum mehr die Rede sein, oder? Wir finden es besser für alle Beteiligten, wenn du zur West End High wechselst.«

»Es sind doch nur noch sechs Wochen. Bitte! Ich möchte meinen Abschluß an der Fircrest machen.«

»Ich fürchte, das könnte für dich – unangenehm werden. Mädchen können schrecklich grausam sein.«

Das wußte Lauren. Früher, als sie noch die *falschen* Sachen trug, *falsch* redete, sich *falsch* benahm, wollte niemand etwas mit ihr zu tun haben. In ihrer Naivität hatte sie angenommen, daß sich das ändern würde, sobald sie sich anpaßte, nicht mehr auffiel. Jetzt erkannte sie ihren Irrtum. Das alles war nur der äußere Anstrich, eine dünne Schicht von Lügen, die die wahre Lauren verdeckt hatten. Und die kam nun wieder zum Vorschein.

Sie wollte aufbegehren, wollte den Ehrgeiz und die Entschlossenheit wiederbeleben, die sie auf die Fircrest gebracht hatten, aber dieses Feuer war längst erloschen.

Und ihr war kalt.

Vorbild? Sie war ein schwangeres Mädchen auf einer katholischen Privatschule. Wenn sie überhaupt jemanden inspirieren konnte, dann höchstens als warnendes Beispiel.

Sieh dich vor, oder du endest noch wie Lauren Ribido.

»Geh zur West End High«, sagte Mrs. Detlas freundlich. »Beende dort das Semester und mach einen frühen Abschluß. Gott sei Dank bist du eine gute Schülerin.«

Denn da gehörst du hin ... Lauren hörte die Worte so deutlich, als wären sie laut ausgesprochen worden.

Aber auch das war eine Lüge.

Sie gehörte nirgendwohin.

Lauren kehrte in die Klasse zurück und versuchte, sich auf den Unterricht zu konzentrieren. Sie schrieb Wichtiges mit, machte sich Notizen und redete mit ihren Mitschülern. Ein- oder zweimal lächelte sie sogar, aber innerlich baute sich eine ungekannte Wut in ihr auf.

David hatte versprochen, ihr Geheimnis nicht zu verraten. Natürlich mußte es früher oder später herauskommen, aber nicht jetzt. Sie war noch nicht bereit, sich den Fragen und dem Getuschel zu stellen.

Als es zur Mittagspause klingelte, hatte sich ihre Wut in

rasenden Zorn verwandelt. Sie ließ ihre Freundinnen stehen und lief über den Hof zur Turnhalle. David und seine Football-Kumpel stemmten Gewichte. Sie lachten und scherzten.

Als sie den Raum betrat, wurde es ganz still.

Verdammt, David …

Lauren fühlte, wie sich ihre Wangen röteten. »Hey«, sagte sie und versuchte, ganz normal zu klingen.

Langsam richtete David sich auf und sah sie auf eine Weise an, die ihr das Atmen schwermachte. »Bis dann, Jungs.«

Niemand antwortete ihm.

Schweigend verließen sie die Halle und liefen über den Schulhof zum Football-Feld. Es war ein frischer, kalter Tag. Reif glitzerte auf den Grashalmen. Die Luft roch vage nach Äpfeln.

»Wie konntest du das nur tun?« fragte sie schließlich. Ihre Stimme hörte sich verblüffend ruhig an. Sie hatte eigentlich damit gerechnet, daß sie ihm die Frage entgegenschleudern, ihn vielleicht sogar ins Gesicht schlagen würde, aber jetzt empfand sie nur Kälte und Angst.

David ergriff ihre Hand und zog sie zur Tribüne. Sie setzten sich auf die kalten, harten Sitze. Er legte nicht den Arm um sie. Statt dessen starrte er auf das Feld hinaus und seufzte.

»Du hattest es mir *versprochen*«, warf sie ihm vor, jetzt schon etwas lauter und schriller. »Und ausgerechnet Coach Tripp. Jeder weiß, was für ein Schwätzer er ist. Hast du denn nicht eine Minute …«

»Mein Dad redet nicht mehr mit mir.«

Lauren runzelte die Stirn. »Aber …« Sie verstummte hilflos.

»Er hat mich einen dämlichen Trottel genannt. Nein. Einen *beschissenen Trottel*. Genau das waren seine Worte.« Davids Atem kam in weißen Wölkchen aus seinem Mund.

Laurens Zorn verrauchte von einer Sekunde auf die andere. Irgend etwas in ihr schien zu zerbrechen. Sie rutschte näher und schmiegte sich an ihn. In all den Jahren, die sie ihn kannte, hatte er sich um die Anerkennung und Zuneigung seines Vaters bemüht. Das schien David bei seinem Vater ebenso schmerzlich zu vermissen wie Lauren bei ihrer Mutter.

Der Speedster war Davids ganzer Stolz. Aber nicht etwa, weil er damit den Neid der anderen Jungen und die Bewunderung der Mädchen erregte, sondern weil sein Vater das Auto liebte. Und David liebte die Zeit, die er mit seinem Vater in der Garage verbringen konnte. Dort – und offenbar nur dort – redeten sie miteinander.

»Er will nicht mal mehr mit mir an dem Wagen arbeiten. Er sagt, es wäre sinnlos, einem Jungen die Reifen zu richten, der seine Zukunft in den Sand gesetzt hat.« Endlich sah er sie an. »Ich *mußte* mit jemandem reden. Mit einem Mann.«

Wie könnte sie das nicht verstehen? Er mußte sich unendlich einsam fühlen. Sie schob ihre Finger in seine Hand. »Das ist schon okay. Entschuldige, daß ich dir Vorwürfe gemacht habe.«

»Mir tut leid, daß ich es ihm erzählt habe. Ich dachte, er würde es für sich behalten.«

»Ich weiß.«

Wieder versanken sie in Schweigen und starrten auf das Football-Feld.

»Wenigstens haben wir uns«, sagte Lauren schließlich.

»Yeah.« Seine Stimme hörte sich verzagt an.

Als Lauren nach Hause kam, wartete bereits Mrs. Mauk auf sie. Am liebsten wäre Lauren umgedreht, aber dafür war es zu spät.

»Lauren«, seufzte Mrs. Mauk. »Heute wollte ich deine Mutter auf ihrer Arbeitsstelle besuchen.«

»Und? Haben Sie sie angetroffen?«

»Natürlich nicht. Aber das weißt du selbst. Ihre Chefin sagte, sie hätte gekündigt. Und West End verlassen.«

Die letzten drei Worte ließen Lauren fast zusammenbrechen. »Ja, aber ich suche mir einen Job. Ich verspreche Ihnen, daß ...«

»Das hilft doch nichts, Kindchen.« Lauren merkte, wie schwer Mrs. Mauk die nächsten Worte fielen. »Allein kannst du dir die Miete nie leisten. Der Hausbesitzer ist ohnehin sauer, daß deine Mom die Miete nie pünktlich zahlt. Er will, daß ich euch vor die Tür setze.«

»Bitte, tun Sie das nicht.«

Traurig verzog Mrs. Mauk das Gesicht. »Ich wünschte, ich könnte dir helfen. Tut mir leid ...« Langsam drehte sie sich um und verschwand in ihrer Wohnung.

Wenn auch nur noch ein Mensch ihr sagte, es täte ihm leid, würde sie schreien.

Nicht daß sie damit etwas bewirken könnte.

Lauren stieg die Treppen zu ihrer Wohnung hinauf und schlug die Tür hinter sich zu.

»Denk nach«, sagte sie laut und appellierte an die frühere Lauren, die alle Hürden überwinden konnte. »Laß dir etwas einfallen.«

Es klopfte.

Vermutlich war das Mrs. Mauk, die ihr sagen wollte, daß sie die Wohnung bis morgen geräumt haben mußte.

Lauren rannte zur Tür und riß sie auf. »Aber ich kann unmöglich ...«

Vor ihr im düsteren Flur stand Angie.

»Oh.« Mehr brachte Lauren nicht über die Lippen.

»Hallo, Lauren.« Angies Lächeln war so herzlich, daß es Lauren fast körperlich weh tat. »Möchtest du mich nicht hereinbitten?«

Lauren stellte sich vor, wie Angie Malone die Wohnung betrat, über den stinkenden Teppichbelag zur schäbigen Couch lief, sich setzte – nein, das würde sie nicht wagen –, sich umsah und Lauren zutiefst bedauerte. »Nein. Lieber nicht.« Entschlossen verschränkte sie die Arme und blockierte den Zugang mit ihrem Körper.

»Lauren ...«, sagte Angie so nachdrücklich, daß sie schließlich zur Seite wich und die Ältere vorbeiließ.

Angie trat ein. Hilflos stolperte Lauren hinterher und sah die Wohnung mit Angies Augen. Vergilbte Wände, ungeputzte Fenster, die keinen anderen Ausblick boten als auf den heruntergekommenen Seitenflügel. Sie konnte Angie unmöglich einen Platz anbieten. »Wollen Sie ... äh ... eine Coke?« fragte sie und trat nervös von einem Fuß auf den anderen. Als ihr bewußt wurde, daß sie praktisch Macarena tanzte, riß sie sich schnell zusammen.

Zu Laurens maßloser Überraschung nahm Angie auf der Couch Platz. Und zwar nicht nur vorsichtig auf der Kante. Sie *setzte* sich. »Ich möchte keine Coke. Aber vielen Dank.«

»Falls es um den Job geht ...«

»Ja?«

»Ich hätte anrufen sollen.«

»Das wäre besser gewesen. Und warum hast du es nicht getan?«

Verlegen schlang sie die Finger ineinander. »Ich hatte eine ziemlich schlimme Woche.«

»Setz dich, Lauren.«

Sie wollte Angie nicht zu nahe kommen, weil sie befürchtete, bei der leisesten Berührung in Tränen auszubrechen. Also holte sie sich einen Stuhl aus der Küche.

»Ich dachte, du würdest mir vertrauen«, sagte Angie.

»Das tue ich.«

»Du steckst in irgendwelchen Schwierigkeiten, stimmt's?«

»Ja.«

»Kann ich dir vielleicht helfen?«

Mehr brauchte es nicht. Lauren begann zu schluchzen. »Nein. Dafür ist es zu spät.«

Angie stand auf, ging zu Lauren, nahm sie in die Arme und

zog sie vom Stuhl hoch. Das Schluchzen wurde lauter, verzweifelter. Beruhigend strich Angie Lauren über die Haare, über den Rücken. »Keine Angst. Es wird alles wieder gut …«

»Nein, wird es nicht«, schniefte Lauren. »Meine Mom hat sich aus dem Staub gemacht und mich hier zurückgelassen.«

»Dich im Stich gelassen?«

»Sie ist zusammen mit ihrem Freund abgehauen.«

»Oh, Liebes. Sie kommt bestimmt bald zurück.«

»Nein«, sagte Lauren leise und war erstaunt, wie weh diese Feststellung tat. Obwohl sie seit vielen Jahren wußte, wie wenig ihre Mutter sie liebte, schmerzte es sie noch immer. »Und Mrs. Mauk sagt, daß ich hier nicht mehr bleiben kann. Aber wie um Himmels willen soll ich genug Geld für eine eigene Wohnung verdienen?« Sie blickte zu Boden und dann zu Angie. »Und das ist noch nicht mal das schlimmste.«

»Gibt es denn etwas Schlimmeres als das?«

Lauren holte tief Luft. Sie wollte es Angie nicht sagen, aber hatte sie eine andere Wahl? »Ich bin schwanger.«

Dreiundzwanzig

Angies erste Reaktion auf diese Nachricht war – Neid. Ein feiner Stich ins Herz, und schon breitete sich das Gift langsam aus.

»Neun Wochen«, flüsterte Lauren. Die Verzweiflung stand ihr ins Gesicht geschrieben.

Und sie war noch so jung, so unglaublich jung.

Angie schob ihre Empfindungen beiseite. Später wäre noch genug Zeit, darüber nachzudenken, warum es in der Welt mitunter so ungerecht zuging. Dann, wenn sie sich einsam und verletzlich fühlte, in der Nacht. Hastig wich sie zurück und setzte sich auf den Couchtisch. Sie brauchte unbedingt ein wenig Abstand zwischen ihnen. Laurens Verzweiflung war allzu offensichtlich. Angie wollte sie gerne verschwinden lassen, aber das war nicht so leicht. Eine Umarmung, ein paar tröstende Worte würden bei weitem nicht ausreichen.

Sie sah Lauren an. Die roten Haare hingen ihr wirr ins Gesicht, die Apfelbäckchen waren blaß und wirkten eingefallen, in den braunen Augen war kein einziger Hoffnungsschimmer.

Wenn je ein Mädchen dringend bemuttert werden mußte …

Nein.

»Hast du es deiner Mutter gesagt?«

»Deshalb ist sie ja abgehauen. Sie hat gesagt, daß sie schon einmal einen Fehltritt aufgezogen hat. Ein zweites Mal würde sie das nicht tun.«

Angie seufzte. In den vergangenen Jahren hatte sie oft über die Launen des Schicksals nachgedacht, die Zufälligkeit, mit der zu viele Frauen, die eigentlich nie ein Kind großziehen sollten, ungewollt schwanger wurden, während andere mit leeren Armen zurückblieben.

»Ich habe versucht, es abtreiben zu lassen.«

»Versucht?«

»Ich dachte, ich könnte das Problem einfach beseitigen, wissen Sie? Vernünftig sein. Aber dann ... dann habe ich es nicht über mich gebracht.«

»Du hättest zu mir kommen sollen, Lauren.«

»Wie hätte ich *damit* zu Ihnen kommen können? Ich wußte, wie sehr es Sie verletzen würde. Und außerdem wollte ich nicht, daß Sie mich so ansehen, wie Sie es gerade tun.«

»Wie denn?«

»Als wäre ich unglaublich dumm.«

Gegen ihre Absicht stand Angie auf und strich eine Haarsträhne hinter Laurens Ohr. »Ich sehe dich nicht an, als wärst du dumm. Du tust mir leid, und ich mache mir Sorgen um dich, das ist alles.«

Langsam stiegen Tränen in Laurens Augen. »Ich weiß nicht, was ich tun soll. David will auf Stanford verzichten und mich heiraten, aber das kann nicht gutgehen. Irgendwann würde er anfangen, mich zu hassen, und das könnte ich nicht ertragen.«

Angie wünschte, es gäbe eine Zauberformel, um die Last von diesem armen Mädchen zu nehmen, aber manchmal drängte einen das Leben in eine Ecke, aus der es keinen leichten Ausweg gab.

Lauren wischte sich schniefend über die Augen und setzte sich aufrechter hin. »Ich möchte Sie wirklich nicht mit meinen Sorgen belästigen. Aber ich habe Angst. Ich weiß nicht, was ich tun soll, und jetzt muß ich mir auch noch eine neue Wohnung suchen.«

»Das wird sich finden, Lauren. Beruhige dich.« Sie sah das Mädchen an. »Was würdest du am liebsten tun?«

»Die Zeit bis Oktober zurückdrehen und ein Kondom benutzen.«

Angie lachte, aber es klang traurig und ein wenig gezwungen. »Wollt ihr das Baby behalten? David und du?«

»Wie soll ich das wissen? Ich möchte es ...« Sie sackte auf ihrem Stuhl zusammen und senkte den Kopf. Angie wußte, daß sie weinte. Lauren gab fast keinen Laut von sich, als hätte sie gelernt, Tränen für sich zu behalten. »Es ist mein Problem. Ich habe mir die Suppe eingebrockt, und jetzt muß ich selbst sehen, wie ich sie auslöffle. Vielleicht läßt mich ja Mrs. Mauk noch eine Weile länger hier wohnen.«

Angie spürte, daß auch ihr die Tränen kamen, und kniff schnell die Augen zu. Erinnerungen überfielen sie: Lauren bei der Nachbarschaftshilfe, bibbernd vor Kälte, aber um einen Mantel für ihre Mutter bittend ... An einem regnerischen Abend auf dem Supermarkt-Parkplatz, wie sie Flyer an die tropfnassen Windschutzscheiben klebte ... Laurens Enttäuschung, nicht zum Schulball gehen zu können, und wie sie dann Angie für eine Kleinigkeit, ein geliehenes Kleid und ein bißchen Make-up, überschwenglich um den Hals fiel.

Lauren hatte niemanden auf der Welt. Sie war ein gutes, verantwortungsbewußtes Mädchen. Sie würde sich nach Kräften bemühen, das Richtige zu tun, aber wie sollte eine Siebzehnjährige unter diesen verwirrenden Umständen erkennen, was das war? Sie brauchte Unterstützung, Hilfe.

Sie ist nicht deine Tochter, Angela.

Sei vorsichtig mit diesem Mädchen.

Ein kluger Rat, und jetzt, in diesem Moment, fürchtete sich Angie vor den Konsequenzen, wenn sie ihn nicht befolgte. Sie hatte unendlich lange gebraucht, um aus dem dunklen Tal ihrer Sehnsucht nach einem Kind herauszufinden; wie konnte sie sich da wieder zurückfallen lassen? Wie konnte sie freiwillig mit ansehen, wie Laurens Bauch von Tag zu Tag immer größer wurde? Wie sollte sie es ertragen, die intime Zeugin der Schwangerschaft einer anderen Frau zu sein: der morgendlichen Übelkeit, der Zukunftsträume, die mit jedem weiteren Pfund realistischer wurden, der kleinen Bemerkungen voller Stolz: *Sie hat mich getreten ... Er ist ein richtiger kleiner Turner ... Komm, leg deine Hand auf meinen Bauch ...*

Und dennoch.

Wie konnte sie Lauren in dieser Situation allein lassen?

»Was hältst du davon«, begann Angie, weil sie sich außerstande sah, etwas anderes zu sagen. »Was hältst du davon, zu mir zu ziehen?«

Laurens Kopf fuhr hoch. »Das meinen Sie nicht im Ernst.«

»Doch.«

»Bestimmt ändern Sie Ihre Meinung. Sie werden sehen, wie ich immer dicker werde, und ...«

»Hast du denn noch nie jemandem vertraut?«

Lauren antwortete nicht, aber das war auch nicht nötig.

»Vertrau *mir*. Zieh eine Weile zu mir ins Cottage, bis du dir über deine Zukunft klarer geworden bist. Du mußt ein bißchen umsorgt werden.«

»Umsorgt ...«

Das fast ungläubige Staunen in Laurens Stimme entging Angie nicht. Wie einsam und verlassen mußte sich dieses Mädchen gefühlt haben.

»Ich werde für Sie putzen und waschen. Ich kann auch kochen, und wenn Sie mir erklären, was Unkraut ist und was nicht ...«

»Du brauchst bei mir nicht zu putzen.« Angie lächelte. Obwohl ihre Befürchtungen nicht ganz zerstreut waren – die Unsicherheit, ob sie diese Nähe ertragen konnte –, hatte sie doch auch ein gutes Gefühl. Sie konnte das Leben dieses Mädchens verändern. Vielleicht würde sie nie Mutter werden, aber das hieß nicht, daß sie Lauren nicht *bemuttern* konnte. »Komm einfach zur Arbeit, wenn du eingeteilt bist, und sieh zu, daß du weiterhin gute Zensuren nach Hause bringst. Einverstanden?«

Lauren warf ihre Arme um Angie und klammerte sich an sie wie eine Ertrinkende. »Einverstanden.«

Lauren packte ihre Kleidung und Schuluniformen (die sie nun nicht mehr brauchte), Toilettensachen und ein paar Erinnerungsstücke ein, und noch immer war Platz in ihrem Koffer.

Als letztes griff sie nach einem kleinen, gerahmten Photo von sich und ihrer Mutter. Darauf steckten sie beide ihre Gesichter durch die Kopföffnungen von zwei Showgirls aus Pappe. Lauren konnte sich nicht entsinnen, wann und wo die Aufnahme entstanden war. In Vegas, hatte ihre Mutter auf ihre Frage erklärt, an einer Raststätte auf dem Weg nach Westen. Jahrelang hatte sie versucht, sich eine dem Bild entsprechende Erinnerung ins Gedächtnis zu rufen, aber ohne jeden Erfolg.

Es war das einzige Photo, auf dem sie gemeinsam abgelichtet waren. Behutsam legte Lauren es zwischen ihre Kleidung und schloß den Koffer. Auf dem Weg zur Haustür klingelte sie bei Mrs. Mauk.

»Hier sind die Schlüssel«, sagte sie.

»Und wo willst du jetzt hin?«

Lauren umfaßte den Arm der Frau und führte sie zum Fenster. Draußen auf der Straße stand Angie neben ihrem Auto und blickte an dem Haus empor. »Das ist Angie Malone. Ich werde bei ihr wohnen.« Noch immer kam ihr das vor wie ein Wunder.

»Ich erkenne sie wieder.«

»Die Möbel können Sie verkaufen. Für die ausstehende Miete, okay?«

»Gut.« Mrs. Mauk betrachtete die Schlüssel in ihrer Hand, dann sah sie Lauren an. Ein trauriges Lächeln überzog ihr Gesicht. »Tut mir wirklich leid, Lauren. Falls ich dir irgendwie helfen kann ...« Sie verstummte. Sie wußten beide, daß es sich nur um eine Floskel handelte.

Dennoch verspürte Lauren Dankbarkeit. »Sie waren immer gut zu uns. Ließen uns die Miete später zahlen und so.«

»Du hattest es nicht leicht, Kindchen. Entschuldige meine Offenheit, aber deine Mom ist ein echtes Miststück.«

Lauren streckte der Hausmeisterin einen Zettel entgegen, auf den sie Angies Privatadresse und Telephonnummer sowie die des Restaurants geschrieben hatte. »Hier«, sagte sie leise. »Wenn meine Mom wieder da ist, wird sie wissen wollen, wo ich bin.« Sie hörte selbst, wie heiser ihre Stimme klang, wie *sehnsüchtig* – trotz allem.

»Wann?«

»Wenn es mit Jake aus ist – und das kann nicht allzulange dauern –, wird sie zurückkommen.«

»Und du wartest auf sie.« Mrs. Mauks Worte hatten einen unendlich traurigen Unterton.

Was sollte Lauren darauf erwidern? Ihr ganzes Leben lang hatte sie auf die Liebe ihrer Mutter gewartet. Sie konnte diese Hoffnung nicht so einfach aufgeben. Sie gehörte zu ihr wie ihr eigener Herzschlag. Aber die Enttäuschung tat nicht mehr so weh. Der Schmerz war jetzt dumpfer, irgendwie weiter weg.

Sie blickte auf die Straße hinaus, wo Angie darauf wartete, mit ihr nach Hause zu fahren.

Nach Hause.

»Sie brauchen sich keine Sorgen zu machen«, sagte sie zu Mrs. Mauk.

»Du bist ein liebes Mädchen, Lauren. Ich wünsche dir alles Gute.«

»Vielleicht komme ich Sie mal besuchen.«

»Lieber nicht, Lauren. Wenn du diese Gegend erst einmal hinter dir gelassen hast, solltest du besser wegbleiben. Aber falls du mich brauchst, bin ich natürlich für dich da.« Mrs. Mauk lächelte ihr noch einmal zu und verschwand wieder in ihrer Wohnung.

Lauren griff nach ihrem Koffer, lief die letzten Stufen hinunter und aus dem Haus.

»Soll ich den Rest holen?« fragte Angie und kam ihr entgegen.

»Das ist alles«, antwortete Lauren.

»Oh.« Angie blieb stehen und runzelte kaum merklich die Stirn. »Na dann, steig ein.«

Auf der Fahrt durch den Ort und am Strand entlang starrte Lauren schweigend aus dem Fenster. Hin und wieder konnte sie ihr Spiegelbild sehen: ein lächelndes Mädchen mit traurigen Augen. Lauren fragte sich, ob sie so traurig bleiben würden, ob sie immer nur an die Chancen denken müßte, die sie vertan hatte. Bei ihrer Mutter war das eindeutig der Fall gewesen.

Verstohlen warf sie einen Seitenblick auf Angie, die leise vor sich hin summte. Vermutlich wußte sie genausowenig, was sie sagen sollte.

Lauren schloß die Augen und versuchte sich ihr Leben mit Angie als Mutter vorzustellen. Bestimmt wäre alles viel harmonischer und liebevoller verlaufen. Angie würde ihre schwangere Tochter nie schlagen oder mitten in der Nacht verlassen oder ...

»Da wären wir. *Home sweet home.*«

Lauren riß die Augen auf. Sollte sie etwa kurz eingenickt sein? Jedenfalls kam sie sich vor wie im Traum.

Angie parkte das Auto neben dem Cottage und stieg aus. Auf dem Weg zur Haustür redete sie unentwegt über die Schulter hinweg auf Lauren ein, die sich bemühte, trotz ihres Koffers mit ihr Schritt zu halten.

»... Backofen ist es rund zwanzig Grad heißer, als die Anzeige angibt. Ich habe keine Mikrowelle. Tut mir leid. Diese alten Kabel ...«

Lauren versuchte, sich alles zu merken. Auf dem Weg durchs Haus fielen ihr einige Kleinigkeiten auf. Zum Beispiel mußten die Fenster geputzt werden, und der Sofabezug hatte einen Riß. Das waren Dinge, um die Lauren sich kümmern konnte, um sich ein wenig erkenntlich zu zeigen.

Sie gingen die Treppe hinauf, und Angie redete ununterbrochen weiter. »... enormer Wasserdruck. Ich empfehle dir dringend, dich vorher einzuseifen, sonst haut es dich um. Anfangs pfeifen und zischen die Leitungen ein bißchen, und auf keinen Fall solltest du die Toilettenspülung benutzen, bevor du duschst.« Sie blieb stehen und drehte sich um. »Du hast doch nichts dagegen, daß wir uns ein Bad teilen, oder? Wenn doch ...«

»Das ist völlig okay«, versicherte Lauren schnell.

Angie lächelte. »Das dachte ich mir. Fein. Nun, hier ist dein Zimmer. Früher haben meine Schwestern und ich darin geschlafen.« Sie öffnete eine Tür am Ende des Flurs.

Es war ein schöner, großer Mansardenraum mit einer Dachschräge und Holzbalken. Rosa Tapeten – bedruckt mit Rosenknospen und Weinranken – schmückten die Wände. Auf den beiden Etagenbetten lagen gleichfarbige Tagesdecken. In einer Ecke stand ein kleiner Eichenschreibtisch, links davon eröffneten drei schmale, hohe Fenster den Blick aufs Meer. Das Mondlicht ließ die Wellen silbern schimmern. »*Wow*«, entfuhr es Lauren.

»Die Bettbezüge sind eine Weile nicht mehr gewaschen worden. Ich könnte sie schnell in die ...«

»Nein.« Lauren hörte sich schroff an. Das hatte sie nicht beabsichtigt. Es war nur einfach so – überwältigend. »Ich kann meine Wäsche selbst waschen.«

»Natürlich. Du bist schließlich kein kleines Kind mehr. Damit wollte ich dir keineswegs unterstellen, daß du nicht weißt, wie man wäscht. Aber …«

Lauren ließ den Koffer fallen, lief auf Angie zu und umarmte sie. »Vielen Dank«, flüsterte sie heiser und drückte ihr Gesicht an Angies Hals.

Als Lauren merkte, daß ihr die Tränen kamen, wollte sie sich von Angie lösen, doch die hielt sie fest. Statt sie gehen zu lassen, strich sie dem Mädchen beruhigend über die Haare und murmelte immer wieder: »Alles wird gut, Lauren. Keine Angst, alles wird gut.«

Ihr ganzes Leben lang hatte Lauren auf einen Moment wie diesen gewartet.

»WAS?«

Das Wort wurde ihr förmlich entgegengeschrien. Aus drei Kehlen und doch unisono.

Tapfer widerstand Angie dem überwältigenden Wunsch, einfach auf dem Absatz kehrtzumachen. »Lauren ist bei mir eingezogen.«

Fassungslos starrten ihre Schwestern und ihre Mutter sie an.

»Habe ich dir nicht gesagt, du sollst das Mädchen nicht zu nah an dich heranlassen?« wollte ihre Mutter empört wissen und stemmte die Hände in die Hüften.

»Ich finde es großartig«, erklärte Livvy. »Sie werden einander guttun.«

Gereizt fuchtelte ihre Mutter mit der Hand in der Luft herum. »Sei still. Deine Schwester hat offenbar ihren Verstand verloren.« Sie trat einen Schritt vor. »Du kannst doch nicht einfach eine rothaarige Fremde in dein Haus einladen.«

»Sie ist keine Fremde«, wandte Livvy ein. »Sie hat im Restaurant gearbeitet. Und sie ist ein nettes Mädchen.«

»Bis sie drei Tage lang nicht mehr aufgetaucht ist«, fauchte ihre Mutter. »Woher wollen wir wissen, daß sie nicht eine kriminelle Spritztour gemacht hat?«

Livvy lachte. »Klar. Sie ist von Ort zu Ort gerast, um Mini-Marts zu überfallen und hat nur angehalten, um sich mit neuer Munition zu versorgen und einen Mathe-Test zu schreiben.«

Nervös trat Angie von einem Fuß auf den anderen. Mit einer derart heftigen Reaktion hatte sie nicht gerechnet.

Und noch war kein Ende abzusehen. Wahrscheinlich würden sie irgendwann an die Decke gehen.

»Angie ...« Mira musterte sie argwöhnisch. »Da ist doch noch mehr, du verschweigst uns doch etwas.«

Angie krümmte sich innerlich.

»Was? Du hast Geheimnisse vor uns?« schnaubte ihre Mutter. »Du weißt genau, daß mir Papa alles erzählt.«

Angie saß in der Falle. Eine Schwangerschaft war nicht die Sorte Geheimnis, die lange verborgen bleiben konnte. Sie blickte die Frauen der Reihe nach an und sagte: »Lauren ist schwanger.«

Sie gingen nicht an die Decke, sie rasteten völlig aus.

Die erbitterte Auseinandersetzung zog sich stundenlang hin. Bevor allgemeine Erschöpfung ihr schließlich ein Ende bereiten konnte, hatte ihre Mutter Verstärkung geholt: beide Schwiegersöhne sowie Tante Giulia und Onkel Francis. Und jeder im Raum äußerte seine persönliche Ansicht darüber, ob Angie einen verhängnisvollen Fehler beging.

Zu ihrer aller Überraschung vertrat Livvy als einzige eine andere Meinung. »Laßt sie doch machen, was sie für richtig hält«, sagte sie irgendwann im Verlauf der zweiten Stunde. »Niemand von uns kann ihre Entscheidung wirklich nachempfinden.«

Das hatte die Endlosdiskussionen des improvisierten Familienrates abrupt unterbrochen. Nach dem verdeckten Hinweis auf Angies Kinderlosigkeit hielten alle erst einmal den Mund.

Angie warf Livvy einen dankbaren Blick zu. Ihre Schwester zwinkerte lächelnd.

Doch dann fing alles wieder von vorn an.

Schließlich konnte Angie es nicht mehr ertragen. Während die anderen weiterdiskutierten, verließ sie das Zimmer und lief die Treppe hinauf in ihr altes Zimmer.

Sie schloß die Tür hinter sich und genoß die segensreiche Ruhe. Es würde ungefähr sechs Minuten dauern, bevor ihre Mutter oder Mira ihr nachkam.

Oder doch eher weniger.

Die Tür ging auf. Mit enttäuschter Miene stand ihre Mutter auf der Schwelle. Es war ein Gesichtsausdruck, den Angie gut kannte. »Zwei Minuten«, stellte Angie fest und machte widerwillig Platz auf ihrem Bett. »Das ist ein neuer Rekord.«

Ihre Mutter schloß die Tür. »Ich habe alle nach Hause geschickt.«

»Fein.«

Seufzend setzte sich ihre Mutter neben sie aufs Bett. Die Sprungfedern ächzten unter ihrem Gewicht. »Dein Papa – er ruhe in Frieden – hätte dich heute vor Zorn angeschrien. Auf ihn hättest du gehört.«

»Papa hat uns nie angeschrien. Im Gegensatz zu dir.«

Ihre Mutter lachte. »Das brauchte er auch nicht. Er hat mich eine Weile zetern und toben lassen, um dann irgendwann einen Schlußstrich zu ziehen. ›Es reicht, Maria‹, hat er immer gesagt.« Sie schwieg einen Moment. »Jetzt ist es sehr viel schwerer, ohne ihn.«

Angie lehnte sich an ihre Mutter. »Ich weiß.«

Ihre Mutter tätschelte ihr mit ihrer runzligen Hand das Bein. »Ich mache mir eben Sorgen um dich. Das kannst du einer Mutter nicht übelnehmen.«

»Natürlich nicht. Und dafür liebe ich dich.«

»Aber du siehst dich vor, ja? Ich habe zu oft erlebt, wie man dir das Herz gebrochen hat.«

»Ich bin inzwischen stärker geworden, Mama. Wirklich.«

»Das hoffe ich, Angela. Das hoffe ich.«

Vierundzwanzig

Lauren erwachte lange vor dem Klingeln des Weckers. Gegen fünf Uhr mußte sie ins Bad, und danach konnte sie nicht mehr einschlafen. Sie hätte ein bißchen putzen und aufräumen können, wollte aber Angie nicht wecken.

Wie still es doch war. Sie konnte nichts hören als das Rauschen der Brandung und das gelegentliche Rütteln des Windes an den Fensterscheiben.

Keine Autos hupten, keine Nachbarn stritten lautstark miteinander, keine Flaschen zerklirrten auf dem Bürgersteig.

Behaglich kuschelte sich Lauren in die warmen, weichen Kissen und fühlte sich unendlich geborgen.

Sie reckte den Kopf und sah auf den Wecker. Sechs Uhr. Draußen war es noch dunkel. Die ersten Wochen des Winters hatten kurze Tage. Würde sie heute, an diesem Montagmorgen, zur Fircrest gehen, müßte sie zur Schuluniform ihre wollenen Strumpfhosen anziehen.

Aber darüber brauchte sie sich von nun an keine Gedanken mehr zu machen.

Heute war ihr erster Tag auf der West End High – als schwangere Transfer-Schülerin, die nur bis zum Ende des Semesters blieb. Man würde sie sicher *begeistert* empfangen. Lauren schlug die Bettdecke zurück und stand auf.

Sie ging ins Bad, duschte schnell und fönte sich die Haare trocken.

Zurück in ihrem Zimmer, suchte sie in den Kommodenschubladen nach etwas, das sie anziehen konnte.

Aber nichts schien für den ersten Tag an einer neuen Schule passend zu sein.

Am Ende entschied sie sich für Hüfthosen mit einem Wildledergürtel und einen weißen Pullover. Als sie den Pullover über den Kopf streifte, löste sich eine ihrer Kreolen und schlitterte über den Fußboden.

Die Ohrringe hatte ihr David zum letzten Geburtstag geschenkt.

Lauren kniete sich auf den Boden und blickte sich suchend um.

Da lag das Schmuckstück, unter dem Bett.

Sie fand aber auch noch etwas anderes. Ganz hinten unter dem Bett stand ein Holzkistchen, so flach und schmal, daß es sich kaum von den Dielen abhob.

Lauren streckte die Hand nach dem Kistchen aus und zog es unter dem Bett hervor. Neugierig öffnete sie den Deckel und entdeckte alte Schwarzweißphotos. Die meisten zeigten drei kleine Mädchen in hübschen Kleidern, die sich um einen dunkelhaarigen, gutgekleideten Mann scharten. Er war groß, schlank und hatte Augen, die sich zu Schlitzen verengten, wenn er lachte. Und das tat er auf den meisten Bildern. Er erinnerte Lauren an diesen Schauspieler aus alten Hollywoodfilmen, an den, der sich immer in Grace Kelly verliebte.

Mr. DeSaria.

Lauren blätterte in den Photos und sah Bilder einer Kindheit, von der sie immer geträumt hatte: Familienausflüge zum Grand Canyon und nach Disneyland; Karussellfahrten und Zuckerwatte-Orgien auf der County Fair in Grays Harbor; Abende an einem Lagerfeuer am Strand.

Es klopfte an der Tür. »Halb sieben, Lauren. Zeit zum Aufstehen.«

»Ich bin schon wach.« Sie schob das Kistchen in sein Versteck zurück, machte ihr Bett und griff nach ihrem Rucksack. Als sie die Tür hinter sich schloß, wies nichts darauf hin, daß sie sich überhaupt in dem Raum aufgehalten hatte.

Lauren traf Angie unten in der Küche an. »Guten Morgen«, sagte sie und löffelte Rührei aus einer Pfanne auf einen Teller. »Du kommst gerade rechtzeitig.«

»Ist das Frühstück etwa für mich?«

»Ja. Oder ist dir das nicht recht?«

»Im Gegenteil. Es ist *großartig*.«

Angie lächelte. »Gut. Du mußt in den nächsten Monaten ordentlich essen.«

Schweigend sahen sie sich an. Das ferne Rauschen des Ozeans hörte sich plötzlich sehr viel lauter an. Unwillkürlich strich Lauren über ihren Bauch.

»Oh.« Angie lächelte nicht mehr. »Vielleicht hätte ich das nicht sagen sollen.«

»Ich bin nun mal schwanger. Warum also vorgeben, ich wäre es nicht?«

»Stimmt.«

Lauren wußte nicht, was sie darauf erwidern sollte. Sie setzte sich an den Tisch. »Das Frühstück riecht köstlich.«

Angie reichte ihr einen Teller mit Rührei, zwei Scheiben Zimt-Toast und etwas Honigmelone. »Ich fürchte, das ist ungefähr das einzige, was ich zustande bringe.«

»Vielen Dank«, sagte Lauren leise.

Angie nahm ihr gegenüber Platz. »Keine Ursache.« Endlich lächelte sie wieder. »Und, wie hast du geschlafen?«

»Gut. An die Ruhe muß ich mich erst noch gewöhnen.«

»Kann ich verstehen. Als ich nach Seattle zog, brauchte ich eine Ewigkeit, um mich an den Lärm zu gewöhnen.«

»Vermißt du die Großstadt?«

Angie schien angesichts der Frage überrascht, als hätte sie darüber noch gar nicht nachgedacht. »Eigentlich nicht. In letzter Zeit schlafe ich erstaunlich gut. Das muß Gründe haben.«

»Es ist die Seeluft.«

»So?«

»Wenn jemand am Meer aufgewachsen ist, kann er im Landesinnern nie wieder richtig atmen. Das hat mir deine Mutter erzählt.«

Angie lachte. »Typisch Mama. Aber Seattle liegt kaum im Landesinnern.«

»Für deine Mutter ist alles außer West End im Landesinneren.«

Angie sah Lauren noch eine Weile beim Essen zu, dann stand sie auf. »Den Abwasch überlasse ich dir. Ich gehe schnell duschen. In spätestens zehn Minuten bin ich zurück, und dann geht's ab in die Schule.«

»Was meinst du damit?«

»Selbstverständlich fahre ich dich hin. Das Restaurant ist heute geschlossen, also gibt es da kein Problem. Ach, übrigens – trägt man an der Fircrest denn nicht Schuluniform?«

»Doch.«

»Und warum hast du sie dann nicht an?«

Lauren spürte, daß sie rot wurde. »Man hat mir das Stipendium entzogen. Ich schätze, es gibt keine Uniformen in Zeltgröße.«

»Soll das heißen, daß man dich von der Schule geworfen hat? Weil du ein Kind erwartest?«

»Es ist wirklich keine Katastrophe.« Lauren hoffte, daß man ihr nicht anhören konnte, was sie tatsächlich empfand.

»Sagst *du*.«

»Aber ich ...«

»Wasch das Geschirr ab, Lauren, und zieh deine Uniform an. Wir werden der Fircrest Academy einen kleinen Besuch abstatten.«

Eine Stunde später waren sie im Büro der Studienberaterin. Lauren stand mit dem Rücken zur Wand und hätte sich am liebsten in Luft aufgelöst.

Angie hatte Mrs. Detlas gegenüber Platz genommen, die mit gefalteten Händen hinter ihrem Schreibtisch saß.

»Ich freue mich, Sie endlich kennenzulernen, Mrs. Ribido«, sagte Mrs. Detlas. »Aber ich nehme an, es gibt da ein paar Mißverständnisse über Laurens weiteres Verbleiben an der Fircrest Academy.«

Lauren holte Luft und sah Angie erschreckt an.

»Ich bin hier, um über die Zukunft ... meiner Tochter zu sprechen«, erklärte Angie und schlug die Beine übereinander.

»Verstehe. Nun, da müssen Sie sich an die Studienberatung der West End High School wenden. Sehen Sie ...«

»Was ich *sehe*«, fiel ihr Angie ins Wort, »ist ein Rechtsstreit. Oder auch die Schlagzeile *Katholische Schule schließt ausgezeichnete Schülerin aus – weil sie schwanger ist*. Gerade neulich sagte mein Ex-Mann, er ist Reporter bei der *Seattle Times*, daß die City-Zeitungen nach einem saftigen Kleinstadt-Skandal förmlich gieren.«

»Wir ... äh ... haben Lauren formal nicht relegiert. Ich habe lediglich zu bedenken gegeben, daß Mädchen mitunter zu einer Schülerin in ihrer Situation sehr grausam sein können.« Sie runzelte die Stirn. »Von Ihrem Ex-Mann wußte ich nichts.« Sie vertiefte sich in Laurens Schulakte.

Angie sah Lauren an. »Hast du befürchtet, daß deine Mitschülerinnen unangenehm zu dir werden könnten?«

Lauren schüttelte nur stumm den Kopf, es hatte ihr die Sprache verschlagen.

Angie wandte sich wieder der Studienberaterin zu. »Es war sehr freundlich von Ihnen, Laurens Gefühle schonen zu wollen, aber wie Sie sehen, ist sie ein taffes Mädchen.«

Sehr langsam, fast zögernd schloß Mrs. Detlas Laurens Akte. »Ich nehme an, sie könnte das Semester hier beenden.

Bis dahin sind es nur noch sechs Wochen, die zudem durch die Weihnachtsferien unterbrochen werden. Sie könnte im Januar die Prüfungen ablegen und früher abgehen, aber ich fände es wirklich besser ...«

Angie stand auf. »Vielen Dank, Mrs. Detlas. Lauren wird an der Fircrest ihren High-School-Abschluß machen. Ganz so, wie es sich gehört.«

»Keine Ursache«, sagte Mrs. Detlas offensichtlich verwirrt.

»Ich bin fest überzeugt, daß Sie sie in jeder Weise unterstützen werden. Und ich werde meinem Onkel auf jeden Fall berichten, wie gut es für Lauren ausgegangen ist.«

»Ihrem Onkel?«

»Habe ich etwa vergessen, ihn zu erwähnen? Kardinal Lanza, der Bruder meiner Mutter.«

Mrs. Detlas schien auf ihrem Sessel zu schrumpfen. »Oh«, hauchte sie nur, aber selbst das war kaum zu hören.

»Komm, Lauren.« Angie ging auf die Tür zu.

Benommen stolperte Lauren hinter ihr her. »Das war echt Wahnsinn«, sagte sie, als sie das Schulgebäude verlassen hatten.

»Und spaßig noch dazu. Die alte Schreckschraube mußte dringend auf den Boden der Tatsachen zurückgeholt werden.«

»Woher wußtest du, was du sagen mußt?«

»Lebenserfahrung, Süße. Die zahlt sich irgendwann immer aus.«

Lauren lächelte. Sie fühlte sich großartig. Besser als großartig. Noch nie hatte sich jemand für sie eingesetzt, und das machte sie stärker, gab ihr das Gefühl, unbesiegbar zu sein. Mit Angie an ihrer Seite konnte sie alles schaffen.

Sogar das Getuschel und die abfälligen Blicke ihrer Mitschüler ertragen.

»Ich hoffe nur, daß es tatsächlich einen Kardinal Lanza gibt«, grinste Angie.

Beide brachen in schallendes Gelächter aus.

Angie sah Lauren nach, wie sie den Schulhof überquerte, und mußte sich sehr zusammenreißen, um ihr nicht nachzurufen: *Bye, Honey. Viel Spaß in der Schule. Um sechs hole ich dich wieder ab*. Sie war jedoch noch jung genug, um zu wissen, daß eine derartige Szene der Gipfel an *Uncoolness* gewesen wäre. Und die arme Lauren hatte es so schon schwer genug. An einer katholischen Schule schwanger zu sein, war ein hartes Los. Eine nervende Möchtegern-Mutter könnte ihr den Rest geben.

Vor dem Schulportal blieb Lauren stehen. Sie drehte sich zu Angie um, winkte kurz und verschwand im Gebäude.

Seufzend holte Angie Luft. »Ich rate euch, nett zu meinem Mädchen zu sein, ihr kleinen Biester«, murmelte sie vor sich hin. Sie schloß die Augen, sprach lautlos ein Gebet für Lauren und bestieg ihr Auto.

Auf der Heimfahrt mußte Angie immer wieder an Lauren denken und überlegte, ob sie nicht wenden und sicherheitshalber neben dem Fahnenmast parken sollte. Was wäre, wenn das Mädchen tränenüberströmt aus der Schule gelaufen kam, verzweifelt über die kleinen Gemeinheiten, zu denen nur halbwüchsige Mädchen fähig waren? Dann würde sie Trost brauchen ...

»Nein«, gebot sie sich und ihrer Schwarzmalerei Einhalt. Lauren mußte den Tag allein überstehen. Eine andere Möglichkeit gab es für sie nicht. Sie hatte sich für einen beängstigenden, schwierigen Weg entschieden, jetzt mußte sie den auch bewältigen.

Ihr Mobiltelephon schrillte. Hastig kramte sie es aus der Handtasche und meldete sich nach dem dritten Klingeln.

»Angie?«

Erst als sie scharf den Atem einsog, merkte Angie, wie sie auf diesen Anruf gewartet hatte. »Hey, Con«, sagte sie so neutral wie möglich, fuhr zur Sicherheit aber doch an den Straßenrand und hielt. Ihr Puls raste.

»Ich habe über neulich Nacht nachgedacht.«

Ich auch.

»Wir müssen miteinander reden.«

»Sehe ich genauso. Willst du nicht heute abend zu mir kommen?« Als sie die Einladung ausgesprochen hatte, fiel ihr siedendheiß Lauren ein.

Er würde über die Situation nicht gerade glücklich sein.

»Heute nicht. Ich bin ziemlich beschäftigt. Vielleicht ...« Seine Stimme verlor sich in unschlüssigem Schweigen. Aber er dachte darüber nach, dessen war sie sich sicher.

»Es ist Montag. Das Restaurant hat geschlossen. Ich könnte nach Seattle kommen und dich zum Lunch einladen.«

»Zum Lunch?«

»Eine Mahlzeit, die meist aus einer Suppe und Sandwiches besteht.« Ihr Scherz verpuffte. »Komm schon, Con. Selbst du mußt mittags etwas essen.«

»Was hältst du vom *Al Boccalino*?«

»Ich könnte gegen halb zwölf da sein.« Angie setzte den Blinker und wendete.

»Ich bemühe mich, pünktlich zu sein. Bis gleich.«

»Ja, bis gleich.« Angie wollte sich freuen, mußte aber unentwegt an das Mädchen denken, das jetzt bei ihr lebte. Conlan würde diese Neuigkeit gar nicht gut aufnehmen.

In Rekordzeit erreichte Angie das Zentrum von Seattle, parkte den Wagen und ging zu Fuß zum Restaurant.

Ihrem Restaurant.

Zumindest war es das einmal gewesen.

Als sie noch vier Blocks entfernt war, begann es zu schütten. Golfballgroße Tropfen zerplatzten vor ihr auf dem Bürgersteig, flossen in sprudelnden Bächen den Rinnstein entlang. Angie spannte ihren Regenschirm auf und eilte auf den Pioneer Square zu. Auf den Parkbänken kauerten sich Dutzende von Obdachlosen zusammen, tauschten Zigaretten aus und bemühten sich, trocken zu bleiben.

Sie erreichte den Yesler Way, und der Viadukt – die solide Überführung aus Beton, die sogar einem Erdbeben getrotzt hatte – bot Schutz vor dem Regen.

Sie schlüpfte in das Restaurant. So früh am Tag war es noch leer. Die üblichen Mittagsgäste aus den umliegenden Büros und Geschäften würden frühestens in einer Stunde eintreffen.

Der Besitzer kam um die Ecke. Als er Angie erkannte, strahlte er über das ganze Gesicht.

»Mrs. Malone. Wie schön, Sie wiederzusehen.«

»Ich freue mich auch.« Sie ließ sich Mantel und Schirm abnehmen und folgte Carlos durch die kleine Trattoria. Der Duft nach Knoblauch und Thymian erinnerte sie an zu Hause.

»Sie müssen unbedingt wieder einmal Ihre Mama mitbringen«, lächelte Carlos.

Angie lachte. An dem einzigen Abend, an dem sie mit ihren Eltern hier war, hatte ihre Mutter die ganze Zeit in der Küche verbracht und dem Küchenchef Vorwürfe gemacht, weil er die Tomaten für *Marinara* mit dem Messer schnitt. *Man muß sie zerdrücken,* hatte sie gemurrt, *dafür hat Gott uns Hände gegeben.* »Bestimmt, Carlos«, versprach Angie. Ihr Lächeln verblich, als sie Conlan sah.

Er stand auf.

Carlos rückte ihr den Stuhl zurecht, reichte ihnen zwei Speisekarten und verschwand.

»Ein seltsames Gefühl, wieder hier zu sein«, sagte Angie.

»Ja. Ich bin seit unserem Hochzeitstag nicht mehr hergekommen.«

Sie runzelte die Stirn. »Ich dachte, dein Apartment ist gleich um die Ecke.«

»Ist es auch.«

Sie schwiegen, sahen sich nur an.

Carlos tauchte mit einer Flasche Prosecco neben ihrem Tisch auf. »Mein Lieblingspaar wieder zusammen ... wenn das kein Grund zum Feiern ist.« Er füllte zwei Sektflöten und sah Conlan an. »Sie überlassen die Auswahl Ihres Menüs mir, ja?«

»Selbstverständlich.« Aber Conlan hatte nur Augen für Angie.

Sie fühlte sich verunsichert durch seinen Blick, verletzlich, und griff schnell nach ihrem Glas, um etwas in der Hand zu haben.

Ich habe da dieses Mädchen kennengelernt ...

»Conlan ...« begann sie genau in dem Moment, als Carlos wieder erschien, um *Mozzarella caprese* zu servieren. Als sie die appetitlich angerichtete Vorspeise genügend bewundert hatten, hatte Angie ihr Mut verlassen. Sie trank ihr Glas aus und schenkte sich nach.

Sie ist ein sehr nettes Mädchen und wohnt zur Zeit bei mir. Oh, und habe ich dir schon gesagt, daß sie schwanger ist?

Conlan beugte sich vor und stützte die Ellbogen auf den Tisch. »Heute früh hat mich mein Agent angerufen. Mir ist ein Buchvertrag angeboten worden.« Er machte eine kurze Pause und fügte dann hinzu: »Und der einzige Mensch, dem ich das erzählen wollte, bist du. Was hat das deiner Meinung nach zu bedeuten?«

Angie wußte, wie schwer es ihm gefallen war, das zuzugeben. Am liebsten hätte sie nach seiner Hand gefaßt und ihm gesagt, daß sie ihn liebte, daß sie ihn immer lieben würde, aber dafür war es noch zu früh. »Ich glaube, es bedeutet, daß wir uns lange geliebt haben«, sagte sie statt dessen.

»Die meiste Zeit meines Lebens.«

Sie hob ihr Glas und stieß mit ihm an. Das leise Klingen hörte sich an wie ein verheißungsvoller Neubeginn. Angie wußte, daß sie jetzt von Lauren sprechen sollte, brachte es aber nicht über sich. Der Moment kam ihr zu kostbar vor, sie wollte ihn nicht zerstören. »Ich möchte alles ganz genau wissen.«

Er erzählte ihr von einem Mann aus Seattle, der Ende der neunziger Jahre wegen der Vergewaltigung und Ermordung mehrerer älterer Frauen verurteilt worden war. Während seiner Recherchen war Conlan zu der Überzeugung gelangt, daß der Mann unschuldig war, was kürzliche DNA-Tests auch bestätigten. »Es ist eine tolle Sache«, sagte er. »Ich bekomme einen anständigen Vorschuß, um ein Buch darüber schreiben zu können, und dann noch ein weiteres.«

Er redete noch immer über den Fall, als sie ihr Dessert beendet und die Rechnung bezahlt hatten.

Angie stand auf und stellte fest, daß sie mehr als nur ein bißchen beschwipst war.

Schnell erhob sich auch Conlan, trat neben sie und legte seine Hand um sie, um sie zu stützen.

Sie sah sein breit lächelndes Gesicht und wäre am liebsten in Tränen ausgebrochen. »Ich bin sehr stolz auf dich, Conlan.«

Sein Gesicht wurde ernst. »Das kann nicht gut enden.«

»Was? Ich ...«

Conlan zog sie an sich und küßte sie – hier im Restaurant, vor allen Leuten. Und es war keineswegs ein harmloses Freundschaftsküßchen. O nein!

»*Wow*«, machte Angie, als sie wieder atmen konnte, und bemerkte, daß sie schwankte. Sie bemühte sich, gerade und still zu stehen, doch das war nicht ganz leicht. Dafür klopfte ihr Herz viel zu wild. Die Heftigkeit ihres Verlangens überraschte sie. »Aber wir müssen unbedingt miteinander reden«, erklärte sie mit Bestimmtheit.

»Später«, erwiderte er heiser. Er griff nach ihrer Hand und zog sie zur Tür. »Wir gehen zu mir.«

Sie widersprach nicht. Warum sollte sie auch? »Können wir auch *rennen*?«

»Sicher.«

Draußen stellte Angie verblüfft fest, daß es noch hell war. Dann erinnerte sie sich. Es war früher Nachmittag. Durch den Regen rannten sie den Yesler Way hinunter, bogen in die Jackson Street ein.

Conlan stieß einen Schlüssel ins Schloß.

Angie drückte sich an seinen Rücken und schlang ihre Arme um ihn. Ihre Hände wanderten zu seiner Taille.

»Verdammt«, murmelte er und versuchte es ungeduldig mit einem anderen Schlüssel.

Das Schloß gab nach.

Er drängte durch die Tür und zerrte sie zum Aufzug. Sie stolperten eng umschlungen in die Kabine.

Angie glühte vor Verlangen. Sie streichelte und küßte ihn, bis ihr ganz schwindlig war.

Sie konnte kaum noch atmen.

Die Tür glitt auf. Er hob sie auf seine Arme und trug sie den Korridor entlang. Wenige Minuten – Sekunden – später waren sie in seinem Schlafzimmer.

Behutsam legte Conlan sie auf das Bett, und Angie fühlte sich überwältigt von einer Begierde, die sie ganz vergessen hatte. »Zieh dich aus«, sagte sie rauh und stützte sich auf die Ellbogen. Er kniete sich vor das Bett. »Ich komme nicht von dir los«, flüsterte er und hörte sich zugleich erstaunt und unwillig an.

Angie wußte, daß sie für diesen Moment einen Preis bezahlen mußte.

Aber es war ihr egal.

Fünfundzwanzig

Nackt stand Angie im Apartment ihres Mannes – jetzt Ex-Mannes – am Fenster und blickte auf Elliott Bay hinaus. Der Regen verlieh der Welt ein undeutliches, verschwommenes Aussehen. Auf dem Viadukt rauschten Autos nach Norden und Süden. Dann und wann ließ der Verkehr die Fensterscheiben erbeben, und es hörte sich an wie Zähneklappern.

Wäre es eine Filmszene, würde sie jetzt eine Zigarette rauchen, während Bilder ihrer gescheiterten Ehe und gerade vollzogenen Versöhnung an ihr vorbeizogen. Die letzte Einstellung, bevor der Film in die Gegenwart zurückschwenkte, wäre eine Großaufnahme von Laurens Gesicht.

»Du siehst besorgt aus«, stellte Conlan fest.

Wie gut er sie doch kannte. Selbst wenn sie ihm halb den Rücken zugewandt hatte, wußte er Bescheid. Wahrscheinlich lag es an ihrer Haltung. Er hatte schon immer gesagt, daß sie das Kinn reckte und die Arme vor der Brust verschränkte, wenn sie erregt war.

Sie drehte sich nicht zu ihm um. Im Fenster starrte sie ihr Spiegelbild an. »*Besorgt* würde ich nicht sagen. Vielleicht nachdenklich.«

Die Sprungfedern quietschten. Er mußte sich aufgesetzt haben. »Ange?«

Schließlich ging sie zum Bett und setzte sich neben ihn. Er strich sanft über ihren Arm, küßte sie auf eine Brust.

»Was ist los?«

»Ich muß dir etwas sagen.«

Er musterte sie ernst. »Das hört sich gar nicht gut an.«

»Da ist dieses Mädchen.«

»Und?«

»Sie ist ein tolles Mädchen. Sehr gut in der Schule. Fleißig.«

»Und sie ist in irgendeiner Weise für uns relevant?«

»Ich habe sie im September eingestellt. Sie arbeitet wöchentlich rund zwanzig Stunden im Restaurant. An den Wochenenden und nach der Schule. Mama gibt es zwar nicht zu, aber sie ist die beste Kellnerin, die wir je hatten.«

Conlan ließ sie nicht aus den Augen. »Was ist ihr schwacher Punkt?«

»Es gibt keinen.«

»Angie Malone, ich kenne dich. Um was geht es hier wirklich? Doch nicht um ein Mädchen, das ausgezeichnet bedienen kann.«

»Ihre Mutter hat sie im Stich gelassen.«

»Im Stich gelassen?«

»Ist eines Tages einfach auf und davon.«

Er schien sie mit seinem Blick zu durchbohren. »Und du hast irgendwo eine neue Unterkunft für sie ...«

»Bei mir.«

Conlan holte scharf Luft und stieß sie wieder aus. »Sie wohnt bei dir im Cottage?«

»Ja.«

Seine Enttäuschung war unübersehbar. Sie zeigte sich in seinen blauen Augen, seinen verzogenen Lippen. »Du hast dir also einen Teenager ins Haus geholt.«

»So ist es nicht. Jedenfalls nicht wie damals. Ich möchte ihr nur ein bißchen helfen, bis ...«

»Bis was?«

Angie seufzte und bedeckte ihre Augen mit der Hand. »Bis ihr Kind geboren ist.«

»O *verdammt.*« Conlan warf die Decke von sich und sprang auf.

»Con …«

Er stürmte ins Bad und knallte die Tür hinter sich zu.

Angie fühlte sich wie vor den Kopf geschlagen. Sie hatte gewußt, daß das geschehen würde. Aber hatte sie eine andere Wahl gehabt? Seufzend bückte sie sich nach ihren Kleidern und zog sich an. Dann setzte sie sich auf die Bettkante und wartete.

Endlich kam er aus dem Bad. Er trug ein paar alte Levi's und ein blaßblaues T-Shirt. Seine Wut schien verraucht zu sein, allerdings sah er jetzt erschöpft und müde aus. Seine Schultern hingen resigniert herab. »Und du hast gesagt, du hättest dich geändert.«

»Das habe ich.«

»Die alte Angie hat sich ebenfalls einen schwangeren Teenager ins Haus geholt. Das war für uns der Anfang vom Ende. Daran kann ich mich noch sehr gut erinnern, auch wenn du es vielleicht vergessen hast.«

»Ich bitte dich …«, sagte sie und hatte das Gefühl, daß in ihr etwas zerbrach. »Wie könnte ich das vergessen haben. Gib mir einfach eine Chance.«

»Ich habe dir Tausende von Chancen gegeben, Ange.« Er sah sich im Zimmer um, dann betont auf das Bett. »Das war ein Fehler. Ich hätte es besser wissen müssen.«

»Diesmal ist es anders. Das schwöre ich.« Sie streckte die Hand nach ihm aus, aber er trat schnell zur Seite.

»Wie anders?«

»Sie ist eine Siebzehnjährige, die niemanden hat, der sich um sie kümmert. Ich helfe ihr, aber ohne jeden Hintergedanken. Ich habe mich damit abgefunden, kein Kind bekommen zu können. Bitte«, flüsterte sie. »Gib mir die Chance, dir zu beweisen, daß es diesmal anders ist. Wenn du sie kennen würdest ...«

»Ich soll sie *kennenlernen*? Nach allem, was Sarah Dekker uns angetan hat?«

»Sie ist nicht wie Sarah. Lauren will ihr Kind behalten. Komm einfach zu mir nach Hause und lern sie kennen. Bitte. Tu es für mich.«

Lange und durchdringend sah er sie an. »Ich möchte das alles nicht noch einmal durchmachen. Die Hochs. Die Tiefs. Die Obsessionen.«

»Conlan, glaub mir doch bitte, daß ich ...«

»Wage es nicht, den Satz zu beenden.« Er nahm seine Wohnungsschlüssel von der Kommode und lief zur Tür.

»Tut mir leid«, sagte sie.

Er blieb stehen. Ohne sich umzudrehen, sagte er: »Dir tut alles immer nur leid, nicht wahr, Angie? Daran hätte ich mich erinnern müssen.«

Im letzten Jahr hatte Lauren ein Referat über das London zur Zeit von Queen Victoria gehalten, und eine ihrer Quellen war der Film *Der Elefantenmensch* gewesen. Sie erinnerte sich, wie sie stundenlang in der Bibliothek saß, auf den kleinen Fernsehschirm starrte und zusah, wie die feine Londoner Gesellschaft den bedauernswerten John Merrick so grausam verhöhnte und verspottete, daß er schließlich unter dieser Unbarmherzigkeit fast noch mehr litt als unter der schrecklichen Verunstaltung seines Körpers.

Jetzt verstand Lauren, wie tief es verletzen konnte, das Opfer von bösartigem Klatsch zu sein. In all ihren Jahren auf der Fircrest Academy hatte sie sich stets bemüht, unter keinen Umständen negativ aufzufallen. Nicht ein Mal war sie zu spät zum Unterricht erschienen, hatte nie gegen Regeln verstoßen, nie etwas Abfälliges über Mitschüler geäußert. Immer hatte sie versucht, über jeden Tadel erhaben zu sein.

Sie hätte wissen müssen, wie tief man aus dieser Höhe stürzen konnte, wie hart der Aufprall sein würde.

Alle starrten sie an, zeigten mit Fingern auf sie und tuschelten. Selbst die Lehrer wirkten beunruhigt und schockiert. Sie benahmen sich, als wäre sie mit einem tödlichen Virus infiziert, das sich allein schon durch ihre Anwesenheit übertrug.

Nach Schulschluß ließ sie sich in der lachenden, johlenden Menge treiben und fühlte sich dabei unendlich einsam. Isoliert. Sie senkte den Kopf und versuchte, sich unsichtbar zu machen.

»Lauren!«

Instinktiv blickte sie auf, wünschte aber sofort, sie hätte es nicht getan.

Die Clique hatte sich am Fahnenmast versammelt. Susan und Kim hockten auf dem gemauerten Sockel, David und Jared spielten Hacky Sack.

Lauren bereitete sich auf das Unvermeidliche vor. In der Mittagspause hatte sie sich in der Bibliothek versteckt, doch jetzt konnte sie den Freunden nicht mehr ausweichen.

»Hallo«, rief sie, ging auf die Gruppe zu und sah David an. Er schien sich irgendwie unwohl zu fühlen.

Aus der Distanz starrten sie einander an.

Die beiden Mädchen standen auf, zerrten Lauren am Arm, und sie folgte ihnen vom Schulhof und hinaus zum Football-Feld. Weiter Hacky Sack spielend, trotteten David und Jared langsam hinterher.

»Und?« fragte Kim, als sie neben den Torpfosten standen. »Wie fühlst du dich so?«

»Ziemlich schrecklich«, antwortete Lauren. Sie wollte nicht darüber sprechen, aber es war besser, wenn *mit* ihr geredet wurde als *über* sie. Schließlich waren es ihre besten Freunde.

»Was wirst du jetzt tun?« Susan kramte in ihrem Rucksack und zog schließlich eine Coke heraus. Sie öffnete die Flasche, trank einen Schluck und reichte sie weiter.

David trat von hinten an Lauren heran und legte ihr einen Arm um die Taille. »Das wissen wir nicht.«

»Warum hast du eigentlich nicht abtreiben lassen?« erkundigte sich Kim. »Meine Cousine hat das getan.«

Lauren zuckte mit den Schultern. »Ich konnte es nicht.« Sie wünschte sich, weit weg zu sein. Bei Angie zum Beispiel. In ihrer Nähe fühlte sie sich sicher.

»David sagt, du würdest es adoptieren lassen. Das ist echt cool. Meine Tante Sylvia hat im letzten Jahr ein Baby adoptiert. Und jetzt ist sie total happy«, sagte Susan und streckte eine Hand nach der Cola aus.

Lauren sah David an.

Zum ersten Mal kam ihr der Gedanke, daß er sich einfach entziehen und diese *Sache* hinter sich lassen könnte wie seine anderen High-School-Erinnerungen. Irgendwann würde sie vergessen sein wie seine MVP Trophy oder Jahrgangs-Zensuren. Warum hatte sie an diese Möglichkeit bisher nicht gedacht?

Sie hatte stets angenommen, daß es ihr gemeinsames Problem war, aber plötzlich fielen ihr die bekannten Warnungen wieder ein. Schwanger wird immer das Mädchen, niemals der Junge.

»Komm mit«, flüsterte sie David zu, und er folgte ihr in eine dunkle Ecke neben der Tribüne.

Lauren sehnte sich danach, von ihm in den Arm genommen und geküßt zu werden, doch er sah sie nur leicht verstört an.

»Was ist?«

»Ich ... Ich wollte dir nur sagen, wie sehr ich dich in den Ferien vermissen werde.« Wider besseres Wissen wünschte Lauren, er würde sie mitnehmen, aber es war ein Familientrip.

»Mein Dad hat einen Termin mit einem Anwalt vereinbart. Anfang Januar.« Er sah sie nicht an, blickte irgendwohin ins Leere. »Über eine Adoption.«

»Es einfach weggeben ...« Sie klang verbittert. Für ihn wäre das leicht.

»Wir sollten uns wenigstens anhören, was er zu sagen hat.« David sah aus, als würde er gleich in Tränen ausbrechen – hier auf dem Football-Feld und nur ein paar Meter von seinen Freunden entfernt.

Und da wußte Lauren, daß es auch für ihn nicht leicht war.

»Ja«, sagte sie. »Sicher. Wir sollten uns informieren lassen.«

Endlich sah er Lauren an. Sie kam sich irgendwie *anders* vor als er, älter. »Vielleicht rufe ich dich an. Es gibt eine Menge toller Schmuckgeschäfte in Aspen.«

Laurens Herz schlug schneller. »Wirklich?«

»Ich liebe dich«, sagte er leise.

Die Worte hörten sich nicht an wie sonst. Auf eigenartige Weise gedämpft, wie unter Wasser ausgesprochen. Als sie nach Hause kam, konnte sie sich an den Klang überhaupt nicht mehr erinnern.

Angie las das Rezept für Ricotta-Gnocchi nun schon zum vierten Mal. Sie hielt sich nicht gerade für beschränkt, konnte aber offensichtlich einfach nicht begreifen, wie sie die Gabelzinken beim Formen der Gnocchi einsetzen sollte.

»Dann eben nicht.« Mit den Handflächen rollte Angie den Teig zu einer schmalen Wurst und schnitt ihn in möglichst gleichmäßige Stücke. Sie hatte zwar beschlossen, kochen zu lernen, aber das hieß noch lange nicht, daß sie es zu ihrer Lebensaufgabe machen wollte. »Das muß reichen.«

Sie rührte im Topf. Der Geruch nach Tomaten, Zwiebeln und Knoblauch erfüllte das Cottage. Natürlich war die Sauce nicht annähernd so gut wie die ihrer Mutter. Ein solches Aroma erreichten gekaufte Saucen nun einmal nicht. Angie hoffte, daß niemand von ihrer Familie spontan vorbeikam.

Aber immerhin stand sie in der Küche und kochte.

Es sollte eine Art Therapie sein. Zumindest hatten das ihre Schwestern immer behauptet. Angie war verzweifelt genug gewesen, um es auszuprobieren, doch nun wußte sie, daß das ganze Rühren, Kneten und Schnippeln nichts half.

Ich möchte das alles nicht noch einmal durchmachen. Die Hochs, die Tiefs, die Obsessionen.

Vielleicht hätte sie Conlan nichts von Lauren erzählen sollen. Jedenfalls noch nicht jetzt. Vielleicht hätte sie warten müssen, bis ihre Liebe ein bißchen belastbarer war.

Nein.

Damit hätte sie nur an früher angeknüpft, als sie in ihrer Verzweiflung verharrte, ohne sich mit ihm auszusprechen. Und sie hatte sich geändert, auch wenn er das nicht zu bemerken schien.

Aufrichtige Offenheit war ihre einzige Chance.

Ein- oder zweimal hatte sie heute leichte Anflüge von Bedauern verspürt und sich fast gewünscht, Lauren nicht angeboten zu haben, bei ihr zu wohnen, aber sie hatte sie schnell wieder verdrängt. Sie war froh, dem Mädchen helfen zu können.

Sie spülte Basilikum ab und begann es zu hacken. Als die frischen Blätter am Messer kleben blieben, zerschnitt sie den Rest mit der Schere.

Die Haustür ging auf, und Lauren betrat das Cottage. Sie war klatschnaß.

Angie sah auf die Uhr. »Du kommst aber früh. Eigentlich wollte ich dich doch abholen …«

»Ich dachte, den Weg erspare ich dir lieber.« Lauren zog ihren Mantel aus, hängte ihn an den Garderobenständer und pfefferte die Schuhe in die Ecke. Sie polterten gegen die Wand.

»Stell deine Schuhe bitte ordentlich weg«, sagte Angie ganz automatisch. Als ihr bewußt wurde, daß sie sich anhörte wie ihre Mutter, mußte sie lachen.

»Was ist denn so komisch?«

»Ich. Eben habe ich geklungen wie meine Mutter.« Sie streute das Basilikum in die Sauce, rührte mit einem Holzlöffel um und deckte den Topf ab. »Und was ist mit David? Wolltet ihr euch nicht nach der Schule treffen?«

Lauren wirkte bedrückt. »Nun ja …«

»Zieh dir schnell etwas Trockenes an. Dann trinken wir erst einmal einen Kakao miteinander und unterhalten uns ein bißchen.«

»Aber du hast doch zu tun.«

»Ich koche. Was vermutlich damit endet, daß wir essen gehen müssen. Also kannst du dich auch jetzt schon umziehen.«

Lauren lächelte – endlich. »Okay.«

Angie schaltete die Hitze unter der Sauce und dem Wasser für die Gnocchi ein wenig herunter und brachte Milch zum Kochen. Mit der Zubereitung von Kakao kannte sie sich aus. Als sie die Tassen ins Wohnzimmer trug, kam Lauren die Treppe herunter.

»Danke.« Lauren setzte sich mit ihrem Kakao in den Ledersessel am Fenster.

»Ich schätze, besonders gut ist dein Tag nicht verlaufen«, begann Angie vorsichtig.

Lauren zuckte mit den Schultern. »Ich fühle mich … sehr viel älter als meine Freunde.«

»Das kann ich gut nachvollziehen.«

»Sie büffeln Geschichtszahlen zum Bürgerkrieg, und ich frage mich, womit ich den Babysitter oder eine Pflegestelle bezahlen soll, wenn ich auf dem College bin. Da liegen Welten dazwischen.« Sie hob den Kopf. »David meinte, er würde mir vielleicht einen Ring kaufen.«

»Ist das ein Antrag?«

Das hätte sie nicht sagen dürfen. Traurig verzog Lauren das Gesicht. »Ich glaube nicht.«

»Oh, Liebes, mach ihm keine zu harten Vorwürfe. Selbst

erwachsene Männer können nicht immer gut mit einer bevorstehenden Vaterschaft umgehen. Vermutlich kommt David sich vor, als wäre er unversehens aus einem Flugzeug geschleudert worden. Er weiß, daß es nicht leicht wird. Daß er sich davor fürchtet, heißt aber nicht, daß er dich weniger liebt.«

»Ich glaube, das könnte ich nicht ertragen. Daß er mich nicht mehr liebt, meine ich.«

»Das verstehe ich gut.«

Lauren blickte sie scharf an. Sie wischte sich über die Augen und seufzte. »Tut mir leid. Das hätte ich nicht sagen sollen. Ich möchte nicht, daß du auch traurig wirst.«

»Was meinst du damit?«

»Du liebst deinen Ex-Mann noch immer. Das merke ich daran, wie du über ihn sprichst.«

»So leicht bin ich zu durchschauen?« Angie senkte den Kopf und betrachtete ausgiebig ihre Hände. »Ich habe ihn heute getroffen.« Sie wußte nicht, warum sie es Lauren erzählte. Vermutlich war das Bedürfnis groß, darüber zu sprechen.

»Wirklich? Liebt er dich auch noch immer?«

Die Hoffnung in Laurens Stimme entging Angie nicht, und sie verstand das Bedürfnis des Mädchens, daran glauben zu können, daß eine erloschene Liebe doch wieder aufflammen konnte. Welche Frau würde das nicht gern glauben? »Das weiß ich nicht. Es ist viel Zeit vergangen.«

»Es wird ihm sicher nicht gefallen, daß ich hier wohne.«

Die scharfsichtige Bemerkung überraschte Angie. »Wie kommst du denn darauf?«

»Na hör mal. Nach allem, was das andere schwangere Mädchen euch angetan hat?«

»Das war etwas anderes«, wiederholte Angie die Worte, die sie vor Stunden zu Conlan gesagt hatte. »Natürlich wollte ich auch Sarah helfen. Aber mir ging es sehr viel mehr um ihr

Baby. Ich wollte dieses Kind adoptieren. Danach wäre sie aus unserem Leben verschwunden. Bei dir ist es anders.«

»Wieso?«

»Ich möchte dir helfen, Lauren. *Dir.*« Sie seufzte. »Manchmal liege ich oben in meinem Bett, schließe die Augen und stelle mir vor, du wärst meine Tochter. Aber dadurch werde ich nicht zu der Frau, die ich früher war, und es tut auch nicht mehr weh. Davon muß ich Conlan überzeugen.« Angie blickte auf und erkannte, daß sie nicht mehr mit Lauren sprach. Sie redete mit sich selbst.

Überrascht starrte Lauren sie an. »Und ich stelle mir manchmal vor, daß du meine Mom bist.«

»Oh.« Die beiden Buchstaben waren kaum mehr als ein Hauch.

»Ich wünschte, du wärst es.«

Unwillkürlich kamen Angie die Tränen. Lauren und ihr fehlte etwas Entscheidendes in ihrem Leben. Kein Wunder, daß sie sich so gut verstanden.

»Wir sind ein Team«, sagte sie leise. »Du und ich. Offenbar hat Gott gewußt, daß wir uns brauchen.« Sie zwang sich zu einem Lächeln. »Aber genug Trübsal geblasen. Ich werde jetzt die verdammten Gnocchi kochen. Willst du nicht schon mal den Tisch decken?«

Lauren lag auf dem Bett und sah sich die Photos an. Mr. und Mrs. DeSaria, ihre drei Töchter. Zusammen, allein, in unterschiedlichen Gruppierungen. Aufgenommen im Frühling, Sommer, Herbst und Winter. Am Meer, in den Bergen, sogar irgendwo am Straßenrand. Lauren betrachtete die Bilder und stellte sich vor, wie es sein mußte, so behütet und geliebt zu werden, einen Vater zu haben, der lächelnd auf sie zukam und die Hand nach ihr ausstreckte.

Komm, würde er sagen, *heute wollen wir …*

Es klopfte.

Blitzschnell sprang Lauren vom Bett, um nicht dabei ertappt zu werden, wie sie in privaten Photos stöberte. Sie zog die Tür gerade so weit auf, um hinausspähen zu können.

Angies linkes Auge blickte sie durch den Spalt an. »Wir gehen in zehn Minuten.«

»Ich weiß. Viel Spaß.« Lauren schloß die Tür und wartete darauf, daß sich Schritte entfernten.

Aber es klopfte erneut.

Sie öffnete wieder.

»Was meinst du damit?«

»Womit?«

»Du hast uns viel Spaß gewünscht.«

»Ja.«

»Es ist Heiligabend.«

»Das weiß ich. Deshalb wollt ihr doch auch los. Gestern abend hast du mir erzählt, daß die DeSarias wie Heuschrecken über den Weihnachtsmarkt herfallen und alles vertilgen, was eßbar ist. Also – viel Spaß.«

»Verstehe. Und du gehörst nicht zur Familie.«

Verblüfft sah Lauren sie an. »Nein.«

»Du glaubst also allen Ernstes, daß ich dich am Weihnachtsabend hier allein lasse, um mich mit meiner *wirklichen* Familie über Kekse und Glühwein herzumachen.«

Lauren wurde rot. »Nun ja ... also ...«

»Zieh dich an. Ist das unmißverständlich genug?«

Lauren strahlte über das ganze Gesicht. »Ja, Ma'am.«

»Aber zieh dich warm an. Es soll schneien. Und noch eins: Nenn mich nie wieder Ma'am. Dafür bin ich *viel* zu jung.«

Lauren warf die Tür zu und rannte zum Bett. Sie raffte die Photos zusammen, warf sie in das Kistchen und schob es unter das Bett. Dann holte sie ihre beiden Wegwerfkameras und versteckte sie in der Nachttischschublade. Nachdem das erledigt war, zog sie ihre alten Target-Jeans an, einen schwarzen Pullover und ihren fellbesetzten Mantel.

Unten wartete Angie bereits. Sie sah hinreißend aus in ihrem tannengrünen Wollkleid, schwarzen Stiefeln und einem schwarzen Cape. In großzügigen Wellen fielen ihr die langen, dunklen Haare auf die Schultern. Es ließ sie ausgesprochen hip aussehen.

»Du siehst klasse aus«, sagte Lauren.

»Du auch. Komm jetzt.«

Sie verließen das Cottage und bestiegen Angies Auto. Während der ganzen Fahrt redeten sie ununterbrochen. Über nichts Wichtiges, nur über ganz alltägliche Dinge.

Als sie die Front Street erreicht hatten, kamen sie nur noch im Schrittempo voran.

»Ich kann kaum glauben, daß am Weihnachtsabend so viele Leute unterwegs sind«, bemerkte Lauren.

»Sie wollen sich nicht entgehen lassen, wie zum letzten Mal die Lichter am Baum angezündet werden.«

»Oh«, machte Lauren, verstand allerdings die ganze Aufregung nicht. Sie lebte seit vielen Jahren in West End, war jedoch noch nie bei einer der Lichterzeremonien gewesen. An den Wochenenden mußte sie immer arbeiten. David fand sie zwar »okay«, hatte aber auch seit langem nicht mehr daran teilgenommen. »Zu viele Leute«, lautete die Begründung seiner Eltern.

Endlich fand Angie eine freie Parklücke und stellte den Wagen ab. Kaum hatte Lauren die Beifahrertür geöffnet, hörte sie die Glocken. Offenbar ließen die Kirchen der Gemeinde am Weihnachtsabend die Glocken läuten. Ganz in der Nähe fuhr eine Kutsche vorbei. Sie vernahm das Klappern der Hufe auf dem Asphalt und ... wieder Glocken, diesmal vom Brustgeschirr der Pferde.

Der Marktplatz war von Dutzenden – vielleicht sogar Hunderten – Touristen bevölkert, die von einem Stand zum nächsten schlenderten, an denen von heißer Schokolade über Rumkuchen bis zu Zuckerwatte nahezu alles angeboten wurde. Neben dem Fahnenmast rösteten Mitglieder des Rotary Clubs Maronen.

»Angela!« rief Maria DeSaria über das Gedränge hinweg.

Ehe Lauren begriff, wie ihr geschah, sah sie sich von der Familie DeSaria umringt. Alle redeten wild durcheinander, scherzten und lachten. Sie gingen von Stand zu Stand, probierten alles, was angeboten wurde, und ließen sich einpacken, was sie nicht an Ort und Stelle verzehren konnten. Lauren erkannte viele Mitschüler, die sich mit ihren Familien durch die Menge schoben. Zum ersten Mal nahm sie an den Ereignissen teil, nahm sie nicht nur von außen wahr.

»Es ist soweit«, sagte Mira irgendwann. Wie aufs Stichwort blieb die Familie stehen. Der ganze Ort schien zu erstarren.

Alle Lichter gingen aus. Nachtschwarze Dunkelheit senkte sich über West End. Jetzt waren die Sterne am Himmel ganz deutlich zu sehen. Eine gespannte Erregung schien die Menge zu erfassen. Angie griff nach Laurens Hand und drückte sie leicht.

Plötzlich setzte ein geradezu überirdisches Leuchten ein. Die Lichter am Baum erstrahlten. Aber nicht nur die. Auch die Lichterketten zwischen den Bäumen und vor den Geschäften funkelten und blinkten.

Lauren rang nach Luft.

Es war überwältigend.

»Toll, was?« fragte Angie.

»Ja.« Lauren mußte sich räuspern. Ihre Kehle war ganz trocken.

Sie verbrachten noch etwa eine Stunde auf dem Platz und besuchten dann die Mitternachtsmesse, die trotz ihres Namens schon um neun Uhr begann. Als sie an Angies Hand die Kirche betrat, hätte Lauren fast geschluchzt. Es kam ihr vor wie die Erfüllung ihres Kindertraums, und es fiel ihr leicht, sich Angie als ihre Mutter vorzustellen. Nach dem Gottesdienst trennte sich die Familie DeSaria, und jeder ging seiner Wege.

Angie und Lauren schlenderten noch ein wenig über den Platz und durch die angrenzenden Straßen. Als sie zum Auto zurückliefen, hatte es zu schneien angefangen. Langsam fuhren sie nach Hause. Träge schwebten die riesigen Flocken zur Erde.

Lauren konnte sich nicht erinnern, wann es an Weihnachten zum letzten Mal geschneit hatte. Für gewöhnlich regnete es an den Feiertagen.

Auf der Miracle Mile Road wie auf den Ästen der Bäume lag ordentlich Neuschnee, er hatte alles eingestaubt. Der Rasen vor dem Cottage verschwand unter einer glitzernden weißen Decke.

»Vielleicht können wir morgen Schlitten fahren.« Aufgeregt hopste Lauren auf ihrem Sitz auf und ab. Sie wußte, daß sie sich wie ein kleines Kind benahm, aber es war ihr egal. »Oder uns in den Schnee werfen und Engel machen. Das habe ich mal im Fernsehen gesehen. Hey, wer ist denn das?«

Im Lichtschein der Lampe über der Tür stand ein Mann vor Angies Cottage. Die dicht fallenden Flocken verbargen sein Gesicht.

Das Auto hielt.

Angestrengt spähte Lauren durch die Windschutzscheibe.

Der Mann kam die Verandastufen herunter und langsam auf sie zu.

Und plötzlich wußte Lauren Bescheid. Der Mann in den ausgeblichenen Levi's und der schwarzen Lederjacke war Conlan. Sie sah Angie an. Die Augen in ihrem blassen Gesicht wirkten geradezu riesig.

»Ist er das?«

Angie nickte. »Ja. Das ist Conlan.«

»*Wow.*« Bewundernd holte Lauren tief Luft. Er sah aus wie Pierce Brosnan. Sie stieg aus.

Seine Schuhsohlen knirschten über den Kies. »Du mußt Lauren sein.«

Seine Stimme war dunkel und rauh, als hätte er in seiner Jugend vielleicht zuviel geraucht oder getrunken.

Instinktiv wollte Lauren vor ihm zurückweichen. Er hatte unglaublich blaue Augen, die ihr bis ins Mark zu dringen schienen. Er wirkte, als wäre er zornig auf sie. »Ja.«

»Conlan ...« flüsterte Angie ungläubig und trat neben Lauren.

Aber er sah Angie nicht an. Sein Blick blieb unverwandt auf Lauren gerichtet. »Ich bin hier, um dich kennenzulernen.«

Sechsundzwanzig

Conlan bemühte sich ganz offenkundig um Abstand zu Lauren. Er trug seine berufliche Distanziertheit wie eine Rüstung, als könnte sie ihn vor Emotionen schützen. Steif und aufrecht saß er an der Stirnseite des Tisches und mischte Karten. Seit einer Stunde spielten sie Hearts und unterhielten sich die ganze Zeit, obwohl Angie es nicht »Unterhaltung« genannt hätte. »Verhör« wäre weitaus passender gewesen.

»Hast du dich schon bei Colleges beworben?« fragte er, als er die nächsten Karten austeilte. Dabei sah er Lauren nicht an. Das war eine alte Reportermasche: Sieh sie bei Fragen nicht an, dann glauben sie, die Antwort wäre dir nicht wichtig.

»Ja«, erwiderte Lauren, ohne von ihren Karten aufzublicken.

»Bei welchen?«

»University of Southern California, Pepperdine, Stanford, Berkeley, University of Washington, UCLA.«

»Willst du denn immer noch aufs College?«

Der Hinweis auf Laurens Schwangerschaft ließ Angie abrupt den Kopf heben.

Laurens Blick war überraschend direkt. Offenbar wollte sie nicht länger um den heißen Brei herumreden. »Ich werde auf jeden Fall studieren.«

»Leicht wird das allerdings nicht«, erklärte er und zog eine Karte.

»Ich möchte nicht unhöflich sein, Mister Malone«, sagte Lauren, und ihre Stimme klang immer entschlossener, »aber das Leben ist nie leicht. Mein Stipendium für die Fircrest Academy habe ich damals erhalten, weil ich hartnäckig war. Und aus dem gleichen Grund werde ich auch ein College-Stipendium bekommen. So schnell lasse ich mich nicht unterkriegen.«

»Hast du Verwandte, die dich eventuell unterstützen können?«

»Angie will mir helfen.«

»Und was ist mit deiner eigenen Familie?«

»Da gibt es niemanden«, antwortete Lauren leise.

Der arme Conlan. Angie sah, wie er förmlich dahinschmolz. Die Reportermiene schwand, zurück blieb nur der traurige Ausdruck eines Mannes, der sich Sorgen machte.

Angie wußte, daß er sich den Emotionen entziehen wollte, die er selbst provoziert hatte, aber er saß in der Falle, eingefangen von den Tränen in Laurens Augen. Er räusperte sich. »Angie sagte mir, daß du dich für Journalismus interessierst.« Er hatte sich auf sichereren Boden gerettet.

Lauren nickte. Sie spielte eine Karo-Zwei. »Ja.«

Conlan spielte einen König aus. »Vielleicht hast du Lust, mich irgendwann mal in der Redaktion zu besuchen. Ich könnte dich mit ein paar Kollegen bekannt machen, dir zeigen, wie der Arbeitsalltag eines Reporters aussieht.«

Später, im Rückblick, erkannte Angie, daß sich in diesem Moment alles änderte. Das Verhör war beendet. Von da an plauderten sie ganz unbefangen miteinander, lachten, scherzten und spielten einfach nur Karten.

Gegen Mitternacht klingelte das Telephon. David rief aus Aspen an, und Lauren ging nach oben in ihr Zimmer, um ungestört mit ihm sprechen zu können.

Conlan wandte sich Angie zu. Ganz sicher war sie sich zwar nicht, glaubte jedoch, daß er sie zum ersten Mal an diesem Abend wirklich anschaute.

»Warum bist du gekommen?« fragte sie.

»Es ist Weihnachtsabend. An diesem Tag gehören Familien zusammen. Und du bist nun mal meine Familie.«

Am liebsten hätte Angie die Arme nach ihm ausgestreckt und ihn geküßt, fühlte sich aber irgendwie gehemmt. Dafür stand noch zu viel zwischen ihnen. »Gewohnheit ist nicht genug«, flüsterte sie.

»Nein.«

»Könnte es ein Neuanfang sein?«

Bevor er antworten konnte, kam Lauren strahlend ins Zimmer zurück. »Er vermißt mich«, erzählte sie, setzte sich auf ihren Sessel und rutschte ganz nahe an den Tisch heran.

Sofort ging das Kartenspielen weiter.

Für Angie war es der schönste Abend seit Jahren. Als Lauren gegen halb zwei erklärte, sie wolle ins Bett gehen, versuchte Angie sie sogar davon abzuhalten. Sie wollte einfach nicht, daß der Abend endete.

»Laß das arme Mädchen schlafen gehen, Ange«, sagte Conlan. »Es ist spät. Santa traut sich doch gar nicht ins Cottage, wenn sie noch wach ist.«

Lauren lachte. Es hörte sich jung an, unbeschwert und voller Hoffnung. »Nun, dann gute Nacht«, sagte Lauren und lief auf Angie zu, um sie zu umarmen. »Frohes Fest«, flüsterte sie. »Das war der beste Weihnachtsabend meines Lebens.« Dann lächelte sie Conlan kurz zu und ließ die beiden allein.

Angie lehnte sich zurück. Ohne Lauren kam ihr der Raum plötzlich zu still vor.

»Wie willst du eigentlich ihre Schwangerschaft durchstehen?« fragte Conlan leise, als täte es ihm weh, die Worte laut auszusprechen. »Wie wirst du es ertragen, ihren Bauch wachsen zu sehen, die Bewegungen des Babys zu fühlen und mit ihr die ersten Strampler für das Kind zu kaufen?«

»Es wird schlimm werden.«

»Mit Sicherheit.«

Angies Blick war fest, auch wenn sich ihre Stimme nicht so anhörte. »Aber nicht für sie dazusein, wäre noch schlimmer.«

»Wir haben das alles schon einmal durchgemacht.«

Angie erinnerte sich. Auch mit Sarah Dekker hatten sie Karten gespielt, gemeinsam vor dem Fernseher gesessen, ihr neue Sachen gekauft. Doch dabei war es immer und vor allem um Sarahs ungeborenes Kind gegangen. »Nein«, sagte sie schließlich. »Diesmal ist es anders.«

»Im Hoffen warst du schon immer groß, Angie. Das ist einer der Gründe, warum wir gescheitert sind. Du kannst nicht aufgeben.«

»Die Hoffnung war alles, was ich hatte.«

»Nein. Du hattest mich.«

Die Wahrheit seiner Worte ließ sie aufseufzen. »Laß uns heute abend nicht in den Rückspiegel sehen. Ich liebe dich. Ist das nicht genug?«

»Du meinst für heute abend?«

Sie nickte. »Alkoholiker gehen immer einen Tag nach dem anderen an. Vielleicht können wir es genauso machen.«

Er legte eine Hand an ihren Nacken und zog sie an sich. Ihre Blicke trafen sich. In ihren Augen glänzten ungeweinte Tränen, seine waren düster vor Besorgnis.

Er küßte sie. Dieser Kuß war alles, was sie ersehnt hatte, und mehr. Dann hob er sie auf seine Arme, trug sie die Treppe hinauf und steuerte auf Angies altes Zimmer zu.

Sie lachte. »Das große Schlafzimmer. Jetzt sind wir die Erwachsenen.«

Er machte auf dem Absatz kehrt, trug sie über die Schwelle und trat die Tür mit dem Fuß hinter sich zu.

Als Angie am nächsten Morgen erwachte, rollte sie sich auf die Seite, kuschelte sich an Conlan und küßte ihn auf das stoppelige Kinn. »Frohe Weihnachten«, wisperte sie und strich mit der Hand zärtlich über seine nackte Brust.

Blinzelnd schlug er die Augen auf. »Dir auch frohe Weihnachten.«

Eine kleine Ewigkeit sah sie ihn nur an und empfand ein so intensives, bittersüßes Verlangen, daß es fast schmerzte. Angie konnte spüren, daß ihre Herzen wieder im Einklang schlugen. Sie küßte ihn noch einmal, und in diesem Kuß lag alles: die guten Zeiten, die schlechten und alles dazwischen. Es war ein Kuß, der das Leid vergangener Jahre auslöschte und ihr das berauschende Gefühl gab, wieder jung zu sein, unbeschwert und voller Hoffnung.

Verwundert berührte sie seine Wange. Vielleicht empfanden Frauen so, wenn ihre Männer aus dem Krieg heimkehrten. Irgendwie traurig und doch von mehr Liebe erfüllt, als sie jemals für möglich gehalten hätten. »Liebe mich«, flüsterte sie.

»Ich habe versucht, dich nicht zu lieben. Ohne Erfolg«, sagte er und zog sie in seine Arme.

Sehr viel später, als Angie wieder gleichmäßig atmen konnte, stand sie auf und suchte nach ihrem Morgenmantel. »Kommst du mit zu Mama?«

Er grinste. »Das würde die Gerüchteküche mit Sicherheit zum Kochen bringen.«

»*Wie* bitte?«

»Wo sollte ich denn sonst den Weihnachtstag verbringen?«

Angie lachte. Sie fühlte sich großartig. »Zieh dich an. Sonst kommen wir noch zu spät.« Rasch schlüpfte sie in ihren Morgenrock und lief über den Flur zu Laurens Zimmer. Sie hatte erwartet, das Mädchen hellwach und angezogen vorzufinden, voller Vorfreude auf Geschenke, aber Lauren schlief tief und fest.

Angie setzte sich zu ihr aufs Bett. »Aufwachen, Süße«, sagte sie und strich ihr eine Haarsträhne aus der Stirn.

Langsam, fast zögernd öffneten sich Laurens Augen. »Guten Morgen«, murmelte sie.

»Aus den Federn, du Schlafmütze. Es ist Weihnachten.«

»Oh. Ach ja.« Die Augen schlossen sich wieder.

Angie runzelte die Stirn. Welches Kind würde denn an Weihnachten nicht wie gestochen aus dem Bett springen?

Aber sie kannte die Antwort: ein Kind, das immer enttäuscht worden war. Angie mußte an den heruntergekommenen Wohnblock denken und an diese Frau – Mutter –, die ohne ein Wort einfach abgehauen war.

Sie beugte sich vor. »Komm, Schätzchen. In einer Viertelstunde müssen mir bei meiner Mutter sein. In unserer Familie ist früh Bescherung.«

Lauren schlug die Decke zurück und rannte ins Bad. Sie wußten beide, daß für den zweiten Duscher nur lauwarmes Wasser übrig bleiben würde und kaltes für den bedauernswerten dritten.

Angie ging wieder ins Schlafzimmer. Im karierten Bademantel ihres Vaters stand Conlan am Fenster. Er hielt eine kleine, silbern verpackte Schachtel in der Hand. Früher hatten sie sich immer beschenkt, bevor sie zu ihrer Mutter fuhren, aber in diesem Jahr hatte sie nicht damit gerechnet.

»Du hast ein Geschenk für mich?«

Er kam auf sie zu und überreichte ihr sein Präsent. »Es ist nur eine Kleinigkeit.«

Angie entfernte die Silberfolie und öffnete die Schachtel. In ihr lag ein Engel aus feinem Kristallglas mit unglaublich filigranen Flügeln.

»Den habe ich aus Rußland mitgebracht, als ich Svetlaska interviewt habe.«

Angie starrte auf den wunderschönen Engel in ihrer Hand und schlagartig erinnerte sie sich an einen anderen Weihnachtsmorgen vor vielen Jahren. »*Ich muß eben immer an dich denken*«, hatte er gesagt und ihr den winzigen Holzschuh geschenkt, den er in Holland gekauft hatte. Das war der Beginn ihrer Sammlung gewesen. Eine Tradition. Endlich blickte sie ihn an. »Im letzten Monat?«

»Du hast mir gefehlt«, sagte er leise.

Angie ging zur Kommode, zog die oberste Schublade auf und kramte zwischen ihrer Unterwäsche. Als sie sich wieder zu Conlan umdrehte, hielt sie ein kleines Samt-Etui in der Hand. »Ich habe auch etwas für dich«, sagte sie.

Sie wußten beide, was es war.

Er nahm ihr das Etui ab und ließ den Deckel aufspringen.

Ihr Trauring. Der Diamant funkelte auf dem dunkelblauen Samt. Sie fragte sich, ob er wie sie an den Tag zurückdachte, an dem sie ihn ausgesucht hatten. Zwei junge Liebende, die Hand in Hand von einem Geschäft zum nächsten gelaufen waren und ganz fest geglaubt hatten, ihre Liebe würde für immer Bestand haben.

»Du gibst ihn mir zurück?«

Angie lächelte. »Ich schätze, früher oder später wirst du wissen, was du mit ihm machst.«

Ist das Leben nicht schön?

Das Wunder von Manhattan.

Fröhliche Weihnachten.

Früher hatte sich Lauren diese bekannten Weihnachtsfilme und Dutzende weitere angesehen und dabei immer gedacht: *Wer's glaubt*. Christbäume von makellosem Wuchs im Schein unzähliger Lichter, mit glänzenden Ketten behängt und wunderschönen Ornamenten geschmückt. Tannengirlanden rankten sich um Kaminsimse und Treppengeländer.

Das ist doch nicht *echt*, hätte sie gesagt. Das war ein ganz anderes Weihnachten, als sie es kannte.

Doch dann trat sie durch die mit einem Kranz geschmückte

Tür von Angies Elternhaus und fand sich in einem Wunderland wieder. Alle Tische und Fensterbretter waren dekoriert. Sie entdeckte winzige Rentiere aus Glas, Porzellan-Schneemänner und Schlitten voller vielfarbiger Kugeln. Der Baum in einer Ecke des Raumes reichte fast bis zur Decke und war so dicht behängt, daß man kaum noch die Äste sehen konnte. Auf seiner Spitze glitzerte ein herrlicher weißer Stern.

Und dann die Geschenke.

Noch nie hatte Lauren derart viele Geschenke in einem Raum gesehen. Sie drehte sich zu Conlan um. »*Wow* ...« Mehr brachte sie nicht über die Lippen. Sie konnte kaum erwarten, am Abend David anzurufen und ihm alles haarklein zu schildern.

»Genauso habe ich bei meinem ersten Weihnachten mit Angies Familie auch reagiert«, schmunzelte Conlan. »Mein Dad schenkte meiner Mom immer einen Toaster oder etwas anderes Praktisches. Originalverpackt versteht sich.«

Lauren wußte genau, wovon er sprach.

Angie stellte sich neben sie. »Es ist grotesk, ich weiß. Warte ab, bis du uns essen siehst. Wir sind wie Piranhas.« Sie schlang einen Arm um Laurens Taille. »Komm mit in die Küche. Da ist am meisten los.« Sie grinste Conlan an. »Du kannst dich schon mal auf einiges gefaßt machen.«

Sie brauchten fast eine halbe Stunde, um das Wohnzimmer zu durchqueren. Jeder, der Conlan sah, sprang kreischend von seinem Sitz auf und stürmte auf ihn los. Das ganze Procedere glich dem Auftritt eines Rockstars. Lauren klammerte sich an Angies Hand und ließ sich durch die Menge führen. Als sie die Küche erreichte, fühlte sie sich benommen und schwindlig. An der Schwelle blieb sie stehen.

Maria DeSaria stand am Frühstückstisch und stach Plätzchen aus einem grünlichen Teig aus, während Mira Karottenstreifen und Oliven auf einem Kristalltablett ordnete. Livvy goß eine cremeweiße Flüssigkeit in eine Pasteten-Form.

»Das wurde aber auch höchste Zeit«, murrte Maria. »Jetzt wohnst du gerade einmal vier Kilometer entfernt und kommst immer noch zu spät.«

Conlan betrat die Küche. »Das ist meine Schuld, Maria. Ich habe deine Tochter gestern abend davon abgehalten, rechtzeitig ins Bett zu gehen.«

Die Frauen schrien unisono auf, warfen die Arme in die Luft und rannten auf Conlan zu, um ihn zu küssen und zu umarmen.

»Wie du siehst, *lieben* sie Con«, sagte Angie zu Lauren und trat schnell einen Schritt zur Seite, um von ihren Schwestern nicht umgerissen zu werden.

Nachdem sie Conlan genug geherzt und geküßt hatten, wandten sich die Frauen wieder dem Kochen zu und zeigten Lauren, wie man Radieschen zu kleinen Rosen schnitt, Bratensauce zubereitete und Antipasti appetitlich auf einer Platte arrangierte.

Die Kinder kamen in die Küche gelaufen, zupften Maria am Ärmel und bettelten, endlich die Geschenke auspacken zu dürfen.

»Also gut.« Maria wischte sich Mehl von den Händen. »Es ist auch langsam Zeit.«

Angie ergriff Laurens Arm und führte sie ins Wohnzimmer, in dem buchstäblich jede Fläche genutzt war, auf der man sitzen konnte: Sessel, Stühle, das Sofa, Fußschemel, der Boden.

Die Kinder scharten sich um den Baum, wühlten zwischen den Geschenken und verteilten sie an die Anwesenden.

Lauren entschuldigte sich, verließ das Haus und schloß behutsam die Tür hinter sich. Sie lief zum Auto und holte ihr Geschenk. Es fest an die Brust drückend, kehrte sie in das warme, nach Zimt duftende Haus zurück und setzte sich neben Angie auf den Kaminvorleger.

Die kleine Dani kam zu ihr und streckte ihr ein Geschenk entgegen.

»Oh, das ist nicht für mich«, sagte Lauren. »Warte, ich helfe dir, den Namen zu lesen ...«

Angie legte ihr eine Hand auf den Oberschenkel. »Es *ist* für dich.«

Lauren wußte nicht, was sie sagen sollte. »Danke«, flüsterte sie und deponierte das Paket vorsichtig auf ihrem Schoß. Immer wieder strichen ihre Finger über das bunte, glänzende Papier.

Dann wurde ihr ein weiteres Päckchen überreicht und noch eins. Von Maria DeSaria, von Livvy, von Mira.

Noch nie hatte Lauren so viele Geschenke bekommen. Sie sah Angie an. »Aber ich habe doch gar nichts für ...«

»Das hier ist kein Wettkampfsport, Schätzchen. Meine Familie hat bei ihren Weihnachtseinkäufen auch an dich gedacht. Das ist schon alles.«

Conlan bahnte sich einen Weg durch das Kindergewimmel und setzte sich neben Lauren. Sie rutschte näher an Angie heran, um ihm Platz zu machen. »Ziemlich überwältigend, oder?« lächelte er.

Lauren lachte. »Absolut.«

»Das war's, Nana« rief eins der Kinder. Wie auf Kommando begannen alle ihre Geschenke auszupacken. Papier raschelte wie trockenes Laub im Herbst. Jubelnd und lachend sprangen Erwachsene und Kinder aufeinander zu, um sich zu umarmen und zu bedanken.

Lauren griff nach einem ihrer Geschenke. Es war von Mira, Vince und ihren Kindern.

Fast hatte sie Angst, es zu öffnen. Doch der Moment ging schnell vorüber. Vorsichtig löste sie Klebestreifen um Klebestreifen und faltete das Papier ganz behutsam auseinander, um es wieder benutzen zu können. Schnell blickte sie sich um, ob jemand sie beobachtete. Aber glücklicherweise achtete niemand auf sie. Lauren hob den Deckel des weißen Kartons und entdeckte eine hübsche, handbestickte Folklore-Bluse. So weit geschnitten, daß sie sie auch in den kommenden Monaten tragen konnte.

Diese Fürsorglichkeit berührte Lauren tief, und sie hob den Kopf, aber Mira und Vince waren mit ihren eigenen Geschenken beschäftigt. Das nächste Päckchen enthielt ein silbernes Kettenarmband von Livvy und ihrer Familie. Angies Mutter hatte ihr ein Kochbuch geschenkt. Ihr letztes Präsent war ein wunderbares, ledergebundenes Tagebuch von Angie. »*Für meine liebe Lauren*«, lautete die Widmung, »*das jüngste Mitglied unserer Familie. Willkommen. In Liebe, Angie.*«

Sie starrte noch immer die Worte an, als Angie neben ihr scharf Luft holte. »O mein Gott.«

Lauren drehte sich zu ihr um.

Angie hatte Laurens Geschenk geöffnet. Es war ein schlichter Holzrahmen, vierzig auf fünfzig Zentimeter mit einem Passepartout, in dem unterschiedlich große Photos Platz fanden. Die meisten waren Schwarzweißaufnahmen, die Lauren aus dem Kistchen ausgewählt hatte. Aber einige Farbbilder hatte sie zu Thanksgiving mit ihrer Wegwerfkamera gemacht.

Mit dem Zeigefinger strich Angie über ein Photo, das sie zusammen mit ihrem Vater zeigte. Darauf trug sie geblümte Schlaghosen und einen Pullover mit V-Ausschnitt und bunten Querstreifen. Sie saß auf dem Schoß ihres Vaters und erzählte ihm offensichtlich eine lustige Geschichte, denn er lachte über das ganze Gesicht.

»Wo hast du die Photos gefunden?« fragte Angie.

»Es sind Abzüge. Die Originale sind noch in dem Kistchen.«

Im Zimmer schien es nach und nach immer stiller zu werden. Eine Unterhaltung brach ab, dann verstummten weitere. Lauren hatte das Gefühl, daß alle sie ansahen.

Als erste stand Maria DeSaria auf und durchquerte den Raum. Sie ging vor Angie in die Hocke, nahm den Rahmen auf ihren Schoß und betrachtete die Bilder. Als sie den Kopf hob, standen Tränen in ihren Augen. »Das ist unser Ausflug in den Yellowstone Park … und unsere Silberhochzeit. Wo hast du die Photos her?«

»Sie waren in einer Kiste unter meinem Bett. Im Cottage. Tut mir leid. Ich hätte sie nicht …«

Maria DeSaria umarmte Lauren herzlich und drückte sie fest an sich. »Danke.« Als sie die Arme wieder sinken ließ, lächelte sie strahlend, obwohl ihr Tränen über die Wangen liefen. »Das ist, als wäre mein Tony wiedergekommen, um mit uns Weihnachten zu feiern. Ein besseres Geschenk gibt es nicht. Und morgen bringst du mir auch die anderen Photos, ja?«

»Gerne.« Ein seliges Lächeln überzog Laurens Gesicht, das immer breiter wurde. Sie lächelte noch immer, als Maria längst wieder an ihren Platz gegangen war und Angie ihre Hand drückte. »Eine wunderbare Idee. Vielen, vielen Dank.«

Ein Weihnachtsessen bei der Familie DeSaria war vielleicht leiser als ein Heimspiel der Mariners, aber nur geringfügig. Drei Tische waren gedeckt. Zwei im Wohnzimmer mit jeweils vier Stühlen und der große Tisch im Eßzimmer, an dem sich sechzehn Personen drängten. Ein Tisch war für die kleinen Kinder bestimmt und einer für die Teenager, die sich um die Kleinen kümmern sollten. Doch daraus wurde nicht viel. Man konnte kaum ein paar Bissen essen, bevor nicht ein Großer hereinkam, um sich über einen Kleinen zu beschweren oder umgekehrt. Natürlich ohne nachhaltigen Eindruck bei den jeweiligen Eltern zu hinterlassen, und nachdem die dritte Flasche Wein geleert war, wußten die Kinder, daß es sinnlos war, ins Eßzimmer zu kommen. Die Erwachsenen waren einfach zu aufgekratzt.

So hatte sich Angie ihr erstes Weihnachten ohne ihren Vater nicht vorgestellt. Und nicht nur sie. Alle waren der festen Überzeugung gewesen, daß es ein sehr ruhiges, melancholisches Fest werden würde.

Durch Laurens Geschenk war es anders gekommen. Die alten, seit Jahrzehnten nicht mehr gesehenen Photos hatten ihnen Tony DeSaria zurückgebracht. Anstatt den Erinnerungen auszuweichen, tauschten sie sie nun aus. Gerade erzählte Maria von ihrer Fahrt zum Yellowstone, und wie sie Livvy unabsichtlich in einem Diner zurückgelassen hatten. »Drei kleine Mädchen und einen Hund verliert man leicht aus den Augen«, lachte sie, und alle stimmten in das Gelächter ein.

Nur Livvy lachte nicht. Sie hatte schon den ganzen Abend ziemlich bedrückt gewirkt, und Angie fragte sich, ob vielleicht in der Ehe ihrer Schwester irgend etwas nicht stimmte. Sie lächelte Livvy über den Tisch hinweg an, aber die wandte den Blick ab.

Angie nahm sich vor, nach dem Essen Livvy beiseite zu nehmen und mit ihr zu sprechen, und blickte nach rechts. Lauren unterhielt sich angeregt mit Mira.

»Ein wirklich erstaunliches Mädchen«, sagte Conlan links neben ihr mit gedämpfter Stimme.

»Sie beeindruckt dich also auch, oder?«

»Ich mache mir Sorgen, Ange. Wenn sie wieder geht ...«

»Ich weiß.« Sie stupste ihn mit der Schulter an. »Aber soll ich dir etwas sagen, Con? Mein Herz ist groß genug. Da macht es nichts, wenn ich hin und wieder ein Stück davon verliere.«

Er lächelte, doch offensichtlich nicht ganz überzeugt. »Hoffentlich.« Er wollte noch etwas hinzufügen, aber Gläserklirren hinderte ihn daran.

Neugierig hob Angie den Kopf.

Livvy und Sal standen auf, und Sal schlug noch einmal mit der Gabel gegen sein Glas. Als alle ihn anschauten, legte er einen Arm um Livvy. »Wir möchten euch mitteilen, daß es nächste Weihnachten ein neues Baby in unserer Familie gibt.«

Niemand sagte ein Wort.

Livvy sah Angie an, und langsam füllten sich ihre Augen mit Tränen.

Sie wartete darauf, daß der bekannte, dumpfe Schmerz einsetzte, und verspannte sich unwillkürlich. Unter dem Tisch drückte Conlans Hand ganz fest auf ihren Oberschenkel. *Immer mit der Ruhe ...*

Aber sie *war* ruhig. Die Erkenntnis zauberte ihr ein Lächeln aufs Gesicht. Angie erhob sich, ging um den Tisch herum und umarmte ihre Schwester. »Ich freue mich für dich. Sehr sogar.«

Erleichtert sah Livvy sie an. »Im Ernst? Und ich hatte große Angst, es dir zu sagen.«

Angie lächelte immer noch. Ganz unberührt ließ sie Livvys Neuigkeit natürlich nicht. Und sie empfand auch ein wenig Neid. Aber es tat nicht mehr so weh wie früher. Oder vielleicht hatte sie endlich gelernt, besser damit umzugehen. Jedenfalls verspürte sie nicht mehr den Drang, sich irgendwohin zurückzuziehen, um zu weinen, und mußte sich auch nicht mehr zu einem Lächeln zwingen. »Im Ernst.«

Überall am Tisch setzten die Gespräche wieder ein.

Angie kehrte zu ihrem Stuhl zurück, und ihre Mutter sprach ein Gebet, in dem auch der Verstorbenen gedacht wurde. Danach beugte sich Conlan zu ihr.

»Ist mit dir wirklich alles in Ordnung?«

»Das überrascht dich, oder?«

Lange sah er sie schweigend an, dann flüsterte er: »Ich liebe dich, Angela Malone.«

»Wie spät ist es?« fragte Lauren und blickte von ihrer Zeitschrift hoch.

»Zehn Minuten später als bei deiner letzten Frage«, erwiderte Angie. »Keine Angst. Er kommt schon.«

Lauren warf das Magazin zu Boden. Es war sinnlos, so zu tun, als würde sie lesen. Sie ging zum Wohnzimmerfenster und sah hinaus. Langsam senkte sich Dunkelheit über das Meer. Die Brandung war kaum mehr sichtbar, nur noch ein schmaler, silberner Streifen am nachtschwarzen Strand. Mit dem Januar war ein scharfer Ostwind gekommen, und die Bäume beugten sich unter seinem kalten Atem.

Angie trat neben sie und legte einen Arm um ihre Taille. Lauren lehnte sich an sie. Wie üblich gelang es Angie, sie mit einer kleinen – *mütterlichen* – Geste zu beruhigen.

»Danke«, flüsterte Lauren und hörte das Zittern in ihrer Stimme. Manchmal sehnte sie sich so heftig danach, Angie zur Mutter zu haben, daß sie kaum atmen konnte. Diese Sehnsucht löste in ihr immer leichte Schuldgefühle aus, aber sie konnte ihre Existenz nicht leugnen. Wenn sie neuerdings an ihre Mutter dachte (meist abends, in der Dunkelheit, bevor das leise Rauschen des Meeres sie in einen tiefen, ruhigen Schlaf wiegte, wie sie ihn nie zuvor gekannt hatte), empfand sie vor allem Enttäuschung. Der scharfe Schmerz, von ihr im Stich gelassen worden zu sein, war irgendwie abgeklungen. Jetzt fühlte sie hauptsächlich Mitleid mit ihrer Mutter, und auch mit sich selbst. Wenn sie bei Angie aufgewachsen wäre, hätte sie vom ersten Tag an Liebe kennengelernt. Sie hätte nicht verzweifelt danach suchen müssen.

Es klingelte.

»Das ist er!« Lauren rannte zur Tür und riß sie auf. In seiner rotweißen Letterman's-Jacke und einem Paar Jeans stand David vor ihr. In der Hand hielt er einen Strauß roter Rosen.

Sie warf sich ihm in die Arme, drückte sich an ihn. Als sie – lachend über ihren Überschwang – die Arme wieder sinken ließ, zitterten ihr die Hände. Tränen brannten in ihren Augen. »Du hast mir so gefehlt.«

»Du mir auch.«

Sie griff nach seiner Hand und zog ihn ins Cottage. »Hey, Angie. Du erinnerst dich doch an David?«

Angie kam ihnen entgegen, und Lauren fühlte fast so etwas wie Stolz. Sie sah einfach hinreißend aus in schwarzen Hosen und Pullover, mit ihren langen, dunklen Haaren und dem strahlenden Lächeln. »Wie schön, dich wiederzusehen, David. Wie war dein Weihnachtsfest?«

Er zog Lauren an sich. »Ganz okay. Aspen ist große Klasse, wenn man Pelz trägt und Martinis schlürft. Ich habe Lauren vermißt.«

Angie lächelte. »Das glaube ich gern. So oft, wie du angerufen hast.«

»War's zuviel? Habe ich etwa …«

»Nur ein kleiner Scherz«, sagte Angie schnell. »Du weißt, daß ich Lauren gern gegen Mitternacht wieder hier hätte?«

Lauren grinste. Vermutlich war sie das einzige Mädchen auf der Welt, die sich darüber freute, zu einer bestimmten Zeit zuhause sein zu müssen.

David sah Lauren an. »Und, was wollen wir unternehmen? Ins Kino gehen?«

Lauren wollte nur eins: mit ihm zusammen sein. »Vielleicht können wir hier Karten spielen. Oder Musik hören.«

Unsicher runzelte David die Stirn.

»Ich habe oben zu arbeiten«, sagte Angie schnell.

Dafür wäre ihr Lauren am liebsten um den Hals gefallen. »Was hältst du davon, David?«

»In Ordnung.«

»Also gut«, sagte Angie. »Ihr könnt euch aus dem Kühlschrank bedienen. Mais ist noch in der Garage. Du weißt, wo die Popcorn-Maschine steht, Lauren.« Sie sah David scharf an. »Ab und an werde ich allerdings hier unten auftauchen.«

Ein anderes Mädchen hätte vielleicht gereizt reagiert, aber nicht Lauren. Sie fühlte sich umsorgt. Behütet. »Okay.«

Angie nickte ihnen kurz zu und ging die Treppe hinauf.

Als sie allein waren, stellte Lauren die Rosen in eine Vase. Dann holte sie eine kleine Schachtel aus der Küche und gab sie David. »Dein Weihnachtsgeschenk.«

Sie ließen sich auf der bequemen, weichen Couch nieder

und kuschelten sich eng aneinander. »Nun mach es schon auf«, drängte Lauren.

Er öffnete die Verpackung. In der Schachtel lag eine kleine, goldene Christophorus-Medaille.

»Die wird dich beschützen«, sagte Lauren stockend. »Wenn wir nicht zusammen sind.«

»Vielleicht bekommst du ja ein Stipendium für Stanford«, sagte er, hörte sich aber nicht überzeugt an.

David atmete tief ein und ließ die Luft langsam wieder entweichen.

»Ist schon gut«, murmelte Lauren. »Ich weiß, daß wir uns trennen müssen. Aber das macht nichts. Unsere Liebe hält das aus, bestimmt.«

Er sah sie an, griff in seine Tasche und zog langsam ein Päckchen hervor.

Es war keine Ringschatulle.

Überrascht stellte Lauren fest, wie verunsichert sie sein Geschenk öffnete. Bis jetzt hatte sie nicht gewußt, wie sehr sie sich von ihm einen Verlobungsring wünschte. In der Schachtel lag ein Paar Diamant-Ohrringe, zwei kleine Herzen an feinen Weißgoldfäden. »Sie sind wunderschön«, brachte sie über die bebenden Lippen. »Ich hätte mir nie träumen lassen, daß ich einmal Diamant-Ohrringe besitzen würde.«

»Eigentlich wollte ich dir einen Ring kaufen.«

»Die Ohrringe sind wunderschön. Wirklich.«

»Meine Eltern finden, daß wir nicht heiraten sollten.«

Also würden sie darüber reden müssen. »Und was glaubst du?«

»Ich weiß nicht. Erinnerst du dich, daß mein Dad mit einem Anwalt reden wollte?«

»Ja.« Es kostete Lauren ihre ganze Kraft, tapfer weiterzulächeln.

»Er sagte, daß es Leute gibt, die das Baby gern hätten. Die es lieben würden.«

»*Unser* Baby«, flüsterte Lauren.

»Ich kann einfach noch nicht Vater werden.« Er sah so unendlich traurig und verzweifelt aus, daß sie am liebsten in Tränen ausgebrochen wäre. »Ich meine, ich *bin* bereits einer. Das weiß ich, aber …«

Sanft strich sie mit den Fingerspitzen über Davids Wange und fragte sich, wie lange die Intensität ihrer Enttäuschung wohl anhalten würde. Im Moment fühlte sie sich ein Dutzend Jahre älter als er. Und plötzlich wurde ihr klar, daß es das Ende ihrer Liebe bedeuten konnte.

Zu gern hätte sie ihm gesagt, daß er sich keine Sorgen zu machen brauchte, daß alles in Ordnung wäre, daß sie dem Rat seiner Eltern folgen würde, damit sie all ihre langgehegten Zukunftspläne verwirklichen konnten. Aber sie wußte nicht, ob sie es tatsächlich schaffte, das Kind fortzugeben. Sie sah ihn an. Im Schein des Kaminfeuers sah sie die Tränen in seinen Augen. »Du solltest mit dem Studium in Stanford beginnen und das alles hier vergessen.«

»Aber sprich mit den Anwälten. Bitte. Vielleicht finden sie irgendeine Lösung.« Seine Stimme brach, und das leise, erstickte Geräusch ließ sie nachgeben.

Lauren seufzte. »Okay.«

Siebenundzwanzig

Lauren klappte ihr Buch zu und sah nervös auf die Wanduhr.

14.45 Uhr.

14.46 Uhr.

Sie stöhnte auf. Lachend und schwatzend packten ihre Mitschüler ihre Sachen zusammen und bereiteten sich darauf vor, den Klassenraum zu verlassen. In dieser Woche war die Atmosphäre an der Schule äußerst spannungsgeladen, man konnte die Energie förmlich knistern hören. Das war kaum überraschend. Am Montag begannen die Abschlußprüfungen. Normalerweise wäre Lauren ebenso aufgeregt wie alle anderen. Aber jetzt, in der dritten Januar-Woche, hatte sie größere Sorgen. Während sich ihre Freunde heute in einer Woche mit ihren neuen Klassenräumen vertraut machen würden, hätte sie die High School bereits hinter sich.

Lauren griff unter den Tisch nach ihrem Rucksack und verstaute darin Buch und Hefte. Sie schlang ihn sich über eine Schulter und verließ die Klasse. Auf dem belebten Korridor zwang sie sich dazu, Freunden zuzulächeln, mit ihnen zu reden und sich zu benehmen, als wäre es ein ganz gewöhnlicher Tag.

Und während der ganzen Zeit dachte sie: *Ich hätte Angie bitten sollen, mich zu begleiten.*

Warum hatte sie das nicht getan?

Selbst jetzt wußte sie darauf keine Antwort.

Sie ging zu ihrem Spind und holte ihren Mantel heraus. Als sie die Tür zuschlagen wollte, tauchte David hinter ihr auf und zupfte sie am Ärmel.

»Hey«, flüsterte er.

Sie lehnte sich an ihn. »Hey.«

Langsam drehte David sie zu sich um. Er lächelte geradezu aufreizend. So hatte er nicht mehr gestrahlt, seit sie ihm von dem Baby erzählt hatte. »Du siehst ja richtig glücklich aus.« Die Bitterkeit in ihrer Stimme ließ sie innerlich zusammenzucken. Sie hörte sich an wie ihre Mutter.

»Tut mir leid.«

Aber in Wirklichkeit hatte er keine Ahnung, was ihm leid tun sollte oder was er falsch gemacht hatte. Sie zwang sich zu einem Lächeln. »Nicht nötig. Meine Laune wechselt von einer Minute zur anderen. Also? Wohin fahren wir?«

Seine Erleichterung war ebenso offensichtlich wie seine vorherige Verwirrung. Er lächelte, doch in seinen Augen zeigte sich auch eine ganz neue Wachsamkeit. »Zu mir. Meine Mom dachte, das wäre vielleicht angenehmer für dich.« Er legte ihr einen Arm um die Schulter und drückte sie an sich.

Lauren trat ihre Spindtür mit dem Fuß zu und ließ sich von David über den Schulhof und zu seinem Auto ziehen.

Während der kurzen Fahrt von der Fircrest Academy nach Mountainaire sprachen sie über Belanglosigkeiten. Den neuesten Klatsch. Die Abschluß-Party. Die jüngsten Flirts. Lauren versuchte, sich auf diese ganz normalen Themen des Schulalltags zu konzentrieren, als David jedoch vor dem Pförtnerhaus hielt, sog sie scharf die Luft ein.

Das Tor schwang auf.

Sie verkrampfte die Hände und blickte durchs Fenster auf die großen, prächtigen Gebäude.

Immer wenn sie in den letzten Jahren in dieser Enklave der

Reichen war, um David zu besuchen, hatte sie die Schönheit der Häuser bewundert und davon geträumt, hier wohnen zu können. Jetzt fragte sie sich, warum Menschen mit so viel Geld nicht ein Haus am Meer hatten oder sich eine Gegend wie die der Familie DeSaria aussuchten. Dort schienen die Straßen zu *leben*. Hier hingegen war alles zu gepflegt, zu distanziert und perfekt. Wie konnte in einer derart isolierten Umgebung echtes Leben – und echte Liebe – gedeihen?

Als sie vor dem riesigen Haus von Davids Eltern hielten, fragte sich Lauren, was die drei eigentlich mit den vielen leeren Räumen in ihrem Palast anfingen.

David schaltete den Motor aus und drehte sich zu ihr um. »Bist du bereit für das Gespräch?«

»Nein.«

»Willst du es lieber absagen?«

»Auf keinen Fall.« Sie stieg aus dem Auto und eilte auf das Haus zu. Auf halbem Weg hatte David sie eingeholt und griff nach ihrer Hand. Die kleine Geste beruhigte ein paar ihrer Nerven.

Vor der Tür blieben sie kurz stehen. Dann öffnete David und ließ sie eintreten.

Im Haus war alles ruhig, wie immer. Ganz anders als bei den DeSarias.

»Mom? Dad?« rief David und drückte die Tür hinter ihnen ins Schloß.

Mrs. Haynes kam in die Halle. Sie trug ein weißes Wollkleid und hatte ihre kastanienbraunen Haare im Nacken zu einem Knoten straff zusammengefaßt. Sie wirkte schmaler als bei ihrer letzten Begegnung, und älter.

Lauren wußte, warum. In den letzten Wochen hatte sie lernen müssen, daß das Leben seine Spuren bei einem Menschen hinterlassen konnte. »Hallo, Mrs. Haynes.«

Davids Mutter sah sie an. Etwas Trauriges lag in ihrem Blick. »Guten Tag, Lauren. Wie geht es dir?«

»Gut.«

»Vielen Dank, daß du gekommen bist. David hat uns gesagt, wie schwer dir das fällt.«

David drückte ihre Hand.

Sie wußte, daß sie jetzt etwas sagen, vielleicht ihre Meinung äußern sollte, aber ihr fiel nichts ein. Und so nickte sie nur stumm.

In diesem Moment erschien Mr. Haynes in der Halle. In einem dunkelblauen Zweireiher mit blaßgelbem Hemd wirkte er exakt wie der einflußreiche Manager, der es gewöhnt ist, in der Vorstandsetage seinen Willen durchzusetzen. An seiner Seite war ein untersetzter Mann in einem schwarzen Anzug.

»Hallo, Lauren«, sagte Mr. Haynes und machte sich gar nicht erst die Mühe, ihr zuzulächeln. Seinen Sohn würdigte er keines Blickes. »Ich möchte, daß du Stuart Phillips kennenlernst. Er ist ein renommierter Anwalt, der sich auf Adoptionen spezialisiert hat.«

Mehr brauchte es nicht. Kaum war das Wort laut ausgesprochen, da begann Lauren auch schon zu schluchzen.

Sofort war Mrs. Haynes an ihrer Seite, drückte ihr ein Taschentuch in die Hand und versicherte, daß alles in Ordnung sei.

Aber nichts war in Ordnung.

Lauren wischte sich über die Augen, murmelte »Entschuldigung« und ließ sich ins Wohnzimmer führen. Dort setzten sich alle auf die teuren cremefarbenen Sessel und Sofas. Lauren sorgte sich, daß ihre Tränen Flecken auf den Bezügen hinterlassen könnten.

Es entstand ein Moment verlegener Stille, bevor der Anwalt das Wort ergriff.

Lauren hörte zu, zumindest versuchte sie es. Ihr Herz schlug so laut, daß sie mitunter gar nichts anderes hören konnte. Nur bruchstückhaft drangen die Worte zu ihr durch.

... beste Lösung für das Kind
... eine andere Familie/andere Mutter
... in der Lage, optimal für das Kind zu sorgen
... Verzicht auf alle Rechte
... Collegebesuch ist besser für Sie
... zu jung

Kaum war der Anwalt fertig und hatte alles gesagt, was er sich vorgenommen hatte, lehnte er sich auf seinem Sessel zurück und lächelte so unbefangen, als wären seine Worte nichts als Luft und Töne gewesen. »Haben Sie noch irgendwelche Fragen, Lauren?«

Sie warf einen Blick in die Runde.

Mrs. Haynes sah aus, als würde sie jeden Moment in Tränen ausbrechen, David war ganz blaß. Seine blauen Augen waren voller Sorge. Rhythmisch trommelten Mr. Haynes' Finger auf die Armlehne.

»Sie sind also alle der Meinung, daß ich es tun soll«, sagte Lauren stockend.

»Ihr seid viel zu jung für ein Kind«, erklärte Mr. Haynes. »Großer Gott, David vergißt doch sogar, den Hund zu füttern oder sein Bett zu machen.«

Seine Frau warf ihm einen vernichtenden Blick zu und lächelte dann Lauren an. Es war ein trauriges Lächeln und voller Verständnis. »Es gibt keine einfache Lösung, Lauren. Das ist uns bewußt. Aber ihr seid beide liebe und anständige Kinder. Ihr habt eine echte Chance im Leben verdient. Ein Kind aufzuziehen ist kein Spaziergang. Du mußt auch an das Baby denken. Du möchtest doch, daß dein Kind alles bekommt, was es braucht. Ich habe versucht, darüber mit deiner Mutter zu sprechen, aber sie hat leider nie zurückgerufen.«

»Glauben Sie mir, junge Lady«, sagte der Anwalt, »es gibt Dutzende von Paaren, die gut für Ihr Kind sorgen und es lieben werden.«

»Sie sagen es«, erwiderte Lauren so leise, daß alle sich vorbeugen mußten, um sie verstehen zu können. »Es ist mein Kind.« Sie sah David an. »Unser Baby.«

Keine Reaktion. Jemandem, der ihn nicht kannte, wäre er vielleicht gänzlich unbeteiligt vorgekommen. Aber Lauren, die ihn liebte, sah, daß sich der Ausdruck in seinen Augen völlig verändert hatte.

»Okay«, sagte er, nachdem er einmal tief durchgeatmet hatte, als hätte sie eine Frage gestellt. Da wußte sie, was sie immer geahnt hatte: Er würde zu ihr stehen, ganz gleich, wie sie sich auch entschied.

Aber er *wollte* es nicht. Für ihn war es kein Baby, sondern ein – Unfall. Ein Ausrutscher. Wenn es nach ihm ginge, würden sie einige Papiere unterzeichnen, das Baby übergeben und es irgendwann vergessen.

Wenn sie anders entschied, würde sie sein Leben ebenso ruinieren wie ihres. Und vielleicht sogar das des Kindes.

Sie holte tief Luft und atmete langsam wieder aus. Sie sollte sich von David trennen. Wenn sie ihn genug liebte, konnte sie ihn nicht mit einem Kind belasten.

Aber die Vorstellung, ihn zu verlieren, versetzte sie geradezu in Panik.

Lauren blickte sich wieder im Zimmer um, sah die Erwartung in aller Augen und gab sich schließlich geschlagen.

»Ich werde darüber nachdenken«, sagte sie.

Davids erleichtertes Lächeln brach ihr das Herz.

»Lauren«, sagte Angie kopfschüttelnd, als sie ins Wohnzimmer kam. »Hörst du die Zeituhr am Herd?«

»Sie piept«, erwiderte Lauren und zog die Knie bis ans Kinn. Sie saß vor dem Kamin auf dem Fußboden.

»Na prima. Und weißt du auch warum?«

»Weil das Abendessen fertig ist?«

Angie verdrehte die Augen. »Ich bin vielleicht eine lausige

Köchin, doch selbst ich hole mir nicht vormittags um elf mein Abendessen aus dem Ofen.«

»O ja. Richtig.« Lauren inspizierte angelegentlich ihre Hände. Die Nägel waren bis aufs Nagelbett abgeknabbert.

Angie kniete sich neben sie. »Was ist nur mit dir los? Du verkriechst dich ja förmlich hier im Haus. Neulich habe ich dir deine Lieblingspizza mitgebracht, und du hast sie kaum angerührt. Gestern bist du schon um sieben ins Bett gegangen. Ich war wirklich geduldig und habe darauf gewartet, daß du mit mir sprichst, aber …«

»Ich muß mein Zimmer aufräumen.« Lauren wollte aufstehen.

Angie hielt sie jedoch zurück. »Unsinn, Schätzchen. Dein Zimmer könnte sauberer gar nicht sein. Seit Tagen tust du nichts anderes als Putzen und Schlafen. Was ist nur mit dir los?«

»Nichts.«

»Also geht es um das Baby.«

Lauren hörte das leichte Beben in Angies Stimme bei dem Wort »Baby«. »Ich möchte nicht mit dir darüber sprechen.«

»Ich weiß«, seufzte Angie. »Und ich kenne auch den Grund. Aber inzwischen bin ich nicht mehr so – labil.«

»Deine Schwestern sagen etwas anderes.«

»Meine Schwestern reden zuviel.«

Lauren sah sie an. Das Verständnis in Angies Augen brach ihren Widerstand. »Wie bist du eigentlich damit fertig geworden? Als du Sophia verloren hast, meine ich.«

Angie sank auf ihre Fersen. »Wow. So direkt hat mich das noch niemand gefragt.«

»Entschuldige. Ich hätte …«

»Nein. Wir sind Freundinnen und können über alles reden.«

Angie setzte sich neben Lauren und legte ihr einen Arm um die Schultern. Beide starrten in die knisternden Flammen. Angie spürte, wie der alte Schmerz wieder in ihr hochkam, ihren Brustkorb wie einen Schraubstock zusammendrückte, bis sie kaum noch atmen konnte. »Du willst wissen, wie man mit einem gebrochenen Herzen weiterleben kann«, stellte sie nach einer Weile fest.

»Ja. Vermutlich.«

Da die Erinnerungen nun einmal geweckt waren, blieb Angie keine andere Wahl, als sich ihnen zu stellen. »Ich hielt sie in den Armen – habe ich dir das eigentlich jemals erzählt? Sie war unglaublich klein. Und so hilflos.« Mit einem schweren Seufzer holte sie Luft. »Als sie gestorben war, konnte ich gar nicht mehr aufhören zu weinen. Sie fehlte mir so sehr, und ich konnte sie einfach nicht vergessen. Schließlich drehte sich alles nur noch um meine Trauer, sie fraß mich förmlich auf. Dann hat Conlan mich verlassen, ich kam nach Hause zurück, und dann ist etwas ganz Erstaunliches passiert.«

»Was?«

»Eine schöne, gescheite, junge Frau trat in mein Leben und zeigte mir wieder, daß es auch Freude in der Welt gibt. Ich fing an, mich an das Gute in meinem Leben zu erinnern. Ich erkannte, daß mein Papa recht hatte, wenn er immer sagte: ›*Auch das wird vorübergehen. Das Leben geht nun mal weiter*‹, und wir tun gut daran, das nicht zu vergessen. Auch ein gebrochenes Herz heilt. Wie bei jeder Wunde entsteht eine Narbe, eine Erinnerung, aber die verblaßt. Irgendwann stellt man fest, daß man eine Stunde lang nicht daran gedacht hat, dann einen Tag. Ich weiß nicht, ob das deine Frage beantwortet ...«

Lauren blickte in die Flammen. »Die Zeit heilt also alle Wunden?«

»Es ist sicher schwer für einen Teenager, das zu glauben, doch es stimmt.«

»Vielleicht.« Lauren seufzte. »Alle wollen, daß ich über eine Adoption nachdenke.«

Dann gib mir das Baby, war Angies erster Gedanke, und sie schämte sich sofort dafür. Sie wünschte, sie könnte irgend etwas sagen, schien allerdings plötzlich die Stimme verloren zu haben. Sie dachte daran, wie sie das Kinderzimmer eingerichtet hatte, an ihre alten Träume. Sie kämpfte gegen ihre Gefühle an, schob sie weit genug zur Seite, um ganz ruhig fragen zu können: »Und was willst *du*?«

»Das weiß ich nicht. Ich möchte Davids Leben nicht ruinieren. Mein Leben. Unser aller Leben. Aber ich kann doch nicht einfach mein Baby weggeben.« Sie sah Angie an. »Was soll ich bloß machen?«

»O Lauren.« Angie zog das Mädchen in ihre Arme. Sie verzichtete auf die Feststellung, daß Lauren ihre Entscheidung offensichtlich längst getroffen hatte. »Sieh mich an«, sagte sie statt dessen.

Lauren löste sich aus der Umarmung. Tränen liefen über ihre Wangen. »W...as?«

»Ich bin für dich da.« Zum ersten Mal wagte es Angie, Laurens Bauch zu berühren. »Und da ist dieses kleine Wesen, für das du stark sein mußt.«

»Ich habe Angst, daß ich es allein nicht schaffe.«

»Das versuche ich dir ja gerade zu sagen: Du brauchst keine Angst zu haben. Wie immer du dich auch entscheidest – du bist nicht allein.«

Grau und trostlos reihten sich die letzten Januartage aneinander. Dichte Wolken bedeckten den Himmel, und es regnete unablässig.

Die Bewohner von West End suchten Schutz unter den breiten Traufen der Congregational Church oder den überdachten Bürgersteigen am Driftwood Way und kannten kein anderes Thema als das Wetter. Tag für Tag sehnten sie sich danach, endlich wieder die Sonne zu sehen.

Als der Januar vorüber war, richteten sie all ihre Hoffnungen auf den Februar.

Am Valentinstag lockerte die Bewölkung auf. Zwar brach

die Sonne noch immer nicht hervor, aber der Regen war in nebligen Dunst übergegangen.

Im Restaurant herrschte Hochbetrieb. Gegen sieben waren sämtliche Tische in beiden Räumen besetzt, und vor der Tür warteten weitere Gäste.

Jedermann lief zu Höchstform auf. Lauren bediente an doppelt so vielen Tischen wie sonst. Mira und ihre Mutter bereiteten die dreifache Anzahl ihrer Spezialgerichte vor, während Angie Wein eingoß, Brotkörbe auffüllte und leer gewordene Tische neu eindeckte. Selbst Rosa übertraf sich selbst und servierte zwei Teller auf einmal statt nur einen.

Die Schwingtür zur Küche flog auf. »Angela!« rief Maria DeSaria. »Wir brauchen Artischockenherzen und Ricotta.«

»Sofort, Mama.« Angie rannte in den Vorratskeller. Wir brauchen vor allem unbedingt noch eine weitere Bedienung, dachte sie, als sie die Treppe wieder heraufkeuchte. Vielleicht sogar zwei.

Sie hastete zur Tür, um einen Blick in das Buch mit den Reservierungen zu werfen und stieß prompt mit Livvy zusammen. Angie lachte. »Nun sag bloß nicht, daß du *heute* hier essen willst.«

»Ich soll den Valentinstag in unserem eigenen Restaurant verbringen? Wohl kaum. Sal hat Spätdienst.«

»Und warum bist du dann hier?«

»Mir ist zu Ohren gekommen, daß ihr unter Personalmangel leidet.«

»Nein. Es ist zwar einiges zu tun, aber das schaffen wir. Wirklich. Du solltest dich schonen. Geh wieder nach Hause und …«

Jemand legte ihr von hinten die Hände um die Taille. Bevor sie sich umdrehen konnte, hob Conlan sie hoch und trug sie aus dem Restaurant.

»Wie ich schon sagte – Personalmangel«, hörte Angie ihre Schwester noch murmeln.

Conlan setzte sie auf dem Beifahrersitz seines Wagens ab und strahlte sie an. »Mach die Augen zu.«

Sie schloß die Lider.

»Die neue Angie gefällt mir. Sie tut, was ich sage.«

»Darauf würde ich nicht bauen, Freundchen«, lachte sie und fühlte sich pudelwohl. Trotz der frischen Abendluft fuhr er mit offenem Verdeck, und der Fahrtwind blies ihr Haar in alle Richtungen. »Wir sind am Strand«, stellte Angie fest. Sie roch das Meer, hörte das Rauschen der Brandung.

Er schaltete den Motor ab und stieg aus. Sie erkannte, wie der Kofferraum geöffnet und wieder geschlossen wurde.

Gleich darauf öffnete sich neben ihr die Tür. Conlan hob sie wieder hoch und setzte sich mit ihr in Bewegung. An seinen schwerfälligen Schritten und den heftigeren Atemzügen merkte Angie, daß er über Sand lief.

»Da sollte jemand häufiger ins Fitneßcenter gehen«, zog sie ihn auf.

»Sagt ausgerechnet das Schwergewicht in meinen Armen.«

Conlan setzte sie ab. Angie hörte, wie er leise fluchend eine Decke ausbreitete. Dann entfachte er ein Feuer. Der scharfe Geruch brennenden Holzes mischte sich mit der Seeluft und erinnerte sie an die Strandparties ihrer High-School-Tage.

Angie holte tief Luft und atmete ihre ganze Jugend ein. Den Sand, das Meer und das Treibholz, das nie ganz naß oder ganz trocken war.

»Du kannst die Augen wieder aufmachen.«

Als sie es tat, blickte sie zu ihm auf.

»Alles Gute zum Valentinstag, Ange.«

Sie reckte die Hände, und er ging in die Knie, um sich von ihr umarmen zu lassen. Sie küßten sich mit der gierigen Ungeduld von Teenagern und streckten sich auf der Decke aus.

Eng umschlungen – mit dem Sternenhimmel über und dem knisternden Feuer neben sich – lagen sie beieinander, küßten sich, flüsterten vertraulich miteinander und küßten sich wieder. Sie fühlten sich versucht, mehr daraus zu machen, aber es war verdammt kalt, und offen gestanden hatte schon allein die Vorstellung, es tun zu können, einen enormen Reiz.

In der Schwärze der Nacht, als die Sterne so strahlend funkelten, daß einem die Augen schmerzten, und blasses Mondlicht auf der Gischt schimmerte, schmiegte sich Angie an Conlan und küßte sein Kinn, seine Wange, seinen Mundwinkel.

»Und jetzt?« wollte er so leise von ihr wissen, daß die Frage von der Brandung verschluckt worden wäre, wenn Angie sie nicht erwartet hätte.

»Wir brauchen nichts zu entscheiden, Con. Für den Moment ist es gut, so wie es ist.« In den Wochen seit Weihnachten hatten sie sich gelegentlich getroffen und stundenlang miteinander telephoniert. Für sie war das mehr, als sie sich erhofft hatte. Angie wollte nicht riskieren, noch mehr zu verlangen.

»Die alte Angie hat sich gern Ziele gesteckt und alles daran gesetzt, sie auch zu erreichen. Abwarten und Teetrinken war nicht ihr Ding.«

»Die alte Angie war unreif.« Sie küßte ihn lange und leidenschaftlich. Als sie sich von ihm löste, zitterte sie und sah in seinen Augen Spuren der alten Ängste, der Ungewißheit, ob sie ein zweites Mal das Wagnis eingehen sollten, mit dem sie schon einmal gescheitert waren.

»Wir benehmen uns wie Kinder.«

»Wir waren viel zu lange erwachsen«, sagte sie. »Liebe mich einfach, Con. Mehr will ich im Moment gar nicht.«

Seine Hände glitten über ihren Rücken und unter ihren Rock. »Das sollte ich wohl hinbekommen.«

Angie griff nach der Decke und zog sie über Conlan und sich. »Gut«, war alles, was sie noch über die Lippen brachte, bevor er sie mit einem weiteren Kuß versiegelte.

Monoton gingen die regnerischen Februartage ineinander über, ein Tag war wie der andere. Erst in der letzten Nacht des kürzesten Monats hatte Angie wieder den Baby-Traum. Abrupt schreckte sie hoch und tastete benommen nach Conlan. Aber sie war allein. Mühsam richtete sie sich auf und knipste die Nachttischlampe an. Dann saß sie mit angezogenen Beinen da und umschlang ihre Knie, als würde das ihre Arme irgendwie weniger leer machen.

Aber auf ihren Wangen waren keine Tränenspuren. Dabei hatte sie befürchtet, geweint zu haben. Ein Fortschritt, dachte sie.

Der Traum überraschte sie nicht. Das Zusammenleben mit Lauren wühlte gelegentlich die Vergangenheit auf. Doch das war nun einmal nicht zu vermeiden. Vor allem jetzt nicht. Seit der letzten Woche begann das Mädchen zuzunehmen. Ein Fremder würde die leichte Rundung um Laurens Taille vielleicht gar nicht bemerken, aber einer Frau wie Angie fiel es natürlich sofort ins Auge. Und heute stand ein Arztbesuch auf ihrem Programm. Das würde nicht leicht werden.

Irgendwann erkannte Angie, daß sie doch nicht wieder einschlafen würde, und streckte die Hand nach den Papieren auf ihrem Nachttisch aus. Für die nächsten Stunden versenkte sie sich in Rechnungen und Zahlungsanweisungen. Als die ersten schüchternen Sonnenstrahlen durch ihr Fenster fielen, fühlte sie sich ruhiger, gelassener.

Es würde eben immer wieder Nächte wie die gerade vergangene geben, und Tage wie der, der nun vor ihr lag.

In den kommenden Monaten mußte sie damit rechnen, von Trauer und Sehnsucht heimgesucht zu werden. Aber das hatte sie gewußt, als sie Lauren angeboten hatte, bei ihr zu wohnen. Manche Träume ließen sich nicht einfach verscheuchen. Es konnte ein ganzes Leben dauern, sie loszuwerden.

Angie schlug die Decken zurück und ging ins Bad. Nach einer ausgiebigen, heißen Dusche fühlte sie sich besser. Jedenfalls gut genug, den heutigen Tag zu überstehen. Und der würde bestimmt nicht leicht werden. Aus Zuneigung zu Lauren würde sie ihn überstehen.

Als sie ihr Bett machte, hörte sie Lauren nach ihr rufen.

Angie lief zur Tür und riß sie auf. »Was gibt es?«

»Das Frühstück ist fertig.«

Unten in der Küche rührte Lauren in einer Schüssel mit Hafergrütze. »Guten Morgen«, rief sie lächelnd.

»Bist du aus dem Bett gefallen?«

»So früh ist es doch gar nicht.« Lauren hob den Kopf und musterte sie. »Hast du etwa wieder schlecht geschlafen?«

»Nein, nein«, versicherte Angie schnell und wünschte, sie hätte ihre gelegentlichen Schlafstörungen bloß nie erwähnt.

»Gut«, seufzte Lauren offensichtlich erleichtert. Sie trug zwei Schüsseln zum Tisch, stellte sie auf blaue Sets und setzte sich Angie gegenüber. »Deine Mutter meint, daß du mehr Ballaststoffe essen mußt, und hat mir gezeigt, wie man Hafergrütze zubereitet.«

Angie peppte den Inhalt ihrer Schüssel nach alter DeSaria-Tradition mit braunem Zucker, Ahornsirup und Rosinen auf, goß Milch darüber und probierte. »Schmeckt köstlich.«

»Außerdem hat mir Mira geraten, jede Menge Proteine zu mir zu nehmen, und Livvy sagte, daß Kohlenhydrate das Baby stark und kräftig machen würden. Ich schätze, wenn es nach ihnen geht, muß ich rund um die Uhr futtern.«

»Das ist der Rat meiner Familie in allen Lebenslagen: Iß mehr.«

Lauren lachte. »Um zehn muß ich beim Arzt sein. Der Bus …«

»Wie kommst du auf die Idee, daß ich dich mit dem Bus zum Arzt fahren lasse?«

»Aber ich möchte dir das nicht zumuten …«

Angie wollte schon eine flapsige Antwort geben, besann sich dann jedoch anders, als sie den ernsten Blick des Mädchens sah. »Das schaffe ich schon, Lauren. Ich möchte dich begleiten.«

Beim Abwaschen des Geschirrs redeten sie über das Wetter, das Restaurant und die Pläne für die kommende Woche. Lauren erzählte eine lustige Anekdote von ihrem letzten Treffen mit David und eine noch komischere über Angies Mutter.

Doch als sie die Arztpraxis erreichten, war Angie wieder nervös.

Sie blieb kurz vor der Tür stehen, um sich zu sammeln.

Lauren berührte ihren Arm. »Willst du vielleicht lieber im Auto warten?«

»Auf gar keinen Fall.« Angie zwang sich zu einem Lächeln, zog die Tür auf und betrat die Praxis.

Erinnerungen stürmten ungebremst auf sie ein. Sie war in zu vielen Räumen wie diesem gewesen, hatte zu viele sterile Kittel angezogen, ihre Beine in zu viele kalte Metallbügel gelegt. Jahrelang schien sie nichts anderes getan zu haben …

Fast mechanisch bewegte sie sich durch den Raum, immer ein Schritt nach dem anderen. Am Empfang griff sie haltsuchend nach der Tischkante. »Lauren Ribido«, sagte sie.

Die Sprechstundenhilfe blätterte in einem Stapel Patientenkarten und zog eine heraus. Dann reichte sie Angie ein Clipboard. »Hier. Füllen Sie das bitte aus.«

Angie betrachtete das vertraute Formular. *Beginn der letzten Periode … Anzahl früherer Schwangerschaften … Fehlgeburten …* Sie reichte das Clipboard an Lauren weiter.

»Oh.« Die Sprechstundenhilfe runzelte die Stirn. »Entschuldigung. Ich dachte …«

»Kein Problem«, entgegnete Angie schnell. Sie führte Lauren zu einer Reihe Stühle, und sie setzten sich.

Lauren machte sich daran, das Formular auszufüllen.

Angie hörte das Kratzen des Stifts auf dem Papier. Sonderbarerweise beruhigte es sie.

Als Laurens Name aufgerufen wurde, wäre Angie fast auch aufgestanden. *Nein,* sagte sie sich dann. Lauren mußte selbständig werden, erwachsen. Und das hier war ein Anfang. Sie konnte nur auf sie warten.

Die Untersuchung schien eine Ewigkeit zu dauern. Das gab Angie genügend Zeit, sich zu entspannen. Als Lauren wieder auftauchte, hatte sich Angie so weit gefaßt, daß sie sich mit ihr über die Symptome unterhalten konnte, über mögliche Beschwerden, morgendliche Übelkeit, Kurse für Schwangerschaftsgymnastik.

Auf der Heimfahrt hielten sie an einem Supermarkt und kauften Vitaminpräparate. Danach setzten sie sich auf eine Bank vor dem Gebäude.

»Warum sitzen wir eigentlich hier draußen?« wollte Lauren wissen. »Es sieht so aus, als könnte es jede Minute regnen.«

»Möglich.«

»Mir wird langsam kalt.«

»Dann knöpf den Mantel zu.«

Ein grüner Mini-Van hielt vor ihnen und parkte.

»Wurde aber auch Zeit«, murmelte Angie etwas unwirsch und warf ihren Styroporkaffeebecher in die Abfalltonne neben der Bank.

Die Türen des Van öffneten sich nahezu gleichzeitig. Mira, Livvy und ihre Mutter kletterten aus dem Wagen und redeten wild durcheinander.

Livvy und ihre Mutter kamen auf Lauren zu, packten sie je an einem Arm und zogen sie auf die Füße.

»Ich dachte, das Restaurant wäre heute geschlossen.« Lauren runzelte die Stirn.

»Angela glaubt, daß du ein paar neue Sachen brauchst«, sagte Maria DeSaria.

Laurens blasse Wangen röteten sich. »Oh. Aber ich habe kein Geld mitgenommen.«

Livvy lachte. »Ich auch nicht, Mama. Ich hab mein Portemonnaie vergessen. Du wirst wohl deine Kreditkarte abstauben müssen. Ich könnte nämlich auch ganz gut ein paar Umstandskleider gebrauchen.«

Maria DeSaria verpaßte ihrer Tochter zum Spaß eine Kopfnuß. »Halt dich ja zurück, Miss Neunmalklug. So, und jetzt kommt endlich. Es wird sicher bald regnen.«

Arm in Arm liefen die drei die Straße hinunter.

Mira blieb zurück. »Bist du sicher, daß du das ertragen kannst?«

Angie war ihrer Schwester dankbar für die Frage. »Ich war lange nicht mehr in einem Geschäft für Umstandskleidung.«

»Ich weiß.«

Angie blickte auf das schmiedeeiserne Mother-and-Child-Firmenschild, das an einem Haken über der Straße hing. Das letzte Mal war sie mit ihren Schwestern da drinnen gewesen. Damals hatte sie ein Kind erwartet … Sie drehte sich zu Mira um. »Ich werde es überstehen«, sagte sie und erkannte, daß sie nicht gelogen hatte. Vielleicht würde es ein bißchen weh tun, sie an die schmerzliche Vergangenheit erinnern, aber diese Empfindungen gehörten nun einmal zu ihr, und letzten Endes war es verhängnisvoller, vor ihnen davonzulaufen, als sich ihnen zu stellen. »Ich möchte für Lauren dasein. Sie braucht mich.«

Miras Lächeln war sanft und enthielt nur einen leisen Hauch von Sorge. »Gut für dich.«

»Ja«, lächelte Angie. »Gut für mich.«

Trotzdem hakte sie sich bei ihrer Schwester ein, als brauche sie Halt.

Achtundzwanzig

Endlich hielt der Frühling in West End Einzug. Ein kalter, nasser Winter machte einer wahren Farbexplosion Platz. Als die Sonne schließlich wagte, die grauen Wolkenschichten zu durchbrechen, veränderte sich die Landschaft innerhalb kürzester Zeit. Zuerst schoben sich die violetten Krokusse aus der kahlen, harten Erde. Dann überzog zartes Grün die Wiesenhänge, und Bäume entfalteten ihre Blattknospen. Narzissen erblühten an allen Straßenrändern und schufen gelbe Farbflecke zwischen wild wucherndem Salalgestrüpp.

Auch Lauren blühte auf. Inzwischen hatte sie fast fünfzehn Pfund zugelegt und rechnete jeden Tag damit, daß ihr Gynäkologe über die Gewichtszunahme die Stirn runzelte. Sie bewegte sich auch sehr viel langsamer. Manchmal mußte sie im Restaurant vor der Küchentür innehalten, um erst einmal Luft zu holen. Sich von einem Tisch zum anderen zu bewegen, verlangte wahrhaft herkulische Anstrengungen.

Und das war noch nicht das schlimmste. Ihre Füße schmerzten. Sie mußte häufiger die Toilette aufsuchen als ein gewohnheitsmäßiger Biertrinker, und irgendwo in ihr schien sich Luft zu stauen, die sie unvermittelt ständig aufstoßen ließ.

Im April begann sie, sich der entscheidenden Frage zu nähern: Und was jetzt?

In den letzten Monaten hatte sie nicht weiter gedacht als bis zu ihrer nächsten Schicht im Restaurant oder dem nächsten Treffen mit David. Aber nun hatte er ihr – wieder einmal – die große Frage gestellt, und Lauren wußte, daß sie ihr nicht länger ausweichen konnte.

»Und?« bohrte er gerade nach.

Engumschlungen saßen sie auf der Couch. Im Kamin knisterte ein Feuer.

»Ich weiß es nicht«, flüsterte Lauren. Sie konnte diese vier Worte selbst nicht mehr hören.

»Meine Mom hat in der letzten Woche mit dem Anwalt gesprochen. Er kennt mehrere Ehepaare, die es wahnsinnig gern aufziehen würden.«

»Nicht es, David. Unser Baby.«

Er seufzte. »Das weiß ich, Lo. Glaub mir, ich *weiß* es.«

Forschend sah sie ihn an. »Könntest du das wirklich? Dich einfach von unserem Baby trennen, meine ich?«

Er machte sich von ihr frei und stand auf. »Ich weiß nicht, was du von mir willst, Lauren.« Seine Stimme versagte, und sie bemerkte, daß er den Tränen nahe war.

Auch Lauren stand auf, stellte sich hinter ihn und legte beide Arme um seine Taille. Sie kam nicht nahe genug an ihn heran, dafür war ihr Bauch mittlerweile zu groß. Das Baby bewegte sich in ihr, versetzte ihr federleichte Stöße.

»Was für Eltern wären wir denn?« fragte David, drehte sich aber nicht zu ihr um. »Was sollen wir tun, wenn wir das College aufgeben? Womit ...«

Lauren ging um ihn herum, um in sein Gesicht zu sehen, wenn sie ihm die einzige Antwort gab, die sie wußte. »Du gehst nach Stanford. Unter allen Umständen.«

»Ich soll also einfach verschwinden«, sagte er tonlos.

Sie wollte ihm sagen, daß sich schon alles fügen würde, daß sie alles durchstehen würden, wenn sie sich nur liebten, aber im Moment fand sie schlicht nicht die Worte, und die zarten

Stöße in ihrem Bauch erinnerten sie daran, wie unterschiedlich die Situation für sie beide war.

Wenn sie ihr Kind behielt, würde sie ihn verlieren.

Schwere Entscheidungen, hatte Angie einmal zu ihr gesagt. Weshalb verstand sie erst jetzt, was das bedeutete?

Sie wollte gerade etwas sagen – auch wenn sie nicht wußte, was –, als es an der Tür klingelte.

Sie lief, um zu öffnen. Vor ihr stand der Postbote und streckte ihr ein paar Päckchen und einen Stapel Briefe entgegen.

»Bitte, schönen Tag noch.«

»Danke, ebenfalls.« Lauren legte die Päckchen auf den Tisch neben der Tür und sah die Briefe durch. Einer war an sie adressiert.

»Von der USC«, sagte sie und spürte, wie ihr Herz zu klopfen begann. In dem Durcheinander der letzten Wochen hatte sie ihre Bewerbungen ganz vergessen.

David kam in die Diele. Er sah so beklommen und nervös aus, wie sie sich fühlte. »Ich bin ganz sicher, daß sie dich nehmen«, sagte er.

Lauren öffnete den Brief und las die Worte, von denen sie geträumt hatte. »Ich habe es geschafft«, flüsterte sie. »Nie hätte ich ...«

Er zog sie zu sich. »Erinnerst du dich an unser erstes Date? Nach dem Spiel gegen Aberdeen. Wir saßen am Strand neben dem gigantischen Lagerfeuer. Alle anderen rannten herum, tanzten und tranken, aber wir haben uns unterhalten. Du hast gesagt, daß du eines Tages den Pulitzer-Preis bekommst, und ich habe dir geglaubt. Du bist die einzige, die nicht zu wissen scheint, wie toll sie ist.«

Der Pulitzer-Preis. Unwillkürlich betastete sie ihren unförmigen Bauch. *Gib dir eine Chance,* hatte ihre Mutter gesagt. *Ende nicht wie ich.*

»Was soll ich nur tun?« wisperte sie und blickte in Davids blaue Augen.

»Das Stipendium annehmen natürlich«, erwiderte er. Die Worte hörten sich fast grob an, aber seine Stimme klang sanft.

Es wäre die einzig richtige Entscheidung. Zumindest sagte ihr das ihr Kopf. Wie konnte sie ohne Ausbildung, ohne Zukunftsaussichten ein Kind aufziehen? Wieder mußte sie an ihre Mutter denken, die den ganzen Tag Haare schnitt und die halbe Nacht trank und an dunklen Orten nach Liebe suchte. Lauren seufzte tief. Sie *wollte* studieren. Das war ihre Chance, ein besseres Leben führen zu können als ihre Mutter. Langsam hob sie den Kopf und sah David an. »Der Anwalt hat also Ehepaare gefunden, die gut für unser Baby sorgen würden?«

»Die besten.«

»Können wir uns mit ihnen treffen? Selbst auswählen?«

Ein Strahlen überzog sein Gesicht, verwandelte ihn wieder in den Jungen, in den sie sich verliebt hatte. Er zog sie so fest an sich, daß sie kaum Luft bekam, und küßte sie, bis ihr ganz schwindlig wurde. »Ich liebe dich, Lauren.«

Sie schien nicht lächeln zu können. Seine Begeisterung irritierte sie, machte sie zornig. »Du kriegst auch immer, was du willst, oder?«

Er wurde ernst. »Was meinst du damit?«

Sie konnte es nicht sagen. Sie wußte nur, daß sie zwei Dinge wollte, aber nicht beide bekommen konnte. »Keine Ahnung.«

»Verdammt, Lauren. Was zum Teufel ist nur mit dir los? Wie soll ich richtig reagieren können, wenn du alle zehn Sekunden deine Meinung änderst?«

»Als hättest du das *jemals* getan. Du hast doch von Anfang an von mir verlangt, daß ich es loswerde.«

»Soll ich etwa lügen? Glaubst du, ich *will* mir meine ganze Zukunft verbauen und Vater werden?«

»Ach, und ich will es? Du Scheißkerl!« Sie stieß ihn von sich.

Er schien in sich zusammenzusacken. Es kam ihr fast so

vor, als würde er vor ihren Augen schrumpfen. »Ich werd' noch völlig wahnsinnig.«

»Toll, und was heißt das jetzt?«

Sie standen sich gegenüber und starrten sich an. Schließlich bewegte sich David auf sie zu. »Tut mir leid. Wirklich.«

»Die ganze Sache bringt uns noch auseinander«, sagte sie.

Er griff nach ihrer Hand und zog sie zur Couch zurück. Sie setzten sich Seite an Seite, dennoch hatte Lauren das Gefühl, daß sie Welten trennten. »Laß uns nicht mehr streiten, sondern in Ruhe darüber sprechen«, sagte er leise. »Über alles.«

Angie stieg aus ihrem Auto und schloß die Tür.

Der Lagerraum befand sich direkt vor ihr.

C-22.

Der flache, garagenähnliche Bau war einer von Dutzenden. Die Speicher rechts und links davon hatten andere gemietet. *A-1 Storage* stand auf dem Schild am Zugangstor. *Aus Gründen der Sicherheit Türen stets verschlossen halten.*

Angie schluckte, ihre Kehle war wie ausgetrocknet. Der Schlüssel in ihrer Hand fühlte sich kalt und fremd an. Eine Sekunde lang überlegte sie, ob sie nicht lieber umkehren sollte.

Doch das würde bedeuten, daß sie noch immer nicht bereit dazu war. Sie setzte einen Fuß vor den anderen, bis sie vor der Tür stand, schob den Schlüssel ins Schloß und drehte ihn um. Die Metalljalousie ratterte in die Höhe und rollte sich zusammen.

Angie machte Licht.

Eine einsame Glühbirne an der Decke beleuchtete Stapel von Kisten und Kartons, mit Decken und Laken verhüllte Möbel.

Die Überbleibsel ihrer Ehe. Da war das Bett, das Conlan und sie am Pioneer Square entdeckt hatten. Der Schreibtisch, an dem sie während ihres Studiums gesessen hatte. Die Couchelemente, die gekauft worden waren, weil eine ganze Familie darauf liegen und fernsehen konnte.

Aber wegen all dieser Dinge war sie nicht hergekommen.

Sondern wegen Lauren.

Angie machte sich an den Kartons zu schaffen, hob einen nach dem anderen herunter, um die Beschriftungen zu lesen. In der hintersten Ecke fand sie schließlich, wonach sie gesucht hatte. Drei Pappkartons mit der Aufschrift »Kinderzimmer«.

Sie hätte die Kartons einfach nehmen und zum Auto tragen sollen, doch das konnte sie nicht. Statt dessen kniete sie sich auf den kalten Zementboden und öffnete einen Deckel. Auf einem Stapel rosafarbener Flanellbettwäsche lag die Winnie-Puuh-Lampe.

Sie hatte bereits geahnt, mit welchen Gefühlen sie diese so sorgfältig ausgesuchten und nie gebrauchten Gegenstände betrachten würde. Sie waren wie kleine Kostbarkeiten ihres Lebens, die sie irgendwann verloren, aber niemals vergessen hatte.

Angie hob einen weißen Strampelanzug hoch und hielt ihn sich an die Nase, er roch jedoch nur leicht muffig. Weder nach Babypuder noch nach Johnson's Shampoo.

Natürlich nicht. Kein Baby hatte ihn je getragen oder war im gedämpften Schein der Winnie-Puuh-Lampe eingeschlafen.

Sie schloß die Augen und erinnerte sich an das Kinderzimmer. Dachte an den Abend, an dem sie das alles verpackt hatte.

Und sah im Geist ein kleines, schwarzhaariges Mädchen mit den blauen Augen seines Vaters.

»Paß gut auf unsere Sophia auf, Papa«, wisperte Angie und stand wieder auf.

Es war Zeit, daß die Dinge aus diesem dunklen Schuppen kamen. Sie waren dazu da, daß ein Kind sie trug, mit ihnen spielte.

Nacheinander schaffte Angie die Kartons zu ihrem Wagen. Als sie die Jalousietür absperrte, begann es zu regnen.

Überrascht stellte Angie fest, wie gut sie sich fühlte. Jahrelang hatte sie sich vor diesem Tag gefürchtet, ihn verdrängt oder in irgendeine ferne Zukunft verschoben.

Das Kinderzimmer. Die Babysachen, das Spielzeug. Aber dann hatte sie erkannt, daß sie in der Vergangenheit feststeckte, wenn sie die Dinge weiterhin aufbewahrte.

Und nun war sie endlich frei.

Sie wünschte, Conlan könnte sie jetzt sehen, nachdem er sie so oft verzweifelt im Kinderzimmer vorgefunden hatte, auf dem Fußboden hockend und schluchzend, irgendeine Rassel, eine Decke oder einen Strampelanzug umklammernd.

Eigentlich ...

Sie drückte auf die Schnellauswahl des am Armaturenbrett befestigten Mobiltelephons.

»Nachrichtenredaktion.«

»Hey, Kathy«, sagte sie. »Hier Angie. Ist Conlan da?«

»Ja.«

Eine Minute später meldete er sich. »Tag, Angie. Bist du in Seattle?«

»Nein. Auf dem Weg nach West End.«

»Du fährst in die falsche Richtung.«

Sie lachte. »Rate mal, was in meinem Kofferraum ist.«

»Keine Ahnung.«

Angie kam sich vor wie ein Alkoholiker, der endlich bereit ist, über sein Problem zu sprechen. Die Teilnehmer ihres AA-Treffens lagen in drei großen Pappkartons. »Die Babysachen.«

Er schwieg. »Was meinst du damit?« fragte er schließlich nach.

»Bettwäsche, Kleidung, Spielzeug. Ich habe alles aus dem Lagerschuppen geholt.«

Wieder entstand eine Pause. »Für Lauren?«

»Sie wird es brauchen.«

Angie wußte, daß Conlan auch hörte, was sie nicht laut aussprach. *Und wir nicht.*

»Und wie fühlst du dich?«

»Das ist das Verblüffende, Con. Hervorragend. Erinnerst du dich an unseren Skiurlaub in Whistler? Als wir uns mit dem Helikopter zur Abfahrt fliegen ließen?«

»Und du vor Nervosität davor drei Nächte lang nicht schlafen konntest?«

»Ja. Ich hatte große Angst, aber sobald uns der Hubschrauber abgesetzt hatte, sauste ich den Berg hinunter und konnte gar nicht abwarten, es zu wiederholen. So fühle ich mich jetzt auch. Befreit. Schwerelos.«

»Toll.«

»Genau. Und ich freue mich schon darauf, ihr die Sachen zu geben.«

»Ich bin stolz auf dich, Ange.«

Dieser Satz war der eigentliche Grund, weshalb sie ihn angerufen hatte. Aber das erkannte sie erst jetzt.

»Laß uns das morgen feiern.«

»Ich nehm dich beim Wort.«

Angie beendete das Gespräch und lächelte. Im Radio sang Billy Joel »It's Still Rock & Roll to Me«. Sie drehte die Lautstärke auf und summte mit. Als sie West End durchquerte und auf die Straße zum Strand einbog, sang sie aus voller Kehle und hieb mit der Hand rhythmisch auf das Lenkrad ein.

Sie fühlte sich wieder wie ein junges Mädchen, das nach einem gewonnenen Football-Spiel nach Hause fuhr.

Vor dem Cottage parkte sie, griff nach ihrer Handtasche und rannte ins Haus.

»Lauren!«

Niemand antwortete. Im Kamin knisterte ein Feuer. Nach einer Weile, die ihr wie eine Ewigkeit erschien, kam ein klägliches »Hier sind wir«.

Lauren saß auf der Couch. Tränen schimmerten auf ihren Wangen. Ihre Augen waren rot und verquollen. Neben ihr saß David und hielt ihre Hand. Auch er sah aus, als hätte er geweint.

Bei ihrem Anblick bekam Angie es mit der Angst zu tun. Tränen mitten in der Schwangerschaft hatten nichts Gutes zu bedeuten. »Was ist los?«

»David und ich haben uns unterhalten.«

»Dem Baby fehlt nichts?«

»Nein.«

Erleichtert stellte Angie fest, daß sie überreagiert hatte. Wie üblich. »Nun, dann will ich euch nicht weiter stören.« Sie ging auf die Treppe zu.

»Warte«, rief Lauren ihr nach und stand unbeholfen auf. Sie nahm einen Brief vom Tisch und streckte ihn Angie entgegen.

Sofort trat David neben Lauren und legte einen Arm um sie.

Angie las den Brief in ihrer Hand.

»Sehr geehrte Miss Ribido, wir würden uns freuen, Sie als Studentin an der University of Southern California begrüßen zu können … Studium und Unterkunft kostenlos … um Antwort bis zum 1. Juni …«

»Ich wußte immer, daß du es schaffst«, sagte Angie leise. Am liebsten hätte sie sich Lauren geschnappt, um mit ihr lachend durchs ganze Zimmer zu wirbeln, doch ein solcher Enthusiasmus war etwas für normale Mädchen unter normalen Umständen. Davon konnte hier keine Rede sein.

»Ich habe nicht geglaubt, daß sie mich nehmen.«

Nie zuvor hatte Angie in Laurens Stimme eine derart traurige Verzweiflung gehört. Sie konnte das Mädchen kaum ansehen. Von allen Problemen, von denen sich Lauren in diesem Jahr überwältigt gesehen hatte, war das hier – die mögliche Erfüllung ihres Traums – wahrscheinlich das größte. Jetzt mußte eine Entscheidung getroffen werden. »Ich bin sehr stolz auf dich.«

»Das verändert vieles«, sagte Lauren so leise, daß sich Angie vorbeugen mußte, um sie zu verstehen.

Angie wollte Lauren umarmen, aber David hielt ihre Hand fest. »Man kann auch mit einem Kind studieren.«

»Mit einem zwei Monate alten Baby?« Lauren hörte sich kläglich und weit weg an. Ihre Stimme hallte nach und verklang, als würde sie die Worte in einen Brunnenschacht werfen.

Angie schloß die Augen. Jede beruhigende Antwort wäre eine Lüge. Angie wußte bereits, was Lauren mit Sicherheit bald feststellen würde: Tagespflegestellen waren selten. Und außerdem teuer. Sie seufzte. Sie kam sich vor wie auf einem sinkenden Schiff und konnte fühlen, wie der Wasserpegel stieg. »Das ist ein Problem«, sagte sie schließlich. »Aber du bist ein starkes, kluges Mädchen ...«

»Ein kluges Mädchen hätte anders gehandelt.« Laurens Augen füllten sich mit Tränen, obwohl sie zu lächeln versuchte. Sie blickte David an, der ihr ermutigend zunickte. Dann sah sie Angie an.

Einen Moment lang sprach niemand ein Wort.

Ein kalter Schauer überlief Angies Rücken. Plötzlich verspürte sie Angst.

Lauren ließ Davids Hand los und trat einen Schritt vor. »Nimm unser Baby, Angie.«

Angie konnte kaum atmen. »Nein«, flüsterte sie heiser und hob abwehrend beide Hände.

Lauren tat zwei weitere Schritte. Kam näher. Wie jung sie aussah. Wie verzweifelt. »Bitte. Wir möchten, daß du unser Kind adoptierst. Es ist der einzige Ausweg.«

Angie schloß die Augen. Sie konnte sich nicht wieder Träumen hingeben. Beim letzten Mal hätte es sie fast umgebracht. Sie durfte nicht daran denken ...

... ein Kind in den Armen zu halten.

Das würde sie nicht schaffen. Dazu war sie einfach nicht stark genug.

Und doch. Wie konnte sie sich verweigern?

Ein Baby.

Sie öffnete die Augen wieder.

Lauren sah sie an. Ihre blassen Wangen zeigten Tränenspuren, die Augen waren gerötet und verquollen. Und da war der Brief von der USC, ein kleines Stück Papier, das Leben verändern konnte ...

»Bitte«, flüsterte Lauren und begann zu schluchzen.

Angies Herz schien sich aufzulösen und in ihr ein Gefühl der Leere zu hinterlassen. Der Verlorenheit. Es gab nicht den geringsten Zweifel, daß sie Laurens Angebot ablehnen mußte, um ihrer Selbst willen, doch es war ihr schlichtweg unmöglich, das auch zu tun.

Sie konnte nicht nein sagen. Nicht zu Lauren und nicht zu sich selbst. Aber tief im Innern wußte sie, daß sie das Falsche tat. »Ja.«

»Mit dir stimmt heute doch etwas nicht«, stellte Maria DeSaria fest und musterte Angie argwöhnisch durch ihre Brillengläser.

Ihre Tochter wandte den Blick ab. »Unsinn. Ich bin okay.«

»Ach ja? Jerrie Carl mußte dich dreimal nach einem freien Tisch fragen, bevor du ihr überhaupt geantwortet hast.«

»Und als Mister Costanza um mehr Rotwein bat, hast du ihm die Flasche entgegengestreckt«, sagte Mira und wischte sich die Hände an ihrer Schürze ab.

Angie hätte nicht in die Küche kommen dürfen. Mira und ihre Mutter besaßen die Sensoren von Hyänen, und sobald sie einmal Witterung aufgenommen hatten, taten sie sich zusammen und ließen nicht mehr locker.

»Mit mir ist alles in Ordnung.« Sie drehte sich um und verließ die Küche.

Im Gastraum fühlte sich Angie weniger beobachtet, und sie bemühte sich, ganz normal zu erscheinen. Vielleicht bewegte sie sich ein bißchen langsamer, aber bei ihrem Seelenzustand war es schon ein Triumph, sich überhaupt zu bewegen. Sie zwang sich zu einem Lächeln und tat, als wäre alles wie sonst.

Allerdings empfand sie dabei – nichts. Seit vierundzwanzig Stunden hielt sie einen Deckel über ihre Emotionen, den sie nicht zu lüften wagte.

Es war besser so. Sie wollte nicht über die phantastische Abmachung nachdenken, die Lauren und sie getroffen hatten. Damit begaben sie sich auf eine verhängnisvolle Reise, die nur mit Verletzungen und Schmerz enden konnte. Angie kam es vor, als hätte sie sich in einen kleinen, dunklen Raum eingeschlossen, aus dem es keinen Ausweg gab.

Sie ging zum Fenster und starrte in die Dunkelheit hinaus. Die Geräusche des Restaurants wurden immer leiser, bis sie nichts mehr hören konnte als das Schlagen ihres Herzens.

Und nun?

Das war die Frage, die sie die ganze Nacht wach gehalten hatte. Ihr erster Gedanke am Morgen.

Ihre Gefühle waren ein Chaos aus Hoffnung und Verzweiflung. Eine Lösung konnte sie nirgendwo erkennen. Etwas in ihr wollte sich auf das Baby freuen, mit einer Intensität, die sie fast schwindlig machte, doch dann folgte sofort die deprimierende Vermutung: *Lauren wird es nicht tun können.*

Enttäuschung und Leid waren vorprogrammiert. Am Ende des Weges stand eine schreckliche Wahl: Im besten Fall konnte Angie Lauren oder das Kind haben. Im schlimmsten Fall würde sie beide verlieren.

»Ange?«

Erschrocken fuhr sie herum. Hinter ihr stand Conlan mit einem Strauß pinkfarbener Rosen.

Großer Gott, sie hatte ihre Verabredung vergessen! Sofort zauberte sie ein Lächeln auf ihr Gesicht, aber es fiel offenbar wenig überzeugend aus, denn sie sah, wie er irritiert die

Brauen hob. »Du kommst früh«, lachte sie und hoffte, daß das stimmte.

Er runzelte noch immer die Stirn. »Höchstens zwei, drei Minuten. Alles in Ordnung mit dir?«

»Natürlich. Warte, ich hole nur meinen Mantel und sag noch eben gute Nacht.« Sie drängte sich an ihm vorbei und lief in die Küche. Erst kurz vor der Schwingtür fiel ihr auf, daß sie ihm die Rosen nicht abgenommen hatte.

Verdammt.

»Conlan ist da. Kann ich vielleicht heute ein bißchen früher gehen?«

Ihre Mutter und Schwester tauschten wissende Blicke aus. »Also das war es«, erklärte Maria DeSaria. »Du hattest *ihn* im Kopf.«

»Ich bringe Lauren nach Hause«, versprach Mira. »Viel Spaß.«

Spaß?

Ohne sich zu verabschieden, ging Angie zu Conlan zurück. »Und? Wohin soll's gehen?« Sie griff nach den Rosen und tat, als könnte sie ihren Duft riechen.

»Wart's ab.« Conlan führte sie zu seinem Wagen und hielt ihr galant die Tür auf. Wenig später verließen sie West End und fuhren Richtung Süden.

Angie blickte aus dem Fenster und sah in der getönten Scheibe ihr Spiegelbild. Ihr Gesicht wirkte lang und schmal. Erschöpft.

»Geht es um die Babysachen?«

Angie wandte ihm den Kopf zu. »Was?«

»Gestern hast du doch den Lagerschuppen geräumt, oder? Bist du deshalb so schweigsam?«

Da war sie wieder, diese Vorsicht in Conlans Stimme, die deutlich spürbare Absicht, sie mit Samthandschuhen anzufassen. »Das gestern hat mir nichts ausgemacht.«

Hatte sie tatsächlich erst gestern vor den Relikten ihrer

alten Träume gehockt und geglaubt, sie wäre darüber hinweg?

»Wirklich nicht?«

»Ich habe die Kartons ins Cottage gebracht. Für Lauren.« Als sie den Namen aussprach, überwältigte sie die Erinnerung.

Nimm unser Baby, Angie.

»Bei deinem Anruf hast du sehr optimistisch geklungen«, sagte er wachsam.

»So habe ich mich auch gefühlt.« Sie hoffte, daß ihre Stimme nicht wehmütig klang. In der Zwischenzeit war viel passiert.

»Wir sind da.« Conlan bog auf einen Parkplatz ein.

Angie reckte den Hals, spähte durch die Windschutzscheibe und entdeckte eine sehr schöne Backstein-Villa inmitten von Douglasien und hohen Rhododendronbüschen. *»Willkommen im Sheldrake Inn«* stand auf einem Schild.

Zum ersten Mal an diesem Abend lächelte sie Conlan wirklich an. »Offenbar geht es um mehr als ein Date.«

Er grinste. »Du wohnst jetzt mit einem Teenager zusammen. Ich muß vorausplanen.«

Angie stieg aus und folgte Conlan in das Gästehaus.

Eine Frau in viktorianischer Kleidung begrüßte sie an der Tür und geleitete sie zur Rezeption.

»Mister und Mrs. Malone«, sagte der Mann hinter dem Empfangstisch. »Herzlich willkommen.«

Conlan füllte die Anmeldung aus, überreichte seine Kreditkarte und zog sie die Treppe hinauf in eine Zwei-Zimmer-Suite mit einem Himmelbett, einem Kamin aus Findlingen, einer riesigen Badewanne und einem geradezu magischen Ausblick auf die mondbeschienene Küste.

»Ange?«

Langsam drehte sie sich zu ihm um.

Wie bringe ich es ihm nur bei?

»Komm her.«

Sie konnte dem Klang nicht widerstehen, und er nahm sie in die Arme und drückte sie so fest an sich, daß ihr fast schwindlig wurde.

Sie mußte es ihm sagen.

Sofort.

Wenn es für sie eine gemeinsame Zukunft geben sollte, mußte sie jetzt offen sein. »Conlan ...«

Er küßte sie unglaublich zärtlich, löste sich unwillig wieder von ihr und sah sie an.

Angie hatte das Gefühl, im Blau seiner Augen zu ertrinken.

»Als wir gestern telephonierten, konnte ich kaum glauben, daß du die Sachen weggeben willst. Ich bin stolz auf dich, Ange. Jetzt sehe ich dich an und kann wieder frei atmen. Vermutlich ist mir erst gestern klargeworden, wie lange sich das alles in mir angestaut hat.«

»Oh, Con. Wir müssen ...«

Sehr langsam fiel er vor ihr auf die Knie und streckte Angie ihren Trauring entgegen. »Ich schätze, ich weiß jetzt, wozu er gut ist. Heirate mich noch einmal, Angie.«

Auch Angie ging in die Knie, aber es war mehr ein Zusammenklappen. »Ich liebe dich, Conlan. Vergiß das nicht. Mehr als alle Regentropfen, die auf die Erde fallen, wie Papa immer sagte.«

Er runzelte die Stirn. »Eigentlich hatte ich mit einem schlichten Ja gerechnet. Gefolgt von einem Sprung ins Bett.«

»Natürlich sage ich ja, aber erst muß ich dir noch dringend etwas mitteilen. Vielleicht änderst du dann deine Meinung.«

»Worüber? Dich heiraten zu wollen?«

»Ja.«

Lange sah er sie nur schweigend an. »Also gut. Schieß los.«

Angie holte tief Luft. »Als ich dich gestern anrief, war ich ganz aufgeregt. Ich konnte gar nicht schnell genug nach Hause zu Lauren kommen.« Sie stand auf, ging zum Fenster und blickte auf die Brandung hinaus. »Als ich ins Cottage kam, hatte sie geweint. Und David war bei ihr.«

Sie hörte die alten Dielen knarren und schloß daraus, daß auch Conlan sich erhoben hatte. Vielleicht wollte er zu ihr ans Fenster kommen, aber er kam nicht.

»Die USC – ihr Traum-College – bietet ihr ein Stipendium an.«

»Und?«

»Das verändert vieles«, wiederholte Angie Laurens Worte. »In zwei, drei Jahren könnte sie es vielleicht packen, aber jetzt? Mit einem zwei Monate alten Baby? Auf keinen Fall kann sie gleichzeitig studieren, arbeiten und ein Kind aufziehen.«

Es dauerte eine Weile, bis Conlan wieder etwas sagte. Als er es tat, hörte sich seine Stimme rauh an. »Und?«

Angie kniff die Augen zu. »Sie will das Baby zur Adoption freigeben, weil sie glaubt, das wäre das beste für das Kind.«

»Wahrscheinlich mit Recht. Sie ist noch sehr jung.« Er trat hinter Angie, berührte sie aber nicht.

»›*Nimm unser Baby*‹ hat sie gesagt.« Angie seufzte und spürte, daß sich Conlan verspannte. »Einfach so und ohne jede Vorwarnung. Ich war völlig überrumpelt.«

»Und du hast ja gesagt.«

Seine Stimme hörte sich dumpf an. Sie drehte sich zu ihm um und war ihm dankbar, daß er nicht einfach verschwand. »Blieb mir denn eine Wahl? Ich mag Lauren, sehr sogar. Vielleicht hätte ich sie nicht in mein Leben lassen dürfen. Nein. Das stimmt nicht. Ich bin froh, daß wir einander nähergekommen sind. Durch sie habe ich zu mir zurückgefunden. Und zu dir.« Sie legte ihre Arme um seinen Hals und zog ihn so nahe an sich heran, daß er ihr in die Augen sehen mußte. »Und wenn uns nun Sophia darum gebeten hätte?«

»Sie ist nicht Sophia.« Angie merkte, wie weh es ihm tat, das auszusprechen.

»Aber eine verängstigte Siebzehnjährige, die einen Menschen braucht, der sie gern hat und sich um sie kümmert. Wie konnte ich da nein sagen? Ihr sagen, sie soll das Kind Fremden geben, obwohl es mich gibt? Obwohl es *uns* gibt?«

»Verdammt, Angie.« Conlan befreite sich aus ihrer Umarmung und lief in das Nebenzimmer.

Sie wußte, daß sie ihm nicht nachgehen, sondern ihm Zeit geben sollte, aber die Furcht, ihn wieder zu verlieren, war größer als die Vernunft. »Wie könnten wir es ablehnen?« Sie durchquerte den Raum, blieb dicht vor ihm stehen. »Stell dir nur vor, du ...«

»Hör auf.« Seine Stimme war kaum mehr als ein Flüstern.

»Wie könnten wir es ablehnen?« wiederholte sie leiser und zwang ihn dazu, sie anzusehen. Während sie die Frage an ihn richtete, mußte sie an Dianes Worte denken: *Zweimal kam ich in sein Büro, und er war in Tränen aufgelöst.*

Seufzend fuhr sich Conlan mit einer Hand durch das Haar. »Ich glaube nicht, daß ich das noch einmal durchmachen kann. Tut mir leid.«

Angie schloß die Augen. Die Worte trafen sie bis ins Mark. »Ich weiß«, sagte sie und senkte den Kopf. Er hatte recht. Wie konnten sie – konnte *sie* – wieder dieses Risiko eingehen? Tränen brannten in ihren Augen. Es gab keine perfekte Lösung. Sie wollte Conlan nicht noch einmal verlieren ... aber wie hätte sie Laurens Wunsch ablehnen können? »Ich liebe dich sehr, Conlan«, flüsterte sie.

»Und ich liebe dich.« Es hörte sich an wie ein Fluch.

»Es könnte unsere Chance sein«, sagte Angie.

»Das haben wir schon einmal gedacht«, erinnerte er sie mit tonloser Stimme. »Weißt du eigentlich, was für ein Gefühl es für mich war, dich immer wieder weinen zu sehen, dich zu trösten, zu beruhigen? Zu befürchten, daß alles irgendwie meine Schuld war?«

Mit den Fingerspitzen strich sie sanft über seine Wange. »Hast du denn nie geweint?«

»Doch.«

»Ich habe dich nie getröstet. Wie konnte ich das, wenn ich dich nie weinen gesehen habe?«

»Du warst so verzweifelt ...«

»Diesmal ist es anders, Con. *Wir* sind anders. Vielleicht gibt uns Lauren das Baby, und wir werden die Eltern, die wir immer sein wollten. Vielleicht behält sie es doch, und dann ist es auch gut. Uns wird weder das eine noch das andere etwas anhaben. Das schwöre ich.« Angie kniete sich vor ihn hin und flüsterte: »Heirate mich, Conlan.«

Er blickte zu ihr hinunter, seine Augen glänzten. »Verdammt«, sagte er und ging gleichfalls in die Knie. »Ich kann ohne dich nicht mehr leben.«

»Das brauchst du auch nicht. Bitte ...« Sie küßte ihn. »Vertrau mir Conlan. Diesmal ist es für immer.«

Lauren hörte Davids Auto kommen. Schnell lief sie zur Tür und riß sie auf.

Er strahlte – zum ersten Mal seit Monaten.

»Bist du noch immer entschlossen?« wollte er wissen und griff nach ihrer Hand.

»Ich habe meine Meinung nicht geändert.«

Beide gingen zu seinem Wagen und stiegen ein. Auf dem ganzen Weg nach Mountainaire sprach er nur über den Porsche: Übersetzungsverhältnis, Beschleunigung, Speziallacke. Sie merkte, wie unsicher er war, aber merkwürdigerweise beruhigte sie seine Nervosität. Als er den Wagen vor dem Haus seiner Eltern parkte, seufzte er und sah sie an. »Bist du dir wirklich sicher?«

»Ganz sicher.«

»Okay.«

Sie liefen über den gepflasterten Weg zur Haustür. David schloß sie auf und ließ Lauren den Vortritt. »Mom? Dad?«

»Vielleicht sind sie gar nicht hier«, flüsterte Lauren.

»Sie sind zu Hause. Ich habe ihnen gesagt, daß wir miteinander reden müssen.«

Mr. und Mrs. Haynes kamen so schnell in die Halle, als hätten sie bereits irgendwo in der Nähe gewartet.

Davids Mutter starrte Laurens runden Bauch an.

Mr. Haynes hingegen würdigte sie keines Blickes. Wortlos ging er allen voran ins Wohnzimmer, in dem alles aufeinander abgestimmt und nichts fehl am Platz war.

Es sei denn, ein schwangeres Mädchen.

»Nun?« bemerkte Mr. Haynes knapp, als alle saßen.

»Wie geht es dir, Lauren?« fragte Mrs. Haynes. Ihre Stimme klang angespannt, und sie schien Lauren nicht in die Augen sehen zu können.

»Gut, auch wenn ich langsam aus den Nähten platze. Mein Arzt sagt, es ist alles in Ordnung.«

»Die USC bewilligt ihr ein Stipendium«, erzählte David seinen Eltern.

»Das ist ja wunderbar.« Mrs. Haynes sah ihren Mann an, der auf seinem Sessel nach vorn rutschte.

Lauren griff nach Davids Hand, obwohl sie sich überraschend gelassen fühlte. »Wir haben uns entschlossen, das Baby adoptieren zu lassen.«

»Gott sei Dank.« Davids Vater holte tief Luft. Da erst bemerkte Lauren den verbissenen Zug um seinen Mund, die Besorgnis in seinen Augen. Aber jetzt begann er zu lächeln. Die Erleichterung veränderte sein ganzes Gesicht.

Mrs. Haynes stand auf und setzte sich neben Lauren. »Das kann dir nicht leichtgefallen sein.«

Lauren war ihr für die verständnisvolle Bemerkung dankbar. »Nein.«

Davids Mutter wollte die Hand ausstrecken, besann sich aber im letzten Moment anders. Lauren hatte den sonderbaren Eindruck, daß Mrs. Haynes sich fürchtete, sie zu berühren. »Ich glaube, das ist wirklich das beste. Ihr seid einfach beide noch zu jung. Wir werden den Anwalt anrufen und …«

»Wir haben bereits entschieden, wer das Kind adoptieren soll«, unterbrach Lauren. »Meine … Chefin. Angie Malone.«

Mrs. Haynes nickte. Obwohl sie eindeutig erleichtert war, schien sie doch auch irgendwie traurig. Sie beugte sich vor, griff nach ihrer Handtasche und zog ihr Scheckbuch heraus. Sie schrieb einen Scheck aus und reichte ihn Lauren.

Die Summe betrug fünftausend Dollar.

Lauren sah sie an. »Das kann ich unmöglich annehmen.«

Mrs. Haynes erwiderte ihren Blick. Zum ersten Mal fielen Lauren die feinen Falten unter ihrem Make-up auf. »Für dein Studium, Lauren. Los Angeles ist eine teure Stadt. Ein Stipendium reicht nicht für alles, was du so brauchen wirst.«

»Aber …«

»Bitte, nimm es an. Du bist ein gutes Mädchen, Lauren, und wirst bestimmt eine tolle Frau.«

Lauren mußte schlucken und stellte überrascht fest, wie sehr sie dieses kleine Kompliment berührte. »Vielen Dank.«

Mrs. Haynes wollte zu ihrem Sessel zurückkehren, blieb aber stehen und drehte sich noch einmal um. »Vielleicht könntest du mir einmal ein Photo von meinem … von dem Kind geben.«

Erstmals machte sich Lauren bewußt, daß das Baby ihr Enkelkind war. »Gern.«

Davids Mutter musterte sie nachdenklich. »Bist du dir wirklich sicher, daß du es schaffst, dein Kind zur Adoption freizugeben?«

»Ich muß. Es ist die einzige Lösung.«

Damit war alles gesagt.

Neunundzwanzig

Es war fast Mitternacht, als Lauren nach Hause kam.

Sie schloß die Tür, lehnte sich von innen dagegen und seufzte tief. Der Tag hatte sie erschöpft, und sie konnte kaum erwarten, endlich ins Bett zu gehen.

Lauren berührte ihren Bauch und spürte einen leichten Stoß. »Hey«, murmelte sie dem Baby zu, während sie auf das Wohnzimmer zuging.

Da erst bemerkte sie, daß Feuer im Kamin brannte. Aus der Stereoanlage ertönten sanfte, sehnsüchtige Klänge. »Somewhere Over the Rainbow«, gespielt auf einer Ukulele.

Vor dem knisternden Feuer saßen Angie und Conlan.

»Oh«, rief Lauren überrascht. »Ich dachte, ihr wolltet euch irgendwo einen romantischen Abend machen.«

Angie stand auf und lief Lauren entgegen. Sie streckte ihr die linke Hand hin. Am Ringfinger funkelte ein großer Diamant. »Wir heiraten wieder.«

Mit einem Freudenschrei warf sich Lauren in Angies Arme. »Das ist ja echt super!« Bis zu diesem Augenblick war ihr gar nicht bewußt gewesen, wie allein sie sich den ganzen Tag über gefühlt, wie sehr sie Angie vermißt hatte. Sie wollte sie kaum wieder loslassen. »Jetzt bekommt mein Baby auch einen Daddy.«

»Entschuldigung«, sagte Lauren schließlich und ließ verlegen die Arme sinken. Sie kam sich ausgesprochen töricht vor.

Sie hatte *mein* Baby gesagt.

Conlan räusperte sich. »Genau deshalb sind wir nach Hause gekommen. Um mit dir darüber zu sprechen.«

Vor Erschöpfung schloß Lauren kurz die Augen. Sie wußte nicht, ob sie noch weiter über das Baby reden konnte.

Aber ihr blieb keine Wahl.

»Okay.«

Angie nahm Laurens Hand und drückte sie beruhigend. Das half ein bißchen. Hand in Hand gingen sie zur Couch und setzten sich.

Conlan blieb vor dem Kamin. Er saß leicht nach vorn gebeugt, seine Unterarme ruhten auf den Schenkeln. Lange dunkle Haare verdeckten einen Teil seines Gesichtes. Im Licht der Flammen wirkten seine Augen unglaublich blau.

Sie fühlte sich von seinem Blick durchbohrt und rutschte unbehaglich auf der Couch hin und her.

»Du bist noch ein halbes Kind«, sagte Conlan, und seine Stimme klang überraschend weich. »Deshalb tut mir das alles auch sehr leid.«

Lauren lächelte. »Ich bin schon seit Monaten kein Kind mehr.«

»Nein. Du hast Erwachsenenprobleme, aber das heißt nicht, daß du auch erwachsen bist.« Er seufzte. »Die Sache ist die ... Angie und ich haben da ein paar Bedenken.«

»Ich dachte, ihr wünscht euch ein Baby«, sagte Lauren erstaunt.

»Das tun wir auch.« Angie hörte sich angespannt an. »Vielleicht zu sehr.«

»Aber dann solltet ihr doch glücklich sein.« Lauren sah erst Angie an, dann Conlan. »Ich gebe euch ... Oh.« Plötzlich gingen ihr die Augen auf. »Ihr denkt an das andere Mädchen, das seine Meinung geändert hat.«

»Ja«, flüsterte Angie.

»So etwas würde ich euch nie antun. Das verspreche ich. Ich meine ... ich habe euch sehr gern. Und ich liebe mein Baby. *Euer* Baby. Ich möchte das Richtige tun.«

Angie hob eine Hand und strich über ihre Wange. »Das wissen wir, Lauren. Wie möchten nur sicher sein ...«

»*Müssen* sicher sein«, fiel Conlan ihr ins Wort.

»... daß du es dir auch gründlich überlegt hast. Daß du davon wirklich überzeugt bist, das Richtige zu tun. Es wird nicht leicht sein, dich von deinem Kind zu trennen.«

»Noch schwerer, als mit siebzehn Mutter zu sein?«

Angies Lächeln war so sanft wie zuvor ihr Streicheln. »Das sagt dein Verstand. Und was sagt dein Herz?«

»Natürlich fällt es mir nicht leicht«, sagte Lauren und wischte sich über die Augen. »Aber ich habe immer wieder darüber nachgedacht. Es ist die beste Lösung. Ihr könnt mir vertrauen.«

Das folgende Schweigen wurde nur vom Prasseln eines Holzscheits unterbrochen, der im Kamin in sich zusammenfiel.

»Ich denke, du solltest zu einem Anwalt gehen«, sagte Conlan schließlich.

»Warum?«

Angie versuchte zu lächeln, als wollte sie betonen, daß es um nichts anderes ging, als um eine mitternächtliche Unterhaltung vor dem Kamin. Doch die leise Wehmut in ihren Augen verriet sie. »Weil ich dich liebe, Lauren. Ich möchte dein Baby sehr gern aufziehen, aber ich weiß auch, was auf uns zukommt. Was auf *dich* zukommt. Der Entschluß, ein Kind fortzugeben, ist eine Sache. Es dann zu tun, eine ganz andere. Ich möchte, daß du dir absolut sicher bist.«

Nach dem ersten Satz hörte Lauren kaum noch hin. Diese drei Worte hatte bisher nur David zu ihr gesagt. Sie drehte sich zu Angie um und zog sie an sich. »Ich würde dir nie weh tun«, flüsterte sie heiser. »Niemals.«

Angie löste sich aus ihren Armen. »Das weiß ich doch.«

»Dann hast du also nichts gegen eine Rechtsberatung einzuwenden?« fragte Conlan, und die Anspannung war ihm deutlich anzuhören.

»Natürlich nicht.« Zum ersten Mal an diesem Tag brachte Lauren ein Lächeln zustande, das auch von Herzen kam. »Ich mache alles für euch.«

Angie drückte sie fest an sich, und aus einiger Entfernung hörte Lauren Conlan ganz leise sagen: »Dann brich ihr nicht das Herz.«

Im Büro des Anwalts waren alle Stühle besetzt. Links saßen David und seine Eltern, rechts Angie neben Conlan. Laurens Stuhl stand in der Mitte, und obwohl nur wenig Raum zwischen ihr und den anderen war, kam sie sich ein bißchen allein vor, isoliert.

Angie sah Lauren an und erhob sich.

In diesem Moment betrat der Anwalt das Zimmer, ein großer, stämmiger Mann in einem eleganten schwarzen Anzug. »Guten Tag, alle zusammen«, sagte er mit sonorer Stimme.

Angie setzte sich wieder.

»Ich bin Stu Phillips«, stellte sich der Anwalt vor und streckte Conlan eine Hand entgegen.

»Conlan Malone.« Er stand auf. »Das ist meine ... Angie Malone.«

Angie schüttelte die Hand des Anwalts und versuchte, nicht an das letzte Anwaltsgespräch dieser Art zu denken.

Ich habe ein Baby für Sie, Mister und Mrs. Malone.

Die Mutter ist noch ein Teenager.

»Nun, junge Lady«, sagte Stu Phillips und sah Lauren freundlich an. »Haben Sie Ihre Entscheidung getroffen?«

»Ja, Mister Phillips.« Ihre Stimme war kaum mehr als ein Flüstern.

»Gut. Lassen Sie mich zunächst darauf hinweisen, daß es

in einer Adoptionssache mitunter problematisch sein kann, wenn die Parteien von einem Anwalt vertreten werden. Das ist im Staat Washington zwar legal, aber nicht immer ratsam. Falls Mißstimmigkeiten auftreten sollten, könnte ich keine der Parteien vertreten.«

»Das wird nicht geschehen«, erklärte Lauren. Ihre Stimme hörte sich inzwischen selbstsicherer an. »Ich bin fest entschlossen.«

Der Anwalt sah Conlan an. »Sind Sie beide bereit, das Risiko einer gemeinsamen Repräsentation einzugehen?«

»Das ist das geringste unserer Probleme«, antwortete Conlan.

Phillips entnahm seinem Aktenordner ein paar Papiere und schob sie ihnen zu. »Wenn Sie die bitte gegenzeichnen würden. Damit erklären Sie lediglich, daß Sie auf die Risiken hingewiesen wurden.«

Nachdem Angie und Conlan die Dokumente unterschrieben hatten, legte der Anwalt sie wieder in seinen Ordner. Danach informierte er sie ausführlich über das Adoptionsverfahren. Wer welche Kosten zu tragen hatte, welche Dokumente unterzeichnet werden mußten und von wem, über die Besonderheiten der Gesetze des Staates Washington, die unerläßliche Überprüfung der häuslichen Umstände, das Erlöschen der Rechte der natürlichen Eltern, den Prozeßvertreter, den ein Gericht für das Baby bestellen mußte, den Zeitaufwand und die Kosten, die das alles verursachen würde.

Angie hatte das alles schon einmal gehört und wußte, daß es auf diese juristischen Spitzfindigkeiten letztendlich nicht ankam. Was zählte, waren Emotionen. Gefühle. Selbst wenn man alle Papiere der Welt unterzeichnete und einen Mount Everest an Versprechen abgab, konnte man nicht wissen, was man empfand, wenn es wirklich ernst wurde. Deshalb konnte die Adoption vor der Geburt nicht in Kraft treten. Lauren würde erst ihr Kind im Arm halten müssen, bevor sie auf ihre Rechte verzichtete.

Allein der Gedanke ließ Angies Herz schneller schlagen. Sie blickte nach links.

Sehr still und mit auf dem Schoß gefalteten Händen saß Lauren auf ihrem Stuhl. Trotz ihres runden Bauches sah sie jung und unschuldig aus. Wie ein Mädchen, das eine Wassermelone verschluckt hatte. Jetzt nickte sie ernst auf eine Frage des Anwalts.

Am liebsten wäre Angie zu ihr gegangen, hätte sich neben sie gekniet, ihre Hand ergriffen und versichert: *Du bist nicht allein*. Doch das konnte sie nicht sagen, denn bald würde Lauren allein sein. Wann könnte man einsamer sein als in dem Moment, in dem man sein Kind fortgab.

Und Angie konnte Lauren diesen Augenblick durch nichts ersparen.

Angie schloß die Augen. Wie sollten sie alle das nur ohne emotionale Verletzungen überstehen? Wie ...

Jemand zupfte sie am Ärmel. Erschreckt blinzelte sie und schaute in die Runde.

Conlan starrte sie an. Nicht nur er: auch der Anwalt, Lauren und alle anderen im Raum.

»Entschuldigung, haben Sie mich gerade etwas gefragt?« Sie spürte, daß sie errötete.

»Wie ich eben sagte, würde ich gern die Modalitäten der Adoption schriftlich festhalten. Das kann vieles erleichtern. Wollen wir beginnen?«

»Gern«, erwiderte Angie.

Stu Phillips sah erst Angie und dann Lauren an. »Haben Sie Wünsche im Hinblick auf die späteren Kontakte?«

Lauren runzelte die Stirn. »Was meinen Sie damit?«

»Nun, ich könnte mir vorstellen, daß Sie nach der Adoption eine gewisse Verbindung aufrechterhalten möchten. Vielleicht durch Anrufe am Geburtstag des Kindes oder zu Weihnachten. Oder durch Briefe und Photos in regelmäßigen Abständen.«

Lauren schnappte nach Luft. Es hörte sich an wie ein Keuchen. Offensichtlich hatte sie so weit noch gar nicht vorausgedacht und nicht erkannt, daß diese Adoption ihr aller Leben verändern würde. Hilfesuchend blickte sie Angie an, die sich mit einem Mal klein und zerbrechlich fühlte.

»Wir werden häufig zusammensein«, sagte Angie zu dem Anwalt. »Wir ... Lauren gehört praktisch zu unserer Familie.«

»Ich bin mir nicht sicher, ob eine *Offenheit* dieser Art im Interesse des Kindes liegt«, entgegnete Phillips. »Klar definierte Grenzen sind eindeutig vorzuziehen. Es besteht allgemeine Übereinstimmung ...«

»Oh.« Lauren biß sich auf die Lippe. Sie achtete gar nicht auf den Anwalt, sondern sah Angie und Conlan an. »Daran habe ich nicht gedacht. Ein Baby braucht *eine* Mutter.«

David beugte sich vor und umfaßte Laurens Hand.

»Für eine herkömmliche Adoption stehen wir uns zu nahe«, sagte Angie und hätte noch etwas hinzugefügt, doch ihre Stimme versagte. Sie konnte sich ein Leben ohne Lauren gar nicht mehr vorstellen – aber lief nicht alles darauf hinaus?

Lauren blickte sie an. Die Traurigkeit in den dunklen Augen des Mädchens war kaum zu ertragen. Zum ersten Mal sah sie erwachsen aus, fast alt. »Ich hatte es mir nur nicht klargemacht, das ist alles.« Tapfer bemühte sie sich um ein Lächeln. »Du wirst eine perfekte Mom sein, Angie. Mein Baby hat großes Glück.«

»*Unser* Baby«, sagte David leise, und Lauren lächelte ihn wehmütig an.

Angie saß einfach da und wußte nicht, was sie sagen sollte.

Endlich sah Lauren wieder den Anwalt an. »Sagen Sie mir bitte, was Ihrer Erfahrung nach das beste ist.«

Das Gespräch zog sich hin. Formulierungen wurden entworfen, korrigiert und zu Papier gebracht, schwarze Buchstaben, die genau festlegten, wie sich jeder von ihnen verhalten sollte.

Und während der ganzen Zeit wünschte sich Angie nur, Lauren in die Arme zu nehmen und ihr zuzuflüstern, daß alles gut werden würde.

Aber in diesem Raum der Gesetze und Regeln und umgeben von Menschen, die sich ihrer Gefühle nicht ganz sicher zu sein schienen, kamen ihr Zweifel.

Würde wirklich alles gut werden?

Zum ersten Mal seit Menschengedenken regnete es am Ostersonntag nicht. Statt dessen strahlte die Sonne vom wolkenlosen Himmel. Die Bürgersteige waren voller Menschen, die festlich gekleidet aus allen Richtungen ihren Kirchen zustrebten.

Angie ging zwischen Conlan und Lauren. Vor ihnen begannen die Glocken zu läuten. Freunde und Verwandte betraten bereits das Gotteshaus.

Vor dem Portal blieb Angie plötzlich stehen. Conlan und Lauren hatten keine andere Wahl, als es ihr gleichzutun.

»Wir sagen es ihnen erst später. Bei der Ostereiersuche, oder?«

Beide nickten.

Angie befühlte ihren Trauring und drehte ihn so, daß man den Diamanten nicht mehr sah. Lange konnte sie ihre Mutter und Schwestern damit zwar nicht täuschen, aber Angie hoffte, daß sie sich zu sehr auf die Messe konzentrierten, um etwas zu bemerken. Sie setzte sich wieder in Bewegung.

Mit einer abrupten Bewegung hielt Lauren sie zurück.

»Was ist, Liebes?« Angie konnte den Ausdruck in den Augen des Mädchens nicht recht deuten. Eine Art ehrfürchtiger Scheu vielleicht, als wäre ein Kirchenbesuch mit der Familie eine große Besonderheit. Möglicherweise auch Besorgnis. Sie waren schließlich alle unsicher, wie die Familie die Neuigkeit aufnehmen würde. »Hier, nimm meine Hand.«

»Danke«, sagte Lauren und wandte hastig den Blick ab. Dennoch entgingen Angie die Tränen des Mädchens nicht. Hand in Hand liefen sie die Stufen hinauf und betraten die alte, ehrwürdige Kirche.

Der Gottesdienst schien kein Ende nehmen zu wollen und dauerte doch nicht lange genug. Angie konzentrierte sich ganz darauf, Lauren durch die Rituale zu geleiten: Aufstehen, knien, wieder aufstehen.

Als es Zeit für das Gebet war, kniete Angie nieder und senkte den Kopf. »Lieber Gott«, betete sie lautlos, »zeig uns bitte den richtigen Weg. Gewähre uns Deinen Schutz. Behüte und beschütze Lauren. Darum bitte ich Dich, Amen.«

Nach dem Gottesdienst begaben sich alle in das Untergeschoß der Kirche. Auf den Tischen waren Platten mit Kuchen und Plätzchen aufgebaut. Während Angie Freunde und Verwandte begrüßte, nahm sie die linke Hand nicht einmal aus der Tasche.

Schließlich strömten die Kinder in den Raum. Stolz hielten sie Schmuckkästchen – bemalte und mit Makkaroni beklebte Eierkartons – in den Händen, die sie gebastelt hatten, redeten und lachten laut durcheinander.

Die Gemeinde verließ die Kirche und trat in den kühlen, klaren Morgen hinaus, eine Gruppe festlich gekleideter Menschen, die etwas miteinander verband. Sie überquerten die Straße und gingen in den Park.

Angie blickte zum leeren Karussell hinüber, das in der Sonne silbern glänzte.

Plötzlich stand Conlan neben ihr, legte ihr einen Arm um die Taille, und sie wußte, daß auch er an Sophie dachte. Wie oft hatten sie hier eigentlich Jungen und Mädchen beim Spielen zugesehen und von eigenen Kindern geträumt?

Einige der Kinder sprangen auf das Karussell, brachten es zum Drehen.

»Okay, Kinder«, rief Father O'Houlihan, dessen irischer

Akzent noch immer unverkennbar war, »hier sind überall Eier versteckt. Also los – sucht sie!«

Laut kreischend stürzten die Kinder in sämtliche Richtungen davon.

Lauren ging zu der kleinen Dani, die sich unschlüssig an Mira drückte.

»Komm«, sagte sie und wollte schon vor dem Mädchen in die Hocke gehen, ließ es dann aber sein. »Ich helfe dir beim Suchen.«

Innerhalb kürzester Zeit stand der gesamte DeSaria-Clan eng beisammen. Wie Gänse, dachte Angie. Irgendein innerer Trieb schien sie stets zur Formationsbildung zu zwingen. Da alle wild durcheinander sprachen, erinnerte auch ihre Unterhaltung vage an Vogelgeschnatter.

Angie räusperte sich.

Aufmunternd drückte Conlan ihre Hand.

»Ich möchte euch zwei Dinge mitteilen ...« Da niemand zuhörte, wiederholte sie den Satz.

Ihre Mutter gab Onkel Francis einen leichten Klaps auf den Hinterkopf. »Sei still. Unsere Angela will etwas sagen.«

»Paß bloß auf, Maria«, drohte Onkel Francis und rieb sich den Nacken. »Eines Tages schlage ich noch mal zurück.«

Neugierig kamen Mira und Livvy näher.

Angie streckte die linke Hand aus und spreizte die Finger.

Die Begeisterungsschreie ließen die Fensterscheiben in ganz West End erbeben. Wie eine Sturzwelle schwappte die Familie über Angie und Conlan hinweg.

Alle sprachen durcheinander, gratulierten, stellten Fragen und erklärten, sie hätten es schon immer gewußt.

Als die Welle schließlich abgeebbt war, sah sich Angie den prüfenden Blicken ihrer Mutter ausgesetzt.

»Und?« wollte diese wissen.

»Was *und*?« Sicherheitshalber rückte Angie näher an Conlan heran.

»Du hast doch gesagt, daß du zwei Neuigkeiten hast. Was ist die zweite? Hörst du im Restaurant auf?«

»Nein. Ich ... wir denken, daß wir diesmal in West End bleiben. Conlan hat einen Buchvertrag bekommen und schreibt wöchentlich eine Kolumne für seine Zeitung. Das kann er von hier aus tun.«

»Das ist ja großartig«, strahlte Maria DeSaria.

Livvy kam noch näher. »Los, mach deinem Herzen endlich Luft, kleine Schwester.«

Angie griff hinter sich nach Conlans Hand. »Wir werden Laurens Kind adoptieren.«

Beklemmende Stille breitete sich aus. Angie spürte, wie das Blut in ihren Ohren rauschte.

»Das ist *keine* gute Idee«, erklärte ihre Mutter.

Angie klammerte sich an Conlans Hand. »Was hätte ich denn tun sollen? Nein sagen? Und zusehen, wie sie das Kind Fremden gibt?«

Wie auf Kommando drehten sich alle nach Lauren um. Auf allen vieren rutschte das Mädchen suchend durch das Gras, die lachende Dani an ihrer Seite. Aus der Entfernung sahen sie aus wie jede x-beliebige junge Mutter mit ihrer kleinen Tochter.

»Lauren hat ein großes Herz«, sagte Maria DeSaria nach einer Weile, »und eine traurige Vergangenheit. Das ist eine gefährliche Kombination, Angela.«

»Wirst du damit fertig, wenn sie es sich anders überlegt?« stellte Livvy die einzige Frage, auf die es wirklich ankam.

Angie suchte Conlans Blick. Er nickte. *Gemeinsam,* sagte sein Lächeln, *schaffen wir alles.*

»Ja«, sagte Angie und brachte sogar ein Lächeln zustande. »Ich könnte damit fertig werden. Das schlimmste wird sein, mich von Lauren zu trennen.«

»Aber du hast endlich ein Kind«, bemerkte Mira.

»Vielleicht«, wandte ihre Mutter ein. »Das letzte Mal ...«

»Das steht nicht zur Debatte«, fiel Conlan ihr ins Wort und brachte alle zum Verstummen.

Sie blickten noch einmal zu Lauren hinüber und wandten sich dann anderen Themen zu.

Angie atmete auf. Das Ärgste war überstanden. Oh, es würde in ihrer Familie weiter diskutiert werden. Ausgiebig und endlos. Jeder würde sich seine Meinung über Angies Entschluß bilden und seine Vorhersagen treffen. Einiges davon würde bis zu Angie durchsickern. Das meiste nicht.

Doch das war egal. Sie würden auf nichts kommen, das Angie nicht bereits überlegt und bedacht hatte.

Manche Dinge im Leben waren allerdings nicht vorhersagbar. Man mußte sie einfach abwarten. Wie das Wetter. Wenn sich am Horizont dunkle Wolken zusammenballten, hieß das noch längst nicht, daß es am nächsten Tag regnen mußte. Genausogut konnte die Sonne vom blauen Himmel strahlen.

Man *wußte* es einfach nicht.

Man konnte nur weitermachen und sein Leben leben.

Seit einer Stunde hielten unablässig Autos vor dem Haus. Alle paar Minuten schwang die Tür auf und neue Gäste strömten mit hübsch verpackten Geschenken herein. Im Wohnraum hatten sich die Männer versammelt, verfolgten die Sportübertragungen im Fernsehen und tranken Bier. Im Arbeitszimmer drängte sich mindestens ein Dutzend Kinder. Manche hockten vor Brettspielen, andere ließen Barbies mit Kens tanzen und wieder andere spielten Nintendo.

Aber der größte Trubel herrschte in der Küche. Mira und Livvy bereiteten Platten mit Antipasti vor: Provolone, gegrillte und marinierte Paprika, Thunfisch, Oliven, Bruschetta. Ihre Mutter schichtete Manicotti in Auflaufformen und Angie rührte eine Ricotta-Füllung für Cannelloni an. In der Ecke, auf dem kleinen Tisch, an dem früher wundersamerweise die gesamte Familie DeSaria Platz gefunden hatte, ragte eine dreistöckige Hochzeitstorte aus einem Meer von Servietten und Silberbestecken auf.

»Fang bitte an, das Buffet im Eßzimmer herzurichten, Lauren«, sagte Maria DeSaria.

Sofort ging Lauren zu dem kleinen Tisch, griff nach Servietten und Bestecken, trug sie ins Eßzimmer und starrte die riesige, mit blaßgrünem Damast gedeckte Tafel an. In der Mitte stand eine Vase mit weißen Rosen.

Lauren wollte unbedingt alles richtig machen. Aber wie?

»Die Bestecke kommen hier hin«, sagte Angie neben ihr und nahm ihr Messer und Gabeln ab. »So. Siehst du?«

Lauren beobachtete, wie Angie das Silber arrangierte. Unvermittelt durchzuckte sie ein Gedanke, und sie mußte scharf Luft holen. *Bald bin ich nicht mehr hier.*

»Ist alles in Ordnung mit dir, Schätzchen? Du siehst aus, als hättest du gerade deine beste Freundin verloren.«

Lauren zwang sich zu einem Lächeln. »Ich finde, du solltest wirklich nicht deine eigene Hochzeitstafel decken«, wich sie aus.

»Das ist das Großartige, wenn man zum zweiten Mal denselben Mann heiratet. Da kommt es auf die Trauung an, nicht auf die Feier. Wir tun das nur für Mama.« Sie kam näher. »Ich habe ihr gesagt, sie soll keine große Sache daraus machen, aber du kennst ja meine Mutter.«

Angie drehte sich wieder zur Tafel um, und Lauren hatte plötzlich das Gefühl, als trenne sie ein ganzer Kontinent. »Hättest du lieber einen Jungen oder ein Mädchen?«

Angies Hand schien zu erstarren, zwei Messer schwebten in der Luft über der Damastdecke. Der Moment schien sich hinzuziehen. Aus den anderen Räumen drangen Geräusche zu ihnen, aber hier im Eßzimmer war nichts zu hören als das Atmen der beiden Frauen. »Ich weiß nicht«, sagte sie schließlich. »Junge oder Mädchen ist doch nicht so wichtig. Hauptsache das Baby ist gesund.«

»Die Fürsorgerin sagte, daß ich dir Fragen stellen darf. Sie meinte, es wäre besser, alles ganz offen auszusprechen.«

»Du kannst mit mir über alles reden. Das weißt du doch.«

»Diese Vereinbarung, die wir beim Anwalt getroffen haben ...« Lauren wollte die Frage stellen, die sie die ganze Nacht wach gehalten hatte, verlor aber den Mut.

»Ja?«

Lauren schluckte. »Wirst du dich daran halten? Mir Briefe und Photos schicken?«

»Oh, Liebes. Natürlich werden wir das tun.«

Die Zärtlichkeit, mit der sie das Wort »Liebes« aussprach, ließ Lauren fast verzweifeln. Sie konnte sich nicht mehr beherrschen. »Du wirst mich vergessen.«

Angies Gesicht verzerrte sich, und Tränen traten ihr in die Augen. Sie zog Lauren fest an sich. »Niemals.«

Lauren löste sich als erste aus der Umarmung. Statt beruhigt zu sein, fühlte sie sich nun noch einsamer. Sie berührte ihren Bauch und spürte die Bewegungen des Babys. Gerade als sie Angie auffordern wollte, eine Hand auf ihren Bauch zu legen, sah sie David ins Zimmer kommen. Sie lief auf ihn zu und ließ sich von ihm in die Arme nehmen.

Das Gefühl der Trostlosigkeit verebbte. Sie würde auch nach der Geburt des Kindes nicht allein sein. Sie hatte schließlich David.

»Du siehst klasse aus«, sagte er.

Sie lächelte dankbar. »Aber ich bin groß wie ein Haus.«

Er lachte. »Ich mag Häuser, sehr. Ich überlege sogar, ob ich nicht Architektur studieren soll.«

»Was du nicht sagst ...«

Er schlang einen Arm um ihre Taille und machte sich auf den Weg zum Häppchen-Buffet. Unterwegs erzählte er ihr den neuesten Klatsch aus der Schule, und Lauren konnte schon wieder lachen, als die Musik einsetzte und Maria alle in den Garten scheuchte, in dem ein weißer, von pinkfarbenen Seidenrosen durchzogener Gitterbogen aufgebaut war.

Unter dem Bogen stand Conlan in schwarzen Levi's und schwarzem Pullover und neben ihm Father O'Houlihan in vollem Ornat.

Zu den Klängen von Nat King Coles »Unforgettable« schritt Angie über den Plattenweg. Sie trug einen weißen Kaschmir-Pullover und einen wadenlangen weißen Rock. Ihre Füße waren nackt, und ihre langen schwarzen Haare flatterten im Wind. Ihr Brautstrauß bestand aus einer einzelnen weißen Rose.

Voller Bewunderung starrte Lauren sie an.

Als Angie an Lauren vorbeikam, lächelte sie. Ihre Blicke trafen sich, und Lauren dachte: *Ich liebe dich auch*.

Angie überreichte Lauren die Rose und ging langsam weiter.

Ungläubig betrachtete Lauren die Blume in ihrer Hand. Selbst jetzt, in diesem für sie so wichtigen Moment, hatte Angie an Lauren gedacht.

»Da siehst du, wieviel Glück du hast«, flüsterte sie ihrem Baby zu und berührte ihren runden Bauch. »Das wird deine Mom.«

Sie wußte nicht, warum sich ihr die Kehle zuschnürte und sie das Gefühl hatte, weinen zu müssen.

Dreissig

An einem regnerischen Montag Ende April beschloß Maria DeSaria, es sei dringend an der Zeit, daß Angie Kochen lernte. Mit einer Vorratskiste tauchte sie schon frühmorgens im Cottage auf und ließ sich durch nichts von ihrem Vorhaben abbringen. »Du bist – wieder – verheiratet. Du mußt kochen können.«

Lauren stand an der Küchentür und kämpfte gegen den Drang an, über Angies lautstarke Proteste zu lachen.

»Was gibt es da zu grinsen?« Maria stemmte die Hände in die Hüften. »Du wirst es auch lernen. Zieht euch gefälligst was an. In zehn Minuten erwarte ich euch wieder hier unten.«

Lauren rannte die Treppe hinauf und tauschte ihr Flanellnachthemd gegen schwarze Leggings und ein altes Fircrest-Bulldogs-T-Shirt ein. Als sie in die Küche zurückkehrte, musterte Maria sie kritisch.

Lauren verzog das Gesicht zu einem unsicheren Lächeln. »Was soll ich tun?«

Kopfschüttelnd kam Maria auf sie zu und schnalzte mißbilligend mit der Zunge. »Du bist viel zu jung, um so traurige Augen zu haben«, stellte sie leise fest.

Lauren wußte nicht, was sie darauf erwidern sollte.

»Komm her.« Maria DeSaria ging zum Küchentisch und

packte die Lebensmittel aus. Sie schnappte sich eine Schürze und half Lauren beim Zubinden. Als Angie in Jeans und T-Shirt die Küche betrat, häufte sich Mehl auf der Arbeitsfläche, daneben stand eine Metallschale mit Eiern.

»Pasta«, stellte Angie stirnrunzelnd fest.

In der nächsten Stunde arbeiteten sie Seite an Seite. Maria zeigte ihnen, wie man den Mehlberg oben aushöhlte, die richtige Anzahl Eier hinzufügte und dann beides sorgfältig zu einem glatten, geschmeidigen Teig knetete. Während Lauren lernte, den Teig dünn auszurollen, lief Angie ins Wohnzimmer und schaltete die Stereoanlage ein.

»So macht es doch gleich mehr Spaß«, erklärte sie, als sie in die Küche zurückgetanzt kam.

Maria DeSaria gab Lauren ein Metallrädchen mit Wellenschliff und einem Holzgriff. »Schneide die Pasta damit in Quadrate. Etwa fünf mal fünf Zentimeter groß.«

Lauren runzelte die Stirn. »Ich weiß nicht ... Vielleicht sollte Angie es lieber versuchen.«

»Ja«, lachte Angie. »Ich kann es *mit Sicherheit* besser.«

Maria DeSaria strich sanft über Laurens Wange. »Weißt du, was passiert, wenn du einen Fehler machst?«

»Was?«

»Wir drücken den Teig einfach zusammen und rollen ihn noch einmal aus. Fang an.«

Lauren packte das Teigrädchen und begann Quadrate zu schneiden. Keine hochkarätige Goldfolie wurde jemals präziser gestanzt.

»Siehst du das, Angie?« rief Maria. »Dein Mädchen hat den Bogen raus.«

Dein Mädchen.

Immer wieder mußte Lauren an diese beiden Worte denken. Während sie die Ravioli füllten, lächelte Lauren die ganze Zeit über scheinbar grundlos vor sich hin.

Fast widerwillig stellte sie irgendwann fest, daß sich der Kochunterricht seinem Ende näherte.

»Nun, ich muß jetzt los«, sagte Maria DeSaria schließlich. »Mein Garten verlangt nach mir. Ich will ein paar Stauden pflanzen.«

Angie lachte. »Gott sei Dank.« Sie zwinkerte Lauren verstohlen zu. »Ich glaube, ich versorge mich lieber auch weiterhin mit Resten aus dem Restaurant.«

»Eines Tages wird es dir leid tun, daß du deine Wurzeln ignoriert hast, Angela.«

Angela legte einen Arm um ihre Mutter. »Das war ein Scherz, Mama. Ich bin dir für die Kochstunde wirklich dankbar. Morgen nehme ich mir ein Kochbuch und probiere selbst etwas aus. Wie findest du das?«

»Gut.«

Nachdem Maria DeSaria gegangen war, machte Lauren sich über den Abwasch her. Angie übernahm das Abtrocknen, und die Arbeit ging ihnen schnell von der Hand. Inzwischen waren sie schon ein eingespieltes Team.

»Ich muß noch eben zur Nachbarschaftshilfe«, sagte Angie, als das Geschirr eingeräumt war. »Ich habe eine Verabredung mit dem Direktor. Die Mantelsammlung lief so gut, daß wir uns etwas Neues ausdenken wollen.«

»Oh.«

Lauren trocknete sich die feuchten Hände, während Angie durchs Haus eilte und schließlich aufbrach. Die Tür fiel ins Schloß. Draußen wurde ein Motor angelassen.

Lauren lief zum Fenster und blickte Angie nach. Hinter ihr wechselte die CD. Bruce Springsteens rauhe Stimme ertönte.

»Baby, we were born to run ...«

Sie fuhr herum, rannte zur Stereoanlage und schaltete sie abrupt aus. Eine quälende Ruhe breitete sich aus. Es war so still, daß sie glaubte, Conlans Finger oben auf dem Laptop hören zu können. Aber das war nicht möglich.

Sie versuchte, nicht an ihre Mutter zu denken – auch das war unmöglich.

»Ich dachte, ihr Kids liebt den Boss«, sagte Conlan hinter ihr.

Langsam drehte sich Lauren um. »Hey.«

In den Wochen seit der Hochzeit hatte Lauren sich bemüht, Distanz zu Conlan zu halten. Da sie im selben Haus lebten, war das nicht immer leicht. Aber sie glaubte ein gewisses Zögern bei ihm spüren zu können, einen Unwillen, sie näher kennenzulernen.

Verunsichert rang sie die Hände. »Angie ist in den Ort gefahren. Sie ist bestimmt bald wieder zurück.«

»Ich weiß.«

Natürlich hatte Angie ihrem Mann von ihren Absichten erzählt. Lauren kam sich unglaublich töricht vor, überhaupt etwas gesagt zu haben.

Conlan durchquerte den Raum, kam näher. »Ich scheine dich nervös zu machen.«

»Ich scheine *dich* nervös zu machen.«

Er lächelte. »*Touché*. Ich mache mir nur Sorgen. Angie ist ... sehr verletzlich. Sie läßt sich von ihren Gefühlen leiten.«

»Und du glaubst, ich würde ihr weh tun.«

»Nicht absichtlich.«

Da Lauren nicht wußte, was sie dazu sagen sollte, wechselte sie das Thema. »Wärst du gern Vater?«

In seinen Augen blitzte kurz etwas auf, Wehmut vielleicht, und Lauren wünschte, sie hätte die Frage nicht gestellt. »Ja.«

Sie starrten sich an. Lauren sah, wie verzweifelt er sich um ein Lächeln bemühte, und das gab ihr ein Gefühl der Nähe. Mit Enttäuschungen kannte sie sich aus. »Ich bin wirklich nicht wie dieses andere Mädchen.«

»Ich weiß.« Er drehte sich um, als wollte er Abstand zu ihr gewinnen, und sank auf die Couch.

Lauren ging zum Couchtisch und setzte sich. »Was für ein Vater würdest du sein?«

Die Frage schien ihn aus der Fassung zu bringen. Er zuckte zusammen und starrte auf seine Hände. Es dauerte lange, bis er antwortete, und als er es tat, klang seine Stimme sehr sanft. »Ein präsenter, nehme ich an. Ich würde mir nichts entgehen lassen. Keine Sportveranstaltung, keine Schulaufführung, keinen Zahnarztbesuch.« Er hob den Kopf. »Ich würde mit ihr – oder ihm – in den Park gehen, an den Strand und ins Kino.«

Lauren fiel das Atmen schwer. Ein sehnsüchtiges Verlangen drückte ihr die Brust zusammen. Erst jetzt, nach Conlans Antwort, wurde ihr klar, daß sie im Grunde etwas anderes wissen wollte. *Was macht ein Vater?*

Conlan blickte sie an, und in seinen Augen sah Lauren wieder diese Wehmut und ein neues Verständnis.

Plötzlich kam sich Lauren durchschaubar vor und sehr verletzlich. Sie stand auf. »Ich glaube, ich gehe in mein Zimmer, um ein bißchen zu lesen. Ich habe gerade den neuen Stephen King angefangen.«

»Wir könnten uns vielleicht einen Film ansehen«, schlug er vor. »Im Kino am Markt wird *Haben und Nichthaben* gezeigt.«

Sie konnte kaum sprechen. »Von dem habe ich noch nie was gehört.«

Conlan erhob sich. »Mit Bogart und Bacall? Dem größten Filmpaar aller Zeiten? Das ist ja geradezu kriminell. Komm, laß uns gehen.«

Der Mai brachte die Wärme in den Westen von Washington. Tag für Tag schien die Sonne. Überall in West End öffneten Rosen ihre duftenden Blüten. Über Nacht wurden aus dem unansehnlichen Grau in den Blumenampeln am Driftwood Way wahre Farbkaskaden. Blaue Lobelien, rote Stiefmütterchen, gelbe Margeriten und lavendelfarbener Phlox. Die Luft roch nach Blumen, Salzwasser und in der Sonne trocknendem Tang.

Langsam kamen die Menschen aus ihren Häusern und

blinzelten wie Maulwürfe in die Helligkeit. Kinder rissen die Schranktüren auf und suchten fieberhaft nach Shorts und kurzärmeligen Hemden. Später standen Mütter mit in die Hüften gestemmten Händen in denselben Zimmern und starrten fassungslos die Berge von Wintersachen an, während draußen das Surren von Fahrrädern und das Lachen von Kindern zu hören waren, die sich viel zu lange vor dem Dauerregen in den Häusern versteckt hatten.

Schon bald – nach dem Memorial Day – mußte sich West End auf die Touristen einstellen. Sie würden in Massen herbeiströmen, in Autos, Bussen und Mietwagen, ausgestattet mit Angelausrüstungen und Flutkalendern. Die leeren, breiten Sandstrände übten einen unwiderstehlichen Reiz auf sie aus, zogen sie von jeher mit solch elementarer Kraft ans Meer, daß die Besucher gar nicht sagen konnten, was sie eigentlich hier suchten. Aber kommen würden sie dennoch.

Jene, die schon immer in West End gelebt hatten, ebenso wie jene, die erst ein paar nasse Winter dort waren, betrachteten die Ankunft der Touristen mit zwiespältigen Gefühlen. Niemand bezweifelte, daß ihr Geld den Ort belebte, Straßen reparierte, Schulen mit Lernmitteln ausstattete und die Lehrer bezahlte. Aber sie verursachten auch eine bedenkliche Zunahme des Verkehrs und lange Schlangen vor den Supermarktkassen.

Am ersten Sonnabend im Mai erwachte Lauren schon im Morgengrauen, weil sie einfach keine bequeme Schlafposition mehr finden konnte. Seufzend stand sie auf, zog sich voluminöse Stretch-Leggings und eine zeltförmige Bluse an und lief zum Fenster.

Der Himmel zeigte ein wundervolles Lavendelrosa, das das Schwarz der Bäume noch zu betonen schien. Plötzlich fühlte sich Lauren hier im Haus – eingesperrt. Sie brauchte Platz. Auf Zehenspitzen schlich sie an Angies und Conlans geschlossener Tür vorbei.

Leise ging sie die Treppe hinunter, holte sich die weiche Angoradecke von der Couch und verließ das Cottage. Schon bald beruhigte das sanfte Rauschen der Brandung ihre Nerven. Sie spürte, daß sie wieder gleichmäßig atmen konnte.

Sie stand gerade einmal zehn Minuten an der Verandabrüstung, als ihre Füße zu schmerzen begannen.

Die Schwangerschaft wurde langsam zu einem echten Problem. Ihre Füße taten weh, sie litt unter Sodbrennen, ständig hatte sie Kopfschmerzen, und das Kind bewegte sich in ihrem Bauch wie ein Turner am Reck. Aber das schlimmste waren die Kurse zur Geburtsvorbereitung, an denen Angie und sie einmal in der Woche teilnahmen. Nach dem Besuch einer Kursstunde hatte der arme David sie angefleht, ihm weitere zu ersparen. Und sie hatte ihm diesen Wunsch nur zu gern erfüllt. Sie wollte lieber Angie in ihrer Nähe haben, wenn die Wehen einsetzten. Lauren war sich ziemlich sicher, daß alles Keuchen und Hecheln die Schmerzen auch nicht erträglicher machten. Sie würde Angie brauchen.

In der letzten Nacht hatte sie wieder den Traum, in dem sie ein kleines Mädchen in einem hellgrünen J.-C.-Penney-Kleid war, das neben seiner Mutter herlief. Die kräftige Hand ihrer Mutter um ihre kleinen Finger hatte ihr ein unglaubliches Gefühl von Sicherheit gegeben. *Nun komm schon,* hatte ihre Traummutter gesagt, *wir wollen uns doch nicht verspäten.*

Wo sie pünktlich sein wollten, konnte Lauren nicht mit Sicherheit sagen. Manchmal war es die Kirche, dann die Schule, dann ein Abendessen mit Daddy. Sie wußte nur, daß sie ihrer Mutter überallhin gefolgt wäre.

Letzte Nacht war die Frau, die ihre Hand hielt, Angie gewesen.

Lauren setzte sich in den alten Schaukelstuhl auf der Veranda. Der geschwungene Sitz schien wie für sie gemacht zu sein. Zufrieden seufzte sie. Sie mußte Angie unbedingt sagen, daß der Schaukelstuhl geradezu perfekt dafür geeignet war, das Baby abends in den Schlaf zu wiegen. So würde sie (Lauren stellte sich das Baby immer als Mädchen vor) mit den Geräuschen des Meeres aufwachsen. Lauren war fest davon überzeugt, daß es einen großen Unterschied machte, ob das Kind unter leisem Brandungsrauschen in den Schlaf gewiegt wurde oder Nachbarn streiten hören und Zigarettenqualm riechen mußte.

»Das würde dir gefallen, oder?« flüsterte sie ihrem Kind zu, das ihr mit einem kaum spürbaren Stoß antwortete.

Sie lehnte sich zurück und schloß die Augen. Das leichte Schaukeln war ungemein beruhigend. Und das hatte sie heute dringend nötig.

Es würde kein leichter Tag werden. Einer, an dem ihr ganzes Leben in einem winzigen Rückspiegel eingefangen zu sein schien. Heute vor einem Jahr war sie mit den Freunden am Strand gewesen. Die Jungs hatten Football und Hacky Sack gespielt, während sich die Mädchen mit knappen Bikinis und Sonnenbrillen in der Sonne aalten. Abends hatten sie ein großes Lagerfeuer gemacht, Würstchen gebraten, Marshmallows geröstet und Musik gehört. Wie glücklich hatte sie sich in Davids Armen gefühlt und wie sicher, was ihre gemeinsame Zukunft anging. Ihre einzige Sorge war die Vorstellung gewesen, daß sie vielleicht an verschiedenen Colleges studieren würden. In nur einem Jahr hatte sie von einem jungen Mädchen zur Frau werden müssen. Sie hoffte nur, daß es auch umgekehrt funktionieren würde. Wenn sie ihr Kind Angie und Conlan überließ, könnte sie …

Sie konnte den Gedanken nicht zu Ende denken. Diese Panikattacken kamen in letzter Zeit immer häufiger. Dabei ging es nicht um die Adoption an sich. Lauren zweifelte nicht daran, die richtige Entscheidung getroffen zu haben, und war überzeugt, sie auch durchführen zu können. Das eigentliche Problem drohte erst danach.

Sie war ein intelligentes Mädchen und hatte dem Rechtsanwalt und der inzwischen eingesetzten Fürsorgerin alle erdenklichen Fragen gestellt, die ihr in den Sinn gekommen waren. Sie war sogar in die Bibliothek gegangen und hatte sich umfassend über die neuen Möglichkeiten »offener« Adoptionen informiert. Diese stellten insofern eine Verbesserung dar, als sie über die Fortschritte ihres Kindes – durch Briefe, Photos, selbstgemalte Bilder – informiert werden würde. Sogar gelegentliche Besuche schienen nicht ungewöhnlich zu sein.

Aber alle Adoptionen – ob »offen« oder konventionell – hatten letztlich eins gemein: Die natürliche Mutter lebte ihr Leben weiter.

Allein.

Und vor dieser Zukunft fürchtete sich Lauren. Sie hatte bei Angie und Conlan ein Zuhause gefunden und in den DeSarias eine Familie. Die Vorstellung, das alles zu verlieren und wieder ganz auf sich gestellt zu sein, war fast mehr, als sie ertragen konnte. Doch früher oder später stand ihr genau dieses Schicksal bevor. David würde in Stanford studieren, ihre Mutter war verschwunden, und Angie und Conlan würden sie kaum um sich haben wollen, sobald die Adoption unter Dach und Fach war. Manche Dinge im Leben hatten ihre natürliche Ordnung, wie jedermann wußte. Die Isolation einer Mutter, die ihr Kind zur Adoption freigegeben hatte, gehörte dazu.

Seufzend strich sich Lauren über den runden Bauch. Aber es ging nicht um sie, sondern um ihr Baby und Angie. Das durfte sie nie vergessen.

Die Gazetür hinter ihr öffnete sich und fiel wieder zu. »Du bist aber schon früh wach«, sagte Angie und legte Lauren eine Hand auf die Schulter.

»Hast du schon mal versucht, auf einer Wassermelone zu schlafen? Genau so fühlt es sich an.«

Angie setzte sich auf die Schaukel. Die Eisenketten ächzten und rasselten unter ihrem Gewicht.

Lauren erinnerte sich eine Sekunde zu spät daran, daß Angie wußte, wie das war.

Schweigen breitete sich aus, unterbrochen nur vom Klang der sich brechenden Wellen. Es wäre leicht, sich zurückzulehnen, die Augen zu schließen und so zu tun, als wäre alles in Ordnung. Wie sie es im letzten Monat getan hatte. Sie konzentrierten sich alle auf das Jetzt, weil die Zukunft beängstigend war. Aber die Zeit der Selbsttäuschungen näherte sich allmählich ihrem Ende. »Der Termin ist schon in wenigen Wochen«, sagte Lauren, als wäre das neu für Angie. »In den Büchern steht, daß man ein Nest bauen soll. Vielleicht sollten wir eine Baby-Party veranstalten.«

Angie seufzte. »Ich habe genug genistet, Lauren. Und es sind jede Menge Babysachen da.«

»Du machst dir Sorgen, stimmt's? Du glaubst, daß mit dem Baby etwas nicht stimmen könnte. Wie bei Sophie.«

»O nein«, sagte Angie schnell. »Sophie kam zu früh zur Welt. Ich bin mir ganz sicher, daß dein Kind kräftig und gesund ist.«

»Du meinst *dein* Baby«, korrigierte Lauren. »Sollten wir nicht langsam anfangen, aus meinem Zimmer ein Kinderzimmer zu machen? Ich habe die Kartons in der Wäschekammer gesehen. Warum hast du sie noch nicht ausgepackt?«

»Dafür ist noch Zeit genug.«

»Aber ich könnte ...«

»Nein.« Angie schien selbst zu merken, wie schroff sie geklungen hatte, und lächelte bemüht. »Damit möchte ich mich im Moment nicht befassen. Es ist zu früh.«

Die Angst in Angies Augen entging Lauren nicht, und sie glaubte den Grund zu kennen. »Du denkst an das andere Mädchen. Vermutlich habt ihr zusammen das Kinderzimmer eingerichtet.«

»Sarah«, sagte Angie, und ihre Stimme verlor sich fast in den Geräuschen des frühen Sommers: der Brandung, der leichten Brise, dem Zwitschern der Vögel. Ein Windspiel hörte sich an wie das Läuten von Kirchenglocken.

Es schmerzte Lauren, Angie so verzagt zu sehen. Sie stand auf und setzte sich neben sie auf die Schaukel. »Ich bin nicht Sarah. Ich würde dich nie so enttäuschen.«

»Das weiß ich, Lauren.«

»Dann brauchst du doch auch nichts zu befürchten.«

Angie lachte. »Okay. Dann kann ich auch Krebs heilen und über Wasser gehen.« Sie wurde ernst. »Es hat nichts mit dir zu tun, Lauren. Manche Ängste sitzen tief. Darum brauchst du dir allerdings keine Sorgen zu machen. Im Moment bleibt es dein Zimmer. Es gefällt mir, so wie es ist.«

»Immer nur ein Bewohner. Ist es das?«

»In etwa. Aber hör mal, hast du mir nicht was zu sagen?«

»Was?«

»Beispielsweise, daß heute dein achtzehnter Geburtstag ist. Das mußte ich erst von David erfahren.«

»Ach das.« Lauren hatte es nicht für wichtig gehalten, das zu erzählen. Bisher waren ihre Geburtstage so unauffällig verlaufen wie andere Tage auch.

»Es gibt eine Party im Haus meiner Mutter.«

Ein sonderbares Kribbeln durchlief Lauren. Es fühlte sich an, als hätte sie gerade Unmengen Champagner getrunken. »Für mich?«

Angie lachte. »Natürlich für dich. Doch ich muß dich warnen. Vermutlich werden irgendwelche albernen Spiele veranstaltet.«

Lauren konnte ihre Freude kaum zügeln. Noch nie hatte jemand für sie eine Geburtstagsparty gegeben. »Ich liebe Spiele.«

Angie zog eine kleine, in Silberfolie verpackte Schachtel hervor. »Hier. Ich wollte es dir geben, solange wir noch unter uns sind. Nur wir beide.«

Mit zitternden Fingern packte Lauren das Geschenk aus. In einer weißen Schachtel mit dem Aufdruck »Seaside Jewelry«

lag eine feine Silberkette mit einem herzförmigen Medaillon. Als Lauren es öffnete, sah sie rechts ein Photo von Angie und sich. Die linke Seite war leer.

Für das Baby.

Lauren war nicht sicher, warum sie das Gefühl hatte, weinen zu müssen. Sie wußte nur, daß sie den salzigen Geschmack ihrer Tränen spürte, als sie Angie umarmte. »Vielen, vielen Dank.« Hastig wischte sie sich über die Augen. Es war peinlich, so schnell in Tränen auszubrechen – noch dazu über eine Kette. Sie trat an das Verandageländer und blickte aufs Meer hinaus. »Wie schön es hier ist«, flüsterte sie und beugte sich vor, um sich den Wind ins Gesicht wehen zu lassen. »Das Baby wird gern hier aufwachsen. Ich wünschte …«

»Was?«

Ganz langsam drehte sich Lauren zu ihr um. »Wenn ich in einer Umgebung wie dieser groß geworden wäre, mit einer Mutter wie dir … Ich weiß nicht, vielleicht würde ich dann keine Kleider brauchen, die als Fallschirme weiterverwendet werden können.«

»Jeder Mensch macht Fehler, Liebes. Das kann auch eine behütete Kindheit nicht verhindern.«

»Du weißt nicht, wie es ist, nicht geliebt zu werden«, sagte Lauren. »Und sich immer danach zu sehnen.«

Angie stand auf und ging zu ihr. »Ich bin mir sicher, daß deine Mutter dich liebt, Lauren. Sie ist im Moment nur ein bißchen durcheinander.«

»Das Verrückte ist, daß ich sie manchmal vermisse. Ich wache nachts total verheult auf und weiß, daß ich von ihr geträumt habe. Glaubst du, daß das irgendwann einmal aufhört?«

Ganz sanft berührte Angie Laurens Wange. »Ich glaube, daß ein Mädchen seine Mutter immer braucht. Aber vielleicht läßt es mit der Zeit nach. Und vielleicht kommt sie ja auch irgendwann zurück.«

»Von meiner Mutter etwas zu erhoffen ist wie auf einen Lotteriegewinn warten. Man kann sich jede Woche ein Los kaufen und beten, aber die Chancen stehen nicht besonders gut.«

»Ich bin für dich da, wenn du mich brauchst«, sagte Angie. »Und ich liebe dich.«

Lauren spürte, daß ihr schon wieder die Tränen kamen. »Ich liebe dich auch.« Sie warf beide Arme um Angie und wünschte, nie wieder loslassen zu müssen.

Angie hatte das Gefühl, sich mit jedem Tag mehr zu verspannen. Es begann mit leichten, aber stetig zunehmenden Rückenschmerzen, Ende Juni dann litt sie zudem unter bohrenden Kopfschmerzen, und es bereitete ihr Mühe, das Bett zu verlassen. Conlan sagte ihr immer wieder, sie müsse endlich einen Chiropraktiker aufsuchen. Dann nickte sie jedesmal und nahm sich gelegentlich sogar vor, einen Termin zu vereinbaren.

Doch sie wußte, daß es kein physisches Problem war, sondern ein psychisches. Jeder Sonnenaufgang brachte sie dem Kind näher, das sie sich immer ersehnt hatte – und dem Tag, an dem sie sich von Lauren verabschieden würde.

Es nagte an Angies Substanz, daß sich nicht ihre *beiden* größten Wünsche erfüllen ließen.

Das war natürlich auch Conlan klar. Daß er einen Chiropraktiker empfahl, beruhte lediglich auf dem typisch männlichen Bedürfnis nach einer *praktischen* Lösung. Wenn sie abends engumschlungen im Bett lagen, sprach er die entscheidenden Themen an. Und Angie stellte sich ihnen. Ganz gleich, wie sehr es sie auch schmerzte.

»Sie wird uns bald verlassen«, sagte er jetzt, zog sie noch enger an sich und strich ihr behutsam mit dem Daumen über den Oberarm. »Sie will sich in Los Angeles nach einer Arbeitsmöglichkeit umsehen. Die Beraterin hält es für denkbar, daß sie während der Semesterferien den Job einer Housesitterin für ein Wohnheim bekommt.«

»Gut.«

»Keine schlechte Lösung, finde ich«, sagte Conlan.

Angie schloß fest die Augen, doch das konnte die Bilder in ihrem Kopf nicht verscheuchen. Sie hatten sich ihr zu tief eingeprägt: wie Lauren ihre Sachen packte, sich verabschiedete und schließlich auszog. »Ich weiß«, sagte sie. »Aber es gefällt mir überhaupt nicht, daß sie in L. A. ganz allein ist.«

»Ich glaube, sie muß jetzt auf eigenen Füßen stehen.«

»Aber sie hat keine Ahnung, wie schwer es für sie sein wird. Ich habe immer wieder versucht, mit ihr darüber zu reden. Vergeblich.«

»Sie ist achtzehn Jahre alt. Wir können von Glück reden, daß sie uns überhaupt um Rat fragt.« Er drückte sie an sich. »Du kannst ihr nicht alles abnehmen.«

»Es ist nicht auszuschließen ...« Angie brauchte ihre ganze Kraft, um den Satz zu beenden. »Daß sie es nicht über sich bringt.«

»Und dann? Wirst du damit umgehen können? Beim letzten Mal ...«

»Es ist nicht wie bei Sarah. Damals konnte ich an nichts anderes denken als an das Baby. Ich habe im Kinderzimmer gesessen und mir vorgestellt, wie es sein wird. Daß ich sie ›Boo‹ nenne und sie mich ›Mommy‹. Jede Nacht träumte ich davon, sie in meinen Armen zu halten und in den Schlaf zu wiegen.«

»Und jetzt?«

Sie drehte sich zu ihm um. »Jetzt träume ich von Lauren. Ich sehe sie bei der Feier zu ihrem College-Abschluß ... auf ihrer Hochzeit ... dann sehe ich uns, wie wir ihr zum Abschied zuwinken, und immer weint sie.«

»Aber du bist doch diejenige, die mit feuchten Wangen aufwacht.«

»Ich bin mir nicht sicher, ob ich ihr das Kind nehmen darf«, sprach Angie schließlich ihre größte Befürchtung aus. »Allerdings habe ich auch keine Ahnung, wie ich es ablehnen soll. Ich weiß nur, daß eine von uns leiden wird.«

»Du bist inzwischen stärker. *Wir* sind stärker.« Conlan beugte sich über sie, um sie zu küssen.

»Wirklich? Warum fürchte ich mich dann so davor, Papas Wiege auszupacken?«

Conlan seufzte, und einen Moment lang bemerkte sie die Angst in seinen blauen Augen. Sie war sich nicht sicher, ob es sich um eine Reflexion ihrer eigenen Befürchtungen handelte. »Das *Feld-der-Träume*-Bett«, sagte er, als wäre es ihm eben erst eingefallen.

Angies Vater hatte die Wiege mit seinen eigenen Händen gebaut und das Holz auf Hochglanz poliert: Die Idee dazu war ihm bei dem Kevin-Costner-Film gekommen.

Mit Tränen in den Augen hatte er die Wiege seiner Angelina überreicht und gesagt: »Für meine Enkeltochter. Jetzt kann sie kommen.«

»Verlaß dich auf mich«, flüsterte Conlan schließlich. »Ich sorge dafür, daß uns nichts geschieht.«

»Ja. Aber auf wen kann sich Lauren verlassen?«

Am zweiten Juni-Sonnabend regnete es. Die Gebete um Sonnenschein waren augenscheinlich nicht erhört worden.

Lauren machte sich keine Gedanken über das Wetter. Ihre einzige echte Sorge galt ihrem Aussehen.

Kritisch betrachtete sie sich im Spiegel. Das einzig Gute an der Schwangerschaft waren ihre kupferroten Haare, die einen ganz neuen Glanz bekommen hatten.

Alles andere konnte nur als Katastrophe bezeichnet werden. Inzwischen hatte sie auch im Gesicht zugenommen, und ihre niedlichen Apfelbäckchen hatten mittlerweile das Ausmaß von Pfannkuchen erreicht. Und dann dieser unförmige, ausladende Bauch …

Hinter ihr auf dem Bett lag ein Stapel Kleider. In der letzten Stunde hatte sie jede mögliche Kombination anprobiert. Doch in allem sah sie aus wie das Michelin-Männchen.

Es klopfte an die Tür. »Beeil dich, Lauren«, mahnte Angie.

»Ich bin sofort unten.«

Lauren seufzte resigniert. Sie überprüfte zum vierten Mal ihr Make-up und widerstand dem Drang, mehr Farbe aufzulegen. Statt dessen griff sie nach ihrer Tasche, hängte sie sich über die Schulter und verließ das Zimmer.

Unten warteten Angie und Conlan bereits auf sie. Beide sahen geradezu umwerfend aus. In seinem schwarzen Anzug mit stahlblauem Hemd wirkte Conlan wie der neue James Bond, und Angie in ihrem roséfarbenen Wollkleid war seine perfekte Ergänzung.

»Bist du dir auch ganz sicher?« erkundigte sich Angie.

»Natürlich«, erwiderte Lauren. »Es macht mir nichts aus.«

Die Fahrt zur Fircrest Academy schien nur halb so lange zu dauern wie üblich. Bevor Lauren sich versah, hielten sie auch schon auf dem Parkplatz.

Schweigend bahnten sich die drei ihren Weg durch die Menge auf dem Schulhof. Alle anderen um sie herum unterhielten sich, lachten und photographierten.

Die Turnhalle wimmelte von Menschen.

An der Tür blieb Lauren stehen.

Unmöglich konnte sie da hineingehen, zu den Tribünenplätzen watscheln und sich zwischen die Eltern und Großeltern setzen.

»Du schaffst es.« Conlan drückte ihren Arm.

Das beruhigte Lauren – ein wenig. Sie blickte zu den Tribünenplätzen auf und sah die Transparente an den Wänden.

Jahrgang 2004.

Mutig und zuversichtlich in die Zukunft.

Früher – in einem anderen Leben – war es Laurens Aufgabe, sich um die Dekoration zu kümmern.

In der Mitte der Turnhalle scharten sich Schüler und Schülerinnen in scharlachroten Satinroben, mit strahlenden, lachenden Gesichtern. Lauren wünschte sich brennend, wieder ein fröhliches, unbeschwertes Mädchen inmitten ihrer Freunde zu sein. So heftig, daß sie fast gestolpert wäre. Heute abend würde die Abschluß-Party stattfinden. Darauf hatte sie sich jahrelang gefreut.

Angie hakte sie unter und führte sie die Stufen zu einem Platz in der Mitte der Tribüne hinauf. Eng aneinandergedrückt setzten sie sich zwischen die Angehörigen und Freunde der Schulabgänger.

Plötzlich entdeckte Lauren David. Irgendwie hob er sich von der Gruppe ab und verschmolz gleichzeitig mit ihr. Er drehte sich nicht einmal nach ihr um. Ganz offensichtlich genoß er jede Sekunde.

Es machte Lauren unglaublich wütend, daß er ganz selbstverständlich da unten stehen konnte, ein Junge, der eine glänzende Zukunft vor sich hatte, während sie hier oben zwischen den Zuschauern hockte, eine schwangere Kind-Frau, deren Träume zerplatzt waren.

So schnell wie der Zorn in ihr hochgekocht war, so schnell verebbte er auch wieder, zurück blieb nur eine Art traurige Resignation.

Die Geräusche in der Halle schwollen zu einem donnernden Brausen an. Lauren ballte die Hände zu Fäusten und zwang sich zur Ruhe.

Unwillkürlich sah sie sich suchend nach ihrer Mutter um, obwohl sie wußte, wie sinnlos das war. Ihre Mutter würde doch selbst dann noch durch Abwesenheit glänzen, wenn Lauren heute ihr Abschlußzeugnis erhielte.

Und trotzdem war da dieser winzige Funke Hoffnung, daß ihre Mutter eines Tages zurückkommen und ihr, wenn sie am wenigsten damit rechnete, gegenüberstehen würde.

Angie legte einen Arm um Lauren und zog sie fest an sich.

Die Musik setzte ein.

Lauren reckte den Hals. Unten rannten die Schulabgänger zu ihren Plätzen.

Einer nach dem anderen wurden die Absolventen der Fircrest Academy auf die Bühne gerufen, nahmen aus der Hand des Direktors ihre Zeugnisse entgegen, verschoben die Quasten ihrer Baretts von einer Seite zur anderen.

»David Ryerson Haynes«, rief der Direktor.

Der Beifall war ohrenbetäubend. Die Schüler jubelten und brüllten seinen Namen. Laurens Stimme ging in dem Geschrei unter.

Als David zurück an seinem Platz war, entspannte sich Lauren ein bißchen. Erst bei den Namen mit R hörte sie wieder aufmerksamer zu.

»Dan Ransberg ... Michael Elliot Relker ... Sarah Jane Rhenquist ...«

Erwartungsvoll beugte Lauren sich vor.

»Thomas Adams Robards.«

Lauren lehnte sich zurück und versuchte, ihre Enttäuschung zu verdrängen. Sie hatte gewußt, daß ihr Name nicht aufgerufen werden würde. Schließlich war sie vorzeitig abgegangen.

Dennoch – sie hatte jahrelang hart für einen guten Schulabschluß gearbeitet. Es war einfach nicht fair, daß sie jetzt hier oben zusah, während ihre Freunde da unten – gefeiert wurden.

»Es ist doch nur eine Zeremonie«, flüsterte Angie ihr zu. »Du bist auch eine High-School-Absolventin.«

Nichtsdestoweniger fühlte Lauren sich von Selbstmitleid überwältigt. »Ich habe es mir so gewünscht«, sagte sie leise. »Das Barett, die Robe, den Applaus. Ich habe sogar geträumt, Jahrgangssprecherin zu sein.« Sie lachte bitter. »Statt dessen bin ich das Gespött des Jahrgangs.«

Traurig sah Angie sie an. »Ich wünschte, ich könnte alles

wiedergutmachen. Aber manche Träume bleiben nun einmal unerfüllt. So ist das Leben.«

»Ich weiß. Ich habe es mir nur …«

»Gewünscht.«

Lauren nickte. Sie lehnte sich an Angie und hielt deren Hand, während die weiteren Namen aufgerufen wurden.

Nach einer knappen Stunde endete die Zeremonie. Angie, Conlan und Lauren verließen die Turnhalle und begaben sich zum Football-Feld, auf dem wegen des Regens riesige Zelte aufgebaut waren. Es wurde so wild photographiert, daß man den Eindruck hatte, eine Horde Paparazzi wäre über die Fircrest Academy hereingebrochen.

Dutzende Freunde näherten sich Lauren, winkten ihr zu und begrüßten sie.

Doch ihr entging nicht, wie beflissen sie jeden Blick auf ihren Bauch vermieden. Sie sah den *Arme-Lauren*-Ausdruck in ihren Augen und kam sich wieder unglaublich töricht vor.

»Da ist David«, sagte Angie schließlich.

Lauren stellte sich auf die Zehen und entdeckte ihn neben seinen Eltern.

Sie ließ Angies Hand los und drängte sich durch die Menge.

Als David sie sah, verfinsterte sich sein Gesicht für einen flüchtigen Augenblick. Es dauerte nur ganz kurz, dann lächelte er wieder, aber sie hatte es bemerkt und wußte Bescheid.

Er wollte den heutigen Abend mit seinen Freunden verbringen und das tun, was alle Fircrest-Absolventen schon immer machten: zum Strand fahren, um ein Lagerfeuer herumsitzen, Bier trinken und über die gemeinsam verbrachten Jahre lachen.

Er wollte nicht brav neben seiner hochschwangeren Freundin sitzen und sich geduldig die Litanei ihrer Beschwerden anhören.

Einen Schritt vor ihm blieb sie stehen.

»Hey«, sagte er und beugte sich vor, um sie zu küssen.

Sie küßte ihn zu heftig, zu lange, klammerte sich an ihn und mußte sich schließlich zwingen, ihn wieder loszulassen.

Mrs. Haynes lächelte sie voller Verständnis an. »Guten Tag, Lauren. Angela ... Conlan ...«

Sie plauderten ein paar Minuten miteinander, dann breitete sich unbehagliches Schweigen aus.

»Kommst du nachher mit zum Strand?« fragte David.

»Nein.« Es fiel ihr nicht leicht, diese eine Silbe auszusprechen.

»Wirklich nicht?« wollte er wissen, aber seine Erleichterung war nicht zu übersehen.

Lauren konnte es ihm nicht einmal übelnehmen. Sie hatte sich auch jahrelang auf die Abschluß-Party gefreut. Aber es tat – weh. »Wirklich nicht.«

Sie redeten noch ein paar Worte miteinander und verabschiedeten sich dann. Erst sehr viel später, als sie vor dem Cottage hielten, fiel Lauren auf, daß niemand ein Photo von David und ihr gemacht hatte.

Nach all ihren gemeinsamen Jahren gab es kein einziges Photo von ihrem High-School-Abschluß.

Lauren stieg aus, betrat das Haus und ging schnurstracks auf ihr Zimmer. Sie glaubte zu hören, daß Angie und Conlan etwas zu ihr sagten, konnte sich allerdings wegen des Rauschens in ihrem Kopf nicht sicher sein. Vielleicht hatten sie auch miteinander gesprochen.

Sie setzte sich auf das Bett und starrte den Bettpfosten an. Erinnerte sich.

Als sie es nicht mehr ertragen konnte, lief sie die Treppe hinunter und auf die Veranda hinaus.

Der Regen hatte sich verzogen und einen saubergeschrubbten, blauen Himmel zurückgelassen.

Lauren stellte sich an das Geländer.

Unten am Strand brannte ein Feuer. Rauchwolken stiegen in die Luft.

Vermutlich war es nicht das Lagerfeuer der Abschluß-Party.

Bestimmt nicht.

Und doch …

Lauren fragte sich, ob sie die Treppe zum Strand hinunter bewältigen würde, um über den weißen Sand zum …

»Na, du?«

Angie trat hinter Lauren und legte ihr eine Wolldecke um die Schultern. »Du bist ja eiskalt.«

»Tatsächlich?«

»Ja.«

Sie drehte sich um und sah Angies besorgtes Gesicht. »Oh …« Mehr brachte Lauren nicht heraus, dann begann sie hilflos zu schluchzen.

Eine Ewigkeit hielt Angie sie schweigend umschlungen, strich ihr immer wieder besänftigend über das Haar.

Als sich Lauren irgendwann von Angie löste, bemerkte sie, daß auch sie Tränen in den Augen hatte. »Ist so was denn ansteckend?« Sie versuchte zu lächeln.

»Es ist nur … Du bist eben manchmal noch ein kleines Mädchen. Wenn ich es recht verstanden habe, geht David allein zur Party.«

»Nicht allein. Nur nicht mit mir.«

»Du hättest hingehen können.«

»Ich gehöre nicht mehr dazu.« Lauren lief zur Schaukel und setzte sich. Sie wollte Angie sagen, daß sie das Gefühl hatte, nirgendwo hinzugehören. Sie liebte das Cottage, Angie und ihre Familie, aber wenn das Baby erst einmal geboren war, gehörte Lauren auch hier nicht mehr dazu.

Was hatte der Anwalt gesagt?

Ein Baby braucht *eine* Mutter.

Angie ließ sich neben ihr nieder. Gemeinsam blickten sie über den verwilderten Garten zum Strand hinunter.

»Und was wird danach?« Lauren beugte sich vor, weil sie

Angie nicht ansehen wollte. »Wo werde ich bleiben?« Sie hörte selbst, wie brüchig ihre Stimme klang, konnte es aber nicht ändern.

»Du kommst zurück. Hierher. Con und ich haben Flugtickets für dich besorgt. Eins für den Flug nach Los Angeles und eins, damit du Weihnachten nach Hause kommen kannst.«

Nach Hause.

Wie Pfeile bohrten sich die beiden Worte in ihr Herz. Bald wäre es nicht mehr ihr Zuhause, nicht nach der Geburt des Babys.

Ihr ganzes Leben lang hatte sich Lauren einsam gefühlt. Jetzt wußte sie es besser. Früher war wenigstens ihre Mutter dagewesen, und als sie verschwand, war Angie an ihre Stelle getreten. In den letzten Monaten hatte Lauren geglaubt, endlich einen Platz gefunden zu haben, an den sie gehörte.

Aber schon bald würde sie erfahren, was wirkliche Einsamkeit bedeutet.

»Wir brauchen uns nicht an irgendwelche Regeln zu halten, Lauren«, sagte Angie eindringlich. »Wir können unsere Familie nach unseren eigenen Wünschen gestalten.«

»Meine Beraterin ist der Ansicht, daß ich nach der Geburt nicht hierbleiben sollte. Sie meint, das wäre zu schwer für uns alle.«

»Für mich nicht«, sagte Angie fast zögernd. »Aber du mußt tun, was du für richtig hältst.«

»Ja. Ich schätze, ich muß von jetzt an für mich selbst sorgen.«

»Wir werden immer für dich dasein.«

Lauren dachte an die Adoptionsvereinbarungen – die Briefe, Photos, Einverständniserklärungen. Das alles diente dazu, sie beide auf Distanz zu halten.

»Ja«, sagte Lauren, wußte aber, daß das ein frommer Wunsch war.

Einunddreissig

Conlan, Angie und Lauren saßen am Eßzimmertisch und spielten Karten. Aus der Stereoanlage dröhnte die Musik aus Angies Jugend und zwang alle dazu, einander anzubrüllen. Im Moment versuchte sich Madonna daran zu erinnern, wie man sich als Jungfrau fühlte.

»Zieht euch schon mal warm an, ihr steckt in echten Schwierigkeiten«, erklärte Lauren und machte den Stich mit der Karo-Acht. »Na, und was haltet ihr davon?« Sie drosch die Herz-Zehn auf den Tisch.

Fassungslos starrte Conlan Angie an. »Kannst du ihren Sieg noch irgendwie verhindern?«

Angie konnte ein Grinsen nicht unterdrücken. »Leider nein.«

»Verdammter Mist«, stöhnte Conlan.

Lauren lachte schallend. Es hörte sich so jung und übermütig an, daß Angie unwillkürlich schlucken mußte.

Lauren stand auf und vollführte einen kleinen Siegestanz. Wegen ihres Bauches fiel er ein bißchen schwerfällig und unbeholfen aus, aber sie mußten alle lachen.

»Mannomann. Ich glaube, ich sollte jetzt besser schlafen gehen«, erklärte Lauren mit unschuldigem Augenaufschlag.

Conlan lachte. »Kommt nicht in Frage, Mädchen. Du

kannst nicht alle Stiche einsacken und dich dann einfach verdrücken.«

Lauren war schon halb aus dem Zimmer, als es klingelte.

Bevor sie sich fragen konnten, wer das war, flog die Tür auf.

Bewaffnet mit Pappkartons stürmten Maria DeSaria, Mira und Livvy das Cottage. Sie eilten schnurstracks in die Küche, um ihre Last abzustellen.

Angie brauchte ihnen gar nicht erst zu folgen, um zu wissen, was sich in den Kartons befand: In Tupperware eingefrorene Essensportionen, die jederzeit im Handumdrehen aufgewärmt werden konnten. Zweifellos hatte jede der drei Frauen Mahlzeiten für mindestens eine Woche vorbereitet.

Junge Mütter hatten schließlich keine Zeit zum Kochen.

Unterdrückt seufzte Angie auf. »Kommt her«, rief sie ihren Schwestern und ihrer Mutter zu. »Wir spielen Karten.«

Ihre Mutter erschien im Wohnzimmer und schaltete, ohne zu fragen, die Stereoanlage ab. »Das ist doch keine Musik!«

Angie mußte lächeln. Manche Dinge änderten sich nie. Die Songs, die sie gern hörte, waren für ihre Mutter schon seit den Siebzigern ein rotes Tuch. »Wie wäre es mit einer Runde Poker, Mama?«

»Ich will euch doch nicht arm machen.«

Mira und Livvy lachten. »Sie betrügt schamlos«, sagte Livvy zu Lauren.

Empört warf sich Maria DeSaria in die schmale Brust. »Ich und betrügen? Nie im Leben!«

»Das könnte ich mir auch nicht vorstellen«, lächelte Lauren.

»Ich habe einfach Glück.« Maria DeSaria zog sich einen Sessel heran und setzte sich.

»Bin gleich wieder da«, sagte Lauren, bevor sich auch Mira zu ihnen an den Tisch gesellte. »Ich muß schon wieder aufs Klo. Heute bestimmt zum fünfzigsten Mal.«

»Das kenne ich.« Mit einem kläglichen Grinsen strich Livvy sich über den Bauch.

»Und wie geht es ihr?« erkundigte sich Mira, sobald Lauren das Zimmer verlassen hatte.

»Lange kann es nicht mehr dauern«, lautete Angies Antwort. Schweigend sahen sie sich alle an und dachten das gleiche. Würde sich Lauren wirklich von ihrem Kind trennen können?

»Wir haben Essen mitgebracht«, sagte Mira.

»Was du nicht sagst. Danke.«

Plötzlich wurde die Badezimmertür aufgerissen. Lauren kam in das Wohnzimmer gerannt und blieb abrupt stehen. Sie war kreidebleich. Wasser rann an ihren Beinen hinab und bildete eine kleine Pfütze auf dem Dielenboden. »Ich glaube, es geht los.«

»Du mußt *so* atmen«, sagte Angie und machte es ihr vor. »Ha-ha-ha.«

Kerzengerade fuhr Lauren im Bett hoch und schrie. »Nein, nicht schon wieder!« Sie packte Angies Ärmel. »Ich will nicht mehr schwanger sein. Es soll endlich aufhören. O *Gott* ...« Keuchend fiel sie in die Kissen.

Angie wischte Lauren mit einem kalten, feuchten Tuch über die Stirn. »Du machst das sehr gut, Süße. Wirklich großartig.« Als die Wehe nachließ, blickte Lauren sie erschöpft an. Sie sah unglaublich jung aus, herzzerreißend jung. Angie schob ihr einen Löffel Eissplitter zwischen die trockenen Lippen.

»Ich halte es nicht aus«, flüsterte Lauren verzweifelt. »Ich ... oh!« Sie krümmte sich vor Schmerz.

»Hechle, Schätzchen. Sieh mich an. Ich bin bei dir. Sieh her. Wir atmen gemeinsam.« Sie drückte Laurens Hand.

Lauren sackte in die Kissen zurück. »Es tut *so* weh.« Sie begann zu schluchzen. »Gibt es denn nichts gegen diese grauenhaften Schmerzen?«

»Ich hole jemanden.« Angie küßte sie auf die Stirn und

rannte aus dem Raum. »Wo ist nur der verdammte Arzt?« Sie lief den weißen Korridor auf und ab, bis sie Dr. Mullen gefunden hatte. Er war der zuständige Geburtshelfer, Laurens Gynäkologe befand sich im Urlaub. »Ah, da sind Sie ja. Lauren geht es nicht gut. Sie braucht irgendein Schmerzmittel. Ich fürchte ...«

»Keine Sorge, Mrs. Malone. Ich sehe nach ihr.« Er winkte einer Krankenschwester und machte sich auf den Weg zum Kreißsaal.

Angie lief über den Flur zum überfüllten Warteraum. Miras Familie, Livvys Familie, Onkel Francis, Tante Giulia, Conlan und ihre Mutter drängten sich auf der kleinen Fläche.

Gegenüber der Tür saß David auf einem senfgelben Plastikstuhl an der Wand. Er sah benommen und verängstigt aus.

Großer Gott, wie jung er war.

Bei Angies Eintreten wandten sich alle zu ihr um und redeten auf sie ein.

Angie wartete, bis Ruhe eingekehrt war. »Ich glaube, es ist bald soweit.« Dann drehte sie sich um und ging zu David.

Er stand auf. Er war so blaß, daß sich sein Gesicht kaum von der weißen Wand abhob. In seinen blauen Augen schimmerten Tränen. Er machte einen unsicheren Schritt auf sie zu. »Wie geht es ihr?«

Angie legte ihm eine Hand auf den Unterarm und spürte, wie kalt er war. Als sie ihm ins Gesicht schaute, wußte sie, warum Lauren diesen Jungen liebte. Sein ganzes Herz lag in seinem Blick. Er würde einmal ein guter Mann werden. »Den Umständen entsprechend. Möchtest du sie sehen?«

»Ist es vorbei?«

»Nein.«

»Ich kann nicht«, flüsterte er tonlos. Angie fragte sich, wie lang ihn diese drei Worte wohl verfolgen würden. Wie lang der ganze Tag ihn verfolgen würde. Und nicht nur ihn, sie alle. »Sagen Sie ihr, daß ich hier bin. Meine Mom kommt auch gleich.«

»Ich sage es ihr.«

Stumm sahen sie einander an. Angie wünschte, sie könnte etwas sagen. Irgend etwas. Ihr fiel nichts ein. Sie merkte, daß Conlan neben sie trat. Seine Hand legte sich auf ihre Schulter, und sie lehnte sich an ihn. »Kommst du mit?«

»Ja.«

Gemeinsam machten sie sich auf den Weg zum Kreißsaal. Am Schwesternzimmer blieb Conlan stehen und bat um einen Kittel.

Als sie den Raum betraten, rief Lauren Angies Namen.

»Ich bin hier, Liebes. Ich bin bei dir.« Sie rannte zum Bett und ergriff Laurens Hand. »Versuche zu atmen, Schätzchen.«

»Es tut so wahnsinnig weh, ich kann das nicht länger ertragen.«

Die Hilflosigkeit in Laurens Stimme ließ Angie trocken schlucken.

»Ist David hier?« fragte sie und begann zu weinen.

»Er wartet auf dem Flur. Soll ich ihn holen?«

»Nein. Oh, es geht schon wieder los.« Von Schmerzen gepeinigt bäumte sie sich auf.

»Es kommt gleich. Jetzt pressen«, sagte Dr. Mullen. »Los, Lauren. Sie müssen pressen. Kräftiger.«

Keuchend richtete sich Lauren halb auf, und Conlan stützte sie, während sie schrie und stöhnte und preßte …

»Es ist ein Junge«, sagte Dr. Mullen wenige Minuten später.

Lauren sank aufs Bett zurück.

Der Arzt sah Conlan an. »Sie sind der Vater? Möchten Sie die Nabelschnur durchtrennen?«

Conlan rührte sich nicht.

»Tu es«, flüsterte Lauren erschöpft. »Es ist schon okay.«

Hölzern trat er einen Schritt vor, griff nach der Schere und durchschnitt die Nabelschnur. Sofort kümmerte sich die Schwester um das Kind.

Durch einen Tränenschleier strahlte Angie Lauren an. »Du hast es geschafft, Süße.« Sie strich dem Mädchen die feuchten Haarsträhnen aus dem blassen Gesicht.

»Ist alles in Ordnung mit ihm?«

»Ein Prachtjunge«, erklärte der Arzt.

»Du warst einfach großartig«, lächelte Angie. »Ich bin sehr stolz auf dich.«

Traurig sah Lauren sie an. »Du erzählst ihm von mir, ja? Daß ich nicht schlecht bin, auch wenn ich einen Fehler gemacht habe. Und daß ich ihn so sehr liebte, daß ich ihn weggegeben habe.«

Diese Bitte schmerzte Angie so tief, daß sie einen Moment lang nichts über die Lippen bringen konnte. »Er wird dich kennenlernen, Lauren«, sagte sie schließlich mit belegter Stimme. »Wir gehen nicht einfach so auseinander.«

Der wissende Ausdruck in Laurens Augen gab Angie das Gefühl, die Junge, Unerfahrene zu sein. »Ja doch. Sicher. Aber jetzt möchte ich schlafen. Ich bin todmüde.« Sie drehte sich um, vergrub das Gesicht im Kissen.

»Soll dir die Schwester deinen Sohn bringen?« fragte Angie.

»Nein«, war Laurens knappe Antwort. »Ich will ihn nicht sehen.«

Lauren erwachte inmitten eines Blumenmeers. Wenn es ihr nicht so schlecht gegangen wäre, hätte sie gelächelt. Sie versuchte, die Blumen zuzuordnen. Die Usambaraveilchen waren eindeutig von Livvy und Sal. Die Azalee von Maria. Die rosa Nelken stammten vermutlich von Mira und die Vergißmeinnicht von Angie und Conlan. Die vierundzwanzig roten Rosen von David. Sie fragte sich, was auf den Karten stand. Wie gratulierte man einem Mädchen, das gerade ein Kind geboren hatte und es nicht behalten konnte?

Ein Klopfen bewahrte sie vor weiteren Überlegungen.

»Ja, bitte.«

Die Tür öffnete sich. David und seine Mutter kamen in den Raum. Beide wirkten blaß und unsicher.

Als Lauren den Jungen ansah, den sie über alles liebte, konnte sie nur daran denken, wie flach ihr Bauch jetzt war, wie leer. »Hast du ihn gesehen?«

David schluckte, nickte. »Er ist sooo winzig.« David trat an ihr Bett.

Sie wartete. Als er sie endlich küßte, war es zu schnell wieder vorüber. Stumm blickten sie einander an.

»Er hat dein Haar.« Mrs. Haynes trat neben David und umfaßte seinen Arm, als müsse sie ihn stützen.

»Bitte ... ich will es nicht wissen«, wisperte Lauren.

Wieder breitete sich eine unbehagliche Stille aus. Lauren schaute erneut David an und fühlte sich plötzlich meilenweit von ihm entfernt.

Wir werden es nicht schaffen.

Die Erkenntnis traf sie wie ein Schlag. Doch die Vermutung war schon immer in ihr gewesen, hatte wie ein dunkler Schatten darauf gewartet, im hellen Tageslicht Form und Substanz anzunehmen.

Sie waren Kinder, und jetzt, nach der Geburt, trieben sie unvermeidlich auf getrennte Lebenswege zu. Oh, sie würden versuchen, sich während des Studiums an verschiedenen Colleges weiterhin zu treffen, aber letzten Endes konnte das nicht funktionieren. Sie würden füreinander das werden, was die Dichter erste Liebe nannten.

Schon jetzt wußte David nicht mehr, was er zu ihr sagen, wie und ob er sie berühren sollte. Sie war nun eine andere, hatte sich fundamental verändert, und das spürte er.

»Die Rosen sind wundervoll.« Lauren streckte die Hand nach ihm aus. Als er sie berührte, bemerkte sie, wie kalt seine Finger waren.

David nickte.

Mrs. Haynes beugte sich über sie und strich ihr fast zärtlich über die Wange. »Du bist ein sehr tapferes Mädchen. Ich weiß, warum mein David dich liebt.«

Vor einem Jahr hätte sie das unvorstellbar glücklich gemacht. Lauren blickte Davids Mutter an und wußte nicht, was sie darauf erwidern sollte.

»Nun«, sagte Mrs. Haynes schließlich, »ich lasse euch jetzt besser allein.« Das Klappern ihrer Absätze auf dem Linoleum hörte sich an wie Pistolenschüsse. Die Tür fiel hinter ihr ins Schloß.

David beugte sich über Lauren und küßte sie. Dieses Mal richtig.

»Ich habe die Papiere unterschrieben«, erzählte er.

Lauren nickte.

»Es war ein komisches Gefühl, ihn einfach so ... wegzugeben. Aber wir haben keine andere Wahl, oder?«

»Was sollten wir sonst tun?«

Er stieß einen Seufzer aus und lächelte. »Tja.«

Lauren schloß die Augen. »Ich bin müde.«

»Oh. Gut, dann gehe ich wohl besser. Mom und ich wollen ohnehin Sachen fürs College kaufen. Brauchst du irgend etwas?«

Das College. Das hatte sie ganz vergessen.

»Nein.«

David küßte sie zum Abschied. »Nach dem Abendessen komme ich noch mal vorbei.«

Endlich konnte sie ihn wieder ansehen. »Okay.«

»Ich liebe dich«, sagte er.

Lauren wollte es nicht, aber sie *mußte* weinen.

Im Zimmer 507 lehnte Angie in einem hölzernen Schaukelstuhl und wartete.

Conlan saß an ihrer Seite auf einem Stuhl. Alle paar Minuten warf er einen Blick auf seine Armbanduhr, sagte aber kein Wort.

»Sie hat es sich anders überlegt«, flüsterte Angie schließlich. Jemand mußte es aussprechen.

»Das wissen wir nicht«, wandte Conlan ein, doch Angie hörte seiner Stimme an, daß er es auch glaubte.

Die Minuten verrannen.

Plötzlich ging die Tür auf. Eine Schwester in orangefarbenem Kittel betrat den Raum. Sie hielt ein Bündel im Arm. »Mister und Mrs. Malone?«

»Das sind wir.« Conlan stand auf.

Die Schwester ging zu Angie, legte ihr das in eine blaue Decke gehüllte Baby in die Arme und verließ das Zimmer schnell wieder.

Er war ein Wunder: Unfaßbar klein, das gerötete Gesichtchen unwillig verzogen, als gefiele es ihm überhaupt nicht auf dieser Welt. Rötlicher Haarflaum klebte an seinem Kopf. Seine winzigen Lippen bewegten sich schmatzend.

Angie wurde ganz schwindlig vor Glück. Sie küßte ihn auf die samtweiche Wange und atmete den Duft seiner Haut tief ein. »O Con«, flüsterte sie und spürte, daß ihr die Tränen in die Augen schossen. »Er sieht aus wie Lauren.«

»Ich wage es nicht, irgend etwas zu empfinden«, sagte Conlan nach einer Minute.

Angie hörte die Verwirrung in seiner Stimme, die Furcht vor einem möglichen Verlust, und zum ersten Mal war sie die Starke. »Keine Angst«, sagte sie und griff nach seiner Hand. »Ich bin ganz ruhig. Was immer auch sein wird, wir schaffen es gemeinsam.«

Zweiunddreissig

Lauren weigerte sich ganze vierundzwanzig Stunden lang standhaft, ihren Sohn zu sehen. Sie wollte absolut kein Risiko eingehen. Jedesmal, wenn eine Schwester das Zimmer betrat, rief sie ihr schon entgegen, daß sie alles, was mit dem Kind zu tun hatte, mit den Malones besprechen sollte, bevor die Angesprochene auch nur den Mund aufmachen konnte.

Am Abend des nächsten Tages ging es ihr gut genug, um ihre Umgebung aus tiefstem Herzen zu verabscheuen. Das Essen war ungenießbar, die Aussicht trostlos, der Fernsehempfang war schlecht und darüber hinaus konnte sie die Geräusche von der Säuglingsstation hören. Sobald ein Baby zu schreien anhob, mußte sie mit den Tränen kämpfen. Sie versuchte nun bereits zum x-tenmal, im USC-Vorlesungsverzeichnis zu lesen, aber das half auch nicht.

Lauren hörte das schrille Wehgeschrei der Neugeborenen trotzdem. Zu irgendeinem Zeitpunkt hatte sie ihrem Sohn den Namen Johnny gegeben, und nun lag sie mit geschlossenen Augen und geballten Fäusten im Bett und dachte: *Wann kümmert sich endlich jemand um Johnny*?

Das alles war bestimmt nicht leicht, wäre aber durchaus erträglich gewesen, wenn Angie sie nicht am Vorabend besucht hätte.

Lauren war eingedöst. Sie hatte den Lärm auf der Autobahn noch gehört und sich vorgestellt, es wäre das beruhigende Rauschen des Ozeans.

»Lauren?«

Zunächst hatte sie angenommen, es wäre die Nachtschwester, die noch ein letztes Mal nach ihr sehen wollte, bevor das Licht ausgeschaltet wurde. Doch es war Angie.

Und sie sah einfach schrecklich aus. Ihre Augen waren ganz rot und verquollen, ihre kläglichen Versuche zu lächeln, scheiterten einer nach dem anderen. Sie flüsterte unendlich lange mit Lauren, strich ihr immer wieder die Haarsträhnen aus der Stirn und holte ihr ein Glas Wasser, bis sie endlich auf den Anlaß ihres Besuches zu sprechen kam.

»Du mußt ihn unbedingt sehen, Lauren.«

Lauren hatte in Angies Augen geblickt und gedacht: *Da ist sie*. Die Liebe, nach der sie sich ein ganzes Leben lang gesehnt hatte.

»Aber ich hab solche Angst.«

Unendlich zärtlich hatte Angie ihr Gesicht mit beiden Händen umfaßt. »Ich weiß, Liebes. Und genau deshalb mußt du es tun.«

Nachdem Angie wieder gegangen war, hatte Lauren die halbe Nacht darüber nachgedacht und erkannt, daß Angie recht hatte. Sie mußte ihren Sohn in den Armen halten, ihn auf die Wange küssen und ihm sagen, wie sehr sie ihn liebte. Sie mußte sich von ihm verabschieden.

Doch sie fürchtete den Moment noch immer. Allein die *Vorstellung*, sich von ihm zu trennen, war schon eine Qual. Was würde sie wohl erst empfinden, *nachdem* sie ihn in den Armen gehalten hatte?

Es war schon fast Morgen, als sie sich zu einer Entscheidung durchrang. Sie streckte die Hand aus und klingelte. Als die Schwester kurz danach das Zimmer betrat, sagte Lauren: »Bringen Sie mir bitte mein Baby.«

Die nächsten zehn Minuten schienen kein Ende nehmen zu wollen.

Schließlich kehrte die Schwester zurück, und Lauren sah zum ersten Mal ihren kleinen Sohn. Er hatte Davids Augen, das spitze Kinn ihrer Mutter und Laurens rote Haare. In seinem Gesichtchen konnte sie alles erkennen, was ihr Leben ausmachte.

»Wissen Sie, wie Sie ihn halten müssen?«

Lauren schüttelte wortlos den Kopf. Sprechen konnte sie nicht. Behutsam legte die Schwester das Baby in Laurens Arme und achtete darauf, daß sie sein Köpfchen richtig stützte.

Lauren merkte gar nicht, daß die Schwester das Zimmer wieder verließ.

Hingerissen betrachtete sie ihr Kind, dieses kleine Wunder in ihren Armen. Er war so winzig und doch irgendwie die ganze Welt. Sein Anblick ließ ihre Brust eng werden, bis ihr jedes Luftholen weh tat.

Ihr Sohn.

Sie waren eine *Familie*.

Ihr ganzes Leben hatte sich Lauren vergeblich Verwandte gewünscht. Sie kannte weder Großeltern noch Geschwister, Onkel, Tanten oder Cousins, aber nun hatte sie einen Sohn.

»Johnny …«, wisperte sie und berührte seine winzige Faust.

Er umklammerte sofort ihren Finger.

Sie rang mühsam nach Luft. Wie könnte sie sich jemals von ihm trennen? Sie brach in hilfloses Schluchzen aus.

Sie hatte ein Versprechen gegeben …

Aber woher hätte sie denn damals wissen sollen, was für ein Gefühl es war, ihr eigenes Kind in den Armen zu halten? Es zu lieben?

Ich bin nicht Sarah, hatte sie noch vor wenigen Wochen zu Angie gesagt. *Ich würde dir nie so weh tun.*

Lauren kniff die Augen zu. Wie konnte sie Angie jetzt so bitter enttäuschen?

Angie. Die Frau, die darauf wartete, die beste Mutter zu werden, die Johnny sich wünschen konnte. Die Frau, die Lauren gezeigt hatte, was Liebe war, was Familie bedeutete.

Langsam öffnete Lauren die Augen wieder und betrachtete ihren Sohn durch einen Tränenschleier. »Aber *ich* bin deine Mommy.«

Manche Entscheidungen, wie vernünftig und wohlüberlegt auch immer, konnten einfach nicht getroffen werden.

Am Nachmittag saß David neben ihrem Bett. Er sah resigniert aus, müde. Sogar sein Lächeln wirkte erschöpft.

»Meine Mom findet, daß er genauso aussieht wie ihr Dad«, sagte er nach einer weiteren ihrer langen Pausen.

Lauren blickte ihn an. »Du bist doch sicher, daß wir das Richtige tun, oder?«

»Bin ich. Es ist zu früh für uns beide.«

Er hatte recht. Es *war* zu früh für sie. Plötzlich mußte Lauren an ihre gemeinsame Zeit denken, an die vielen Jahre, in denen sie ihn geliebt hatte. Ihr fielen all seine kleinen Eigenheiten ein, wie er stundenlang über nichts anderes als sein Auto geredet hatte, daß er mitten in Filmvorführungen munter drauflosplauderte und daß er immer schrecklich falsch sang und sich nie den Text merken konnte; aber vor allem erinnerte sie sich daran, daß er stets gespürt hatte, wenn sie sich fürchtete oder verlassen fühlte, und dann beruhigend und tröstend ihre Hand festhielt. Sie würde ihn immer lieben.

»Ich liebe dich, David«, flüsterte Lauren und hörte, wie erstickt ihre Stimme klang.

»Ich liebe dich auch.« Er beugte sich vor und zog sie an sich.

Als sie sich aus seiner Umarmung löste, ergriff er ihre Hand und drückte sie.

»Das ist unser Ende«, sagte Lauren leise, und jedes einzelne Wort versetzte ihr einen Stich. Sie wünschte sich, daß er sie lachend in die Arme zog. Daß er »Nie im Leben« sagte.

Statt dessen begann er zu weinen.

Auch ihre Augen brannten. Am liebsten hätte sie ihre Worte zurückgenommen und beteuert, sie wären nicht so gemeint, aber sie war jetzt erwachsen und wußte es besser. Manche Träume ließen sich nun einmal nicht verwirklichen. Und das schlimmste war, daß sie vielleicht zusammengeblieben und sich für immer geliebt hätten, wenn sie nicht schwanger geworden wäre.

Lauren fragte sich, wie lange ihre Liebe zu ihm noch schmerzen würde. Sie hoffte, daß es eine Wunde war, die eines Tages von selbst heilte und lediglich eine blasse Narbe zurückließ. »Ich möchte, daß du in Stanford studierst und das alles hier vergißt.«

»Es tut mir leid«, schluchzte er, und in dem Augenblick wußte Lauren, daß er ihrer Entscheidung zustimmte. Das tat einerseits weh, ließ sie aber andererseits fast lächeln. Manche Opfer wurden aus Liebe erbracht.

David griff in seine Tasche und zog ein kleines, rosafarbenes Papier hervor. »Hier«, sagte er und drückte es ihr in die Hand.

Lauren runzelte die Stirn. Das Papier knisterte zwischen ihren Fingern. »Aber das ist der Fahrzeugbrief zu deinem Auto.«

»Ich möchte es dir schenken.«

Lauren konnte ihn durch ihre Tränen kaum erkennen. »Oh, David. Nein.«

»Es ist alles, was ich habe.«

Diesen Moment würde Lauren ihr Leben lang nicht vergessen. Ganz gleich, was auch geschehen war, sie konnte sicher sein, daß er sie geliebt hatte. Sie gab ihm das Dokument zurück. »Küß mich, Speed Racer«, flüsterte sie und wußte, daß es das letzte Mal war.

Angie und Conlan liefen an der geöffneten Tür des Schwesternzimmers vorbei.

»Mrs. Malone? Miss Connelly möchte Sie sprechen«, sagte eine der Schwestern, und Angie wußte bescheid.

Sie löste sich von Conlan und rannte. Die Absätze ihrer Sandalen klapperten durchdringend laut auf dem Linoleum. Sie stieß die Tür so heftig auf, daß sie gegen die Wand prallte.

Laurens Bett war leer.

Angie sank gegen den Türrahmen. Etwas in ihr hatte geahnt, fast damit gerechnet, daß es so kommen würde, das machte es allerdings auch nicht leichter. »Sie ist fort«, sagte sie zu Conlan, als er sie eingeholt hatte.

Nebeneinander standen sie auf der Türschwelle, hielten sich an den Händen und starrten auf das gemachte Bett. Der Duft von Blumen hing in der Luft. Er war der einzige Hinweis darauf, daß in der Nacht hier ein Mädchen geschlafen hatte.

»Mrs. Malone?«

Langsam drehte Angie sich um und erwartete, in das rundliche Gesicht des Krankenhauspfarrers zu sehen – der nach Sophias Tod als erster in ihrem Zimmer erschienen war.

Doch vor ihr stand Miss Connelly, die Prozeßvertreterin von Laurens Sohn. »Sie hat das Krankenhaus vor einer Stunde verlassen.« Die Frau senkte den Blick. »Mit ihrem Sohn.«

Auch das hatte Angie geahnt. Aber das schützte sie nicht vor der schmerzlichen Realität. »Verstehe.«

»Lauren hat mir zwei Briefe gegeben. Einen für Sie und einen für David.«

»Danke«, sagte Angie und nahm die Umschläge entgegen.

»Es tut mir leid«, sagte Miss Connelly und entfernte sich.

Angie betrachtete das weiße Kuvert mit ihrem Namen und öffnete es mit zittrigen Fingern.

Liebe Angie,

ich hätte ihn niemals in den Armen halten dürfen. (An dieser Stelle hatte Lauren etwas ausgestrichen.) *Mein ganzes Le-*

ben habe ich mich nach einer Familie gesehnt, und jetzt, wo ich einen Sohn habe, kann ich ihn einfach nicht verlassen. Es tut mir sehr leid.

Ich wünschte, ich wäre stark genug, Dir das persönlich zu sagen. Aber ich bin es nicht. Ich kann nur hoffen, daß Du und Conlan mir eines Tages verzeiht.

Doch Du sollst wissen, daß irgendwo eine junge Mutter abends beim Einschlafen an Dich denkt und sich wünscht, sie wäre Deine Tochter gewesen.

In Liebe

Lauren.

Angie faltete den Brief zusammen und steckte ihn wieder in den Umschlag. »Sie ist ganz allein da draußen.«

»Nicht ganz allein«, wandte Conlan sanft ein. Als Angie in seine Augen blickte, erkannte sie, daß er von Anfang an damit gerechnet hatte.

»Dann eben *zu* allein.«

Conlan zog Angie an sich und ließ sie in seinen Armen weinen.

Sie trafen David und seine Mutter im Warteraum an.

Bei ihrem Eintreten hob David den Kopf.

»Hey, Mr. und Mrs. Malone.«

Seine Mutter lächelte sie an. »Oh, hallo.«

Eine Pause entstand. Verlegen sahen sie einander an.

Davids Mutter räusperte sich. »Er ist ein bezaubernder Junge«, sagte sie mit leicht brüchiger Stimme.

Angie fragte sich, was für ein Gefühl es war, sich von seinem Enkelkind zu trennen. »Lauren ist nicht mehr hier«, sagte sie so behutsam wie möglich. »Sie hat ihr Baby mitgenommen. Wir wissen nicht ...« Angies Stimme versagte.

»Wir wissen nicht, wohin sie gegangen ist«, beendete Conlan den Satz.

»O Gott.« Anita Haynes sank auf einen Stuhl und schlug eine Hand vor den Mund.

David runzelte die Stirn. »Was meinen Sie damit?«

»Sie hat das Krankenhaus mit ihrem Sohn verlassen«, sagte Angie.

»Verlassen? Aber ...« David verstummte hilflos.

Angie streckte ihm den Umschlag entgegen. »Dieser Brief ist für dich.«

Schweigend sahen sie zu, wie er das Kuvert aufriß und las.

Endlich blickte er auf. »Sie kommt nicht zurück«, sagte er tonlos und brach in Tränen aus.

Angie brauchte ihre ganze Kraft, um nicht ebenfalls zu weinen. »Ich schätze, das kann sie nicht.« Zum ersten Mal wagte sie es, das auszusprechen. Conlan drückte ihre Hand. »Sie glaubt, daß es für uns alle besser ist, wenn wir nicht wissen, wo sie sich aufhält.«

Verzweifelt sah David seine Mutter an. »Was machen wir nur, Mom? Sie ist ganz allein. Es ist meine Schuld. Ich hätte bei ihr bleiben müssen.«

Ratlos zuckte seine Mutter nur mit den Schultern. Keiner wußte so recht, was er sagen sollte.

»Sie rufen mich an, wenn sie zurückkommt?« fragte Anita Haynes nach einem kurzen Moment.

»Selbstverständlich«, versprach Conlan.

Angie sah Mutter und Sohn nach, die Hand in Hand den Raum verließen, und fragte sich, was sie zueinander sagten. Welche Worte sie an einem Tag wie diesem finden würden, finden konnten.

Schließlich drehte sie sich wieder zu Conlan um und sah ihm in die Augen.

Ihr ganzes Leben lag in seinem Blick, die guten Tage, die weniger guten und auch die, die weder das eine noch das andere waren. Eine Zeitlang hatte es so ausgesehen, als wäre ihnen ihre Liebe abhanden gekommen. Jetzt wußten sie es besser. Sie hatten um ihre Liebe gekämpft. Manchmal glaubte man, das Herz würde einem brechen, aber Herzen sind stärker, als man denkt.

»Laß uns nach Hause fahren«, sagte sie, und fast gelang ihr ein Lächeln.

»Ja«, antwortete er. »Nach Hause.«

Lauren verließ den Bus und betrat ihre alte Welt. Sie drückte Johnny fester an sich, der friedlich in der Tragetasche vor ihrem Bauch schlief. Sie wollte nicht, daß er in dieser Gegend aufwachte.

»Du gehörst nicht hierher, John-John. Das darfst du nie vergessen.«

Es wurde langsam dunkel; in der Dämmerung wirkten die Wohnblöcke zwar weniger heruntergekommen, dafür aber unheimlicher.

Plötzlich stellte sie fest, daß sie nervös war, ängstlich. Es war nicht mehr ihre Welt. Sie fühlte sich fremd.

Lauren blieb stehen und drehte sich zur Haltestelle um. Sie wünschte sich, mit dem nächsten Bus zur Miracle Mile Road zurückfahren zu können.

Aber es gab kein Zurück. Sie hatte Angies und Conlans Vertrauen mißbraucht und ihr Versprechen gebrochen. Was die beiden Lauren gegenüber an Zuneigung auch empfunden haben mochten, war nun unwiederbringlich dahin. Und Lauren konnte es ihnen nicht einmal übelnehmen.

Sie gehörte nicht mehr in das Cottage hoch über dem Meer oder zum Restaurant, in dem es nach Thymian, Knoblauch und gedünsteten Tomaten roch. Das Leben hatte sie unerbittlich wieder an ihren alten Platz geführt.

Schließlich stand sie vor ihrem ehemaligen Wohnblock. Als sie an der Fassade emporblickte, jagte das Gefühl von Verlust ihr einen Schauer über den Rücken.

Sie hatte lange und hart dafür gearbeitet, hier herauszukommen. Aber wie sollte sie sich etwas Besseres leisten? Sie hatte einen kleinen Sohn, den sie nicht monatelang in eine Tagespflegestelle geben konnte. Die fünftausend Dollar in ihrer Brieftasche würden bei weitem nicht reichen. Und sie hatte ohnehin nicht vor, lange in West End zu bleiben, wo sie alles an Angie erinnerte. Nur so lange, bis sie sich ein bißchen besser fühlte. Dann würde sie sich einen neuen Wohnort suchen.

Lauren stellte ihren kleinen Koffer ab und streckte sich, rieb sich den Rücken. Alles tat ihr weh. Die Wirkung der Advil-Tabletten ließ langsam nach, und ihr Unterleib schmerzte. Ein scharfes, stechendes Puckern zwischen ihren Beinen ließ sie schwanken wic einen betrunkenen Matrosen. Seufzend griff sie wieder nach ihrem Koffer und lief über den rissigen Betonplattenweg, vorbei an schwarzen Müllsäcken und durchweichten Pappkartons.

Knarrend sprang die Haustür auf. Das Schloß war noch immer nicht repariert.

Ihre Augen brauchten eine Weile, um sich an die Dunkelheit zu gewöhnen. Sie hatte ganz vergessen, wie schummrig es hier im Flur war, wie durchdringend es nach Zigaretten und Elend roch. Lauren ging zum Apartment 1A und klopfte.

Sie hörte das Schlurfen von Füßen, ein genuscheltes »Komm gleich«, dann öffnete sich die Tür.

In einer geblümten Kittelschürze und pinkfarbenen Plüschpantoffeln stand Mrs. Mauk vor ihr. Ihre grauen Haare versteckten sich unter einem roten Tuch, das sie wie einen Turban um ihren Kopf gebunden hatte. »Lauren«, sagte sie überrascht und runzelte gleich darauf besorgt die Stirn.

»Hat ... meine Mom irgendwann nach mir gefragt?« Lauren wurde sich der absurden Hoffnung bewusst, die in ihrer Stimme mitschwang.

»Nein. Aber das hast du doch nicht wirklich geglaubt, oder?«

»Nein.« Die Worte waren kaum mehr als ein Flüstern.

»Ich dachte, ich würde dich hier nie wiedersehen. Ich dachte, du hättest es geschafft.«

Lauren *wollte* nicht an Angie denken, der sie die Chance auf einen Neuanfang verdankte. »Vielleicht ist das unmöglich für Menschen wie uns, Mrs. Mauk.«

Die Falten in Mrs. Mauks Gesicht schienen noch tiefer zu werden. »Und wer ist das?«

»Mein Sohn.« Sie lächelte, aber leicht fiel es ihr nicht. »Johnny.«

Mrs. Mauk streckte die Hand aus und strich dem Baby über den Kopf. Dann lehnte sie sich seufzend gegen den Türrahmen.

Das Geräusch kannte Lauren gut. Es war Resignation. Ihre Mutter hatte auch ständig geseufzt. »Eigentlich wollte ich Sie fragen, ob ich ein Apartment mieten kann. Ich habe ein bißchen Geld.«

»Es ist nichts frei.«

»Oh.« Lauren schluckte. Aber sie mußte an Johnny denken und konnte sich nicht von ihrer Enttäuschung überwältigen lassen. Sie wollte sich umdrehen und gehen.

»Komm erst einmal herein. Es wird bestimmt bald regnen. Für eine Nacht kannst du mit Johnny hier schlafen.«

Die Erleichterung ließ Laurens Knie zittern. »Danke.«

Mrs. Mauk führte sie in ihr Wohnzimmer.

Einen Moment lang fühlte sich Lauren in ihr altes Apartment zurückversetzt: der gleiche Kunststoff-Eßtisch, der gleiche billige Teppichbelag. Das mit Rosen bedruckte Sofa wurde von zwei Fernsehsesseln flankiert. Im kleinen Schwarzweißgerät lief eine Folge von *Bezaubernde Jeannie*.

Mrs. Mauk verschwand in der Küche.

Lauren setzte sich auf das Sofa und packte Johnny aus. Sofort begann er zu schreien. Sie wechselte seine Windel, aber er beruhigte sich nicht. Sein lautes Krähen erfüllte das ganze Apartment.

»Bitte, Johnny«, flüsterte Lauren und wiegte ihn beruhigend hin und her. »Du kannst keinen Hunger haben, das weiß ich genau.«

Erst als Mrs. Mauk mit zwei Tassen Tee erschien und wissen wollte, ob mit ihr alles in Ordnung sei, erkannte Lauren, daß sie weinte.

Sie wischte sich über die Augen und versuchte zu lächeln. »Ich bin nur ein bißchen müde.«

Mrs. Mauk stellte die Tassen auf den Tisch und sank in einen der Sessel. »Dein Johnny ist noch sehr klein, geradezu winzig.«

»Er ist erst zwei Tage alt.«

»Und da bist du hier, um nach deiner Mom oder einer Unterkunft zu fragen. Oh, Lauren ...« Da war er wieder, dieser Du-*armes*-Mädchen-Blick, den Lauren nur zu gut kannte.

Sie schwiegen. Im Fernseher brandete Gelächter auf.

»Und was willst du jetzt tun?«

Lauren sah Johnny an. »Das weiß ich nicht. Ich wollte ihn adoptieren lassen, aber ... dann konnte ich es nicht.«

»Weil du ihn liebst ...« Mrs. Mauks Stimme wurde sanfter. »Was ist mit dem Vater?«

»Ihn liebe ich auch. Deshalb bin ich ja hier.«

»Allein.«

Lauren hob den Kopf. Sie spürte, daß ihre Lippen zu beben begannen. Schon wieder. »Tut mir leid. Es liegt an den Hormonen. Ständig kommen mir die Tränen.«

»Wo bist du gewesen, Lauren?«

»Was meinen Sie damit?«

»Ich erinnere mich an die Frau, die dich damals abgeholt hat. Ich stand am Küchenfenster und sah, wie du in ihr Auto gestiegen bist. ›Wie gut für Lauren‹, habe ich gedacht.«

»Das war Angie Malone.« Es tat weh, ihren Namen auszusprechen.

»Ich weiß, ich bin nur eine alte Frau, die den ganzen Tag zu

Hause hockt, mit ihren Katzen spricht und sich Wiederholungen im Fernsehen ansieht, aber ich hatte den Eindruck, daß sie dich mag.«

»Jetzt nicht mehr.«

»Warum nicht?«

»Ich hatte versprochen, ihr das Baby zu geben, bin dann aber mit Johnny verschwunden. Sie muß mich hassen.«

»Du hast nicht mit ihr darüber gesprochen? Du bist einfach davongelaufen?«

»Ich konnte ihr nicht ins Gesicht sehen.«

Mrs. Mauk lehnte sich in ihrem Sessel zurück und musterte Lauren nachdenklich. »Mach die Augen zu.«

»Aber ...«

»Tu es.«

»Und nun stell dir deine Mom vor.«

Lauren sah ihre Mutter vor sich, wie sie in einem Jeans-Minirock und einem knappen T-Shirt auf der durchgesessenen Couch lag. Die Haare platinblond gefärbt, das einst schöne Gesicht vorzeitig gealtert und hager. Von der Zigarette in ihrer rechten Hand stiegen Rauchspiralen auf. »Und?«

»So wird man, wenn man immer nur davonläuft.«

Langsam öffnete Lauren die Augen wieder und blickte Mrs. Mauk an.

»Ich habe gesehen, wie hart du für eine Chance im Leben schuften mußtest, Lauren. Du hast stapelweise Bücher nach Hause geschleppt, dir zwei Jobs gesucht und dir ein Stipendium an der Fircrest erarbeitet. Du hast mir die Miete gebracht, wenn deine unglückselige Mutter alles Geld im *Tides* gelassen hatte. Ich war voller *Hoffnung* für dich, Lauren. Weißt du eigentlich, wie selten man in diesem Haus Grund dazu hat?«

Hoffnung.

Lauren schloß die Augen wieder. Diesmal stellte sie sich Angie vor. Sie sah sie auf der Veranda stehen und über das Meer blicken. Ihre schwarzen Haare wehten im Wind. Angie drehte sich um, bemerkte Lauren und lächelte. *Da bist du ja, Liebes. Hast du gut geschlafen?*

Es war eine kleine Erinnerung an einen ganz gewöhnlichen Tag.

»Ich schätze, dir ist klar, was du tun mußt«, sagte Mrs. Mauk.

»Aber ich habe Angst.«

»Damit kommt man nicht weiter, Lauren. Glaub mir. Ich weiß, wo man endet, wenn man kleinbeigibt und sich von Furcht auffressen läßt. Und du weißt es auch. In einem dieser Apartments hier und mit einem Berg unbezahlter Rechnungen.«

»Und wenn sie mir nun nicht verzeihen kann?«

»Komm schon, Lauren. Du weißt es doch besser. Was ist, wenn sie es kann?«

»Du bist doch Reporter, verdammt noch mal. Also such sie.«

»Darüber haben wir schon zigmal gesprochen, Angie. Ich weiß ja nicht mal, wo ich anfangen soll. David hat mit all ihren Freunden gesprochen. Niemand hat etwas von ihr gehört. Der Mann am Busbahnhof erinnert sich nicht, ihr eine Fahrkarte verkauft zu haben. Ihr altes Apartment ist neu vermietet. Als ich die Vermieterin nach Lauren fragte, hat sie einfach aufgelegt. Die Frau im Zulassungsbüro der USC sagte mir, daß sie auf ihr Stipendium verzichtet hat. Ich habe nicht die leiseste Ahnung, wo sie stecken könnte.«

Angie stellte den Mixer an, und sein lautes Surren erfüllte die Küche. Sie starrte in die wirbelnden Brocken und zerbrach sich den Kopf darüber, wo Lauren abgeblieben sein konnte.

Ohne Erfolg. In den vergangenen vierundzwanzig Stunden hatten Conlan und sie alles erwogen, was ihnen zu diesem Thema eingefallen war. Lauren war einfach untergetaucht.

In dieser geschäftigen, gleichgültigen Welt war das nicht schwer.

Angie schaltete den Mixer aus und goß den Inhalt des Gefäßes über die Blaubeeren. Kochen oder Backen wäre therapeutisch, behaupteten ihre Schwestern immer. Es war mittlerweile ihre dritte Blaubeerpastete. Noch eine *Therapie,* und sie würde laut schreien.

Conlan trat hinter Angie, schlang seine Arme um sie und küßte sie auf den Nacken. Seufzend lehnte sie sich an ihn.

»Ich ertrage es nicht, sie irgendwo ganz allein zu wissen. Und sag jetzt bloß nicht, sie wäre nicht allein. Sie ist ein halbes Kind. Sie braucht jemanden, der sich um sie kümmert.«

»Sie ist jetzt eine Mutter«, wandte Conlan ein. »Da wird man schnell erwachsen.«

Sie drehte sich um und legte ihre Hände an seine Brust. Sein Herz schlug gleichmäßig und beeindruckend ruhig. Immer, wenn sie in den letzten Stunden ängstlich, hilflos oder verzweifelt war, hatte sie sich in seine Arme geflüchtet und sich von ihm trösten lassen.

Er küßte sie. »Sie weiß, daß du sie liebst. Sie wird zurückkommen«, flüsterte er.

Angie hörte seiner Stimme an, wie gern er das selbst glauben würde. »Nein«, sagte sie. »Sie kommt nicht zurück. Und weißt du warum?«

»Warum?«

»Sie denkt, ich könnte ihr nicht verzeihen. Ihre Mutter hat ihr nie gezeigt, was wirkliche Zuneigung ist. Sie weiß nicht, daß Liebe auch von Dauer sein kann. Nur, wie schnell sie vergeht.«

»Ich finde es schon erstaunlich, daß du nie über das Kind sprichst.«

»Etwas in mir wußte, daß sie sich nicht davon trennen kann.« Angie seufzte. »Ich wünschte, ich hätte ihr das gesagt. Dann wäre sie eventuell nicht so einfach verschwunden.«

»Du hast ihr gezeigt, was wahre Gefühle sind. Und sie hat es verstanden. Das kannst du mir glauben.«

»Ich bin mir da nicht so sicher, Con.«

»Aber ich *weiß* es. Nach der Geburt hast du Lauren gesagt, wie sehr du sie liebst, wie stolz du auf sie bist. Eines Tages, wenn ihre Verzweiflung über das gebrochene Versprechen nachläßt, wird sie sich daran erinnern. Und dann kommt sie zurück. Vielleicht hat ihre Mutter ihr nicht gezeigt, was Liebe ist, aber du hast es getan. Früher oder später wird sie das erkennen.«

Wie schaffte er es nur, immer genau das Richtige zu sagen? »Habe ich dir eigentlich schon gesagt, wie sehr ich dich liebe, Conlan Malone?«

»Du hast es *gesagt*.« Er blickte zum Backofen hinüber. »Wie lange muß das Ding da backen?«

Angie mußte lächeln. »Fünfzig Minuten.«

»Das reicht, es mir auch zu beweisen. Vielleicht sogar zweimal.«

Angie küßte ihren schlafenden Mann. Ganz vorsichtig, um ihn nicht aufzuwecken, stand sie auf, zog sich einen grauen Jogginganzug an und verließ das Schlafzimmer.

Unten war alles ruhig. Sie hatte vergessen, wie still es sein konnte.

Mit einem Teenager im Haus war es nie ruhig …

»Wo bist du?« flüsterte sie halblaut. Die Welt da draußen war verdammt groß und Lauren so jung. Ein Dutzend schrecklicher Möglichkeiten zuckte ihr durch den Kopf, tauchte vor ihrem inneren Auge auf wie Szenen aus einem Horrorfilm.

Sie ging in die Küche, um sich eine Tasse Kaffee zu brühen. Sie war fast da, als sie den Karton entdeckte. Er stand in der Diele direkt an der Wand. Conlan mußte ihn gestern früh aus der Wäschekammer geholt haben, bevor sie zum Krankenhaus fuhren.

Gestern, als noch alles anders war …

Sie wollte schon daran vorbeigehen. Aber das hätte die frühere Angie getan. Inzwischen wußte sie, daß es nicht gut war, die Augen zu verschließen.

Sie kniete sich vor den Karton und öffnete den Deckel.

Oben lag die Winnie-Puuh-Lampe auf einer rosafarbenen Baumwolldecke.

Angie hob sie aus dem Karton. Zu ihrer Überraschung verspürte sie nicht sofort die vertraute Trauer über den Tod des Kindes, für das die Lampe gekauft worden war. Sie trug die Lampe in die Küche und stellte sie auf den Tisch.

»Da«, sagte sie. »Sie wartet auf dich, Lauren. Komm nach Hause und nimm sie dir.«

Niemand antwortete. Hin und wieder knackte es irgendwo, und in der Ferne rauschte der Ozean, aber hier in dem alten Cottage, in dem jetzt nur noch zwei Menschen lebten, blieb alles still.

Angie ging auf die Veranda und blickte auf das Meer hinaus. So intensiv, daß es eine Weile dauerte, bis sie das Mädchen zwischen den Bäumen bemerkte.

Angie rannte so hastig die Stufen hinunter und durch das nasse Gras, daß sie fast gestürzt wäre.

Mir ernstem Gesicht stand Lauren da. Ihre Augen waren rot und geschwollen. Sie versuchte zu lächeln. Es gelang ihr nicht.

Angie wollte auf das Mädchen zustürzen, sie umarmen, doch irgend etwas hielt sie davon ab. Vielleicht war es die Qual in Laurens Augen, das bebende Kinn.

»Wir haben uns große Sorgen um dich gemacht.« Angie trat näher.

Lauren sah auf das Baby in ihren Armen. »Ich hatte versprochen, ihn dir zu geben, aber …« Sie hob den Kopf. Tränen stiegen in ihre Augen.

»Oh, Lauren.« Mit zwei Schritten war Angie bei ihr und strich mit den Fingerspitzen sanft über ihre feuchte Wange.

»Ich hätte es dir sagen müssen. Es fiel mir jedoch nicht leicht, mich an Sophies Geburt zu erinnern. An die wenigen Minuten, die ich sie in meinen Armen hielt. Ich wußte, daß es dir ebenso gehen würde wie mir, sobald du deinem Kind in die Augen blickst. Deshalb wollte ich das Kinderzimmer auch nicht einräumen. Ich wußte es, Liebes.«

»Du wußtest, daß ich mich nicht von ihm trennen würde?«

»Ich war mir ziemlich sicher.«

Laurens Gesicht verzog sich, ihre Lippen begannen zu zittern. »Aber du hast mich trotzdem nicht fortgeschickt. Ich dachte …«

»Es geht um *dich,* Lauren. Hast du das denn immer noch nicht begriffen? Du gehörst zu unserer Familie. Wir lieben dich.«

Laurens Augen wurden ganz groß. »Auch nachdem ich dich so enttäuscht habe?«

»Vielleicht mutet uns die Liebe mitunter einiges zu, Lauren. Aber sie hört nicht auf.«

Lauren sah sie an. »Als ich klein war, hatte ich einen Traum. Jede Nacht den gleichen. Ich hatte ein grünes Kleid an, eine Frau ging neben mir und griff nach meiner Hand. ›Komm Lauren‹, sagte sie immer. ›Wir wollen uns doch nicht verspäten.‹ Wenn ich aufwachte, mußte ich immer weinen.«

»Und warum?«

»Weil sie die Mutter war, die ich offenbar nicht haben konnte.«

Angie holte tief Luft und ließ den Atem seufzend wieder entweichen. Irgend etwas in ihr gab nach. Sie hatte gar nicht gewußt, wie verspannt sie gewesen war. Das erkannte sie erst jetzt, wo der Druck nachließ. Dafür, für diesen wundervollen Moment, waren Lauren und sie einander begegnet. Sie faßte nach der Hand des Mädchens. »Du hast mich, Lauren.«

Dicke Tränen kullerten über das Gesicht des Mädchens. »O Angie. Es tut mir so schrecklich leid.«

Angie zog sie an sich. »Es gibt nichts, was dir leid tun müßte.«

»Danke«, sagte sie leise.

Angie lächelte. »Nein. Ich danke *dir*.«

»Obwohl ich mein Versprechen gebrochen habe und dir nichts als Probleme mache?«

»Du hast mir gezeigt, was man als Mutter empfindet. Und jetzt als Großmutter. All die Jahre über habe ich mir mein kleines Mädchen auf einem Karussell vorgestellt. Ich wußte nicht ...«

»Was?«

»Daß meine Tochter bereits zu groß für den Spielplatz ist.«

Lauren dachte an ihre Kindheit, an die Jahre, in denen sie sich verzweifelt eine Mutter gewünscht hatte, die sie liebte, die ihr abends eine Geschichte erzählte und einen Gutenachtkuß gab. »Ich habe immer von einer Mutter wie dir geträumt. Und jetzt habe ich dich gefunden.«

Angie spürte, wie ihr Lächeln ins Schwanken geriet. Entschlossen wischte sie sich über die Augen. »Und wer ist diese kleine Klette an deiner Brust?«

»John Henry.« Lauren hob das Kind aus dem Tragegurt und streckte es Angie entgegen. Sie nahm es, bettete sein Köpfchen in ihre Armbeuge.

»Er ist ein kleines Wunder«, hauchte Angie und verspürte eine Mischung aus Zärtlichkeit und Erstaunen. Sie küßte Johnny auf die Stirn, atmete seinen Babyduft tief ein.

»Und wie geht es jetzt weiter?« fragte Lauren leise.

»Das mußt du wissen. Was willst du tun?«

»Ich möchte unbedingt studieren. Ich schätze, es wird wohl nur für ein ganz gewöhnliches College reichen. Wenn ich ein paar Monate arbeite und ein bißchen Geld zurücklege, könnte ich im Frühjahr mit dem Studium beginnen. Es ist zwar nicht ganz das, was ich mir erträumt habe, aber ... die Situation hat sich nun mal geändert.«

»Selbst das wird nicht leicht werden«, gab Angie zu bedenken. Und noch schlimmer würde es werden, wenn Laurens Freunde – und David – im Herbst West End verließen, um aufs College zu gehen. Einer nach dem anderen würde verschwinden, um sein eigenes Leben zu beginnen. Es verband sie nichts mit einem Mädchen, das vorzeitig Mutter geworden war.

»Das macht nichts. Daran bin ich gewöhnt. Aber wenn ich wieder im Restaurant arbeiten könnte …«

»Und wenn du wieder hier einziehst?«

Lauren rang nach Luft. Es hörte sich an, als wäre sie gerade ans rettende Ufer gespült worden. »Ist das dein Ernst?«

»Selbstverständlich.«

»Ich … *wir* würden nicht lange bleiben. Nur bis ich genügend Geld für eine kleine Wohnung und eine Tagespflegestelle zusammenhabe.«

»Begreifst du denn immer noch nicht, Lauren? Du brauchst keinen Pflegeplatz. Du gehörst jetzt zu einer großen lärmenden Familie. Johnny ist nicht das erste Kind, das im Restaurant aufwächst, und er wird nicht das letzte sein.« Sie lächelte breit. »Und wie du dir vielleicht vorstellen kannst, spiele ich gern die Babysitterin. Natürlich nicht jeden Tag. Er ist dein Sohn, aber ich könnte hin und wieder einspringen.«

»Das würdest du tun?«

»Sicher.« Wie jung und verletzlich das Mädchen in diesem Moment aussah, doch in ihrem Blick schimmerte so etwas wie neue Hoffnung. Angie zog Lauren ganz fest an sich und wollte sie gar nicht mehr loslassen. »Du kommst gerade rechtzeitig. Tante Giulia hat heute Geburtstag. Ich habe drei Blaubeerpasteten gebacken, die außer dir und Conlan bestimmt keiner essen will.« Sie griff nach Laurens Hand. »Komm, Lauren. Wir wollen uns doch nicht verspäten.«

Lauren mußte schlucken. Ihr Mund zitterte, und sie begann wieder zu weinen. »Ich hab dich lieb, Angie.«

»Ich weiß, mein Schatz. Manchmal tut es verdammt weh, stimmt's?«

Hand in Hand schlenderten sie über das feuchte Gras und gingen ins Haus.

Schnurstracks lief Lauren zur Stereoanlage und schaltete das Radio ein. Ein alter Aerosmith-Titel ließ das Cottage erbeben. Hastig stellte sie leiser, aber nicht schnell genug.

Conlan kam die Treppe heruntergepoltert. »Was zum Teufel soll dieses Getöse?«

Lauren erstarrte. Ihr Lächeln erstarb. »Hey, Conlan. Ich ...«

Er rannte quer durch das Zimmer, schloß sie in seine Arme und wirbelte sie übermütig herum, bis beide lachen mußten. »Das wurde aber auch Zeit«, knurrte er.

»Sie ist wieder da.« Lächelnd betrachtete Angie den trotz des Lärms schlafenden Johnny. Durch die offenstehenden Türen konnte sie die Winnie-Puuh-Lampe auf dem Küchentisch sehen. Endlich würde sie neben einem Babybett leuchten. »Unser Mädchen ist nach Hause gekommen.«